Le Rocher de Montmartre

Classe à part
Éditions Flammarion, 2006 ; Points, 2008

L'Été des saltimbanques
Quai Voltaire, 2004 ; J'ai lu, 2006

Voleurs de plage
Quai Voltaire, 2003 ; Folio, 2005

Les Cinq Quartiers de l'orange
Quai Voltaire, 2002 ; Folio, 2004

Vin de bohème
Quai Voltaire, 2001 ; Folio, 2002

Chocolat
Quai Voltaire, 2000 ; J'ai lu, 2001

Dors, petite sœur
Éditions Flammarion, 1999 ; J'ai lu, 2002

Joanne Harris

Le Rocher de Montmartre

Traduit de l'anglais par Jeannette Short-Payen

Éditions Baker Street

Ouvrage publié sous la direction de Cynthia Liebow

Les Éditions Baker Street remercient Marie-Paule Rochelois
pour sa contribution à l'édition française de ce livre.

Titre original :
The Lollipop Shoes

Éditeur original :
Doubleday, Transworld Publishers, Londres

© Frogspawn Ltd, 2007

ISBN original : 978-0-385609-48-7

Pour la traduction française :
© Éditions Baker Street, 2008

ISBN 978-2-917559-02-4

À A. F. H.

PREMIÈRE PARTIE

LA MORT

I

Le Jaguar

Mercredi 31 octobre
Día de los Muertos

Peu de gens le savent, mais chaque année vingt millions de lettres environ sont envoyées à des gens déjà morts. La famille – veuves éplorées, éventuels héritiers – a tout simplement oublié de signaler leur décès. Les abonnements ne sont pas annulés. Les amis lointains ne sont pas prévenus. Les amendes pour livres non rendus à la bibliothèque ne sont pas payées. Et voilà! Vingt millions de circulaires, de relevés de comptes, de cartes de crédit, de lettres d'amour, d'annonces publicitaires, de cartes de vœux, de bavardages divers et de factures s'empilent tous les jours sur un paillasson ou sur un parquet, sont poussés négligemment à travers les barreaux d'une grille ou enfoncés dans des boîtes à lettres déjà trop pleines, encombrant des cages d'escalier, s'entassant sous des porches d'entrée ou sur des perrons: ils n'atteignent, bien sûr, jamais leur destinataire. Mais les morts, eux, s'en fichent complètement. Plus important encore, les vivants aussi s'en fichent. Bien trop occupés par les détails minables de leur petite vie, ils restent totalement aveugles devant le miracle qui s'accomplit tous les jours sous leur nez: la réincarnation des morts.

Il ne faut pas grand-chose pour l'accomplir, ce miracle: une facture ou deux, un nom, un code postal, rien que l'on ne puisse trouver dans un sac-poubelle éventré, par un renard peut-être, et déposé comme un cadeau devant la porte. Oui, dans une pile de courrier amoncelé, on ramasse un tas de renseignements : noms, coordonnées bancaires, mots de passe, adresses électroniques, codes de sécurité.

Une fois suffisamment de détails personnels réunis, il est possible d'ouvrir un compte bancaire, de louer une voiture et de faire une demande pour un renouvellement de passeport. Ces papiers-là, les morts n'en ont plus aucun besoin. Un petit cadeau, comme je l'ai dit, et qui n'attend plus que vous pour en profiter.

Quelquefois, la chance se présente sur un plateau. Vous avez intérêt alors à bien ouvrir les yeux. *Carpe diem !* C'est chacun pour soi. Voilà pourquoi je m'applique toujours à lire avec beaucoup d'attention les annonces de décès et pourquoi je réussis parfois à voler l'identité de la morte avant même que l'enterrement n'ait eu lieu. Voilà encore pourquoi, après avoir remarqué la pancarte et, au-dessous, la boîte à lettres pleine de courrier, j'ai accepté *mon* cadeau avec un sourire de gratitude.

Il ne s'agissait pas de *ma* boîte à lettres, bien entendu. Les services postaux sont plus efficaces ici qu'ailleurs et les erreurs de livraison rares. Raison de plus, à mon avis, pour préférer Paris – ça, avec le vin, la nourriture, les théâtres, les magasins et le potentiel, pratiquement sans limites, d'occasions qui se présentent à vous. Hélas, à Paris, la vie est chère et les frais généraux y sont faramineux. D'ailleurs, depuis quelque temps déjà, j'avais une envie folle de me réinventer. Cela faisait presque deux mois que je n'avais pris aucun risque. J'enseignais dans un lycée du onzième arrondissement. Pourtant, à la suite de quelques ennuis, j'avais finalement résolu de disparaître – en n'oubliant pas d'emporter 25 000 euros, délicatement prélevés dans la caisse, et déposés à la banque sur un compte ouvert au nom d'une ancienne collègue pour les retirer discrètement au cours des semaines suivantes. J'avais aussi fait des recherches pour trouver un appartement à louer.

J'avais d'abord essayé la Rive gauche. Les locations y étaient, bien entendu, au-dessus de mes moyens, mais l'employée de l'agence n'aurait en aucune façon été capable de le deviner. Sous le nom d'Emma Windsor et affectant un accent anglais, un sac Mulberry négligemment serré sous mon bras et un délicieux soupçon de Prada flottant autour de mes mollets gainés de soie, j'avais passé une matinée agréable à visiter des appartements.

J'avais clairement exprimé le vœu de ne voir que des appartements déjà vides. Elle en avait plusieurs à me proposer : de vastes pièces donnant sur la Seine, des studios de luxe avec jardin sur le toit, des duplex au parquet verni. À regret j'avais dû les rejeter tous les uns après les autres sans pour cela résister à la tentation de ramasser ici et là, en passant, quelques petites choses utiles : un magazine toujours sous enveloppe, plusieurs circulaires et même – je ne sais plus où – une carte bancaire au nom d'Amélie Deauxville, un trésor qui n'avait besoin que d'un coup de téléphone pour être activé.

J'avais donné à l'employée qui m'accompagnait le numéro de mon portable, au compte d'une certaine Noëlle Marcelin dont j'avais adopté l'identité quelques mois auparavant. Aucun retard dans les paiements – la pauvre femme est morte l'année dernière à l'âge de quatre-vingt-quatorze ans : celui qui essaierait de retrouver l'origine des appels téléphoniques aurait donc bien du mal à remonter la filière jusqu'à moi. Mon compte Internet est à son nom aussi – là non plus, pas d'arriérés ! Noëlle m'est trop précieuse pour que je la perde, mais pas question de me servir exclusivement d'elle. D'abord, je ne veux pas être une dame de quatre-vingt-quatorze ans, ensuite, j'en ai vraiment ras le bol de toutes les offres d'ascenseur pour vieilles personnes qui trouvent difficile de monter un escalier !

La dernière vie que j'ai faite mienne est celle de Françoise Lavery, professeur d'anglais au lycée J.-J. Rousseau, dans le onzième arrondissement. Trente-deux ans, née à Nantes, mariée à Raoul Lavery et devenue veuve – la pauvre, la même année, à la suite d'un accident de voiture, la veille de *notre* premier anniversaire de mariage – cette petite touche romantique, charmante, à mon avis, explique l'expression un peu mélancolique qu'elle a. Elle est strictement végétarienne, plutôt timide, très travailleuse, mais pas assez douée pour représenter un danger bien sérieux. En un mot, Françoise est une femme bien gentille ce qui prouve, une fois pour toutes, que les apparences peuvent être bien trompeuses !

Aujourd'hui pourtant, je suis une autre encore. Vingt-cinq mille euros ! Ce n'est pas une somme négligeable. Et on risque toujours d'éveiller les soupçons. Bien sûr, la plupart des gens ne sont pas vraiment méfiants. Ils ne reconnaîtraient pas un acte criminel s'il était commis juste sous leur nez. Cela dit, je n'en suis pas arrivée où je suis en multipliant les risques, bien entendu. J'ai rapidement découvert qu'il était prudent de ne m'éterniser nulle part.

J'ai donc peu de bagages – une vieille valise de cuir et un ordinateur portable contenant assez d'éléments pour me fabriquer une centaine d'identités. Il ne me faut pas même un après-midi pour faire mes bagages et effacer toute trace de ma présence.

C'est comme ça que Françoise a disparu. J'ai brûlé ses papiers, son courrier, ses relevés bancaires et les notes que j'avais prises à son propos. J'ai fermé tous ses comptes. J'ai généreusement fait don à la

Croix-Rouge de ses livres, de ses vêtements et de ses meubles, etc. Il faut éviter à tout prix de s'encombrer. Pierre qui roule ne doit pas amasser mousse, n'est-ce pas?

J'avais besoin après tout de me redécouvrir! J'ai donc pris dans un petit hôtel une chambre bon marché, que j'ai payée avec la carte de crédit d'Amélie. J'ai abandonné les vêtements d'Emma et je suis sortie faire des achats.

Françoise n'avait aucune imagination pour s'habiller, chignon sévère et chaussures confortables. La nouvelle moi est une créature très différente. Son nom? Zozie de l'Alba. D'origine vaguement exotique – bien qu'il vous serait pratiquement impossible de l'affirmer précisément –, elle est aussi spectaculaire que Françoise était terne. Elle porte des bijoux de pacotille dans les cheveux, adore les couleurs vives et les frivolités, préfère faire ses emplettes dans les bazars et les boutiques rétro et n'accepterait jamais de porter des chaussures simplement parce qu'elles sont confortables.

La métamorphose s'est opérée sans bavure. Je suis entrée dans un magasin portant le twin-set et le collier de fausses perles de Françoise Lavery: quand j'en suis sortie, dix minutes plus tard, j'étais une autre.

Pourtant, il me reste encore un petit problème à résoudre. Où aller? Aussi attirante que soit la Rive gauche, je dois l'oublier, alors qu'il me serait pourtant possible de soutirer encore quelques milliers d'euros à Amélie Deauxville avant de l'enterrer une fois pour toutes. Bien sûr, j'ai plusieurs cordes à mon arc – et cela sans compter Mme Beauchamp, secrétaire de gestion responsable des finances de mon ancien employeur!

Obtenir un crédit revolving est vraiment l'enfance de l'art. Il suffit de quelques factures – acquittées – de gaz, d'eau ou d'électricité ou même d'un vieux permis de conduire. Avec cette montée en flèche des achats par Internet, les occasions se multiplient chaque jour.

Mes besoins à moi vont pourtant au-delà, bien au-delà, d'une simple source de revenus. L'ennui est une chose que je ne peux pas supporter. J'ai aussi besoin d'une situation qui me permette d'utiliser mes talents naturels. J'ai besoin d'aventure, de challenge, de changement.

J'ai besoin d'*une vie nouvelle*, quoi.

C'est justement ce qui m'est tombé du ciel, tout cuit dans le bec, par une belle matinée d'octobre à Montmartre. J'étais en train de jeter un coup d'œil distrait à une devanture quand j'ai soudain remarqué une petite pancarte, écrite à la main, collée sur la porte avec du scotch:

Fermé pour cause de décès.

Cela faisait bien longtemps que je n'étais venue à Montmartre. J'avais oublié à quel point j'aimais ce quartier-là. Montmartre, dit-on, est le dernier village de Paris.

Cette partie de la Butte est en effet une sorte de pastiche de la province française avec ses cafés, ses petites crêperies, ses maisons peintes en rose ou en vert pistache, avec leurs volets – purement décoratifs – aux fenêtres et leurs géraniums à chaque balcon. Tout y est délibérément pittoresque. Un plateau pour le tournage d'un film qui aurait bien du mal à en cacher le cœur de pierre.

C'est peut-être la raison pour laquelle, moi, je l'aime tant. C'est le cadre parfait pour les activités de Zozie de l'Alba. Et, justement, je me trouvais là, un peu par hasard. Je m'étais arrêtée dans un square derrière le Sacré-Cœur. Au bar du P'tit Pinson, je m'étais assise à une table, à la terrasse, et j'avais commandé un café et un croissant.

Au coin, une plaque de métal bleu indiquait : « Place des Faux-Monnayeurs ». En réalité, il s'agit d'un petit square, net et bien délimité, comme un lit bien fait, entouré d'un café, d'une crêperie et de quelques magasins. Rien de plus. Pas un seul arbre pour en adoucir les contours. Pourtant, je ne sais pas pourquoi, une boutique a accroché mon regard – une sorte de confiserie toute banale, ai-je pensé, bien que l'enseigne au-dessus de l'entrée n'indiquât rien du tout. Le store était à moitié descendu, mais, de ma place, j'apercevais l'étalage et la porte peinte en bleu vif comme un carré de ciel radieux. Un carillon mélodieux et doux me parvenait, inlassable, à travers le petit rectangle de gazon vert. Une rangée de clochettes pendues au-dessus de l'entrée égrenaient au hasard du vent leur message musical.

Pourquoi cela m'a-t-il attirée ? Je ne saurais le dire. Il y en a tant, tout le long du dédale de passages qui mènent à la Butte Montmartre, de ces petits magasins appuyés au coin des rues pavées comme autant de pèlerins épuisés. Malgré leur façade étroite, leur dos bossu, leur rez-de-chaussée souvent humide, on les loue à un prix exorbitant et ils ne survivent que grâce à la stupidité des touristes.

Les appartements du dessus valent rarement mieux. Peu nombreux, petits et peu pratiques, ils sont souvent bruyants la nuit lorsque la cité qui s'étend à leur pied se réveille. Glacés l'hiver, ils sont sans doute insupportables l'été quand un soleil sans merci écrase leurs lourdes ardoises et que leur unique fenêtre – une lucarne carrée d'à peine quarante centimètres de côté – ne laisse pénétrer que la chaleur infernale venue de l'extérieur.

Pourtant, *quelque chose*, là, avait attiré mon attention. Les enveloppes, peut-être, qui sortaient des mâchoires de métal de la boîte aux lettres comme des langues hypocrites ? Peut-être le parfum de vanille et de muscade – ou était-ce une odeur d'humidité ? – qui s'échappait sous la porte bleu ciel ? Peut-être le vent fripon flirtant avec l'ourlet de mon jupon et taquinant les clochettes de l'entrée ? À moins que ce ne fût cette pancarte soigneusement écrite à la main qui me faisait silencieusement, irrésistiblement signe.

Fermé pour cause de décès.

J'avais déjà terminé mon café et mon croissant. J'ai donc réglé la note et me suis dirigée vers la confiserie – une chocolaterie – dont le minuscule étalage était encombré de boîtes de carton et de métal. Derrière, dans la demi-obscurité, je distinguais des plateaux chargés de pyramides de chocolats, protégés par de grosses cloches de verre comme les bouquets de mariée d'autrefois.

Au bar du P'tit Pinson, derrière moi, deux vieux messieurs grignotaient un casse-croûte – œufs durs et demi-baguette beurrée – pendant qu'en tablier le patron, d'une voix forte, maugréait à propos d'un certain Paupaul qui lui devait de l'argent.

Le square, en face, était pratiquement désert. Une femme balayait le trottoir et deux artistes peintres, chevalet sous le bras, s'acheminaient vers la place du Tertre.

L'un, un jeune homme, a attiré mon regard. « Ah ! C'est vous ! Vous êtes exactement celle que je cherchais. »

La chasse au client à portraiturer. Je connais bien ce baratin. Je l'ai utilisé moi-même. Oui, je connais cette expression de joie indicible de l'artiste qui prétend avoir enfin trouvé sa muse ; celle qu'il cherchait depuis des années ; et dont le chef-d'œuvre, quelle que soit la somme exorbitante qu'il pourra exiger pour s'en séparer, ne sera jamais payé à son juste prix.

« Non, ce n'est pas moi ! ai-je répliqué d'un ton sec pour lui clore le bec une fois pour toutes. Trouve-toi une autre poire à immortaliser ! »

Il a fait une grimace, haussé les épaules et, le dos courbé, a rejoint son copain. La chocolaterie allait être à moi.

J'ai regardé le courrier qui, avec impertinence, ressortait de la boîte. Je n'avais aucune raison de prendre un risque, pourtant la boutique m'attirait comme une petite chose que l'on voit briller entre les pavés et qui pourrait être une pièce de monnaie, une bague ou un simple morceau de papier d'aluminium reflétant le soleil. Il y avait dans l'air comme une vague promesse. D'ailleurs, c'était le 31 octobre, *Halloween*, le *Día de los Muertos*. D'habitude, pour moi, un jour de chance, un jour de fins et de recommencements, de vents néfastes et d'approbations hypocrites, de feux de joie qui brûlent très tard dans la nuit. Un moment de secrets et d'émerveillements. De mort aussi, bien sûr.

J'ai jeté un bref coup d'œil autour de moi. Personne ne m'observait. J'étais bien certaine que le geste rapide qui avait fait passer le courrier dans ma poche n'avait pas eu de témoin.

Sous les rafales du vent d'automne, la poussière dansait la sarabande autour du square. Dans l'air flottait une odeur de fumée – pas celle d'une grande cité mais la fumée de mon enfance dont je n'ai que de rares souvenirs – une odeur d'encens, un parfum de frangipane et de feuilles mortes. Sur la Butte, il n'y a pas d'arbres, il n'y a rien qu'un rocher et le glaçage de sucre du gros gâteau de mariage qui la couronne est impuissant lui-même à en déguiser la fadeur. Le ciel, en revanche, avait pris cette nuance délicate de certains œufs d'oiseaux. Des traînées de vapeur y dessinaient un réseau compliqué de symboles mystiques finement ciselés dans l'azur.

J'ai reconnu l'Épi de Maïs, le Flagellé – oui, un cadeau, une offrande.

J'ai souri – coïncidence peut-être ?

Une mort et une offrande. Le tout dans la même journée.

J'étais encore très petite lorsque ma mère, un jour, m'avait emmenée à Mexico pour me montrer les ruines aztèques et la Fête des Morts. J'avais adoré le spectacle, son drame, les fleurs, le *pan de muerto,* les hymnes et les crânes en sucre. Mais, de toute la fête, c'était la *piñata* que j'avais préférée, cet animal de papier mâché peint et décoré de pétards, au ventre rempli de sucreries, de pièces de monnaie et de petits cadeaux surprises.

On le suspend à la voûte d'une arcade et on le bombarde de pierres et de bâtons jusqu'à ce qu'il éclate et déverse ses trésors.

Oui, une mort et une offrande à la fois.

Non, ce ne pouvait pas être une simple coïncidence. Ce jour précis, cette boutique-là, ce signe dans le ciel. C'était comme si Mictecacihuatl elle-même avait ordonné tout cela. Ma *piñata* à moi.

Je me suis retournée le sourire aux lèvres. J'ai remarqué alors quelqu'un qui m'observait. À quelques mètres de moi et parfaitement immobile, une gamine de onze ou douze ans peut-être, vêtue d'un manteau rouge et chaussée de souliers bruns au cuir un peu éraflé. Avec ses cheveux sombres et fins comme de la soie, on l'aurait prise pour une icône byzantine. La tête légèrement inclinée sur le côté, elle me considérait, sans aucune expression. Un instant, je me suis demandé si elle avait surpris mon geste lorsque j'avais subtilisé le courrier. Impossible pour moi de deviner depuis combien de temps elle était là. Avec un sourire des plus charmeurs, j'ai enfoncé les lettres au plus profond de la grande poche de mon manteau.

« Bonjour ! Comment t'appelles-tu ?

– Annie », a-t-elle dit sans répondre à mon sourire. Ses yeux étaient d'une étrange nuance de bleu-gris pailleté de vert et ses lèvres si rouges qu'on les aurait dites peintes. Dans la froide lumière du matin, elle était d'une beauté frappante. Sous mon regard, ses yeux se sont éclairés davantage encore en prenant les tons chauds d'un ciel d'automne.

« Tu n'es pas d'ici, n'est-ce pas, Annie ? »

Elle a cligné les paupières, intriguée peut-être de ce qui me faisait dire ça. À Paris, les enfants ne se laissent jamais aller à une conversation avec un passant. Très jeunes, on leur a inculqué la méfiance. Mais cette gamine-là était différente – sur ses gardes, peut-être, mais sûrement pas récalcitrante et loin d'être insensible à mes approches.

« Comment le savez-vous ? » a-t-elle demandé.

Touché ! J'ai souri. « C'est ton accent. Du Midi, peut-être ?

– Pas tout à fait », a-t-elle répondu, cette fois avec un sourire.

Les enfants en bavardant peuvent vous révéler des tas de choses utiles : noms, professions, tous ces petits détails qui scellent d'un cachet d'authenticité votre nouvelle identité. La plupart des mots de passe sur Internet sont des prénoms d'enfants, de partenaire, ou encore d'animal domestique.

« Annie, tu ne devrais pas être à l'école ?

– Non, pas aujourd'hui. C'est les vacances. Et puis… »

Elle a tourné la tête pour indiquer la pancarte sur la porte.

J'ai dit : « Fermé pour cause de décès. »

Elle a fait oui d'un signe de tête.

« Et qui est mort ? »

Il n'y avait certainement rien de funèbre dans le rouge lumineux de son manteau et rien dans son expression ne suggérait la tristesse.

Pendant un instant elle est restée silencieuse. J'ai pourtant remarqué l'éclair des yeux gris-bleu dont l'expression s'est faite légèrement hautaine. Elle se demandait sûrement si elle devait juger ma question indiscrète ou si c'était un signe sincère de compassion.

Je lui ai permis de me dévisager. J'ai l'habitude. Cela m'arrive quelquefois, même à Paris où, pourtant, la beauté des femmes est loin d'être une rareté. J'ai dit beauté – c'est une illusion, bien sûr. Il s'agit plutôt de séduction, l'enfance de l'art, un certain port de tête, une certaine façon de se tenir et de se déplacer, un flair naturel pour choisir ce qu'il faut mettre en toute occasion. C'est à la portée de toutes les femmes.

Enfin, *presque.*

J'ai décoché à la gamine mon sourire le plus lumineux, à la fois chaleureux et effronté, coloré d'un soupçon de tristesse, devenant ainsi, en un instant, la grande sœur échevelée qu'elle n'avait pas eue, la rebelle ensorcelante qu'elle rêvait en secret de devenir et qui, Gauloise à la main, moulée dans une jupe aux couleurs agressives, pouvait porter ces extraordinaires, ces incroyables et merveilleuses chaussures.

« Tu ne veux pas me le dire ? »

Un instant encore, elle a continué à me dévisager. J'aurais pu parier que cette gamine-là était l'aînée, la grande sœur fatiguée de devoir être sage, fatiguée à n'en pouvoir plus, qu'elle était au bord de la révolte. C'était évident. Je lisais en elle comme dans un livre. Je voyais là de l'entêtement, du chagrin, un soupçon de colère et quelque chose d'autre, quelque chose de brillant, de lumineux comme un fil que je ne savais tout à fait reconnaître.

« Tu peux bien me le dire, Annie ! Qui est mort ? »

Elle a répondu : « Ma mère, Vianne Rocher. »

2

Le Soleil noir

Mercredi 31 octobre

Vianne Rocher. Voilà bien longtemps que je ne porte plus ce nom-là. Comme un manteau que l'on a aimé mais que l'on a laissé pendant des années au fond de l'armoire, j'avais presque oublié à quel point je l'aimais, à quel point il était chaud et douillet. J'ai changé – *nous* avons changé – de nom tant de fois, dans chacun des villages où nous a poussées le vent, que je devrais ne plus jamais vouloir recommencer. Vianne Rocher est bien morte maintenant et cependant…

J'aimais être Vianne Rocher. J'aimais le mouvement de leurs lèvres quand les gens prononçaient mon nom : *Vianne*. C'était comme un sourire, un murmure de bienvenue.

Je porte un nom nouveau maintenant, bien sûr, pas très différent de l'autre. Je mène une nouvelle vie – certains diraient une merveilleuse vie – mais ce n'est plus la même chose à cause de Rosette, à cause d'Anouk, à cause de tout ce que nous avons dû abandonner derrière nous à Lansquenet-sous-Tannes, cette année-là, à Pâques, quand le vent a changé de direction.

Je l'entends encore souffler aujourd'hui, ce vent-là. Mystérieux, tyrannique, c'est lui qui a précipité chacun de nos départs. Ma mère l'a bien senti comme je le sens moi-même, même ici, dans ce petit coin pauvre de la ville où il mène la danse et où nous tournoyons comme des feuilles mortes déchiquetées par la pierre.

V'là l'bon vent, v'là l'joli vent

Je pensais pourtant l'avoir réduit une fois pour toutes au silence, ce vent-là, mais il en faut si peu, si peu pour le réveiller : un mot, un signe, même un deuil. Rien pour lui n'est une peccadille. Chaque petite chose grossit l'addition et le total s'accumule jusqu'au moment où l'équilibre est détruit. Alors, nous reprenons la route et nous repartons en essayant de nous accrocher à l'espoir que *la prochaine fois peut-être...*

Eh bien, cette fois, il n'y aura pas de prochaine fois. Cette fois, il n'y aura pas de suite. Je ne veux plus avoir à tout recommencer comme nous avons dû le faire si souvent avant et depuis Lansquenet. Cette fois-ci, nous ne bougerons pas. Quel que soit l'effort, quel que soit le sacrifice, nous resterons.

Nous nous étions arrêtées dans le premier village sans église. C'est là que nous sommes restées six semaines, puis nous sommes reparties. Trois mois ici, une semaine là, une semaine encore ailleurs. Toujours en changeant de nom jusqu'à ce que mon ventre s'arrondisse.

Anouk allait bientôt avoir sept ans. Elle était tout excitée à l'idée de l'arrivée de la petite sœur. Moi, par contre, j'étais lasse, si lasse de ces innombrables villages au bord de leur rivière avec leurs petites maisons et leurs géraniums aux fenêtres, lasse de ces gens qui nous dévisageaient – elle, surtout –, de leurs questions, toujours les mêmes.

Vous venez de loin ? Vous avez de la famille par ici ? M. Rocher va vous rejoindre bientôt sans doute ?

Et lorsque nous y répondions, il fallait subir leur regard qui, d'un coup d'œil, embrassait nos vieux vêtements usés, mon unique valise et notre air de fugitives qui trahissait le nombre infini de gares, de gîtes d'étape, de chambres d'hôtel quittées sans laisser de traces, ce coup d'œil de juge inquisiteur.

Oh ! J'aurais tant voulu être libre enfin. Libre comme nous ne l'avions jamais été, libre d'établir des racines, libre de sentir le vent se lever sans craindre d'avoir à répondre à son appel.

Malgré tous nos efforts, pourtant, les ennuis de notre passé nous poursuivaient. Le bruit courait d'un scandale. Une mauvaise langue avait entendu dire qu'il s'agissait d'un prêtre. Et la femme ? Une gitane, complice des nomades de la rivière, qui connaissait les vertus des plantes et passait pour guérisseuse. Quelqu'un était mort pourtant. Un empoisonnement peut-être, colportaient les mauvaises langues.

Ou la malchance, tout simplement.

D'ailleurs, la vérité n'avait aucune importance. Les rumeurs se propageaient comme le séneçon dans les champs en été, nous bousculaient, nous harcelaient en aboyant furieusement à nos talons. Et lentement, lentement, j'ai commencé à y voir clair.

Quelque chose nous était arrivé en route, quelque chose nous avait transformées. Peut-être étions-nous restées un jour, une semaine de trop dans l'un de ces villages où nous étions passées. Quelque chose était différent. Pour nous, les ombres s'étaient allongées. Nous étions en fuite.

Mais en fuite devant qui exactement? À cette époque-là, je n'aurais pu le dire. J'en étais pourtant consciente. Je le voyais à mon reflet dans les miroirs des hôtels et les devantures toutes propres des magasins. De tout temps, j'avais porté des chaussures rouges, des jupes d'indienne multicolores aux ourlets décorés de clochettes, des manteaux d'occasion avec des pâquerettes sur les poches, des jeans brodés de fleurs et de feuilles. Maintenant, je faisais un effort pour me perdre dans la foule. Manteau et chaussures noirs, béret sombre sur mes cheveux noirs.

Anouk ne comprend pas : « Pourquoi ne pouvions-nous pas rester cette fois ? »

Refrain perpétuel de nos premiers jours de fuite. J'appréhendais jusqu'au nom même de ce village et tous ces souvenirs qui s'accrochaient comme des teignes de bardane à nos vêtements de voyageuses. Et jour après jour, au gré du vent, nous fuyions, couchant le soir, l'une à côté de l'autre, dans une pièce quelconque au-dessus d'un café, préparant du chocolat chaud sur un petit réchaud de camping ou projetant sur les murs des ombres de lapin en racontant des histoires de magie, de sorcières, de maisons de pain d'épices ou d'hommes noirs qui se métamorphosaient en loups et étaient condamnés parfois à ne jamais pouvoir redevenir des hommes.

À cette époque-là pourtant, les histoires n'étaient déjà plus que de simples histoires. La *vraie* magie, celle que nous avions vécue toute notre vie, celle des sortilèges et des porte-bonheur de ma mère, du sel purificateur laissé au seuil des portes et des petits sachets de soie rouge que l'on accrochait pour s'attirer les bonnes grâces des petits dieux domestiques, cette magie-là, je ne sais comment, s'était retournée contre nous cet été-là, comme l'araignée qui, au dernier coup de minuit, devient celle dont on craint que, dans sa toile maléfique, au lieu de notre espoir, elle tisse notre chagrin. Et pour chacun de ces petits sortilèges ou de ces porte-bonheur, pour chaque carte distribuée, chaque rune jetée, chaque signe tracé sur une porte pour en détourner la malchance, le vent redoublait, nous tirait par la manche, comme un chien affamé flairant les proies faciles que nous étions et qu'il faisait courir devant lui impitoyablement.

Nous réussissions pourtant à ne pas lui permettre de nous rattraper, cueillant des cerises à la saison des cerises, des pommes à la saison des pommes, travaillant le reste du temps dans des cafés et des restaurants, comptant sou par sou, changeant de nom dans chaque ville. Nous avions appris la prudence. Il le fallait bien. Nous apprenions à nous dissimuler dans la bruyère comme la grouse, sans un cri, sans un frémissement d'aile.

Alors, petit à petit, nous avons ramassé nos cartes de tarot, remis nos herbes dans leur boîte et cessé de célébrer nos fêtes païennes. La lune a pu croître et décroître sans que nous y attachions d'importance et les signes de chance, dessinés à l'encre au creux de votre main, se sont peu à peu effacés.

Nous avons alors connu une paix relative pendant un certain temps. Nous sommes restées dans cette ville où j'avais trouvé pour nous un gîte. Je me suis renseignée à propos des écoles et des hôpitaux. Au Marché aux Puces, j'ai trouvé une alliance de pacotille et je suis devenue *Mme* Rocher.

C'est en décembre qu'est née Rosette, dans un hôpital des environs d'Angers. Ensuite, nous avons trouvé quelque part où loger pendant un certain temps, dans un village des bords de la Loire, Les Laveuses. Nous y avons loué un appartement au-dessus d'une crêperie. Nous étions heureuses, là. Nous aurions pu y rester. Mais le vent de décembre avait autre chose en tête.

> *V'là l'bon vent, v'là l'joli vent*
> *V'là l'bon vent, ma mie m'appelle*

C'est une chanson que ma mère m'avait apprise. Une vieille chanson française, chant d'amour mais sortilège aussi. Et je l'ai chantée, cette chanson, pour apaiser le vent et faire en sorte qu'il nous oublie, qu'il berce le petit être vagissant que j'avais ramené de l'hôpital, cette chose minuscule qui ne voulait ni téter ni dormir, qui miaulait tout au long de la nuit comme un petit chat malade alors qu'autour de nous le vent secouait les arbres et hurlait comme une mégère en colère. Et chaque soir, je chantais, pour apaiser ce vent : *le bon vent, le joli vent*, comme autrefois, il y a bien longtemps, les gens simples parlaient des Furies comme de «Bonnes Dames charitables» pour ne pas prononcer leur nom et échapper ainsi à leur vengeance.

Les *Bonnes Dames charitables* pourchassent-elles les morts ?

C'est au bord de la Loire qu'elles nous ont rattrapées et, de nouveau, nous avons dû prendre la fuite. Nous sommes arrivées à Paris, cette fois. Paris, la ville de prédilection de ma mère, la ville où je suis née, le seul endroit où je m'étais bien juré de ne jamais remettre les pieds. Pourtant une grande agglomération est le lieu parfait où trouver l'anonymat. Pour demeurer invisibles parmi les moineaux de Paris, nous avons cessé de revêtir les plumes multicolores d'oiseaux frivoles ; nous avons adopté leur couleur trop grise et trop terne pour qu'on leur accorde un second coup d'œil – ou même que l'on soit du tout conscient de leur présence. Ma mère s'était enfuie à New York pour y mourir. Moi, je me suis enfuie à Paris pour y renaître. Que vous soyez mourante ou en pleine santé, heureuse ou triste, la grande ville, elle, ne s'en soucie guère. Elle a bien d'autres chats à fouetter. Elle vous dépasse et poursuit son chemin sans poser de questions, sans même un haussement d'épaules.

Cette année-là, quand même, avait été dure pour nous. Il faisait froid. Le bébé pleurait continuellement. Nous habitions une petite pièce à l'étage au coin du boulevard de la Chapelle. Les enseignes au néon rouges et vertes, tout au long de la nuit, clignotaient, à nous rendre folles. J'aurais pu les faire cesser bien sûr. Un sortilège que je connais aurait pu les arrêter aussi facilement qu'un interrupteur suffit à couper le courant, mais j'avais promis : plus de magie ! Alors notre sommeil était resté divisé en petites tranches de vert et de rouge et Rosette avait continué à pleurer jusqu'à l'Épiphanie (c'est du moins ce qu'il m'avait semblé). Pour la toute première fois, au lieu de la faire nous-mêmes, nous avions acheté notre galette des rois. D'ailleurs, nous n'avions pas grande envie de fêter quoi que ce soit.

Cette année-là, j'avais tant détesté Paris. J'y haïssais le froid, la crasse et les odeurs, l'impolitesse des gens, le bruit des trains, la violence et l'hostilité. Il ne m'avait pas fallu longtemps pour découvrir que Paris n'était pas une cité mais une profusion de quartiers emboîtés les uns dans les autres comme des poupées russes, chacun avec ses préjugés à lui, ses traditions, chacun agglutiné autour de son église, de sa mosquée ou de sa synagogue, chacun peuplé de commères et de bigots, d'espions, de vainqueurs et de vaincus, d'amoureux, de meneurs et de victimes de tout genre.

Certains pourtant se montraient gentils envers nous, comme cette famille venue des Indes qui s'occupait de Rosette pendant que nous allions au marché, Anouk et moi, ou cet épicier qui nous donnait les fruits et les légumes un peu abîmés de son étalage. Ce n'était pas le cas d'autres : ces hommes barbus qui détournaient le regard lorsque je passais avec Anouk devant la mosquée de la rue Myrha ou ces femmes qui me dévisageaient sans cacher leur mépris à la porte de l'église Saint-Bernard.

Depuis, les choses ont bien changé. Nous avons trouvé notre refuge. À moins d'une demi-heure à pied du boulevard de la Chapelle, la place des Faux-Monnayeurs est un tout autre monde.

Montmartre est un village, me disait ma mère, une île émergeant du brouillard de la grande ville. Ce n'est pas Lansquenet, bien sûr, mais nous y avons tout de même trouvé un endroit sympathique, un petit appartement au-dessus du magasin, avec une cuisine derrière, deux chambres pour Anouk et Rosette, sous les toits, parmi les nids d'oiseaux.

Notre chocolaterie était autrefois un café minuscule tenu par une dame, Marie-Louise Poussin, qui occupait le premier étage. Elle vivait là depuis vingt ans. Elle avait perdu d'abord son mari, puis son fils. Ayant maintenant dépassé la soixantaine et de santé fragile, elle persistait à refuser de prendre sa retraite mais elle avait besoin d'aide et moi, je devais à tout prix me trouver un emploi. C'est donc ainsi que j'avais accepté de gérer son commerce en échange d'un petit salaire et d'un logement au deuxième étage du bâtiment. Quand elle était devenue trop faible pour ce genre d'établissement, nous avions converti le café en chocolaterie.

C'est moi qui passe les commandes, surveille les comptes, vérifie les livraisons et assume la responsabilité des ventes. Je m'occupe aussi des réparations et je surveille le travail des ouvriers. Cet arrangement dure depuis plus de trois ans maintenant. Pour nous, c'est devenu la routine. Nous ne possédons pas de jardin et notre appartement est peut-être un peu exigu mais, de notre fenêtre, nous apercevons le Sacré-Cœur qui s'élève au-dessus des rues comme une grosse montgolfière. Anouk a fait ses débuts au collège – au lycée Jules Renard, pas loin du coin du boulevard des Batignolles. Elle se montre intelligente et appliquée, et je suis contente d'elle.

Rosette a presque quatre ans maintenant mais elle ne va pas encore à l'école, bien sûr. Elle reste avec moi au magasin. Elle joue sur le plancher avec des boutons et des bonbons qu'elle aligne suivant leur forme et leur couleur ou elle couvre ses albums de petits dessins d'animaux. Elle apprend à parler par signes et elle a acquis rapidement un certain vocabulaire : *bon, davantage, encore, singe, canard*, et très récemment, à la grande joie d'Anouk, *conneries*.

À l'heure de midi, lorsque nous fermons le magasin, nous allons au parc où Rosette donne à manger aux oiseaux, ou nous poussons un peu plus loin, jusqu'au cimetière de Montmartre dont Anouk apprécie la sombre magnificence et la population de chats. Je bavarde avec les autres commerçants du quartier, avec Laurent Pinson, le patron du petit bar crasseux de l'autre côté du square, et avec ses clients, des habitués pour la plupart qui, arrivant tôt pour le café du matin, sont toujours là lorsque midi arrive. J'échange quelques mots avec Mme Pinot qui vend des bondieuseries : cartes postales, images pieuses et bric-à-brac religieux au magasin du coin ; avec les artistes peintres aussi, qui s'installent sur la place du Tertre dans l'espoir d'attirer les touristes.

On fait une distinction très nette entre les habitants de la Butte et ceux du reste de Montmartre. Ceux de la Butte représentant la crème de la crème – du moins, c'est ce que pensent mes voisins de la place des Faux-Monnayeurs –, le dernier bastion d'authenticité parisienne dans une cité occupée maintenant par des envahisseurs venus de l'« étranger ».

Eux n'achètent jamais de chocolat – la règle, même si elle est tacite, est formelle : certains commerces sont essentiellement « pour les autres » – la boulangerie-pâtisserie de la place de la Galette, par exemple, avec ses grands miroirs Art déco, ses vitrines en verre de couleur et ses bizarres piles de macarons. Les gens du coin vont plutôt s'approvisionner à la boulangerie de la rue des Trois-Frères, moins voyante et moins chère aussi, où l'on fait du meilleur pain et où les croissants sont toujours frais du matin. De la même façon, ils prennent le plat du jour au P'tit Pinson sur des tables couvertes de toile cirée alors que « les autres », les gens d'ailleurs, comme nous, préfèrent en secret la Bohème ou, et c'est encore moins facile à avouer, la Maison rose que jamais, au grand jamais, un vrai fils ou fille de la Butte ne fréquenterait, pas plus qu'il n'accepterait de poser pour un artiste à la terrasse d'un café de la place du Tertre ni d'aller à la messe au Sacré-Cœur.

Nos clients à nous, pour la plupart, viennent donc d'ailleurs. Nous avons nos habitués : Mme Luzeron qui, tous les jeudis, en allant au cimetière, achète la même chose semaine après semaine, trois truffes au rhum – pour être précise – dans un paquet cadeau orné d'un ruban, et la petite jeune fille blonde qui se ronge les ongles et ne vient que pour se prouver qu'elle ne se laissera pas tenter, et Nico, bien sûr, du restaurant italien de la rue de Caulaincourt, qui passe au magasin presque tous les jours et dont la passion dévorante pour les chocolats – pour tout d'ailleurs – me rappelle quelqu'un que j'ai bien connu.

Nous avons aussi ceux qui ne viennent que de temps en temps, ceux qui n'entrent que pour jeter un coup d'œil, pour un cadeau, ou se faire un petit plaisir – un sucre d'orge, une boîte de bonbons à la violette, un bloc de pâte d'amandes ou un pain d'épices, des crèmes de rose ou des ananas glacés imbibés de rhum et garnis de clous de girofle. Je connais leur préférence à tous. Je sais exactement ce qu'ils veulent vraiment, mais je ne le leur dirai jamais. Cela pourrait se révéler trop dangereux.

Anouk a onze ans maintenant. Certains jours, je peux presque ressentir cette terrible conscience du monde qui s'agite en elle comme un animal en cage. Anouk, ma fille de l'été, qui autrefois n'aurait pas plus été capable de me mentir que d'oublier de me faire un sourire. Anouk qui, en public, me donnait un grand coup de langue sur la figure en me claironnant à l'oreille : « Je t'aime ! » Anouk, ma petite étrangère – maintenant ma grande étrangère –, encore plus secrète, en proie à des changements d'humeur, à de mystérieux silences. Anouk, avec ses histoires fantasmagoriques et cette façon de me regarder parfois, les yeux plissés, comme si elle essayait d'apercevoir quelque chose qu'elle avait presque oublié là, dans le vide, derrière ma tête.

J'ai dû changer son nom évidemment. Comme je suis maintenant Yanne Charbonneau, elle est Annie – pour moi, bien sûr, elle sera toujours Anouk. Ce ne sont pas nos nouveaux noms qui me rendent mal à l'aise – nous en avons changé tant de fois ! –, non, c'est autre chose qui semble nous avoir filé entre les doigts. Je ne sais pas quoi exactement. C'est quelque chose qui me manque, je m'en rends bien compte.

Je me dis que c'est qu'Anouk grandit tout simplement. Je la vois quelquefois en imagination rapetisser, s'amenuiser comme une enfant aperçue au palais des glaces : Anouk à neuf ans, plus pleine de lumière encore que d'ombre, Anouk à sept ans, Anouk à six ans marchant les pattes en canard avec des bottes de caoutchouc jaunes, Anouk avec Pantoufle gambadant joyeusement derrière elle dans un décor un peu estompé, Anouk serrant un grand panache de barbe à papa dans son petit poing rose – puis toutes ces Anouk du passé disparaissent pour aller s'aligner derrière celles à venir : Anouk à treize ans, Anouk à vingt ans – impossible à imaginer –, courant vers un nouvel horizon.

Je me demande ce dont elle se souvient vraiment. Pour quelqu'un de son âge, quatre années semblent une éternité. Elle ne parle plus de Lansquenet, de magie, ni, pis encore, des Laveuses. De temps en temps pourtant, elle laisse tomber un nom, un souvenir qui en dit plus qu'elle ne le pense.

Entre sept et onze ans, il y a un monde. J'ai bien rempli mon rôle, j'espère, pourtant. Assez bien en tout cas pour garder en cage le Jaguar et calmer le vent. Et ce village des bords de la Loire n'est plus maintenant qu'une carte postale d'île de rêve aux couleurs fanées.

Alors, je fais montre d'une prudence extrême, et notre vie se poursuit avec ses bons et ses mauvais jours. Nous avons tenu secrets nos pouvoirs magiques. Nous n'intervenons plus. Pas même pour un ami. Pas même le plus petit caractère runique esquissé sur le couvercle d'une boîte comme un porte-bonheur. Ce n'est pas trop comme sacrifice pour quatre années de tranquillité, je le sais. Je me demande parfois pourtant combien nous avons déjà sacrifié pour ça et combien nous devrons le faire encore.

Ma mère me racontait autrefois une très vieille histoire, celle d'un garçon qui avait vendu son ombre à un colporteur rencontré sur la route en échange de la vie éternelle. Son vœu exaucé, il s'en était allé tout heureux de sa bonne affaire. Après tout, pensait-il, à quoi sert une ombre et pourquoi ne pas s'en débarrasser ?

Cependant, au cours des mois suivants, puis des années, le garçon avait, petit à petit, commencé à comprendre. En voyage à l'étranger, il marchait sans projeter d'ombre ; quand il se plantait devant eux, les miroirs restaient aveugles, l'eau des étangs, même tranquille, refusait de lui renvoyer son image. Il commençait à se demander s'il n'était pas devenu invisible. Les jours de grand soleil, il restait tapi à l'intérieur, il évitait le clair de lune, il avait fait briser tous les miroirs de sa maison et fait installer des volets intérieurs à toutes les fenêtres. Et malgré cela, il n'était pas heureux. Sa bien-aimée l'avait quitté, ses copains avaient vieilli et puis ils étaient morts. Lui continuait à vivre dans une pénombre éternelle jusqu'au jour où, désespéré, il est allé consulter un prêtre à qui il a avoué ce qu'il avait fait.

Jeune encore à l'époque où le garçon avait conclu son affaire, le prêtre était maintenant tout jaune et desséché. Il a secoué la tête et dit au garçon : « Ce n'est pas un colporteur que tu as rencontré sur la route, c'est le Diable avec qui tu as conclu un marché, et qui traite avec le Diable doit s'attendre à y perdre son âme. »

Le garçon s'est défendu : « Mais c'est mon ombre seulement que je lui ai vendue ! »

Le vieux prêtre, encore une fois, a secoué la tête. « Un homme qui n'a pas d'ombre n'est pas vraiment un homme », a-t-il déclaré puis il lui a tourné le dos, refusant de s'expliquer davantage.

Si bien qu'à la fin le garçon est rentré chez lui. Et le lendemain, on l'a retrouvé, pendu à un arbre, le visage tourné vers le soleil. Et, dans l'herbe, à ses pieds, s'étirait une ombre étroite et longue.

Bien sûr, il ne s'agit là que d'une histoire. Elle me hante pourtant. Tard dans la nuit, lorsque je ne peux trouver le sommeil et que le vent réveille le carillon des clochettes de la porte, je m'assieds dans mon lit et je lève les bras pour vérifier la présence de mon ombre sur le mur. Le plus souvent d'ailleurs je me surprends à vérifier celle d'Anouk aussi.

3

La Lune montante

Mercredi 31 octobre

Oh! Zut, alors! Vianne Rocher. C'était bien la chose à ne pas dire. Je me demande vraiment ce qui me pousse toujours à dire des bêtises. Je ne sais pas. Parce qu'elle était en train d'écouter sans doute. Parce que j'étais en colère. Ces jours-ci, je suis tout le temps en colère.

C'était peut-être bien à cause des chaussures. Ces chaussures extra-ordinaires avec leurs talons rouges comme du rouge à lèvres, luisants comme un sucre d'orge, comme une sucette à la cerise, des joyaux tombés sur le pavé de la rue. Les gens ne portent pas de chaussures comme ça à Paris. Pas les gens ordinaires en tout cas. Et nous faisons partie de ces gens ordinaires-là. C'est du moins ce que dit Maman. Bien que, à l'entendre, quelquefois, on ne le croirait pas.

Oh! ces *chaussures à talons de sucre d'orge*.

Tap Tap Tap Tap. Je les entends encore. Elles se sont arrêtées juste devant chez nous. Et celle qui les portait a essayé de regarder à l'intérieur du magasin.

D'abord, de derrière, j'ai cru la reconnaître avec son manteau rouge assorti à ses chaussures et ses cheveux brun foncé retenus par un foulard. N'avait-elle pas aussi une robe imprimée à l'ourlet décoré de clochettes et des porte-bonheur qui tintaient à son bracelet? Cette vague traînée de lumière qu'elle laisse dans son sillage, qu'est-ce que c'est exactement? Une brume de chaleur?

À cause de l'enterrement, le magasin était fermé. Une seconde de plus et elle allait s'éloigner. Je voulais pourtant la retenir, alors j'ai fait quelque chose que je n'aurais pas dû faire, quelque chose que Maman est persuadée que j'ai oublié, que je n'ai pas fait depuis bien long-temps. Derrière son dos, j'ai esquissé un petit signe dans l'air avec mes doigts en corne.

Un rien d'essence de vanille, un soupçon de muscade pour parfumer le lait, des grains de cacao noir que l'on a fait lentement chauffer.

Ce n'est pas de la magie, ça! Bien sûr que non. C'est une petite recette à moi, une sorte de jeu, quoi! La vraie magie n'existe pas, tout le monde sait ça. Et pourtant, ça marche. Enfin, ça marche quelquefois.

J'ai dit. «Vous m'entendez?» Pas de ma voix normale, bien sûr, non, d'une voix un peu irréelle, douce comme la lumière d'un rayon de soleil à travers le feuillage.

Elle l'a senti. J'en suis certaine. Elle s'est retournée soudain, toute raide. J'ai donné alors un peu d'éclat à la porte, un très petit peu, juste assez pour qu'elle reflète la couleur du ciel. C'était joli. J'ai joué avec. Je l'ai fait bouger comme un miroir au soleil et je lui ai envoyé plusieurs fois la lumière en plein visage.

Dans une tasse, mettez une goutte de parfum de fumée de feu de bois, un nuage de crème, une tombée de sucre, une larme d'orange amère – votre préférée –, du chocolat noir à soixante-dix pour cent et recouvrez le tout de grosses tranches d'oranges de Séville.

Laisse-toi tenter. Laisse-toi séduire. Savoure-moi!

Elle s'est retournée. J'en étais sûre. Elle a été bien surprise quand elle m'a aperçue, mais elle m'a tout de même souri. J'ai vu son visage, ses yeux bleus, son grand sourire et les petites lignes de taches de rousseur qu'elle a sur le nez. Tout de suite, je l'ai trouvée sympathique comme, dès notre première rencontre, j'avais trouvé Roux sympathique.

Et puis elle m'a demandé qui était mort.

Alors, je n'ai pas pu m'en empêcher. C'était peut-être à cause des chaussures ou parce que Maman était là, debout, derrière la porte. En tout cas, cela m'a échappé. Comme ça, simplement, comme le reflet de la lumière sur la porte et l'odeur de fumée.

J'ai répondu: «Vianne Rocher!» d'une voix un peu trop forte et, au même instant, Maman est sortie. Maman avec son manteau noir et Rosette dans ses bras, Maman avec le regard sombre qu'elle a quand je fais l'imbécile ou que Rosette a l'un de ses Accidents.

«Annie!»

La dame aux souliers rouges l'a d'abord dévisagée puis son regard s'est retourné vers moi et, immédiatement, est revenu à elle.

«Madame Rocher?»

Maman a tout de suite su que dire. «C'était mon nom de jeune fille, a-t-elle expliqué. Maintenant, je suis Mme Charbonneau, Yanne Charbonneau», a-t-elle ajouté en me regardant de son air sévère. Puis elle a continué: «Ma fille adore les plaisanteries, j'en ai peur, j'espère qu'elle ne vous a pas importunée?»

La dame a été saisie d'un fou rire qui l'a secouée jusqu'aux semelles de ses chaussures coquelicot et elle a répondu: «Pas du tout. J'admirais tout simplement la vitrine de votre joli magasin.

– Ce n'est pas *mon* magasin. Je n'y suis qu'employée», a cru devoir expliquer Maman.

La dame a recommencé à rire. «Eh bien, je vous envie beaucoup! Je suis censée chercher du travail et, au lieu de le faire sérieusement, je perds mon temps à dévorer des yeux des chocolats!»

Maman s'est un peu détendue. Elle a déposé Rosette pour fermer la porte à clef. Rosette a regardé la dame aux souliers rouges d'un air solennel. La dame lui a souri. Pas Rosette. Elle ne sourit que rarement aux inconnus. C'était bête de ma part, mais j'en ai été heureuse. Après tout, c'était moi qui l'avais trouvée, moi qui l'avais retenue, alors, pour un moment au moins, c'était à moi qu'elle appartenait, cette inconnue.

«Vous cherchez du travail?» a demandé Maman.

L'inconnue a hoché la tête. «La copine avec laquelle je partageais un petit studio a déménagé le mois dernier et je n'ai pas le moindre espoir de pouvoir payer le loyer toute seule avec un salaire de serveuse de restaurant. Je m'appelle Zozie de l'Alba et, entre nous, j'ai toujours eu un faible pour le chocolat.»

On ne pouvait pas s'empêcher de la trouver sympathique avec ses yeux si bleus et son sourire désaltérant comme une tranche de pastèque en plein été, ai-je pensé. Elle a pris un air plus sérieux en désignant la pancarte sur la porte.

«Je m'excuse de vous avoir dérangée. C'est un mauvais moment, je sais. J'espère qu'il ne s'agit pas là d'un parent à vous?»

Maman a repris Rosette dans ses bras et a répondu: «Mme Poussin. Elle vivait ici. Elle croyait sans doute gérer son commerce mais, à la vérité, elle n'y faisait pas grand-chose.»

Moi j'ai revu Mme Poussin avec son visage blanc de pâte de guimauve et son tablier bleu à carreaux et j'ai repensé à ses chocolats préférés: les fourrés à la crème de rose. Elle en mangeait des quantités alors qu'elle n'aurait pas dû – mais Maman ne le lui aurait jamais fait remarquer.

C'était une attaque, a dit Maman. Je n'ai pas très bien compris qui l'avait *attaquée* – peut-être qu'on ne sait pas –, ni où l'attaque avait eu lieu. Mais j'ai bien compris que nous ne reverrions jamais plus Mme Poussin et j'ai eu un vertige, comme lorsque vous regardez et que vous découvrez devant vous un énorme précipice qui s'ouvre à vos pieds.

J'ai protesté : « Si, elle travaillait très dur ! », et je me suis mise à pleurer. La seconde d'après, elle m'avait entourée de ses bras – elle sentait délicieusement bon la lavande et la soie – et me murmurait à l'oreille quelque chose. J'ai eu un petit sursaut de surprise en croyant reconnaître les mots d'une formule magique comme aux beaux jours de Lansquenet. Alors, j'ai levé les yeux. Ce n'était pas Maman du tout, c'était Zozie dont les longs cheveux caressaient mon visage et dont le manteau rouge flamboyait au soleil.

Derrière elle, Maman, avec son manteau d'enterrement, me contemplait de ses yeux sombres comme la nuit, si sombres qu'on n'est jamais sûr de ce qu'elle pense vraiment. Rosette toujours dans ses bras, elle a fait un pas dans ma direction. Si je restais là, j'en étais certaine, elle allait nous enlacer toutes les deux et il n'y aurait plus moyen alors d'empêcher mes larmes de couler. J'étais bien certaine aussi que je ne pourrais jamais lui avouer pourquoi, ni maintenant ni plus tard non plus, et surtout pas en présence de l'inconnue aux chaussures coquelicot.

Alors, j'ai fait demi-tour et je suis partie en courant le long de l'allée blanche et nue. Pendant un instant, je me suis sentie comme elles, libre comme l'air. Ça fait du bien de courir comme ça à grands pas de géant et d'écarter les bras comme un cerf-volant. On a le goût du vent dans la bouche et l'on perd sa respiration à suivre le soleil dans son brûlant sillage. Quelquefois, on réussit presque à les rattraper, à les dépasser tous, alors, on continue quand même, et cette fois ce sont le vent, le soleil et notre ombre qui courent sur nos talons.

Mon ombre à moi a un nom, c'est Pantoufle. Quand j'étais petite, j'avais un lapin qui s'appelait comme ça – c'est du moins ce que me dit Maman. Moi, je ne peux plus très bien me rappeler s'il était réel ou en peluche. Quelquefois elle l'appelle *ton copain imaginaire*. Je suis pourtant presque sûre qu'elle était vraiment là derrière moi, cette petite ombre douce et grise, cette petite boule de fourrure qui réchauffait mon lit. Quelquefois, j'aime encore penser à Pantoufle veillant sur mon sommeil ou m'entraînant dans une course pour rattraper le vent. Je ressens sa présence et je le vois encore. Mais Maman me dit que ce n'est qu'un produit de mon imagination. Elle n'aime pas que j'en parle, même par plaisanterie.

Elle ne plaisante pratiquement plus. Elle ne rit plus comme autrefois non plus. Peut-être parce qu'elle se fait du souci à propos de Rosette. Je sais qu'elle s'en fait souvent pour moi. Elle me dit que je ne prends pas les choses assez au sérieux, que je n'ai pas la bonne attitude.

Et Zozie, prend-elle les choses au sérieux, elle? Certainement pas, je pourrais le parier! Avec des chaussures comme ça, j'en serais bien étonnée. C'est pour cela que je l'ai trouvée tout de suite sympathique avec ses chaussures cerise, sa manière de s'arrêter pour regarder notre devanture et la façon aussi dont elle était capable de voir Pantoufle sur mes talons, et pas simplement une ombre.

4

Le Jaguar

Mercredi 31 octobre

Avec les enfants, je sais m'y prendre, j'aime le croire. Avec les parents aussi, d'ailleurs. Cela fait partie de mon charme. Sans ça, vous n'avez aucune chance de réussir dans les affaires, vous savez. Et dans le genre d'affaires qui sont ma spécialité – celles où les bénéfices se mesurent plus en *individus* qu'en nature ou qu'en espèces –, il est essentiel d'atteindre au point sensible l'être dont vous allez vous approprier la vie.

Pas que la vie de cette femme m'intéressât particulièrement. Pas à ce moment-là, du moins. Pourtant, je dois l'admettre, j'étais déjà intriguée. Pas tellement par la morte. Pas non plus par le magasin – joli, si l'on veut, mais bien trop petit et trop limitatif pour quelqu'un de mon ambition. La femme, par contre, et la fillette…

Vous croyez au coup de foudre, vous?

Cela m'étonnerait bien! Moi non plus. Et pourtant…

Cette explosion de couleurs entrevue par la fente de la porte. Cette ensorcelante promesse de plaisirs à demi aperçus, à demi savourés. Les envolées du carillon de la porte égrenées par le vent. Ce sont ces choses-là qui ont éveillé d'abord ma curiosité, et ensuite ma soif de possession.

Comprenez bien, je ne suis pas une voleuse, je suis avant tout une *collectionneuse*. J'ai commencé dès l'âge de huit ans, par des porte-bonheur pour mon bracelet. Maintenant, ce sont les êtres humains, leur nom, leur secret, leur histoire, leur vie que je collectionne. Dans certains cas, mon intérêt est en partie matériel, bien sûr, mais ce que j'aime surtout, c'est l'ivresse de la battue, la poursuite, la victoire, l'hallali, ce moment où la *piñata* éclate sous mes coups. Voilà ce que j'aime le plus.

J'ai eu un petit sourire : « Les gosses, hein ! »

Yanne a soupiré : « Ils grandissent si vite. Un clin d'œil et ils ont déjà quitté le nid. »

Là-bas, dans l'allée, la fillette courait toujours. Yanne lui a crié : « Ne va pas trop loin !

– Elle ne s'éloignera pas, rassurez-vous ! »

Cette femme ressemble tellement à sa fille – en plus réservée. Des cheveux noirs coupés à la Jeanne d'Arc, des sourcils horizontaux, des yeux taillés dans le chocolat noir, la même bouche rouge, généreuse et décidée, dont les coins remontent un peu. La même allure vaguement étrangère, vaguement insolite – bien que, à part les couleurs aperçues brièvement par l'entrebâillement de la porte, il n'y ait rien qui puisse justifier cette impression. Elle n'a pas d'accent. Les vêtements qu'elle porte ont été achetés, il y a longtemps, à La Redoute, un béret brun tout simple, légèrement incliné sur le côté, et des chaussures sagement pratiques.

Les chaussures en disent toujours long sur leur propriétaire. Les siennes ont été choisies avec soin, sans aucune fantaisie : des chaussures noires à bouts ronds, des chaussures d'uniforme comme celles que porte sa fille pour aller à l'école. L'ensemble lui donne un air un peu râpé, un rien trop terne. Elle ne porte aucun bijou, à part une simple alliance d'or, et juste assez de maquillage pour qu'on n'ait pas à en faire état.

La petite, dans ses bras, n'a pas plus de trois ans. Elle a les yeux méfiants de sa mère mais ses cheveux sont d'une couleur chaude de belle citrouille et sa petite frimousse, à peine plus grosse qu'un œuf d'oie, est constellée de taches de rousseur. Apparemment au moins, la petite famille semble n'avoir rien de remarquable, et pourtant je ne peux m'empêcher de penser qu'il y a là quelque chose que je n'ai pas relevé tout de suite, quelque chose de subtil et d'évident à la fois. Pas très différent de moi, sans doute.

Je me suis dit que si j'avais raison, ce serait une sacrée trouvaille pour ma collection.

Elle a consulté sa montre et elle a appelé : « Annie ! »

À l'autre bout de l'allée, Annie a agité les bras en signe de joyeuse acceptation – à moins que cela n'ait été de révolte ? Derrière elle, une vague traînée bleutée comme des ailes de papillon a confirmé mon impression qu'elle avait quelque chose à cacher. La petite aussi a un certain éclat. Quant à la mère…

J'ai demandé : « Vous êtes mariée ? »

Elle a répondu : « Veuve, depuis trois ans, avant de venir vivre ici. »

J'ai dit : « Vraiment ! »

Je ne la crois pas. Un manteau noir et une alliance ne font pas d'une femme une veuve et Yanne Charbonneau (si c'est vraiment son nom) ne m'a pas l'air d'une veuve du tout. Les autres s'y laissent peut-être tromper mais pas moi.

Alors pourquoi mentir ? Nous sommes à Paris, enfin. Ici, personne ne songerait à vous condamner parce que vous ne portez pas d'alliance ! Alors quel petit secret cache-t-elle ? Et ce secret vaut-il la peine que je m'y intéresse ?

« Cela ne doit pas être facile de tenir un magasin. Et ici, en particulier. »

Montmartre, l'étrange petite île de pierre avec ses touristes et ses artistes peintres, la puanteur de ses caniveaux et ses mendiants, ses cabarets et ses clubs de strip-tease sous les tilleuls et, toutes les nuits, les règlements de comptes au couteau le long de ses jolies rues pittoresques.

Elle a eu un sourire : « On y arrive quand même !

– Vraiment ? Mais qu'allez-vous faire maintenant que Mme Poussin est décédée ? »

Elle a détourné le regard : « Le propriétaire est un ami. Il ne va pas nous jeter à la rue. » J'ai cru la voir légèrement rougir.

« Comment vont les affaires par ici ?

– Cela pourrait aller plus mal ! »

Les touristes sont toujours prêts à payer un prix fou pour de la camelote.

« Nous ne risquons pas de devenir millionnaires, ça, c'est sûr ! »

C'est bien ce que je devinais. Leur commerce est à peine viable. Elle fait contre mauvaise fortune bon cœur, mais je remarque bien sa jupe de deux sous, l'ourlet élimé du manteau des dimanches de la petite, l'enseigne de bois au-dessus du seuil de la chocolaterie décolorée au point d'en être illisible.

Malgré cela, il y a quelque chose d'étrangement attirant dans cette devanture encombrée de boîtes de métal et de carton, de sorcières en chocolat noir et en paille de couleur, de citrouilles en pâte d'amandes aux bonnes joues rebondies, et de crânes en sirop d'érable glacé aperçus sous le store mal descendu.

Le parfum aussi : une odeur de pommes roussies et de sucre cara-mélisé, de vanille et de rhum, de graine de cardamome et de chocolat. Je ne peux pas dire que je sois *folle* de chocolat, et pourtant l'eau m'en venait à la bouche.

Laisse-toi tenter. Laisse-toi séduire.

Des doigts, j'ai dessiné le signe du Miroir fumant, connu sous le nom de l'Œil de Tezcatlipoca, la Noire – et la vitrine a brièvement semblé illuminée.

La femme a paru mal à l'aise comme si elle était consciente de cette lumière soudaine. Dans ses bras, l'enfant a étouffé un petit miaulement de chaton et a tendu sa main ouverte.

J'ai pensé que c'était bizarre.

J'ai demandé : « Vous confectionnez vous-même vos chocolats ?

– Autrefois, oui, mais plus maintenant.

– Cela ne doit pas être facile. »

Elle a répondu : « Je me débrouille. »

Intéressant, n'est-ce pas ?

Mais se débrouille-t-elle *vraiment* ? Et va-t-elle continuer à le faire maintenant que la vieille dame n'est plus là ? J'en doute. Elle en semble pourtant tout à fait capable : je le vois au dessin volontaire de sa bouche et à son regard assuré. Pourtant, il y a une faiblesse chez elle, une faiblesse cachée. Ou une force réelle de caractère, peut-être ?

C'est qu'il en faut du caractère pour vivre comme elle le fait, pour élever seule deux enfants à Paris, pour consacrer tout son temps à un commerce qui, si les affaires marchent, ne rapporte que juste ce qu'il faut pour payer le loyer. Quant à la faiblesse, c'est une autre histoire. Cette enfant pour commencer. Elle est inquiète pour elle. Pour toutes les deux, d'ailleurs. Elle les serre contre elle comme si le vent menaçait de les emporter à tout moment.

Je sais ce que vous pensez : *À quoi bon vous en soucier ?*

C'est parce que je suis curieuse sans doute. Après tout, les secrets sont monnaie courante pour moi. Les secrets et les petites perfidies, les appropriations et les persécutions, les menus larcins et les vols spectaculaires, les petits et les gros mensonges, les devoirs négligés, les profondeurs inconnues et les eaux tranquilles, les histoires mys-térieuses, les passages secrets, les rendez-vous furtifs, les souterrains et les cachettes, les opérations clandestines et les détournements de fonds, les trahisons et bien davantage.

Est-ce si méprisable ?

Sans doute.

Mais Yanne Charbonneau (ou Vianne Rocher) cache quelque chose. Je le sens. Qu'elle ait un secret est aussi évident pour moi que les feux d'artifice qui éclatent sur une *piñata*. Il suffira d'un projectile bien placé et tout explosera. Alors nous verrons bien si quelqu'un comme moi ne pourrait pas mettre à profit ces secrets-là.

Je suis curieuse, c'est tout – trait de caractère bien connu chez ceux qui ont eu la malchance de naître sous le signe du Jaguar !

Et d'ailleurs, je sais qu'elle ment. Et s'il y a quelque chose que nous, Jaguars, détestons encore plus que la faiblesse, c'est bien le mensonge, n'est-ce pas ?

5

Le Soleil noir

Jeudi 1er novembre. La Toussaint

Aujourd'hui, Anouk était de nouveau agitée. Conséquence de l'enterrement d'hier ou du vent, tout simplement. De temps en temps, le vent l'affecte et la fait fuir au petit galop comme un poney sauvage, têtue et irréfléchie, d'humeur changeante et au bord des larmes. Ma petite étrangère.

Lorsqu'elle était enfant et que nous étions seules, c'est comme cela que je l'appelais, vous savez : ma petite étrangère. Comme si on ne me l'avait que prêtée et qu'un jour il me faudrait la rendre. Elle a toujours eu cet air de ne pas être d'ici, d'avoir des yeux capables de voir beaucoup trop loin et des pensées qui s'égarent aux frontières du monde.

Une enfant douée, me dit son nouveau professeur, *à l'imagination extraordinaire et au vocabulaire très étendu pour son âge.* Mais déjà, chez elle, je reconnais ce regard-là, ce regard qui évalue et s'interroge. Une telle imagination est peut-être une qualité dont il faudrait se méfier, le signe de quelque chose de plus sinistre.

Et j'en suis responsable. Je le sais maintenant. Avoir choisi de l'élever en harmonie avec les croyances de ma mère me semblait si naturel à l'époque. C'était le canevas de base sur lequel nous allions broder notre tradition à nous, dessiner le cercle magique qui nous mettrait à l'abri du monde. Hélas, si ce cercle est impénétrable pour le reste du monde, nous, à notre tour, sommes bien incapables d'en sortir. Nous sommes prisonnières d'un cocon que nous avons nous-mêmes tissé. Éternelles émigrées, nous vivons dans un ghetto que nous nous sommes créé.

Enfin, c'est ainsi que nous vivions, il y a quatre ans. Depuis c'est dans un mensonge que nous vivons, un mensonge rassurant.

Allons, ne soyez pas surpris. Montrez-moi une mère et je vous montrerai quelqu'un qui ment. Nous leur décrivons le monde tel qu'il *devrait* exister. Nous leur assurons qu'il n'y a pas de monstres, pas de fantômes, leur promettons que s'ils sont gentils envers les autres, les autres le seront envers eux, que Maman sera toujours là pour les protéger. Bien sûr, nous refusons d'admettre que ce sont des mensonges – nous déformons la vérité mais toujours pour leur bien – ce sont quand même des mensonges.

Après Les Laveuses, je n'ai plus eu le choix. Toutes les mères en auraient fait autant.

Elle me harcelait pour savoir. « Qu'est-ce que c'était, dis, Maman ? C'est nous qui avons provoqué ça ?

– Non, c'était un simple *Accident* !

– Mais tu as dit que le vent…

– Anouk, ferme les yeux. Il est temps de dormir !

– On n'aurait pas pu trouver un petit sortilège pour le ramener à la vie ?

– Tu sais bien que non. Tout ça n'est qu'un jeu à nous. La magie, ça n'existe pas, Nanou ! »

Elle m'a dévisagée d'un air solennel : « Oh si, ça existe ! Pantoufle me l'a dit.

– Mais, chérie, Pantoufle non plus n'existe pas. »

Ce n'est pas de tout repos d'être la fille d'une enchanteresse. Ça l'est encore moins d'en être la mère. Mais, après ce qui s'était passé aux Laveuses, il me fallait faire un choix. Dire la vérité et condamner mes enfants à une vie semblable à la mienne, une vie errante, sans aucune stabilité, aucune sécurité, sans aucune possession que nos vieilles valises usées, et fuyant, toujours fuyant pour rattraper le vent.

Ou mentir et devenir comme les autres.

Alors, j'ai opté pour le mensonge. J'ai menti à ma fille. Je lui ai dit que rien de tout cela n'était vrai, qu'il n'y avait de magie que dans les histoires, que c'était peine perdue de vouloir nous servir des puissances occultes et de les mettre à l'épreuve, que rien n'existait, ni les dieux lares, ni les enchanteresses, ni les runes, ni les incantations, ni les totems, ni les cercles dessinés dans le sable des rivages. Ce pour quoi il n'y avait aucune explication plausible est devenu alors un *Accident* (avec un A majuscule) – les coups de chance, les situations où on l'a échappé belle, ces cadeaux que nous font les dieux. Pantoufle, réduit au rang de «copain imaginaire», semble maintenant oublié bien que je puisse quelquefois du coin de l'œil l'apercevoir encore.

De nos jours je tourne le dos à tout cela et mes yeux se ferment jusqu'à ce que les couleurs se soient ternies.

Après Les Laveuses j'ai tourné la page, sachant très bien qu'elle allait sans doute m'en vouloir, me détester même un peu pendant quelque temps, espérant qu'un jour, enfin, elle comprendrait pourtant.

«Il faut bien grandir un jour, Anouk. Il faut bien apprendre à distinguer la réalité de la fiction.

– Pourquoi?»

Je lui ai répondu: «Cela vaut mieux pour toi, Anouk. Ces choses-là attirent l'attention sur nous, nous rendent différentes des autres. Tu aimes vraiment te sentir différente? Tu n'aimerais pas mieux faire partie du groupe pour changer un peu? Avoir des amis?

– J'avais des amis: Paul et Framboise!

– C'était devenu impossible pour nous de rester là-bas. Après cette histoire!

– Et Zézette et Blanche?

– Des filles de gitans, Nanou. De gitans des rivières. On ne peut pas passer toute sa vie sur un bateau, pas si l'on veut aller à l'école!

– Et Pantoufle?

– Les copains imaginaires, ça ne compte pas, Nanou!

– Et Roux, Maman? Roux était notre ami, lui.»

Silence.

«Pourquoi ne pouvions-nous pas rester avec lui, Maman? Pourquoi ne lui as-tu pas dit où nous étions?»

J'ai poussé un soupir: «C'est compliqué!

– Il me manque beaucoup.

– Je sais.»

Avec Roux, bien sûr, tout était si simple. Faites ce qui vous plaît. Prenez ce que vous voulez. Allez là où l'envie vous pousse. C'est une recette qui lui réussit. Il est heureux comme ça. Mais je sais, moi, qu'on ne peut pas tout avoir. J'ai déjà suivi ce chemin-là. J'ai appris où il mène. Et la côte à monter est dure, Nanou, si dure!

Roux aurait dit: *Tu te fais trop de soucis!* Roux qui défiait le monde avec sa chevelure rousse et souriait malgré lui, Roux et son précieux bateau à la dérive sous les étoiles. *Tu te fais trop de soucis.* Il est peut-être vrai, d'ailleurs, que je m'en fais trop. Je m'inquiète pour Anouk qui n'a pas d'amis dans sa nouvelle école. Je m'inquiète pour Rosette qui, à quatre ans ou presque, et bien éveillée, pourtant ne parle pas encore. Comme si quelque méchante fée lui avait jeté un sort, comme une pauvre petite princesse condamnée au silence de peur qu'elle ne révèle à tous un terrible secret.

Comment expliquer cela à Roux qui ne connaît, lui, ni l'inquiétude ni la peur ? La maternité est une condamnation à la peur à perpétuité. Peur de la maladie et de la mort, de l'accident, d'un enlèvement, des inconnus et de l'Homme noir ou tout simplement peur de ces terribles petits détails de la vie quotidienne qui finissent par nous torturer le plus : le regard d'impatience, le mot lâché dans un moment de colère, l'histoire non réclamée à l'heure du coucher, le baiser non donné et le moment terrifiant où la mère comprend enfin qu'elle n'est plus le soleil rassurant autour duquel orbite le monde de sa fille mais seulement un autre satellite tournant autour d'un soleil moins puissant.

Nous n'en sommes pas arrivées là, pas encore du moins, mais je remarque cette étape chez les autres, chez ces adolescentes à la moue boudeuse, accros à leurs portables, qui condamnent de leur mépris notre monde tout entier. Je n'ai pas réalisé les espoirs d'Anouk, je le sais. Je ne suis pas la mère qu'elle aurait souhaité avoir. Mais, à onze ans, même si elle est intelligente, elle est encore beaucoup trop jeune pour apprécier ce que j'ai dû sacrifier et pourquoi.

Tu te fais trop de soucis.

Si seulement c'était aussi simple !

Au fond de mon cœur, j'entends résonner sa voix : *C'est simple.*

Ce l'était peut-être autrefois, Roux. Plus maintenant.

Je me demande s'il a vraiment changé du tout, lui. Moi, il ne me reconnaîtrait pas. De temps en temps, à Noël, ou pour l'anniversaire d'Anouk, il m'envoie un petit mot. Il a demandé mon adresse à Zézette et à Blanche. Je lui fais parvenir ma réponse à la poste restante de Lansquenet. Je sais qu'il passe par là, quelquefois. Je ne lui ai jamais parlé de Rosette. Je n'ai jamais fait allusion à Thierry non plus, à Thierry, mon si aimable propriétaire, Thierry si généreux et dont j'admire la patience plus que je ne pourrais le dire.

Thierry Le Tresset, cinquante et un ans et divorcé. Un fils. Un pilier d'église. Un rocher.

Non, ne riez pas. Je l'aime beaucoup.

Je me demande, par contre, ce que lui voit en moi.

Lorsque je me regarde dans le miroir ces jours-ci, je ne vois que l'image terne d'une femme d'une trentaine d'années sans vie réelle, une femme de physique quelconque, sans importance et sans caractère, une femme comme tant d'autres femmes. C'est exactement ce que je cherchais, bien sûr. Pourtant, aujourd'hui, cette pensée-là me déprime terriblement. C'est peut-être à cause de cet enterrement, de ce funérarium lugubre et mal éclairé encore encombré des fleurs du mort précédent, de cette pièce déserte, de l'incongruité de cette énorme couronne envoyée par Thierry, à cause de ce prêtre blasé dont le nez ne cessait de couler ou de ce médiocre enregistrement de la musique d'Elgar – *Nimrod* – qu'accompagnaient les grésillements des haut-parleurs.

Des semaines avant la sienne, dans la foule d'une rue de New York, ma mère avait déclaré : la mort est une chose banale. La vie, par contre, est un miracle quotidien. Notre existence est une chose merveilleuse. Notre hymne à la vie est d'accepter sans restriction ce miracle-là.

Eh bien, Maman, les choses ont bien changé. Au bon vieux temps (pas si vieux que cela, je dois m'en souvenir), hier soir, nous aurions célébré la veille de la Toussaint par une petite fête. Halloween, ce jour de secrets et de mystères, de sachets cousus de soie rouge et pendus dans la maison pour en éloigner les esprits mauvais, de sel répandu sur le seuil, d'odeur de pin et de fumée, ce jour qui marque la sortie théâtrale de l'automne et où le vieux bonhomme Hiver fait son entrée en scène. Nous aurions chanté et dansé autour du feu de joie. Sous son maquillage blanc et ses plumes noires, Anouk, Pantoufle derrière elle, aurait erré de pièce en pièce et Rosette, habillée en fourrure orange – de la couleur de ses cheveux et son totem à elle à ses côtés, aurait caracolé dans son sillage d'un air satisfait, lanterne à la main.

Cela me torture de penser maintenant à ces jours d'autrefois qui ne sont plus. Mais ils représentent un danger. Ma mère le reconnaissait, elle qui, pendant vingt ans, avait fui l'Homme noir. À une certaine époque, j'avais cru avoir réussi à le faire battre en retraite. J'avais cru avoir gagné la partie. J'ai vite compris que ma victoire n'était qu'une illusion. L'Homme noir n'est pas toujours vêtu d'une soutane. Il a bien des visages, et ses disciples sont innombrables.

Autrefois je pensais que c'était leur dieu qui me faisait peur. Des années après, j'ai découvert que était leur charité qui m'effrayait, l'intérêt réel qu'ils nous portaient, leur pitié sincère. Je les ai devinées, ces bonnes âmes qui flairent notre piste depuis quatre ans avec leur air furtif et tellement déterminé. Et depuis cette histoire aux Laveuses, elles se sont encore rapprochées. Elles veulent notre bien, les Bonnes Dames charitables, elles désirent le meilleur avenir possible pour mes enfants chéries. Mais je sais qu'elles n'auront de cesse qu'elles ne nous aient séparées, qu'elles n'aient irrémédiablement détruit notre petite famille.

C'est sans doute pour cette raison que je ne me suis jamais confiée à Thierry, cet aimable, solide et fidèle ami, avec son lent sourire, sa voix chaleureuse et sa foi touchante en la vertu de l'argent comme panacée universelle. Il est prêt à nous aider, il l'a déjà fait si souvent cette année. Il suffirait d'un mot de ma part et il le ferait encore. Tous nos ennuis disparaîtraient. Je me demande alors pourquoi j'hésite, pourquoi il m'est si difficile d'accorder ma confiance, d'admettre que j'ai désespérément besoin d'aide.

Il est bientôt minuit en cette veille de Toussaint si tranquille, et ma pensée vagabonde comme si souvent dans des moments comme celui-ci. Je repense à ma mère, à ses cartes, aux Bonnes Dames charitables. Anouk et Rosette se sont déjà endormies. Le vent a brusquement cessé. Dans son chaudron de brume, Paris bouillonne à petit feu au-dessous de nous mais la Butte semble flotter au-dessus des rues comme une cité magique née de la fumée de la ville et de la poussière des étoiles. Anouk imagine que j'ai brûlé les cartes. Je ne les ai pas consultées depuis plus de trois ans maintenant. Je les ai gardées pourtant, les vieilles cartes de ma mère, toutes luisantes à force d'être battues, toutes empreintes encore de l'odeur du chocolat qu'elle faisait.

Le coffret, caché sous mon lit, a un parfum de temps perdu et d'automne qui approche. Je l'ouvre. Voilà les cartes avec leurs arcanes sculptés dans le bois comme ceux de Marseille il y a des siècles : la Mort, les Amants, la Tour, le Fou, le Mage, le Pendu, l'Inconstant.

Je me persuade que je ne les consulte pas vraiment puisque je prends les cartes au hasard sans me soucier des conséquences et pourtant, je ne réussis pas à chasser de mon esprit l'idée que se cache là un message secret, que quelque chose veut se manifester à moi.

Je les range dans leur boîte. Erreur monumentale ! Autrefois, il m'aurait suffi d'un simple sortilège pour chasser mes démons, *Tss Tss. Va-t'en !*, ou d'un philtre apaisant, d'un petit brin d'encens ou d'une pincée de sel éparpillée à ma porte. Mais, de nos jours, je fais partie de la race des civilisés et ma potion la plus puissante pour trouver le sommeil est une tisane à la camomille. Ça finit en général par réussir, d'ailleurs. Tôt ou tard…

Mais, pour la première fois, depuis des mois, je rêve des Bonnes Dames charitables. Elles nous suivent à la trace, reniflant notre odeur, se faufilant, furtives et décidées, le long des ruelles du vieux Montmartre. Je regrette bien de n'avoir pas laissé sur le seuil de ma porte cette pincée de sel ou ce sachet magique sans lesquels, attiré par le sang noir de nos chocolats, le fauve de la nuit pourra pénétrer dans ma maison.

DEUXIÈME PARTIE

UN JAGUAR

La Lune montante

Lundi 5 novembre

Comme d'habitude, j'ai pris l'autobus pour aller à l'école. Sans la plaque qui en marque l'entrée, personne ne devinerait qu'il y a une école à cet endroit. Les bâtiments se cachent derrière de hauts murs qui pourraient aussi bien appartenir à un complexe administratif, une vaste propriété privée ou n'importe quoi d'autre. C'est le lycée Jules Renard. Si on le compare à la norme des établissements parisiens, il n'est sûrement pas très grand. À moi, pourtant, il semble gigantesque.

Il n'y avait que quarante élèves à mon école, à Lansquenet. Le lycée en a plus de huit cents – garçons et filles avec cartables et bouquins, iPods, portables et jeux électroniques, déodorants pour les dessous de bras et crèmes protectrices pour les lèvres, commérages, secrets et mensonges. J'ai une seule copine – enfin si on appelle ça une copine : Suzanne Prud'homme qui habite rue Ganneron, du côté du cimetière, et qui passe quelquefois à notre chocolaterie.

Suzanne – qui aime qu'on l'appelle Suze, comme la boisson – a les cheveux roux, ce qui l'embête beaucoup, et un visage rose et rond. Elle est toujours en train de parler du régime qu'elle va commencer. Personnellement, moi, j'aime ses cheveux – qui me rappellent ceux de Roux, mon copain – et je ne pense pas du tout qu'elle soit trop grosse, mais Suzanne n'arrête pourtant pas de s'en plaindre. Avant, nous étions vraiment de bonnes copines mais, aujourd'hui, elle est souvent d'humeur imprévisible. Quelquefois, elle vous dit des méchancetés comme ça, sans aucune raison, ou bien elle menace de ne plus jamais vous adresser la parole à moins que vous ne soyez prête à vous plier à tous ses caprices.

Aujourd'hui, encore une fois, elle me boude. Tout ça parce que je ne suis pas allée au cinéma avec elle, hier soir. Vous comprenez, le billet d'entrée est déjà assez coûteux et puis après, il faut encore acheter le pop-corn et le Coca. Si je n'en achète pas, Suzanne le remarque et commence à se moquer du fait que je n'ai jamais d'argent. D'ailleurs, je savais que Chantal viendrait aussi et Suzanne se comporte toujours différemment lorsque Chantal est avec elle.

Chantal est la meilleure amie de Suzanne, sa *nouvelle* meilleure amie. *Elle* a toujours beaucoup d'argent pour aller au cinéma et ses cheveux sont toujours impeccablement coiffés. *Elle* porte aussi une petite croix de diamant de chez Tiffany. Un jour, au lycée, le professeur lui a demandé de la retirer, alors le père de Chantal a écrit aux journaux. Il a déclaré que c'était un vrai scandale que l'on interdise à sa fille de porter le symbole de sa religion catholique alors que l'on fermait les yeux lorsque des musulmanes portaient leur foulard. Ça a fait une sacrée histoire! Après ça, on a tout interdit au lycée, les foulards aussi bien que les croix, mais Chantal porte toujours la sienne, pourtant. Je le sais. Je l'ai vue quand on a fait éducation physique, l'autre jour, mais le prof a fait semblant de ne rien avoir remarqué. Le père de Chantal fait cet effet-là à tout le monde.

Maman me dit : «Ne t'occupe pas d'elles. Tu peux toujours te trouver d'autres copines!»

J'ai bien essayé mais je ne sais pas ce que j'ai, chaque fois que je me trouve une copine, Suze réussit à me la faucher. C'est déjà arrivé plusieurs fois. Je ne sais pas pourquoi exactement. Je ne peux pas mettre le doigt sur la vraie raison. C'est comme un parfum dans l'air. Brusquement, des gens que vous considériez comme des copains commencent à *vous* éviter et à *la* rechercher. Vous n'avez pas le temps de dire *ouf*, et déjà ils sont devenus *ses* copains à *elle,* plus les vôtres, et encore une fois vous vous retrouvez toute seule.

En tout cas, aujourd'hui, Suze a refusé de m'adresser la parole. Elle s'est assise à côté de Chantal pendant les cours. Elle a posé son sac sur la chaise de l'autre côté; comme ça, elle était sûre que je ne m'y assiérais pas. Chaque fois que j'ai regardé dans leur direction, elles semblaient se moquer de moi.

Mais cela m'est bien égal! Qui voudrait ressembler à ces deux-là?

Je les vois bien se parler en cachette et je devine, à leur façon de ne pas me regarder, qu'elles se moquent encore de moi. Mais pourquoi donc? Pourquoi est-ce toujours moi? Autrefois, je savais au moins ce qui me rendait différente des autres, mais maintenant?

Ce sont mes cheveux? Peut-être mes vêtements? Nous ne nous habillons pas, c'est vrai, dans les boutiques chics. Le fait que nous n'allons pas faire de ski à Val-d'Isère? Que nous ne passons pas nos vacances sur la côte d'Azur? Y a-t-il sur moi, comme sur les baskets des grandes surfaces, quelque étiquette qui permette à tout le monde de voir en moi un être de deuxième classe?

Maman a pourtant tout fait pour m'aider. Rien en moi n'attire l'attention, rien ne suggère que nous n'avons pas d'argent. Je porte les mêmes vêtements que les autres. Mon cartable est identique au leur. Je vois les films qu'il *faut* avoir vus. Je lis les livres qu'il *faut* avoir lus, j'écoute leur musique dans le seul but d'être acceptée et pourtant je ne le suis toujours pas.

Le défaut est en moi, c'est sûr. Au milieu des autres, je représente la fausse note. Je suis de la mauvaise taille ou de la mauvaise couleur. Les livres que j'aime et les films que je regarde en secret ne sont sans doute pas les bons. Que cela leur plaise ou non, je suis différente et je ne sais vraiment pas pourquoi je devrais m'en cacher.

Pourtant, c'est dur de ne pas avoir de copines alors que toutes les autres en ont, et c'est dur aussi de ne se sentir vraiment acceptée que lorsque l'on est quelqu'un d'autre.

Ce matin, lorsque je suis entrée dans notre salle de classe, les autres s'amusaient avec une balle de tennis. Suze la faisait rebondir vers Chantal qui la faisait rebondir à son tour vers Lucie qui la passait à Sandrine, à l'autre bout de la classe, et ainsi de suite tout autour de la salle jusqu'à Sophie. Lorsque je suis entrée, personne ne m'a dit un mot. Elles ont tout simplement continué à se passer la balle mais personne ne l'a envoyée dans ma direction. Lorsque j'ai essayé d'attirer leur attention en criant: «À moi!», personne n'a semblé comprendre. Sans que quiconque dise quelque chose, le jeu avait pourtant changé. C'était comme s'il s'agissait maintenant de m'empêcher à tout prix d'intercepter la balle. Elles jappaient *Annie est l'ennemie* en me forçant à sauter pour attraper la balle qu'elles se renvoyaient en la gardant hors de ma portée.

Je sais très bien que ma réaction est complètement stupide. Ce n'est qu'un jeu après tout mais, à l'école, c'est tous les jours comme ça. Dans une classe de vingt-trois élèves, je suis celle qui n'a jamais de partenaire, celle à côté de laquelle personne ne s'assied, celle qui doit partager un ordinateur avec deux autres élèves – Chantal et Suze, d'habitude – au lieu d'une seule, celle qui reste toute seule à la récré et va donc au

CDI, ou doit passer son temps, assise sur un banc, à regarder les autres bavarder en groupe, rire et organiser des jeux entre elles. Cela me serait presque égal si, de temps en temps, quelqu'un d'autre était *l'ennemie*. Mais cela n'arrive jamais. C'est toujours moi.

Ce n'est même pas une question de timidité. J'aime les gens. Je m'entends bien avec eux. J'aime bavarder, je suis prête à jouer au chat et à la souris dans la cour. Je ne suis pas comme Claude, trop noué pour dire un mot à qui que ce soit et qui se met à bégayer dès qu'un prof lui pose une question. Je ne suis pas non plus snob comme Chantal, ni mégasusceptible comme Suze. Je suis toujours prête à écouter gentiment quelqu'un qui a un petit chagrin – lorsque Suze s'est querellée avec Luce ou Danielle, c'est vers moi qu'elle vient pour se faire consoler, pas vers Chantal – mais alors, juste au moment où je pense que notre amitié est repartie sur le bon pied, voilà Suze qui recommence. Elle prend des photos de moi dans le vestiaire avec son portable et les montre à tout le monde et lorsque je proteste : « Non, Suze, ne fais pas ça », elle me regarde avec son air terrible : « Mais, c'est pour rigoler un peu, c'est tout ! » Et moi je dois rire aussi, même si je n'en ai pas du tout envie, parce que je ne veux pas que l'on m'attribue, en plus, la réputation de n'avoir aucun sens de l'humour. Mais, pour dire la vérité, je ne trouve pas cela drôle du tout. C'est comme le truc de la balle de tennis, cela n'est drôle que si *l'ennemie* est une autre que vous.

C'est la conclusion à laquelle je suis arrivée dans l'autobus, en rentrant du lycée, avec Suze et Chantal prises d'un fou rire sur la banquette arrière, juste derrière moi. Pas une fois, je ne me suis retournée – j'ai fait semblant d'être absorbée par ma lecture même si les secousses de l'autobus m'empêchaient de lire et que l'écriture sur la page devenait de plus en plus floue. D'ailleurs, je devais avoir quelque chose dans l'œil car mes yeux ont commencé à couler un tout petit peu. Alors, comme nous approchions de l'arrêt où je devais descendre, immédiatement après le métro de la rue Caulaincourt, j'ai simplement regardé par la fenêtre de l'autobus, même alors qu'il pleuvait, même alors qu'il faisait déjà presque noir et même alors que la ville entière me semblait peinte de ce vilain gris parisien.

D'ailleurs, je vais peut-être bien me décider à prendre le métro à l'avenir. Il ne me déposera pas aussi près du lycée, mais je le préfère. J'aime l'odeur de biscuits de ses escaliers roulants, le souffle puissant des rames quand elles arrivent au bord du quai, les voyageurs, la foule. Et on voit toutes sortes de gens étranges dans le métro, des gens de toutes les races, des touristes de tous les pays du monde, des femmes voilées, des vendeurs à la sauvette d'origine africaine qui sortent de leurs poches des montres de contrefaçon, des bibelots d'ivoire sculpté, des bracelets de coquillages et des colliers de perles de bois. On y voit aussi des hommes habillés en femmes, des femmes habillées en starlettes, des gens qui mangent des choses bizarres dans des sacs de papier brun, d'autres arborant des coiffures punk, des tatouages et des anneaux dans les sourcils, des mendiants et des musiciens, des pick-pockets et des ivrognes.

Maman préfère que je prenne l'autobus.

Naturellement.

Suze ricanait toujours. J'ai deviné encore une fois que j'étais l'objet de ses plaisanteries. J'ai quitté mon siège sans tourner les yeux vers elle et je me suis dirigée vers l'avant de l'autobus.

Ce n'est qu'alors que j'ai aperçu Zozie, debout dans le couloir central. Elle ne portait pas ses chaussures cerise aujourd'hui mais des bottes violettes, à semelles compensées et boucles de métal argenté, montant jusqu'aux genoux. Elle avait une courte robe chasuble noire et un pull vert limon. Elle s'était fait une mèche rose vif dans les cheveux. Comme ça, elle était fantastique.

Je n'ai pas pu résister à l'envie de le lui dire.

J'étais bien certaine pourtant qu'elle m'aurait déjà oubliée. Eh bien, non! «Oh! Annie! s'est-elle exclamée, en m'embrassant sur les deux joues. C'est là que je dois descendre. Toi aussi?»

J'ai jeté un rapide coup d'œil derrière mon épaule, juste assez vite pour surprendre les regards ahuris de Suze et de Chantal qui, du coup, en a oublié de ricaner. Personne n'aurait d'ailleurs l'idée de se moquer de Zozie, et elle ne s'en soucierait guère si cela devait arriver! Suze était restée bouche bée (entre nous, ça la rend plutôt laide), et Chantal, à côté, était devenue de jalousie aussi verte que le pull de Zozie.

«Des copines à toi?» m'a demandé Zozie en descendant.

J'ai répondu: «Des copines *à moi*!» en levant les yeux au ciel.

Zozie a ri. Elle rit souvent et très fort vraiment. Elle s'en fiche d'ailleurs complètement que les gens la regardent. Avec ses bottes à semelles compensées, elle a l'air vraiment impressionnante. Je voudrais bien en avoir des comme ça.

«Et pourquoi n'en aurais-tu pas?» m'a-t-elle demandé.

J'ai répondu par un simple haussement d'épaules.

«Si tu veux que je te dise, ton look est plutôt… *classique*.»

J'adore sa façon de dire *classique* avec cette petite étincelle dans le regard qui n'a strictement rien à voir avec une moquerie méchante.

«Je t'aurais crue plus… *originale* si tu vois ce que je veux dire.

– Maman n'aime pas que nous paraissions différentes des autres!»

Elle a levé un sourcil étonné : «Vraiment?»

J'ai encore haussé les épaules sans répondre.

«Enfin, chacun est libre de penser ce qu'il veut. Écoute, je connais, un peu plus loin, un petit salon de thé anglais hypercool – on y fait des saint-honoré comme on n'en sert pas au Paradis. Tu viens avec moi, on a quelque chose à fêter.»

J'ai demandé : «Quoi?

– Je vais bientôt venir habiter près de chez vous!»

Il est bien entendu que je ne suis pas censée suivre des inconnus. Maman me le répète assez souvent. On ne peut pas vivre à Paris sans être forcé d'apprendre quelques petites règles élémentaires de prudence. Mais, c'était différent, il s'agissait de Zozie.

D'ailleurs, j'étais avec elle dans un endroit public – un salon de thé très anglais que je n'avais encore jamais remarqué et qui, comme promis, offrait les plus merveilleuses des pâtisseries.

Jamais, je n'y aurais mis les pieds seule. Les endroits comme ça me paralysent. Tables de verre, dames en col de fourrure dégustant des thés exotiques dans des tasses de porcelaine, serveuses en petite robe noire prêtes à jeter un coup d'œil désapprobateur sur mes vêtements d'écolière, mes cheveux ébouriffés et les bottes violettes de Zozie et à réagir comme si elles n'en croyaient pas leurs yeux.

Zozie a murmuré : «Moi, j'adore venir ici. C'est hyper rigolo et la maison se prend tellement, si terriblement, au sérieux!»

Les tarifs se prenaient sûrement terriblement aussi au sérieux. Jamais je n'aurais pu me les permettre – dix euros pour un thé et douze pour un chocolat chaud!

«Ne t'inquiète pas, c'est moi qui paie!» m'a rassurée Zozie, comme nous prenions place à une table dans un coin de la salle et que la serveuse à l'air boudeur (elle ressemblait un peu à Jeanne Moreau) nous présentait la carte des friandises comme si le geste même lui était pénible.

«Tu connais Jeanne Moreau?» m'a demandé Zozie un peu surprise.

Toujours intimidée, j'ai fait oui de la tête. «Elle est super dans *Jules et Jim*!»

Indiquant du doigt notre serveuse qui, tout sourire maintenant, s'empressait autour de deux dames blondes et riches qui se ressemblaient, Zozie a déclaré :

«Oui, pas comme celle-ci qui a l'air de s'être enfoncé une balayette dans l'trou du cul!»

J'ai éclaté de rire. Les dames m'ont dévisagée, incrédules, puis ont regardé les bottes violettes de Zozie. Elles se sont ensuite chuchoté quelque chose à l'oreille. Cela m'a fait penser à Suze et Chantal, et j'ai senti soudain ma gorge se dessécher.

Zozie a dû deviner quelque chose car elle a brusquement cessé de rire et m'a jeté un regard inquiet.

«Qu'est-ce qui ne va pas? m'a-t-elle demandé.

– Je ne sais pas. J'ai eu l'impression que ces deux-là se moquaient de nous!»

J'ai essayé de lui expliquer que c'était précisément le genre d'endroit où la mère de Chantal l'emmenait, le genre d'endroit où des dames squelettiques, en coordonnés de cachemire pastel, dégustaient des thés au citron et refusaient de se laisser tenter par les gâteaux.

Zozie a croisé ses longues jambes.

«Mais tu n'es pas un clone, toi. Il est impossible de distinguer un clone d'un autre. Les originaux, par contre! Tu devines facilement lesquels ont ma préférence?»

J'ai dit: «Oui!» en haussant les épaules.

«Tu ne sembles pas très convaincue! m'a-t-elle dit avec un sourire espiègle. Regarde!»

Elle a fait alors une sorte de pichenette dans la direction de la serveuse qui ressemblait à Jeanne Moreau. La seconde d'après, la fille a trébuché sur ses hauts talons. La théière a glissé du plateau qu'elle tenait, atterri sur la table qu'elle a entièrement mouillée en laissant tomber des gouttes de thé brûlant sur les chaussures de luxe et les sacs à main des dames élégantes.

J'ai écarquillé les yeux d'étonnement.

Zozie m'a fait un grand sourire complice: «Pas mal, hein?»

Alors, j'ai ri parce que, évidemment, il s'agissait d'un pur hasard et que personne n'aurait pu prévoir ce qui allait se passer. Moi, pourtant, j'aurais pu jurer que c'était Zozie qui avait provoqué d'un geste la chute de la théière et tout le reste – la serveuse, qui maintenant se confondait en excuses, et les souliers tout trempés des dames en couleur pastel. Et personne ne nous dévisageait plus, personne ne riait des bottes ridicules de Zozie.

Nous avons donc passé notre commande de boissons et de gâteaux. Pour Zozie, un saint-honoré – elle, au moins, ne se fait pas de soucis pour son régime – et pour moi, une frangipane. Nous avons toutes deux arrêté notre choix sur un *latte* à la vanille et nous avons bavardé. Pendant plus longtemps que je ne le pensais, d'ailleurs! Je lui ai parlé de Suze, du lycée, de Maman, de Thierry et de la chocolaterie.

« Ça doit être méga cool de vivre dans une chocolaterie ! a dit Zozie en attaquant son saint-honoré.

– Pas si cool qu'à Lansquenet ! »

Zozie a semblé intéressée. « Qu'est-ce que c'est, Lansquenet ?

– Un village où nous avons habité, quelque part dans le Sud. C'était drôlement bien là-bas !

– Mieux qu'à Paris ? » Elle avait l'air surprise.

Alors je lui ai raconté Lansquenet et les Marauds où nous pouvions jouer au bord de l'eau, Jeannot et moi, je lui ai parlé d'Armande et des gitans de la rivière, du bateau de Roux avec son toit de verre, sa petite cuisine et ses casseroles un peu écaillées, je lui ai expliqué la façon dont nous confectionnions les chocolats tard le soir ou tôt le matin si bien que tout, même la poussière, en gardait le parfum.

J'ai été surprise après d'avoir tant bavardé. Je ne suis pas censée raconter notre vie, ni parler des endroits où nous avons habité. Pourtant, avec Zozie, tout était différent. Avec elle je me sentais en sécurité.

« Alors, qui va aider ta mère maintenant que Mme Poussin n'est plus là ? » a demandé Zozie, occupée à retirer la mousse de son verre avec sa petite cuiller.

J'ai répondu : « Nous allons nous débrouiller !

– Est-ce que Rosette va à l'école ?

– Non, pas encore ! » Je ne sais pas pourquoi mais je n'avais pas envie de lui parler de Rosette. « Mais elle est très éveillée et elle dessine vraiment bien. Elle sait bien se faire comprendre et peut suivre du doigt les mots de l'histoire qu'on lui lit.

– Elle ne te ressemble pas beaucoup. »

J'ai répondu par un haussement d'épaules.

Zozie m'a regardée avec cet éclat qu'elle a dans les yeux quand elle s'apprête à ajouter quelque chose. Mais elle n'a rien ajouté. Elle a bu la dernière goutte de son *latte* à la vanille et a déclaré : « Cela doit être bien dur de ne pas avoir de père ! »

J'ai encore une fois haussé les épaules. Bien sûr que j'ai un père – nous ne savons tout simplement pas exactement qui c'est –, mais je n'allais quand même pas dire cela à Zozie.

« Vous devez être très proches, ta mère et toi. »

J'ai acquiescé : « N'hum !

– Vous vous ressemblez vraiment beaucoup. » Elle s'est arrêtée tout net et a fait une petite grimace comme si elle éprouvait de la difficulté à comprendre quelque chose. « Et chez vous deux, Annie, il y a quelque chose, n'est-ce pas, quelque chose que je ne saurais pas vraiment définir, hein ? »

Je me suis bien gardée de répondre à cela, bien sûr. Maman me dit toujours : « Tais-toi, c'est plus sûr. Comme ça, tu es certaine que ce que tu pourrais dire ne te retombera pas sur le nez ! »

« En tout cas, tu n'es pas un clone, toi, c'est sûr ! Et je parierais bien que tu as plus d'un tour dans ton sac.

– Tour ? » J'ai repensé à la serveuse et à la théière renversée, et j'ai brusquement détourné les yeux, de nouveau mal à l'aise. J'aurais voulu que quelqu'un nous apporte vite la note pour dire au revoir à Zozie et rentrer en courant à la maison.

Mais notre serveuse ne s'occupait pas de nous, elle bavardait avec le garçon derrière le comptoir et riait en renvoyant ses cheveux derrière son épaule d'un petit geste de la main comme Suze le fait en présence de Jean-Loup Rimbault – un garçon qu'elle aime bien. J'ai déjà remarqué ça chez les serveurs et les serveuses. Même lorsqu'ils sont rapides à vous apporter votre consommation, ils traînent souvent pour vous amener l'addition.

À ce moment, Zozie a fait un tout petit signe avec ses doigts en corne, un signe si discret que j'aurais très bien pu ne pas l'apercevoir, un simple mouvement comme pour baisser un interrupteur et la serveuse qui ressemblait à Jeanne Moreau s'est retournée comme si un client lui avait tapé sur l'épaule et nous a immédiatement apporté l'addition sur un plateau.

Zozie lui a fait un grand sourire et a sorti son porte-monnaie. Jeanne Moreau, l'air ennuyé et boudeur, a attendu. J'étais presque sûre que Zozie allait faire une remarque – après tout, quelqu'un qui n'a pas peur de dire le mot « cul » dans un salon de thé anglais n'a pas peur non plus de dire ce qu'elle a sur le cœur.

Mais elle n'a fait aucun commentaire. Elle a simplement tendu à la serveuse un billet de cinq euros en disant : « Merci, mademoiselle. Voilà cinquante euros, gardez la monnaie ! »

Même moi, je voyais bien que c'était un billet de cinq euros qu'elle avait donné. Je l'avais clairement vu quand Zozie, avec un sourire, l'avait déposé sur le plateau mais la serveuse, elle, je ne sais pas comment, n'avait rien remarqué du tout. Au lieu de ça, elle l'a remerciée et nous a souhaité une bonne fin de journée. Zozie a refait le signe avec sa main en remettant son porte-monnaie en place comme si de rien n'était.

Puis, avec un clin d'œil, elle s'est retournée vers moi.

Pendant une seconde, je n'ai pas été tout à fait certaine d'avoir bien vu. Après tout, cela aurait pu être une erreur parfaitement compréhensible. Il y avait beaucoup de clients, la serveuse était occupée et les gens se trompent parfois, on le sait bien.

Mais après cette histoire de théière renversée…

Elle a eu un sourire félin de chat qui pourrait bien vous griffer d'un simple petit coup de patte alors qu'il ronronne là, confortablement sur vos genoux.

Elle avait bien parlé de *tours*.

Moi, j'ai pensé *Accidents*.

J'aurais voulu soudain être à cent lieues de là, j'aurais voulu ne pas avoir attiré son attention, l'autre jour, devant la chocolaterie. Ce n'est peut-être qu'un jeu – et pas même réel –, et on devine pourtant que c'est un jeu dangereux, comme de pousser impunément du doigt quelque fauve endormi jusqu'à ce qu'il finisse par s'éveiller pour de bon.

J'ai dit en jetant un coup d'œil à ma montre : « Je dois rentrer.

– Annie, pas de panique, il n'est que cinq heures et demie !

– Mais Maman va s'inquiéter si je suis en retard.

– Un retard de quelques minutes, ce n'est rien !

– Si, il est temps que je parte ! »

Je m'attendais un peu à ce qu'elle me retienne d'une façon ou d'une autre, qu'elle me force à me retourner comme elle l'avait fait pour la serveuse, mais Zozie m'a tout simplement souri. Je me suis sentie complètement ridicule d'avoir été prise de panique. Après tout, il y a des gens qui sont particulièrement influençables – la serveuse devait en faire partie. Il est possible aussi qu'elles aient toutes les deux fait une erreur ou que ce soit moi qui me sois trompée.

Je savais pertinemment bien que je ne m'étais pas trompée. Et je savais très bien aussi qu'elle était certaine que je l'avais vue. C'était très clair à la façon dont elle me regardait avec son petit sourire de chat, comme si nous étions complices d'un peu plus que d'avoir satisfait notre péché mignon pour les pâtisseries.

Je sais que c'est une imprudence mais je ne peux m'empêcher de la trouver sympa. Vraiment ! Et je voulais lui dire quelque chose pour qu'elle comprenne cela.

Je me suis soudain retournée et j'ai croisé son regard. Elle souriait toujours.

Je lui ai demandé : « Zozie, c'est vraiment comme ça que vous vous appelez ? »

Elle a gentiment imité ma voix : « Annie, c'est vraiment comme ça que tu t'appelles, toi ? »

– Eh bien ! » Un instant, j'ai été si surprise que je lui ai presque dit la vérité. « Mes vrais amis m'appellent Nanou. »

Toujours souriante, elle m'a demandé : « Et tu en as beaucoup ? »

J'ai ri et je lui ai répondu en levant un seul doigt.

2

Le Jaguar

Mardi 6 novembre

Quelle gamine intéressante! Moins mature, dans certains domaines, que les filles de son âge mais tellement plus dans d'autres. Elle n'éprouve aucune difficulté à tenir une conversation avec un adulte, mais mettez-la parmi d'autres enfants et elle semble hésiter comme si elle essayait d'évaluer leur niveau de compétences. Avec moi, elle était prête à se livrer, elle s'est montrée bavarde, enjouée, drôle, mélancolique parfois, obstinée aussi, avec une sorte de prudence instinctive, dès que j'ai commencé à effleurer le sujet de son étrangeté.

Aucun enfant ne veut être différent des autres, on le sait, mais, dans le cas d'Annie, la prudence va beaucoup plus loin. C'est comme si elle voulait cacher quelque chose au reste du monde, quelque talent secret qui, une fois découvert, pourrait se retourner contre elle.

Les autres n'en ont peut-être pas conscience mais je ne suis pas comme les autres, moi, et cette enfant attire tellement mon intérêt que je suis incapable de résister. Je me demande si elle sait elle-même *ce* qu'elle est, si elle est capable de l'assumer, et si, dans sa petite tête obstinée, elle a la moindre idée de sa propre puissance.

Aujourd'hui, je l'ai rencontrée de nouveau, elle revenait du lycée. Elle ne s'est pas montrée distante mais certainement plus réservée qu'hier. Comme si elle s'était rendu compte qu'une ligne interdite avait été franchie. Comme je l'ai dit, la gamine est intéressante et d'autant plus intéressante qu'elle représente pour moi un défi. Elle n'est pas inaccessible, je le devine, mais elle est prudente, très prudente, et il va falloir m'armer de patience si je ne veux pas l'effaroucher.

Nous nous sommes donc contentées de bavarder simplement – je n'ai fait aucune allusion à ce qui la rend différente des autres, ni à cet endroit qu'elle appelle Lansquenet, ni à la chocolaterie –, et nous nous sommes quittées, partant chacune de notre côté, mais pas avant que j'aie laissé tomber dans la conversation l'endroit où j'habite maintenant, et celui où je travaille.

Travail ? Tout le monde a besoin de travailler. D'ailleurs, cela me donne une excuse pour me reposer après, pour me mêler aux autres, les observer, apprendre leurs petits secrets. Je n'ai pas de problèmes d'argent, bien sûr, c'est pourquoi je peux me permettre d'accepter le premier boulot venu, le seul qu'une fille puisse trouver sans difficulté dans un endroit comme Montmartre.

Mais non, pas ça ! Serveuse dans un café, bien sûr !

Je n'ai pas travaillé comme serveuse depuis bien longtemps. Aujourd'hui, rien ne m'y oblige plus. Le salaire est dérisoire. Quant aux heures de travail, n'en parlons pas. Pourtant, je devine que ça convient tout à fait à Zozie de l'Alba et d'ailleurs c'est un poste d'observation idéal pour les allées et venues du voisinage.

Le P'tit Pinson est niché au coin de la rue des Faux-Monnayeurs. C'est un café de l'époque du vieux et sombre Montmartre, un café mal éclairé, enfumé, avec des murs couverts de graisse et de nicotine. Le patron est Laurent Pinson, soixante-cinq ans, Parisien de naissance, la moustache en bataille et assez peu soigné de sa personne. Le café lui-même ressemble à son propriétaire et d'habitude n'attire que des personnes de sa génération, prêtes à apprécier ses prix modestes et son plat du jour, et les gens un peu bizarres, comme moi, qui se régalent de la spectaculaire rusticité du patron et des idées politiquement quelque peu radicales de ses habitués.

Les touristes, eux, préfèrent la place du Tertre avec ses jolis petits cafés et les nappes à carreaux de leurs tables alignées au bord des rues pavées, ou la pâtisserie Art déco du bas de la Butte avec ses étalages de tartes, tartelettes et fruits confits qui rutilent comme des bijoux, ou encore le salon de thé anglais de la rue Ramey. Mais les touristes me laissent indifférente. Ce qui m'intéresse, c'est la chocolaterie que j'aperçois très clairement de l'autre côté du square. Je vois qui y entre et qui en sort. Je peux compter les clients, surveiller les livraisons et, en général, me tenir au courant du rythme de sa petite vie.

Le courrier que j'avais subtilisé le premier jour ne s'est finalement pas révélé très utile. Une facture de chez Sogar Fils, grossiste en confiserie, timbrée et datée du 20 octobre et indiquant *Payé au comptant*. Mais qui, de nos jours, paie en argent comptant, forme peu pratique de régler ses dettes et qui n'a aucun avantage à être utilisée? Cette femme n'a-t-elle pas de compte bancaire? Je n'en sais donc pas plus qu'avant.

La seconde enveloppe renfermait une carte de condoléances pour le décès de Mme Poussin, signée *Baisers de Thierry*. D'après le cachet de la poste, elle avait été envoyée de Londres. L'envoyeur avait négligemment ajouté un post-scriptum : *À bientôt et essaie surtout de ne pas t'inquiéter.*

On peut toujours la garder et s'en servir plus tard.

La troisième, une carte postale du Rhône aux couleurs fanées, m'en a appris encore moins. *En route vers le nord. Passerai vous dire bonjour si je peux*, signée *R* et adressée à *Y* et *A*, je crois, mais l'écriture en était si difficile à déchiffrer que le *Y* ressemblait à un *V*.

La quatrième était une publicité pour une offre de prêt.

Enfin, ai-je pensé, j'ai tout mon temps.

«Eh! C'est vous!» C'était de nouveau l'artiste peintre. Je le connais maintenant. Il s'appelle Jean-Louis. Son copain avec le béret est Paupaul. Je les vois souvent au P'tit Pinson où ils entrent prendre un bock et baratiner les femmes. Cinquante euros – dix pour l'esquisse et quarante pour les flatteries –, et vous emportez un simple croquis au crayon. Ils ont réussi à faire de leur boniment un art. Jean-Louis se sert de son charme, et les femmes de physique plutôt quelconque sont les premières à se laisser embobiner. C'est d'ailleurs plus la persistance qu'il met à les flatter que le talent qui est la recette de son succès.

Au moment où il s'apprêtait à ouvrir son bloc à croquis, je lui ai dit : «Tu ferais mieux de ne pas perdre ton temps, je ne vais pas te l'acheter!

– Eh bien, je le vendrai à Laurent ou bien je le garderai pour moi peut-être», m'a-t-il répondu avec un clin d'œil entendu.

La technique de Paupaul est l'indifférence. Plus âgé que son copain, il est moins exubérant de nature. À vrai dire, il ne parle presque pas. Il se tient devant son chevalet au coin du square et contemple en fronçant des sourcils le papier sur lequel il donne de temps en temps quelques coups de crayon furieux d'un air d'effrayante intensité. Il arbore une moustache intimidante et laisse ses modèles poser très longtemps pendant qu'il grimace et martyrise son papier à grands coups de crayon ou marmonne avec violence sous sa moustache, des choses inintelligibles, avant de produire un portrait de proportions si bizarres que ses clients éperdus d'admiration se sentent obligés de débourser.

Jean-Louis continuait son croquis de moi comme je passais entre les tables. Je lui ai dit : « Je te préviens que lorsque l'on me prend comme modèle, je me fais payer ! »

D'un ton désinvolte, il m'a répliqué : « Pense aux lys, ils ne font aucun travail et ne réclament pas de salaire, eux !

– Ils n'ont pas de factures à payer, non plus ! »

Je suis passée à la banque, ce matin. Cette semaine, d'ailleurs, j'y suis passée tous les jours. Un retrait de vingt-cinq mille euros en argent et en une seule transaction ne manquerait pas d'attirer sur moi le genre d'attention dont je préfère me passer, mais le faire en plusieurs fois – mille euros ici, deux cents là – sera à peine remarqué d'un jour à l'autre.

Enfin, il vaut toujours mieux ne pas chanter cocorico !

Je suis donc entrée, pas comme Zozie mais comme la collègue au nom de laquelle j'avais ouvert le compte : Barbara Beauchamp, une secrétaire dont la réputation d'honnêteté scrupuleuse était bien établie. Je m'étais faite aussi terne que possible pour l'occasion. Si devenir invisible est bien sûr impossible (cela finirait d'ailleurs sans doute par éveiller les soupçons !), se fondre dans la grisaille de la foule est un choix offert à n'importe qui. Coiffez d'un bonnet de laine une femme sans âge, donnez-lui des gants et elle pourra passer presque partout sans se faire remarquer.

C'est bien pour ça que cela m'a immédiatement mis la puce à l'oreille. Cette impression étrange d'être observée alors que j'attendais au guichet, cette vigilance inhabituelle dans les regards, le fait que l'on me prie d'attendre pendant que l'on comptait mon argent, cette odeur, ce bruit bizarre qui me disait que quelque chose n'était pas tout à fait normal.

Je n'ai pas attendu d'en avoir la confirmation. Dès que le caissier a disparu, je suis sortie, j'ai glissé le chéquier et la carte dans une enveloppe et je l'ai jetée dans la première boîte postale que j'ai rencontrée. L'adresse n'existait pas. Les documents qui auraient pu ainsi m'incriminer passeront bien trois mois renvoyés d'un bureau à l'autre avant de finir au dépôt « Adresse inconnue » où personne ne les découvrira jamais. Si je devais, un jour, avoir à me débarrasser d'un cadavre, c'est la méthode que j'utiliserais. J'expédierais un peu partout en Europe, à des adresses illisibles, et sous colis séparés, mains, pieds, quartiers de thorax, etc., pendant que la police perdrait son temps à rechercher l'endroit où le cadavre a été enterré.

Pas que je sois du tout du genre à commettre un meurtre, ce n'est pas dans mes goûts, mais il ne faut jamais rejeter totalement une possibilité.

J'ai découvert un magasin de modes tout à fait pratique pour moi. Mme Beauchamp a pu s'y métamorphoser complètement et en ressortir sous les traits de Zozie de l'Alba. En gardant l'œil pour relever quoi que ce soit d'inhabituel, je suis rentrée à ma pension tout au bas de la Butte par le chemin des écoliers. Là, j'ai pu réfléchir à mon avenir.

Zut, alors!

Il restait encore vingt-deux mille euros sur le compte de la fausse Mme Beauchamp. Cela m'avait coûté six mois de préparatifs, de recherches, de talent d'actrice et de raffinement de détails pour ma nouvelle identité. Maintenant, je n'avais plus aucune chance d'en profiter. Il était sans doute impossible que l'on me reconnût sur les images floues des films de la caméra de surveillance de la banque mais très possible, au contraire, que l'on eût bloqué le compte en attendant l'enquête de la police. Il ne me restait donc qu'à accepter l'évidence et dire adieu à cet argent. J'avais à peine plus que ce qu'il me fallait pour ajouter un petit porte-bonheur à mon bracelet – une souris, ce qui me paraissait convenir parfaitement *in memoriam* de la pauvre Françoise.

Triste vérité, ai-je pensé. De nos jours, il n'y a plus d'avenir pour un artiste dans le métier. Six mois de perdus et je me retrouve comme au début. Fauchée et sans identité.

Eh bien, on va y remédier. Il ne me manque qu'un peu d'inspiration. Commençons par la chocolaterie, n'est-ce pas? Par Vianne Rocher de Lansquenet qui, pour des raisons inconnues, s'est transformée en Yanne Charbonneau, mère de deux enfants et veuve respectable de la Butte.

Devinerais-je en elle une âme sœur? Non, mais je reconnais là un défi. Il n'y a peut-être pas grand-chose à tirer de la chocolaterie mais la vie de Yanne n'est pas sans attrait. Et, bien sûr, elle a cette gamine, cette gamine si remarquablement intéressante.

J'habite près du boulevard de Clichy, à dix minutes à pied de la place des Faux-Monnayeurs, un petit deux-pièces grand comme un mouchoir de poche situé tout en haut de quatre étages d'escaliers étroits. Le loyer est assez bas pour mes ressources et assez discret pour ne pas m'attirer d'attention malencontreuse. De là, je peux observer les rues, repérer les allées et venues de tout le monde et me perdre dans la faune locale.

D'accord, ce n'est peut-être pas la Butte – qui n'est pas dans mes moyens! À vrai dire, la chute est brutale après le gentil petit appartement du onzième. Mais Zozie de l'Alba aurait paru déplacée là-bas. D'ailleurs, frayer parmi les couches sociales les moins privilégiées lui convient parfaitement en ce moment. Toutes sortes de gens vivent ici : étudiants, petits commerçants, immigrés, masseuses – officiellement déclarés ou non. Dans le quartier, on trouve aussi une demi-douzaine d'endroits consacrés au culte (débauche et religion, ces sœurs siamoises!). Et plus de détritus que de feuilles mortes jonchent la rue où règne une odeur d'égout et de crottes de chiens. Sur ce flanc-là de la Butte, les jolis petits cafés font place aux fast-foods et aux marchands de vins. Là, le soir, s'agglutinent les vagabonds qui boivent leur gros rouge à la bouteille avant d'étendre leur journal par terre pour passer la nuit à l'abri des grilles de métal des portes cochères.

Je vais sans doute rapidement me fatiguer de cette vie-là mais, pendant quelque temps, j'ai besoin de me faire oublier jusqu'à ce que les incartades de Mme Beauchamp et de Françoise Lavery soient devenues de l'histoire ancienne. On ne regrette jamais d'être trop prudent. Je le sais. D'ailleurs, comme aimait le répéter ma mère, il faut toujours savoir s'accorder un peu de répit pour faire la cueillette car *il ne r'viendra* peut-être *plus, le temps des cerises.*

3

Le Jaguar

Jeudi 8 novembre

E t en attendant qu'elles mûrissent, ces cerises-là, j'ai réussi à accumuler un certain nombre de renseignements concernant les habitants de la place des Faux-Monnayeurs. Mme Pinot, la petite perdrix grise, qui tient le tabac-souvenirs, a la langue bien pendue. C'est elle qui m'a mise au courant des potins du voisinage – selon son point de vue, bien sûr.

Grâce à elle j'ai appris que Laurent Pinson fréquente les bars pour célibataires, que le jeune homme obèse du restaurant italien pèse plus de cent cinquante kilos et que, malgré son poids, il entre dans la chocolaterie au moins deux fois par semaine, que la dame au chien qui passe tous les jeudis, à dix heures du matin, est Mme Luzeron, qu'elle a perdu son fils alors qu'il avait treize ans à peine et son mari, l'année dernière, d'une embolie cérébrale. Sans jamais faillir, tous les jeudis, elle va au cimetière, d'après Mme Pinot, avec son petit chien en laisse, la pauvre femme.

Tout en choisissant sur le présentoir un magazine – *Paris-Match*, que je déteste d'ailleurs ! – j'ai demandé : « Et la chocolaterie ? » Au-dessus et au-dessous du présentoir s'alignaient des rangées multicolores de bric-à-brac religieux : statues de la Vierge en plâtre de Paris, bibelots de céramique bon marché, globes du Sacré-Cœur sous la neige, médailles, crucifix, chapelets et encens pour toutes les occasions. Je soupçonne Mme Pinot de pruderie à la façon dont elle a jeté un coup d'œil à la couverture de mon magazine – la princesse

Stéphanie de Monaco folâtrant en bikini sur une plage quelconque –, la bouche en cul de poule.

Elle m'a répondu : « Y'a pas grand-chose à en dire. L'mari est mort dans le Midi, que'que part, j'sais pas trop où, mais elle s'est arrangée pour bien retomber sur ses pieds. » Elle a refait la moue. « Et je parierais qu'avant bien longtemps d'ici, il y aura un mariage.

– Vraiment ? »

Elle a hoché la tête. « Thierry Le Tresset. C'est le propriétaire. Il louait à très bas prix à Mme Poussin, c'était une amie de la famille, je crois. C'est chez elle qu'il a rencontré Mme Charbonneau. Si jamais vous avez vu un homme tomber amoureux, c'est bien lui. » Elle a enregistré le magazine à la caisse. « Mais je m'demande parfois s'il sait vraiment à quoi il s'engage. Elle doit bien avoir vingt ans de moins que lui et il est toujours parti pour affaires. Et puis il y a les deux gamines dont l'une est un peu *spéciale*. »

J'ai repris le mot *spéciale*.

« Oh ! Vous ne savez pas ? Pauvre gosse ! C'est un malheur assez difficile à vivre pour n'importe qui, et comme si cela n'était pas encore assez, a-t-elle ajouté, vous n'allez pas me dire que le magasin fait de gros bénéfices si l'on tient compte des frais généraux, du chauffage et du loyer. »

Je l'ai laissée bavarder encore un peu. Pour des gens comme elle, les papotages sont monnaie courante et je devine que ma seule présence lui a déjà donné matière à réflexion. Avec mes mèches roses et mes souliers cerise, je dois bien, moi aussi, lui inspirer un chapelet de messes basses. Je suis sortie sur un « Au revoir, madame » plein de bonne humeur, avec le sentiment d'être partie sur le bon pied, puis je suis retournée à mon lieu de travail.

Comme point d'observation, je n'aurais sûrement pas pu mieux trouver. De là, j'aperçois les allées et venues de tous les clients de Yanne, je note les jours de livraison et je peux surveiller les enfants.

La petite est une enfant difficile, pas bruyante mais espiègle. Sa taille m'a trompée. Elle est plus âgée que je ne l'avais cru au début. D'après Mme Pinot, elle aura quatre ans bientôt et n'a pas encore dit son premier mot. Pourtant elle semble connaître au moins certains éléments du langage des muets.

Mme Pinot me répète : une enfant *spéciale*, avec ce léger rictus qu'elle réserve aux Noirs, aux Juifs, aux gens du voyage et à tous les politiquement corrects.

Sans aucun doute, c'est une enfant un peu *spéciale*. Mais jusqu'à quel point, je ne le sais pas encore.

Et bien sûr, il y a Annie. Du P'tit Pinson, tous les matins, je la vois passer un peu avant huit heures, et tous les soirs encore vers quatre heures et demie. Elle me parle avec enjouement de son lycée, de ses amis, de ses profs et des gens qu'elle voit dans l'autobus. C'est un début au moins. Je devine pourtant qu'elle se tient encore sur ses gardes et, d'une certaine manière, cela me plaît beaucoup. Cette force de caractère est un atout que je pourrais utiliser à mon avantage – avec l'éducation dont elle a besoin, je suis certaine qu'elle ira loin. D'ailleurs, on le sait, le plaisir de la séduction est dans la poursuite.

Mais je suis déjà fatiguée du P'tit Pinson. L'argent que j'ai gagné pendant cette première semaine suffit à peine à couvrir mes frais et Laurent n'est pas un patron facile. Encore pis, il a commencé à me prêter attention. Je le vois à son attitude, à la façon dont il lisse ses cheveux, au soin tout récent qu'il porte à sa présentation.

Il y a toujours un risque à cela, je sais. Il n'aurait pas même remarqué Françoise Lavery mais Zozie de l'Alba, elle, c'est bien autre chose. Il n'est pas vraiment conscient de son charme, il le subit. Il n'aime pas les étrangers, et cette femme a sûrement quelque chose d'exotique, un air vaguement gitan dont il se méfie instinctivement.

Cependant, pour la première fois depuis bien des années, voilà qu'il se met à choisir ses vêtements, à rejeter telle ou telle cravate trop large ou trop voyante, à hésiter longuement entre tel ou tel costume, à remarquer l'âge de sa vieille bouteille d'eau de Cologne qui a fini par sentir le vinaigre et laisse des traces brunes sur sa chemise blanche toute propre.

Normalement, j'encouragerais plutôt les nouvelles préoccupations du vieil homme dont je flatterais la vanité dans l'espoir d'en récolter quelques bénéfices – une carte de crédit, de l'argent peut-être, un petit coffre, même, dissimulé quelque part – vol que Laurent ne pourrait pas déclarer à la police.

Oui, en temps normal, voilà ce que je ferais. Mais les types comme Laurent, on en trouve à la pelle, des femmes comme Yanne, par contre...

Il y a quelques années – j'étais alors une tout autre personne –, je suis allée au cinéma voir un film à propos de la Rome antique. Décevant. Trop de sang répandu sous la main des maquilleurs et inévitable rédemption hollywoodienne ! Mais les séquences avec les gladiateurs surtout m'ont paru terriblement peu réalistes. Cet arrière-plan peuplé de spectateurs créés sur ordinateur, tous hurlant, riant et agitant les bras en séries savamment chorégraphiées me faisait penser à des personnages de dessins animés. À l'époque, je m'étais demandé si les réalisateurs du film avaient vraiment jamais observé une foule réelle. Moi, la foule me passionne. Je la trouve souvent plus fascinante que le spectacle lui-même. Dans le film en question, les gestes des spectateurs étaient assez convaincants mais les individus n'avaient aucune personnalité, il n'y avait aucun réalisme dans leur comportement.

Eh bien, Yanne Charbonneau m'y fait un peu penser. Élément rapporté sur un fond de couleur locale, elle paraîtrait peut-être plausible à un observateur distrait, pourtant elle me semble suivre une séquence prévisible d'actions soigneusement déterminées. Elle n'a pas de personnalité ou, si elle en a, elle est devenue championne dans l'art de la dissimuler derrière un rideau d'insignifiance.

Les gamines, au contraire, sont remarquables, elles. La plupart des gosses ont moins peur d'afficher leurs couleurs que les adultes mais, même parmi d'autres, Annie monopolise l'attention et son sillage bleu flamboie très pur contre l'argent du ciel blafard.

Et je pense qu'il y a quelque chose d'autre aussi – une sorte d'ombre la suit. J'ai de nouveau remarqué la chose alors qu'elle jouait dans l'allée devant la chocolaterie avec Rosette, Annie avec son halo de chevelure byzantine dans laquelle le soleil de l'après-midi mettait des flammèches d'or, tenant par la main sa petite sœur qui faisait jaillir l'eau des flaques de ses bottes jaune primevère et éclaboussait de perles les pavés de la rue.

Une sorte d'ombre, oui. Un chien ou un chat?

Je finirai bien par le découvrir, tu sais, Nanou. Il ne faudra m'accorder qu'un petit peu de temps. Un très petit peu de temps.

4

Le Soleil noir

Jeudi 8 novembre

Aujourd'hui, Thierry est revenu de Londres, les bras chargés de cadeaux pour Anouk et Rosette et d'une douzaine de roses jaunes pour moi.

Il était midi et quart, environ dix minutes avant la fermeture du magasin. Je préparais un paquet cadeau de macarons qu'une cliente avait demandés et je me réjouissais à l'avance à l'idée de passer une petite heure tranquille avec les enfants. Anouk n'a pas cours le jeudi après-midi. J'avais déjà mis une faveur rose autour de la boîte – geste mille fois répété – et arrangé l'énorme nœud. J'étais en train d'en étirer les bouts fermement tendus contre la lame des ciseaux pour les faire boucler.

«Yanne!»

La lame a glissé. La boucle a été gâchée. «Mais Thierry, tu as un jour d'avance!»

Thierry est bâti comme une armoire à glace – grand et large d'épaules. Avec son pardessus de cachemire, il bouchait complètement l'entrée du petit magasin. Yeux bleus, visage ouvert, masse de cheveux encore bruns mêlés de quelques fils d'argent, des mains de riche mais qui n'a jamais cessé de travailler – des ongles soigneusement polis mais des paumes craquelées par le labeur –, odeur de poudre, de plâtre, de cuir, de sueur, de jambon-frites et de ce gros cigare qu'il fume de temps en temps et dont il se repent toujours.

«Tu m'as manqué! a-t-il dit en me déposant un baiser sur la joue.

Je suis désolé de n'avoir pas pu rentrer à temps pour l'enterrement. Ça n'a pas été trop dur?

– Non! Triste, tout simplement. Il n'y avait personne.

– Yanne, tu es extraordinaire. Je ne sais vraiment pas comment tu arrives à te débrouiller comme tu le fais. Et le commerce, ça va?

– Ça va!»

En réalité, ça ne va pas. La cliente que j'étais en train de servir n'était que la seconde de la journée – sauf si je compte celles qui n'entrent que pour jeter un coup d'œil. Et, à l'arrivée de Thierry, j'étais bien contente qu'elle soit là, cette jeune Chinoise vêtue d'un manteau jaune, qui allait sûrement apprécier les macarons mais aurait été encore plus satisfaite si elle avait pris une boîte de fraises enrobées de chocolat. Enfin, cela n'a pas d'importance et ne me regarde pas. Ne me regarde plus, en tout cas.

«Et les gamines, où sont-elles?

– Là-haut. Elles regardent la télévision. Et comment était Londres?

– Très beau. Tu devrais y aller un jour.»

En fait, je connais Londres. Pourquoi le lui ai-je caché? Pourquoi lui ai-je laissé penser que j'étais née et avais été élevée en France? Je ne sais pas. Peut-être parce que je désirais tant être comme tout le monde, parce que si je lui avais parlé de ma mère, il m'aurait sans doute regardée d'un tout autre œil.

Thierry est un type solide. Fils de maçon qui s'est lancé dans l'immobilier et y a fait fortune, il n'a que très peu d'expérience, par contre, de ce qui est étrange ou exceptionnel. Ses goûts sont très classiques. Il se satisfait d'un bon bifteck, boit du vin rouge, adore les enfants, les gros calembours, les rimes cocasses. Il préfère les femmes en jupe, va à la messe – par habitude –, n'éprouve aucun préjugé envers les étrangers mais préférerait tout de même ne pas en voir autant autour de lui. Je lui porte vraiment beaucoup d'affection mais l'idée de me confier à lui, à n'importe qui d'ailleurs…

Ce n'est même pas que cela me manque. Je n'ai jamais éprouvé le besoin d'un confident. Anouk et Rosette me suffisent. Quand ai-je jamais eu besoin de quelqu'un d'autre?

La jeune Chinoise était sortie maintenant.

«Tu as l'air toute triste. Si on allait déjeuner?»

J'ai souri. Dans l'univers de Thierry, un bon repas est un remède à la tristesse. Moi, je n'avais pas faim mais je devais choisir: l'avoir dans le magasin tout l'après-midi ou accepter d'aller déjeuner avec lui. Alors, j'ai appelé Anouk, j'ai cajolé Rosette et réussi à lui faire enfiler son petit manteau puis nous avons franchi la rue pour aller au

P'tit Pinson que Thierry apprécie pour la vétusté du décor qu'il trouve charmant et sa cuisine au saindoux et que, moi, je déteste pour les mêmes raisons précisément.

Anouk était remuante. L'heure de la sieste de Rosette approchait mais Thierry était intarissable à propos de son séjour à Londres : la foule, les édifices, les théâtres, les magasins. Son entreprise est chargée de rénover des immeubles administratifs près de King's Cross et il insiste pour surveiller lui-même les progrès du chantier. Il prend le train pour Londres le lundi et rentre pour le week-end. Son ancienne femme, Sarah, y habite toujours avec leur fils, mais Thierry s'empresse toujours de me rassurer – comme si j'en avais besoin – sur le fait que Sarah et lui sont séparés depuis des années.

Je ne doute pas que ce soit la vérité. Il n'y a, chez Thierry, aucun subterfuge, aucune tricherie. Les chocolats qu'il préfère sont les carrés au lait enveloppés de papier argenté que l'on peut acheter dans tous les supermarchés du pays – 30 % de cacao. Il tire la langue comme un petit garçon si on lui donne quelque chose qui en contient davantage. J'aime son enthousiasme. J'envie la simplicité de sa vie, sa sincérité. Cette envie-là d'ailleurs dépasse peut-être l'affection que je lui porte mais cela a-t-il vraiment tant d'importance ?

C'est l'année dernière que nous avons fait connaissance, à propos d'une fuite d'eau dans la toiture. La plupart des propriétaires, avec un peu de chance, auraient envoyé un couvreur, mais Thierry connaissait Mme Poussin depuis des années (une vieille amie de sa mère, m'avait-il expliqué), il avait donc réparé le toit lui-même et était resté boire un chocolat chaud et jouer avec Rosette.

Douze mois plus tard, nous sommes déjà un vieux couple. Nous avons nos lieux de prédilection et notre petite routine confortable. Thierry n'a pourtant jamais encore passé la nuit chez moi. Il me croit veuve et est gentiment prêt à m'accorder du temps. Son désir est évident, mais il n'en a jamais parlé pourtant et n'a jamais même essayé. Où serait le mal d'ailleurs ?

Une fois seulement, il a fait une vague allusion à son grand appartement de luxe, rue de la Croix, où nous avons été invitées bien des fois et qui, d'après lui, aurait bien besoin d'une présence féminine.

Une présence féminine. Quelle délicieuse expression ! Désuette ! Mais c'est du Thierry tout pur. Malgré sa passion pour les gadgets, son portable et son système hi-fi de pointe, il est resté fidèle à son vieil idéal, à une époque où tout était beaucoup plus simple.

Simple, oui, c'est exactement cela. La vie avec Thierry serait très simple. Jamais plus de problèmes financiers au niveau du quotidien.

Le loyer pour la chocolaterie serait assuré. Anouk et Rosette trouveraient en lui un protecteur. S'il est vraiment prêt à les aimer, à m'aimer moi aussi, n'est-ce pas suffisant ?

Mais, Vianne, est-ce vraiment suffisant ? J'entends ma mère me poser la question. De nos jours, sa voix se confond un peu dans mon esprit avec celle de Roux. *Je me souviens d'une époque où tu voulais bien davantage.*

Alors, mentalement, je lui réponds : *Comme tu le voulais toi-même, n'est-ce pas, Maman ?* Traînant ta petite fille derrière toi d'une ville à l'autre, toujours fuyant, à jamais errant, vivant au jour le jour, chapardant, trompant, faisant des tours de prestidigitation. Six semaines ici, trois autres là, quatre jours ailleurs, mais reprenant toujours la route. Pas de toit, pas d'école. Colportant des mirages, battant les cartes pour déterminer notre itinéraire, portant des vêtements de charité usés jusqu'à la corde comme des cordonniers trop occupés à travailler pour ressemeler leurs propres souliers ?

Au moins nous savions qui nous étions, Vianne !

C'était une repartie trop facile ! J'aurais bien dû m'y attendre. D'ailleurs, je sais exactement qui je suis, n'est-ce pas ?

Nous avons commandé des pâtes pour Rosette et, pour nous trois, le plat du jour. Même pour un jour de semaine, le restaurant était loin d'être bondé, mais l'air était alourdi pourtant de relents de bière et de l'odeur des Gitanes. Laurent Pinson est à coup sûr le meilleur client de son propre café. Sans cela, il l'aurait depuis longtemps fermé. Mal rasé, avec des bajoues qui le font paraître toujours de mauvaise humeur, il regarde les clients comme des intrus dans son univers privé et ne cache pas son mépris pour ceux qui ne font pas partie de la poignée d'habitués qui sont aussi ses copains.

Il tolère Thierry qui joue au Parisien exubérant pour l'occasion et lui envoie un « Hé, Laurent, ça va, mon pote ? » en allongeant d'un coup sec un gros billet sur le comptoir. Laurent le sait expert dans l'immobilier et lui a demandé un jour de lui donner une petite idée de la valeur qu'aurait son café une fois rénové et retapé. Depuis, il l'appelle « M'sieur Thierry », et le traite avec une déférence qui pourrait bien être du respect à moins que ce ne soit tout simplement l'espoir d'une bonne affaire à l'avenir.

Aujourd'hui, Laurent était plus soigné, je l'ai remarqué. Costume lustré, eau de Cologne, col de chemise boutonné, cravate à la mode des années 70. J'ai d'abord cru à l'influence de Thierry mais, un peu plus tard, j'ai changé d'avis.

Je les ai laissés bavarder et je me suis assise. J'ai commandé un café pour moi, un Coca pour Anouk. Autrefois, nous aurions choisi du chocolat chaud avec de la crème, des pâtes de guimauve et une minuscule cuiller pour les manger. De nos jours, pour Anouk, c'est toujours du Coca. Elle ne boit plus de chocolat. Au début, je pensais que c'était un caprice d'adolescente, une question de régime. Je me sens tellement stupide de me laisser chagriner par des choses de ce genre, comme la première fois où elle a refusé que je lui lise son histoire à l'heure du coucher. Elle est encore si pleine de soleil, ma petite fille. Je devine pourtant des ombres qui s'étendent de plus en plus, des endroits où je ne suis plus invitée et que je ne connais que trop bien.

J'étais comme ça moi-même. D'ailleurs n'est-ce pas précisément la raison de mon inquiétude, cette certitude qu'à son âge, je voulais aussi m'enfuir, échapper à ma mère par tous les moyens possibles ?

La serveuse était nouvelle. Elle me rappelait vaguement quelqu'un. Longues jambes, jupe étroite, cheveux tirés en queue-de-cheval. Chaussures… c'est à ses chaussures que je l'ai reconnue.

J'ai dit : « Zoé, n'est-ce pas ? »

Elle a souri : « Zozie ! Quel restaurant, hein ? » Elle a fait un petit geste comique comme pour nous inviter à entrer dans la salle. « Enfin ! » Elle a ajouté dans un murmure : « Je crois que le patron a le béguin pour moi. »

Thierry a éclaté de rire en entendant la remarque, et Anouk a esquissé un petit sourire en coin.

Zozie a ajouté : « Ce n'est qu'un boulot temporaire, bien sûr, en attendant mieux. »

Le plat du jour était une choucroute garnie, mets lié dans mon esprit à notre séjour à Berlin. Pas mauvaise du tout, cette choucroute-là, pour un établissement comme le P'tit Pinson ! J'en ai mentalement remercié Zozie plutôt qu'imaginé quelque renouveau de talent culinaire chez Laurent.

Zozie a dit : « Avec Noël qui approche, vous allez avoir besoin d'aide au magasin. » Elle a fait glisser les saucisses dans le plat. « Si c'est le cas, ça m'intéresse. » Elle a jeté un coup d'œil par-dessus son épaule dans la direction de Laurent qui, dans son coin, faisait semblant de se désintéresser de la conversation. « Bien sûr, cela me fendrait le cœur d'avoir à quitter cet endroit ! »

Laurent a produit un son percutant, à mi-chemin entre un éternuement et un *garde-à-vous*. Zozie a levé les sourcils d'un air comiquement étonné.

« Pensez-y ! » m'a-t-elle dit avec un grand sourire, puis, avec une dextérité que seules des années de service permettent d'acquérir, elle a saisi quatre bières et les a emportées, toujours souriante, vers une table.

Elle ne nous a plus dit grand-chose ensuite. Le bar s'est rempli et, comme d'habitude, je me suis occupée de Rosette. Elle n'est pas si difficile que ça à surveiller. Elle mange plus proprement maintenant, même si elle bave encore un peu plus que les autres et qu'elle préfère aussi manger avec les doigts. Pourtant, elle peut parfois se comporter de façon bizarre : regarder fixement des choses qui manifestement ne sont pas là, imiter des bruits imaginaires ou se mettre soudain à rire sans raison apparente. Cela cessera bientôt, j'espère. Voilà des semaines qu'elle n'a pas eu d'Accident et bien qu'elle se réveille encore trois ou quatre fois par nuit, quelques heures de sommeil me suffisent, à moi. J'espère pourtant que ces nuits interrompues vont bientôt prendre fin.

Thierry pense que je me laisse mener par le bout du nez par Rosette et, ces derniers temps, il a commencé à parler de la faire examiner par un pédiatre.

« Elle n'a pas besoin d'un pédiatre. Quand elle sera prête, elle parlera », ai-je déclaré en observant Rosette manger ses pâtes. Si elle se trompe encore souvent de main pour tenir sa cuiller, rien n'indique qu'elle soit gauchère. À la vérité, elle se montre plutôt habile de ses mains. Elle adore dessiner des petits bonshommes et des petites bonnes femmes avec des corps comme des allumettes, des singes – ses animaux favoris –, des maisons, des chevaux, des papillons de toutes les couleurs. Ses dessins, bien sûr, sont encore maladroits mais on reconnaît parfaitement ce qu'ils représentent.

Thierry lui a dit : « Rosette, mange correctement ! Sers-toi de ta cuiller ! »

Rosette a continué comme si elle n'avait rien entendu. À une certaine époque, j'avais craint la surdité. Je sais maintenant qu'il n'en est rien, qu'elle ignore simplement ce qu'elle juge sans intérêt. Dommage pourtant qu'elle ne prête aucune attention à ce que dit Thierry, qu'elle ne rie ou ne sourie que très rarement en sa présence ou qu'elle ne révèle son caractère adorable ou ne communique par signes que lorsque cela lui devient absolument nécessaire.

Chez nous, avec Anouk, elle joue et rit, elle reste assise pendant des heures avec ses livres, elle écoute la musique à la radio et danse comme un derviche tourneur dans l'appartement. À part quelques Accidents, elle est tout à fait docile à la maison. À l'heure de la sieste, je m'allonge sur le lit à côté d'elle comme je le faisais avec Anouk. Je lui fredonne de petites chansons. Je lui raconte des histoires. Son regard est alerte et lumineux. Ses yeux sont plus clairs que ceux d'Anouk, verts et malins comme ceux d'un chat. Elle chante, à sa façon, la chanson de ma mère, fredonnant l'air mais comptant sur moi pour les paroles.

> *V'là l'bon vent, v'là l'joli vent!*
> *V'là l'bon vent, ma mie m'appelle.*
> *V'là l'bon vent, v'là l'joli vent!*
> *V'là l'bon vent, ma mie m'attend.*

Thierry trouve qu'elle est un peu lente à se développer, un peu en retard sur les autres enfants de son âge. Il suggère que je la conduise chez un spécialiste. Il n'a pas encore prononcé le mot « autiste » mais ça ne va pas tarder. Comme bien des hommes de sa génération, il lit *Le Point* et croit que cela fait de lui un expert en tout, ou presque. Moi, au contraire, ne suis que femme – en plus d'être mère –, ce qui me condamne à jamais à être incapable de juger objectivement une situation.

« Rosette, répète : *cuiller!* »

Rosette saisit sa cuiller et la contemple avec curiosité.

« Allez, Rosette, répète : *cuil-ler!* »

Rosette pousse un petit ululement de chouette en faisant décrire à sa cuiller, sur la nappe, une sarabande impertinente. N'importe qui pourrait penser qu'elle se moque de Thierry. Je lui prends rapidement la cuiller des mains. Anouk se mord les lèvres pour ne pas éclater de rire.

Rosette la regarde et grimace un sourire.

D'un signe des doigts, Anouk lui conseille : *Arrête ça!*

Et Rosette, de la même façon, lui répond : *Il dit des conneries, celui-là!*

Je me tourne vers Thierry avec un sourire. « Elle n'a que trois ans !

– Bientôt quatre. Elle est assez grande. »

Le visage de Thierry prend cette expression d'indifférence qu'il adopte lorsqu'il me devine réticente. Il a l'air plus vieux comme ça, moins familier. Il m'irrite aussi un peu soudain. Je sais que je suis injuste mais je ne peux rien y faire. Je n'aime tout simplement pas que l'on se mêle trop de mes affaires.

Tout à coup, je suis choquée de me sentir près de l'affirmer à haute voix. Mais j'aperçois Zozie, la fille de salle dont les yeux bleus étirés me regardent amusés, les sourcils légèrement froncés. Alors, je me mords la langue et me tais.

Je me répète à quel point j'ai de la chance d'avoir Thierry. Et pas simplement pour le magasin, ni pour l'aide qu'il m'a prodiguée cette année, ni pour les cadeaux qu'il nous offre, aux enfants et à moi. Non! Parce que sa générosité ne connaît pas de bornes, qu'il nous protège toutes les trois de sa haute taille et que nous sommes vraiment, vraiment, devenues invisibles dans son ombre.

Aujourd'hui, pourtant, il paraissait agité, semblant constamment saisir quelque chose dans sa poche. Il me regardait d'un air interrogateur tout en buvant à petites gorgées son verre de blonde.

«Qu'est-ce qui ne va pas?

– Je suis fatiguée, c'est tout!

– Des vacances! Voilà ce dont tu as besoin!»

J'ai presque éclaté de rire. «Les vacances ont été inventées pour nous permettre de vendre des chocolats!

– Alors, tu comptes garder le commerce?

– Mais bien sûr! Pourquoi pas? Dans deux mois, ce sera Noël et…»

Il m'a interrompue: «Yanne, si je peux t'aider… Financièrement ou de n'importe quelle autre façon…?» Et il a avancé sa main vers la mienne.

J'ai répondu: «Je me débrouillerai!

– Bien sûr, bien sûr!»

Sa main a disparu de nouveau dans la poche de sa veste.

Je me suis dit que Thierry avait toujours de bonnes intentions, pourtant quelque chose en moi se rebellait à l'idée de son intrusion dans ma vie privée, même si cela partait d'un bon mouvement. Je me débrouille seule depuis si longtemps que la pensée même d'avoir besoin d'aide – de n'importe quelle aide – me paraît une dangereuse faiblesse.

Il a poursuivi: «Toute seule, tu seras incapable de tenir le magasin. Et les gamines, alors?»

J'ai répété: «Je me débrouillerai, je t'assure!

– Mais tu ne peux pas faire tout, toute seule!»

Maintenant, il semblait un peu agacé, la tête enfoncée dans les épaules et les mains dans les poches de sa veste.

«Je le sais bien. Je trouverai quelqu'un.»

De nouveau, j'ai jeté un coup d'œil vers Zozie. Elle portait deux assiettes pleines dans chaque main et échangeait des plaisanteries avec les joueurs de belote du fond de la salle. Elle paraît tellement à l'aise, tellement indépendante, tellement elle-même quand elle passe les assiettes, reprend les verres vides, repousse les mains baladeuses d'une remarque amusée et d'un semblant de soufflet indigné.

J'ai pensé: *Il y a dix ans, j'étais comme elle. J'étais comme ça!*

Puis j'ai réfléchi. Non, même pas. Zozie ne pouvait pas être tellement plus jeune que moi. Elle avait pourtant l'air tellement mieux dans sa peau, tellement plus Zozie que je n'avais jamais été Vianne!

Je me suis interrogée. Cette Zozie, qui est-elle vraiment? Ces yeux-là voient bien plus loin que la pile d'assiettes qu'elle doit laver ou que le pourboire que l'on a laissé plié sous le rebord d'un plat. Les yeux bleus d'habitude se lisent comme un livre, pourtant, ma méthode si souvent utilisée à profit toutes ces années – pas toujours très bien d'ailleurs – semble échouer avec elle pour une raison que je ne comprends pas. Je me dis qu'il y a des gens comme ça. Noirs ou au lait, fourrés de crème tendre ou de paillettes croquantes de caramel, d'orange amère ou de crème de rose, marrons blancs ou truffes à la vanille: quels sont ses chocolats préférés, je n'en ai pas la moindre idée. Je ne sais même pas si elle aime le chocolat.

Alors, pourquoi me semble-t-il qu'elle connaisse, elle, mes préférés?

Je me retourne vers Thierry et je remarque que, lui aussi, la regarde.

«Tu n'as pas les moyens de prendre une employée. Tu as déjà du mal à joindre les deux bouts!»

Une fois encore, je sens mon irritation monter. *Pour qui donc se prend-il?* À l'entendre parler, on dirait que je ne me suis jamais débrouillée seule, que je n'ai jamais fait que jouer à la marchande avec mes copines. Il est évident que les affaires n'ont pas été brillantes ces derniers mois mais le loyer est payé jusqu'à Noël et nous sommes capables de remonter la pente. Noël approche et avec un peu de chance...

«Yanne, nous devrions peut-être en discuter un peu.» Le sourire avait disparu. C'était le businessman qui s'exprimait maintenant, celui qui, à quatorze ans, avait commencé à gagner sa vie en aidant son père à rénover un petit appartement en ruine près de la gare du Nord et qui, petit à petit, était devenu l'un des entrepreneurs les plus demandés de Paris. «Je sais que c'est dur mais aucune raison pour que cela continue. Quand on cherche bien, on découvre une solution à tout. Je sais parfaitement que tu avais beaucoup d'affection pour Mme Poussin, que tu l'as beaucoup aidée et je te remercie pour ça.»

Il pense que c'est la vérité. C'était *peut-être* la vérité mais je me souviens aussi qu'elle m'a servi d'excuse – comme je me suis servie de mon veuvage imaginaire – pour retarder l'inévitable, le moment terrible où le retour en arrière n'est plus possible.

«Il y a peut-être là une occasion.

– Une occasion?»

Il m'a souri : «Oui, je vois là pour toi une chance. Bien sûr, nous sommes tous très peinés de la mort de Mme Poussin mais, d'une certaine manière, cela te donne maintenant de la liberté. Tu pourras faire ce que tu voudras, Yanne, et je pense avoir découvert un endroit que tu aimeras.

– Tu veux dire qu'il me faudrait abandonner la chocolaterie ?»

Pendant un instant, j'ai eu l'impression qu'il parlait une langue qui n'avait aucun sens pour moi.

«Allons, Yanne, j'ai examiné tes livres de compte et, dans ce domaine-là, j'en connais un rayon. Ce n'est pas de ta faute. Tu as beaucoup travaillé. Mais c'est comme ça dans tous les commerces.

– Thierry, s'il te plaît, pas maintenant !»

Exaspéré, il s'est exclamé : «Mais qu'est-ce que tu peux bien vouloir, enfin ? Dieu sait pourtant que je t'ai laissée faire à ta tête pendant assez longtemps. Pourquoi ne peux-tu pas accepter mon aide ? Pourquoi ne veux-tu pas me permettre de faire ce que je peux pour toi ?

– Pardonne-moi, Thierry, je sais que ce que tu veux est pour mon bien mais…»

Alors, dans mon esprit, j'ai vu soudain quelque chose. Cela m'arrive parfois lorsque je ne suis pas sur mes gardes. Un reflet dans une tasse de café, une silhouette entrevue dans un miroir, une image floue qui passe comme un nuage et se défait dans le moiré d'un chocolat que l'on vient de tremper.

Une petite boîte. Une petite boîte bleu clair.

Qu'y avait-il à l'intérieur ? Je n'aurais pu le dire. J'avais la gorge sèche. Une sorte de panique m'a saisie. Dehors, dans l'allée, j'entendais souffler le vent. À cette seconde précise, je n'ai plus eu qu'une pensée, saisir mes enfants par la main et fuir, fuir sans m'arrêter.

Allons, Vianne, reprends-toi !

D'une voix que je voulais aussi neutre que possible, j'ai fini par articuler : «Cela ne peut-il pas attendre que j'aie fini de régler les choses et que j'y voie un peu plus clair ?»

Thierry est comme un chien de chasse enthousiaste, jovial, déterminé et totalement insensible à tout raisonnement qui ne soit pas le sien. La main toujours dans la poche, il palpait quelque chose.

«J'essaie précisément de t'aider à les régler. Ne vois-tu pas cela ? Je refuse de te voir te tuer au travail pour quelques malheureuses boîtes de chocolat. Cela en vaut-il vraiment la peine ? Cela suffisait peut-être à Mme Poussin mais, toi, tu es jeune, tu es intelligente, tu as encore toute la vie devant toi. »

Je *savais* maintenant ce que j'avais vu. Je la voyais très clairement dans mon esprit cette petite boîte bleue – celle d'un bijoutier de Bond Street –, un simple diamant, choisi avec soin, avec l'aide d'une employée, pas une pierre énorme mais d'une pureté parfaite qui reposait sur le velours de l'écrin.

Oh, Thierry, s'il te plaît, pas ici, pas maintenant!

Avec mon plus lumineux sourire, je lui ai dit: «Je n'ai pas besoin d'aide en ce moment et maintenant, mange donc ta choucroute! Elle est délicieuse!»

Il m'a fait remarquer: «Tu as à peine touché à la tienne!»

J'en ai pris une bouchée: «Tu vois?»

Il a souri: «Ferme les yeux!

– Quoi, ici?

– Ferme les yeux et tends la main!

– Thierry, s'il te plaît.» J'ai essayé de rire, mais le rire s'est fait dur dans ma gorge comme le crépitement, dans une gourde, d'un petit pois sec qui essaie d'en sortir.

«Ferme les yeux et compte jusqu'à dix. Tu vas aimer, je t'assure. C'est une surprise!»

J'ai donc obéi. Que pouvais-je faire d'autre? J'ai ouvert la main comme une petite fille. J'ai senti quelque chose, pas plus grand qu'une praline dans un emballage, me tomber dans la paume.

Quand j'ai ouvert les yeux, Thierry avait disparu. Au creux de ma main était cette petite boîte bleue de Bond Street, telle que je l'avais vue un instant auparavant avec la bague, un solitaire, cette paillette de glace qui étincelait dans son écrin de velours bleu de nuit.

5

Le Jaguar

Vendredi 9 novembre

E t voilà. C'est moi qui vous le dis. C'est exactement ce que je pensais. Je les ai bien observés pendant leur petit repas. L'atmosphère était tendue. Annie avec son bleu diffus de papillon et l'autre avec cet or cuivré – trop jeune encore pour mes projets mais elle ne m'en intrigue pas moins –, l'homme, bien trop voyant mais sans grande importance, la mère surtout, immobile, attentive, aux couleurs si adoucies qu'on ne pourrait pas vraiment les appeler couleurs mais plutôt quelque pâle souvenir des rues et du ciel dans une eau si trouble qu'elle défie tout reflet.

Il y a là, c'est sûr, une sorte de faille, quelque chose au moins qui pourrait me donner un avantage. C'est à mon instinct de chasseresse, acquis au cours des années, que je dois ce don de savoir quelle gazelle a été blessée sans même avoir à entrouvrir un œil. Mais elle est sur ses gardes. Certains ont tellement besoin de croire à quelque chose – que ce soit la magie, l'amour ou l'affaire qui leur garantit de tripler leur investissement – qu'ils sont particulièrement vulnérables en présence de gens comme moi. Ils tombent dans le piège à tous les coups. Est-ce ma faute à moi s'ils y tombent chaque fois ?

J'avais onze ans quand j'ai commencé à déchiffrer les couleurs des êtres. Au début, je n'avais conscience que d'une petite lueur, d'une étincelle dorée aperçue du coin de l'œil, d'un moiré d'argent là où il n'y avait pas même de nuage, un bizarre mélange de couleurs sur la palette d'une foule. Peu à peu mon intérêt a grandi et mes talents aussi. Peu à peu les couleurs se sont faites plus évidentes. J'ai aussi appris que chacun de nous possède sa propre signature de couleurs, une expression de son moi profond que quelques rares personnes seulement savent déchiffrer avec l'aide de quelques signes.

Le plus souvent, il n'y a pas grand-chose à voir et la plupart des gens sont aussi ternes que leurs souliers mais, de temps en temps, vous avez la chance de tomber sur une vraie trouvaille. Un éclair de colère sur un visage d'habitude sans expression. Une bannière rose au-dessus de deux amoureux. Le voile gris-vert sous lequel se dissimule un être secret. Quand on doit vivre avec les autres, cela aide beaucoup. C'est un grand avantage aussi, dans une partie de cartes, pour celui qui est fauché.

Un signe vieux comme le monde, que l'on fait avec les doigts, et que certains connaissent sous le nom de l'œil de Tezcatlipoca, la Noire, et d'autres sous le nom de Miroir fumant, peut m'aider à concentrer toute mon attention sur les couleurs. Ce signe-là, je l'ai appris à Mexico et, grâce à ma connaissance précise du geste et à un peu d'entraînement, il me permet de savoir qui ment, qui est terrifié, qui trompe sa femme ou qui a des soucis d'argent.

Petit à petit, j'ai appris à manipuler les couleurs qui se révélaient à moi, à m'octroyer cet éclat rose, cette lumière qui révèle quelque chose de vraiment spécial ou, quand il m'était utile d'adopter une certaine prudence, au contraire, le confortable manteau de la banalité qui me permet de passer inaperçue et de disparaître sans laisser de traces dans les mémoires.

Il m'a fallu plus de temps pour comprendre que c'était de magie qu'il s'agissait là. Comme tous les enfants nourris de contes de fées, je m'étais attendue à des éclairs, des baguettes enchantées, des sorcières à cheval sur des balais. La magie des livres d'études de ma mère me semblait tellement terne à côté, si terriblement surannée dans son abstraction, ses incantations stupides et ses vieillards pompeux qu'elle ne représentait pas vraiment la magie dans mon esprit.

Ma mère, bien sûr, n'avait, hélas, aucun talent dans ce domaine-là. Malgré toutes les études qu'elle avait faites, toutes ses formules, ses bougies, ses cristaux et ses cartes, je ne l'avais jamais vue réussir le moindre sortilège. Il y a des gens comme ça. Je l'avais lu dans ses couleurs longtemps avant que je le lui dise. Certains n'ont tout simplement pas l'étoffe d'un magicien.

Si elle ne possédait pas le talent qu'il fallait, elle ne manquait cependant pas de connaissances. Elle tenait une librairie spécialisée dans les sciences occultes dans une banlieue de Londres. Toutes sortes d'êtres bizarres la fréquentaient : magiciens, odinistes, des devins par dizaines, assez rarement un soi-disant sataniste – toujours couvert de boutons comme s'il n'avait jamais réussi à sortir de l'adolescence.

C'est grâce à elle et grâce à eux que j'ai fini par apprendre ce qu'il m'était nécessaire de savoir. Ma mère était convaincue que si elle me permettait l'accès à toutes sortes d'occultisme, je serais en mesure de choisir ma propre voie. Elle-même membre d'une secte obscure vénérant les dauphins – qui représentaient la race des Lumières –, elle pratiquait une espèce de magie du terroir aussi innocente qu'inefficace.

Mais chaque chose a son usage, comme il m'a fallu terriblement longtemps pour le découvrir au cours des années. Peu à peu, j'ai pu séparer les miettes de magie pratique de l'inutile, du ridicule et du charlatanisme pur et simple. J'ai découvert que la magie – si elle existe – se dissimule derrière une dérive de rituels et d'effets théâtraux, de jeûnes et de discipline qui bouffent votre temps et n'ont été inventés que pour apporter du mystère à quelque chose d'essentiellement très simple : il suffit de découvrir ce qui réussit. Ma mère avait un faible pour le rituel, moi, je ne recherchais que les recettes.

Alors, j'ai essayé les runes, les cartes, les cristaux, les pendules et les philtres. Je me suis plongée dans le *Yi King*, j'ai trié le meilleur de Golden Dawn, repoussé Crowley – à part ses cartes de tarot qui sont indéniablement très belles –, j'ai médité sérieusement sur le contenu de ma Déesse intérieure et je me suis pratiquement étranglée de rire à la lecture de *Liber Null* et du *Necronomicon*.

Par contre, avec beaucoup d'intérêt, j'ai étudié les civilisations de l'Amérique centrale, celles des Mayas, des Incas et surtout des Aztèques. Leurs croyances m'ont toujours fascinée, je ne sais pas pourquoi. C'est d'eux que j'ai appris la valeur du sacrifice, la dualité des dieux, la méchanceté du monde, le langage des couleurs et l'horreur de la mort. Ce sont eux qui m'ont convaincue que la seule façon de survivre est d'apprendre à se battre sans se soucier des règles et que les coups les plus bas sont parfois les plus utiles.

Le résultat, c'est un système à moi, minutieusement affiné au cours d'années de tâtonnements, élaboré à partir d'une solide connaissance des plantes médicinales (poisons végétaux et plantes hallucinogènes, y compris), des signes et des noms magiques, des exercices de respiration et d'assouplissement, des potions et des excitants, de la projection astrale et de l'auto-hypnose, de quelques sortilèges (je ne suis pas vraiment partisane des sorts lancés à haute voix mais il faut reconnaître que certains font quand même l'affaire), d'une science approfondie des couleurs et de la façon de les manipuler à mon avantage pour me métamorphoser, selon mon choix, en ce à quoi s'attendent les autres, et, en général, pour changer les choses selon ma volonté.

Pendant tout le temps que cela m'a pris et à la grande désapprobation de ma mère, je me suis bien gardée de m'affilier à aucun groupe. À ce propos, ma mère élevait des protestations, devinant un certain laxisme moral dans la façon que j'avais de séparer le bon grain de l'ivraie parmi ce fourrage de croyances sans fondement et dont certaines étaient très discutables. Elle aurait voulu me voir faire partie d'une gentille association mixte et accueillante qui m'aurait offert une vie sociale, où j'aurais fait connaissance de jeunes hommes ne présentant aucun danger, ou bien me voir aspirer comme elle à une existence aquatique idéale, à l'image de celle des dauphins.

Tout en jouant de ses longs doigts nerveux avec son collier de perles, elle me demandait souvent : « Mais que crois-tu au fond ? Quelle est l'essence même de ta croyance, je veux dire ? Sous quelle forme s'incarne-t-elle ? »

Je répondais d'un simple haussement d'épaules. Pourquoi faudrait-il qu'il y ait une essence à ma croyance ? Ce qui m'importe à moi, c'est ce qui me donne un résultat, pas de savoir combien d'anges peuvent faire des pointes sur la tête d'une aiguille, ni la couleur de la bougie que l'on doit faire brûler pour séduire quelqu'un – d'ailleurs dans le domaine de la séduction, j'avais déjà découvert que le pouvoir d'une bougie est terriblement exagéré si on le compare à celui du sexe.

Ma mère poussait alors un de ses soupirs des plus attendrissants en m'assurant de la nécessité de suivre ma propre voie. C'est ce que j'ai fait – ce que je fais toujours, d'ailleurs ! Cela m'a conduite dans des tas d'endroits intéressants. Ici, par exemple. Mais je n'ai jamais encore découvert de preuve qui me permette de soupçonner que je ne suis peut-être pas unique.

Enfin, pas jusqu'ici.

Yanne Charbonneau. Cela sonne trop bien pour être vraiment plausible. D'ailleurs, il y a quelque chose dans ses couleurs, une nuance de tromperie. Je la soupçonne pourtant d'avoir appris à bien se dissimuler de façon à ce qu'il me soit impossible de découvrir la vérité lorsqu'elle ne sera plus sur ses gardes.

Maman n'aime pas que nous soyons différentes des autres.

Intéressant, quand même !

Et quel est le nom de ce village déjà ? Lansquenet ? Je dois consulter une carte. Il y aura là peut-être quelques renseignements utiles, un vieux scandale, des traces du passage d'une mère et de sa fille qui me permettraient d'y voir clair dans l'ombre dont elles s'entourent.

J'ai surfé sur Internet avec mon ordinateur portable. J'y ai trouvé deux sites à propos de Lansquenet – tous deux consacrés aux jours de fête et au folklore du sud-ouest de la France. Le nom de Lansquenet-sous-Tannes y est lié à une fête populaire, célébrée à Pâques pour la première fois il y a un peu plus de quatre ans.

Le Festival du *chocolat*.

Surprise ? Pas vraiment.

Mais pourquoi ? S'est-elle fatiguée de la vie en province ? S'est-elle fait des ennemis ? Pourquoi enfin a-t-elle quitté Lansquenet ?

Le magasin est resté désert toute la matinée. Je l'observais du P'tit Pinson. Avant midi et demi, pas un chat n'y était entré. Vendredi ? Et pas un seul client ! Pas même le gros plein de soupe qui ne sait pas la fermer, pas une voisine non plus, ni un touriste de passage.

Il y a quelque chose qui cloche, n'est-ce pas ? Ce magasin-là devrait être plein de monde. Au contraire, il est pratiquement invisible, caché comme il est au coin du square tout blanchi à la chaux. Ce n'est pas bon pour le commerce. Il en faudrait si peu, si peu pour le retaper, lui redonner un peu d'allure, faire qu'il attire l'œil, quoi – comme il l'a fait pour moi l'autre jour – mais *elle* ne fait rien pour cela. Je me demande bien pourquoi. Ma mère a passé sa vie à essayer d'être remarquable, en vain. Pourquoi Yanne fait-elle tant d'efforts pour éviter de se faire remarquer ?

6

Le Soleil noir

Vendredi 9 novembre

Thierry est venu à la maison à midi. Je m'y attendais, évidemment. J'avais passé une nuit agitée à m'interroger sur la conduite à adopter lors de notre prochaine rencontre. Si seulement je n'avais pas tiré ces cartes-là : la Mort, les Amants, la Tour, le Chariot. Maintenant, c'est comme si tout était déjà écrit, comme si les choses étaient inévitables, comme si les jours et les mois de ma vie étaient alignés comme une rangée de dominos prêts à s'écrouler.

Complètement stupide, bien sûr! Je ne crois pas que les choses soient écrites. Je crois, au contraire, que nous avons toujours le choix, que nous pouvons réussir à arrêter le vent dans sa course, à duper l'Homme noir et même à apaiser ces Bonnes Dames charitables.

Mais à quel prix tout ça? C'est ce que je me demande. C'est ce qui me garde éveillée, la nuit, et qui me met les nerfs à vif lorsque le vent agite le carillon de la porte. Thierry est entré avec cet air qu'il prend parfois, un air bien décidé qui m'avertit que, pour lui, l'affaire n'est pas close.

Pour essayer de gagner du temps, je lui ai offert un chocolat chaud qu'il a accepté sans beaucoup d'enthousiasme (il préfère le café), mais qui m'a occupé les mains pendant un certain temps. Rosette s'amusait par terre avec ses jouets. Thierry l'a observée. Elle tirait des boutons de la boîte où je les range et les disposait en motifs concentriques sur le carrelage de terre cuite.

Un autre jour, il aurait fait une remarque, un commentaire à propos d'hygiène, aurait exprimé sa crainte de voir Rosette s'étrangler en avalant un des boutons, mais aujourd'hui il n'a rien dit. C'était un avertissement que j'ai essayé d'ignorer pendant que je préparais le chocolat.

Casserole, lait, chocolat à cuire, sucre, noix de muscade et chili. À côté, sur la soucoupe, un macaron à la noix de coco. Gestes réconfortants que ma mère m'a appris, que j'ai appris à Anouk et qu'elle apprendra peut-être un jour à sa fille dans un avenir trop lointain pour que je l'imagine.

« Sacrément bon, ce chocolat ! » a-t-il remarqué, désireux de me faire plaisir, en serrant sa minuscule tasse dans ses mains plus faites pour la maçonnerie.

J'ai dégusté le mien à toutes petites gorgées. Il avait un goût d'automne, de fumée odorante, de feux de joie, de temple aussi, de chagrin et de deuil. Je me suis dit que j'aurais dû y ajouter un peu de vanille. Semblable à la glace qu'elle peut parfumer, la vanille est une sorte d'écho de notre enfance.

« Un tout petit peu amer quand même, a-t-il déclaré en y faisant tomber un morceau de sucre. Dis donc, si on s'offrait une petite récréation cet après-midi ? Une balade sur les Champs-Élysées : café, déjeuner et quelques achats peut-être ? »

J'ai répondu : « C'est gentil à toi mais je ne peux tout simplement pas fermer le magasin pour l'après-midi !

– Pourquoi pas ? Il semble plutôt… moribond. »

J'ai de justesse réprimé une réponse cinglante et seulement remarqué : « Tu n'as pas fini ton chocolat.

– Et toi, tu n'as pas répondu à ma question, Yanne ! » Il a jeté un rapide coup d'œil à ma main nue en ajoutant : « Je vois bien que tu ne portes pas ta bague. Cela veut-il dire que la réponse est non ? »

Je me suis mise à rire sans vraiment le vouloir. Cette façon qu'il a d'aller toujours droit au but me fait souvent rire sans qu'il comprenne très bien pourquoi.

« Tu m'as totalement prise au dépourvu, c'est tout ! »

Il a levé le regard vers moi au-dessus de sa tasse de chocolat. Il paraissait ne pas avoir fermé l'œil de la nuit. Des rides que je n'avais encore jamais remarquées lui mettaient des parenthèses autour de la bouche. Ce vague indice de vulnérabilité m'a surprise chez lui. Je me suis sentie troublée. J'avais passé tant de temps à me convaincre que je n'avais pas besoin de lui qu'il ne m'était jamais venu à l'esprit que, lui, peut-être, pouvait avoir besoin de moi.

Il a demandé : « Alors, tu peux m'accorder une heure de ton temps ? »

J'ai répondu. « Donne-moi une minute pour me changer et je suis à toi. »

Son regard s'est immédiatement éclairé. « Ah ! Voilà ce que j'aime entendre ! Je le savais bien, que tu allais finir par accepter ! »

Il avait retrouvé la forme et oublié son court moment de doute. Il s'est levé en fourrant le macaron dans sa bouche. J'ai bien vu qu'il n'avait pas fini le chocolat mais il a fait un grand sourire à Rosette qui jouait toujours sur le carrelage.

« Eh bien, jeune fille, qu'en penses-tu ? Si nous allions faire voguer les petits bateaux sur le bassin du Luxembourg ? »

Rosette a levé vers lui des yeux brillants de plaisir. Elle adore les petits bateaux et l'homme qui tient le bureau de location. Elle passerait tout l'été là-bas si c'était possible.

Elle a répondu d'un signe enthousiaste : *Voir bateaux.*

Thierry a froncé les sourcils et a demandé : « Que dit-elle ? »

Avec un sourire, j'ai traduit : « Que cela lui semble une excellente suggestion. »

J'ai été soudain envahie d'une chaude affection pour Thierry, pour son énergie, sa bonne volonté. Je savais qu'il supportait difficilement le silence étrange de Rosette et son refus de sourire. J'appréciais l'effort qu'il faisait.

Arrivée dans la chambre, j'ai ôté mon tablier taché de chocolat et j'ai mis ma robe de laine fine rouge – une couleur que je n'avais pas portée depuis des années –, j'avais besoin de réconfort pour lutter contre la froide bise de novembre. D'ailleurs, j'allais passer un manteau sombre par-dessus. Après quelques efforts, j'ai réussi à mettre à Rosette son anorak et à lui faire enfiler ses gants – que je ne sais pas pourquoi elle méprise – et nous avons tous pris le métro pour nous rendre au Luxembourg.

Il me paraît toujours si bizarre de me comporter en touriste dans cette cité où je suis née. Thierry me croit nouvellement arrivée à Paris et a tant de plaisir à me faire visiter son monde à lui que je n'ai pas le courage de le désappointer. Les jardins sont beaux aujourd'hui dans cette lumière froide, ponctuée de soleil, sous le kaléidoscope des feuilles d'automne. Rosette adore les feuilles que ses coups de pied enthousiastes font s'envoler en grands arcs de couleur. Elle adore aussi le lac où elle contemple d'un air sérieux les évolutions des petits bateaux.

« Dis : ba-teau, Rosette !

– Bam, dit Rosette en le regardant fixement de ses yeux de chat.

– Non, Rosette, c'est ba-teau. Allez, tu peux dire ça : ba-teau !

– Bam ! » répète Rosette en faisant de la main le signe pour *singe.*

Avec un sourire, je lui conseille : « Arrête ! » Mais mon cœur bat trop vite dans ma poitrine. Elle s'est si bien conduite aujourd'hui, courant ici et là, avec son anorak citron vert et son bonnet rouge, petite boule de Noël bien vivante mitraillant de bam ! bam ! des ennemis invisibles, sans rire – elle ne rit que rarement –, d'un air terriblement sérieux, les lèvres tendues par l'effort, les sourcils froncés comme si le simple fait de courir n'était pas un défi que l'on pouvait relever à la légère.

Maintenant, pourtant, je sens une menace dans l'air. Le vent a viré. Du coin de l'œil, j'aperçois une lueur dorée et je commence à penser que le moment est arrivé.

« Une glace et c'est tout ! » dit Thierry.

Le schooner s'incline élégamment sur l'eau puis, décrivant un arc de quatre-vingt-dix degrés, met cap à tribord et s'éloigne vers le milieu du bassin. Rosette me lance alors un regard espiègle.

« Rosette, non ! »

De nouveau, le voilier s'incline. Cette fois il met le cap tout droit sur le kiosque du marchand de glaces.

« D'accord, mais une seulement ! »

Rosette est allée lécher sa glace au bord du bassin. Nous avons alors échangé un baiser. La chaleur de son corps mêlée à une légère odeur de tabac avait quelque chose de vaguement paternel. Il a refermé autour de moi ses bras. La douce chaleur de son grand pardessus de cachemire a réchauffé la robe rouge trop mince que je portais et mon manteau d'automne.

C'était un baiser réussi, parti de mes doigts gelés et remontant avec une candeur subtile vers ma gorge et mes lèvres. Son agréable chaleur ramenait tout doucement à la vie ce que le vent avait pétrifié de sa froideur glacée. Thierry répétait *Je t'aime. Je t'aime* (il le dit souvent), mais dans un chuchotement de prière, comme un *Je vous salue, Marie* bredouillé à la hâte par un enfant trop pressé de se faire pardonner.

Il a dû alors remarquer quelque chose dans l'expression de mon visage. De nouveau sérieux, il m'a demandé : « Qu'est-ce qui ne va pas ? »

Comment lui dire ? Comment lui expliquer ? Soudain, il m'a dévisagée d'un regard franc, les yeux humides de froid. Il paraissait si sincère, si ordinaire, et, en dépit de ses talents réels d'homme d'affaires, si incapable aussi de comprendre le genre de supercherie qui était la nôtre.

J'avais fait tant d'efforts pour essayer d'imaginer ce qu'il voyait vraiment en Yanne Charbonneau, ce qu'il pourrait bien voir en Vianne Rocher. N'éprouverait-il que de la méfiance devant sa façon de vivre si peu conventionnelle ? Ricanerait-il de ses croyances ? Condamnerait-il les choix qu'elle avait dû faire ? Serait-il horrifié de ses mensonges ?

Il a lentement embrassé le bout de mes doigts, les réchauffant l'un après l'autre dans sa bouche et il a souri : « Tu as un goût de chocolat. »

Dans mes oreilles, pourtant, le vent soufflait toujours. Son grondement se décuplait dans les arbres autour de nous. C'était comme le déferlement des vagues de l'océan ou les cataractes de la mousson. Il balayait le ciel des feuilles mortes qu'il nous jetait à la figure comme des poignées de confetti. Il m'apportait l'odeur de *cette* rivière-là, *cet* hiver-là, de *cette* bise venue du nord.

Alors il m'est venu à l'esprit une idée extraordinaire. *Et si je lui disais la vérité ? Si je lui racontais tout ?*

Être aimée pour ce que l'on est. Être enfin totalement comprise. J'en ai eu le souffle coupé.

Si seulement oser m'était possible !

Le vent affecte les gens de façon bien étrange. Il les retourne et les force à entrer dans sa danse. À cet instant précis, Thierry est redevenu un jeune garçon aux cheveux ébouriffés, au regard clair et plein d'espoir. C'est la façon du vent de se faire séducteur, en nous mettant en tête de folles illusions, des rêves insensés. J'entendais toujours cet avertissement-là et je savais, je crois, même alors, que malgré toute sa gentillesse et tout son amour, Thierry Le Tresset n'avait vraiment aucune chance contre un vent comme celui-là.

« Je ne veux pas perdre la chocolaterie, lui ai-je dit (à moins que ce n'ait été le vent). J'ai besoin de la garder, j'ai besoin qu'elle m'appartienne. »

Thierry a éclaté de rire et m'a demandé : « Et c'est tout. Alors, laisse-moi t'épouser, Yanne. Tu pourras ainsi avoir toutes les chocolateries et tous les chocolats que tu voudras. Tu en auras le goût, l'odeur même, et moi aussi ! »

Je n'ai pas pu m'empêcher de rire à mon tour en entendant cela. Thierry m'a alors saisie par les mains et m'a entraînée, les bras tendus, dans un tourbillon rapide sur le gravier de l'allée. Rosette en a eu le hoquet tellement elle a ri.

C'est peut-être la raison pour laquelle je lui ai donné cette réponse-là. Cet instant d'inquiétude et d'impulsivité avec le vent dans les oreilles, les cheveux sur la figure et Thierry me serrant de toutes ses forces dans ses bras et chuchotant à travers mes cheveux : « Je t'aime, Yanne », d'une voix presque craintive.

J'ai soudain compris. *Il a peur de me perdre.* C'est alors que, les yeux mouillés de larmes et le nez rougi par ce vent glacial qui le faisait couler, sachant très bien qu'après il n'y aurait plus moyen de reculer, je lui ai donné ma réponse.

J'ai dit : « D'accord ! Mais dans la plus stricte intimité. »

Ses yeux se sont légèrement agrandis devant la soudaineté de cette réponse. Le souffle un peu coupé, il a demandé : « Es-tu sûre ? J'avais imaginé que tu voudrais… Tu sais ? » Et avec un sourire, il a continué : « Que tu voudrais… la robe, l'église, les enfants de chœur, les cloches, les demoiselles d'honneur… tout le tralala, quoi ! »

J'ai secoué la tête : « Non ! Rien de tout ça ! »

Alors, il m'a embrassée de nouveau : « Enfin ! Du moment que c'est oui ! »

Ce petit rêve de vie agréable, là, dans le creux de ma main, m'a rendue heureuse pendant un instant. Thierry est un brave type. Un type solide. Un homme à principes.

Et il a de l'argent aussi, Vianne, il ne faut pas l'oublier ! a fait remarquer la petite voix malveillante dans ma tête. Mais elle n'était pas très forte cette voix, et elle s'est peu à peu assourdie. Alors, j'ai pu m'abandonner à mon petit rêve de vie agréable. Que le diable l'emporte, ai-je pensé, qu'il emporte ce vent-là aussi. Non, cette fois, vent, tu es peut-être là mais tu ne nous auras pas.

7

La Lune montante

Vendredi 9 novembre

Aujourd'hui, je me suis encore une fois querellée avec Suze. Je ne comprends pas pourquoi cela arrive si souvent. Je voudrais pourtant tellement que nous soyons amies mais plus je fais d'efforts et plus c'est difficile. Cette fois, c'était à propos de mes cheveux. Bon Dieu, quelle histoire! Suze pense que je devrais me les faire aplatir.

J'ai demandé pourquoi.

Suzanne a haussé les épaules. C'était la récré et nous étions seules dans la bibliothèque. Les autres étaient allées à la coop acheter des bonbons. Moi, j'essayais de remettre au propre les notes que j'avais prises pendant le cours de géo, mais Suze voulait papoter et lorsque cela la prend, il n'y a pas moyen de l'arrêter.

«Ils n'ont pas l'air normaux, a-t-elle déclaré. On dirait des cheveux d'Africaine.»

Je m'en fichais comme de ma première chemise et je le lui ai dit.

Alors Suze a fait sa tête de poisson mécontent comme chaque fois qu'on la contredit, et elle m'a demandé: «Ton père n'était pas africain, par hasard?»

J'ai secoué la tête en signe de dénégation. Je me sentais quand même un peu coupable. Après tout, c'était peut-être un mensonge. Suzanne pense que mon père est mort. Mais, pour autant que je puisse le dire, il était peut-être d'origine africaine, pirate, grand criminel, ou roi même.

«Parce que, tu sais, les gens pourraient bien croire...

– Si tu parles de Chantal…

– Non!» a répondu Suzanne d'un ton fâché, et son visage rose s'est coloré encore davantage. Elle ne m'a pas vraiment regardée dans les yeux mais elle a dit : «Écoute!» et, passant son bras autour de mes épaules, elle a poursuivi : «Tu viens d'arriver au lycée. Tu es encore une nouvelle pour nous. Nous venons tous de la même école primaire du quartier. Nous nous sommes adaptés.»

S'adapter. C'est exactement l'expression qu'employait mon institutrice autrefois, à Lansquenet – Mme Drou.

«Mais tu es différente, toi, a dit Suzanne. J'ai pourtant bien essayé de t'aider…

– De m'aider, mais comment?» ai-je demandé d'un ton cassant en pensant à mes notes de géographie que je devais recopier et au fait que je ne pouvais jamais faire ce que je voulais lorsqu'elle était là. C'est toujours *ses* jeux à *elle, ses* petits états d'âme. Par contre, dès que quelqu'un qu'elle préfère arrive, c'est : *Annie, cesse de me courir après comme un petit chien!* Elle savait pertinemment bien que je n'avais pas voulu lui fermer le bec comme ça, mais elle a quand même pris son air blessé et, rejetant ses cheveux – aplatis, bien sûr – en arrière, d'un geste qu'elle imagine très adulte, elle m'a dit : «Si tu n'es même pas prête à écouter…»

J'ai répondu : «Bon d'accord! Qu'est-ce que tu trouves à redire chez moi?»

Elle m'a dévisagée quelques instants. La cloche a sonné. Elle a eu soudain un sourire lumineux et a glissé dans ma main un petit papier plié en quatre.

«J'ai dressé une liste!»

J'ai lu sa liste pendant le cours de géo. M. Gestin nous parlait de Budapest où nous avons un moment habité – bien que je n'en aie que très peu de souvenirs à part la rivière, la neige et le vieux quartier auquel Montmartre me fait penser avec ses rues tortueuses, ses escaliers en pente raide et le vieux château sur la colline. Suze avait dressé sa liste d'une écriture ronde et appliquée sur une demi-feuille de papier arrachée à un cahier. Il y avait là des conseils de présentation – cheveux aplatis, ongles faits à la lime, jambes épilées, le meilleur déodorant –, des conseils d'habillement aussi – jamais de socquettes avec une jupe, du rose, jamais d'orange –, de culture générale : livres à lire – pour filles : deux points, pour garçons : zéro –, films et musique à connaître – les derniers sortis essentiellement –, télévision (les émissions qu'il *faut* regarder), sites Internet à visiter – comme si j'avais accès à un ordinateur, moi! –, des conseils à propos de loisirs, de la marque de portable à utiliser...

Tout d'abord j'ai pensé qu'il s'agissait là d'une autre de ses plaisanteries mais, lorsque je l'ai retrouvée dans la queue des élèves qui attendaient l'autobus, j'ai compris qu'elle était tout à fait sérieuse : « Il faut que tu fasses un effort, m'a-t-elle dit. Sans ça, les autres vont penser que tu n'es pas tout à fait normale !

– Mais je suis normale. Je suis simplement...

– Différente !

– Et alors, quel mal y a-t-il à être différente ?

– Ben, si tu veux avoir des copines, Annie, tu...

– De vraies copines s'en foutraient pas mal ! »

Suze est brusquement devenue très, très rouge. Ça lui arrive souvent lorsqu'elle est agacée. La rougeur de son visage, dans ces cas-là, ne va pas du tout avec la couleur de ses cheveux. Elle a répondu d'un ton de vipère en colère. « Eh bien, moi, je ne m'en fous pas ! » Et elle a porté le regard vers celles qui étaient en tête de queue.

Il y a un certain code à respecter, ici, quand on attend l'autobus, comme il y en a un pour entrer dans la salle de classe ou pour choisir les équipes l'après-midi de sport. Suze et moi sommes à peu près au milieu de la queue. Au premier rang sont les stars – celles de l'équipe première de basket –, les plus grandes – celles qui mettent du rouge à lèvres, remontent leur jupe à la ceinture et fument des Gitanes au portail du lycée. Derrière elles, viennent les garçons – les beaux mecs, les membres des différentes équipes de sport, ceux qui remontent le col de leur chemise et se collent du gel sur les cheveux.

Et puis il y a le nouveau : Jean-Loup Rimbault dont Suzanne a le béguin. Chantal aussi en est amoureuse – bien qu'il semble ne s'intéresser ni à l'une ni à l'autre et ne prenne jamais part à leurs jeux. J'ai alors commencé à comprendre ce qui se passait dans la tête de Suze.

Les excentriques et les paumés se tiennent tout au bout de la queue. D'abord, les Noirs, qui habitent de l'autre côté de la Butte, restent toujours entre eux et ne nous adressent même pas la parole. Puis, il y a Claude Meunier – celui qui bégaie – et Mathilde Chagrin – la grosse – et derrière, un groupe de filles musulmanes – une douzaine à peu près. Elles ont causé une sacrée histoire au début du trimestre parce qu'elles voulaient garder leur foulard en classe. Elles le portent toujours d'ailleurs en dehors du lycée. Je l'ai bien vu lorsque j'ai tourné les yeux vers l'arrière de la queue. Elles le remettent dès qu'elles ont franchi le portail. Suze les trouve complètement idiotes et prétend qu'elles devraient faire comme nous si elles ont vraiment l'intention de vivre dans notre pays. Elle ne fait que répéter bien sûr ce que dit Chantal. Moi, je ne vois pas comment un foulard plutôt qu'un tee-shirt ou un jean pourrait faire une différence. Ce qu'elles portent ne concerne qu'elles, à mon avis.

Suze avait toujours l'œil sur Jean-Loup. Il est assez grand, beau gosse, je suppose, cheveux noirs dont la frange mange presque sa figure. Douze ans. Une année de plus que nous. Il devrait vraiment être en cinquième. Suze dit qu'il a redoublé l'année dernière. Il est pourtant très doué et toujours premier de sa classe. Bien des filles lui font les yeux doux. Aujourd'hui pourtant, il jouait l'indifférent. Le dos appuyé à l'arrêt de l'autobus, il regardait à travers le viseur de l'appareil photo numérique dont il ne semble jamais se séparer.

« Oh ! Dis donc ! Tu as vu ?

– Pourquoi ne vas-tu pas lui parler pour une fois ? »

D'un ton furieux, elle m'a fait taire. Jean-Loup a jeté un bref coup d'œil dans sa direction et de nouveau s'est intéressé à son appareil photo. Suze a rougi encore davantage et, sous la capuche de son anorak, elle a gloussé : « Il m'a regardée. » Et elle s'est retournée vers moi en roulant des yeux. « Je vais me faire faire des mèches. Je connais l'endroit où Chantal se fait faire les siennes. » Elle m'a agrippé le bras si fort qu'elle m'a fait mal en disant : « Je sais ! Nous pourrions y aller ensemble. Moi pour des mèches, et, toi, pour te faire aplatir les cheveux !

– Lâche-moi donc avec mes cheveux !

– Allons, Annie. Ça serait vraiment très cool et…

– Je t'ai dit que cela suffisait ! » Elle commençait maintenant à me casser les pieds. « Pourquoi continues-tu ?

– Oh ! On ne peut jamais rien faire avec toi ! s'est-elle exclamée en perdant toute patience. Tu es grotesque et tu ne veux rien faire pour changer ? »

C'est encore bien un de ses trucs à elle de faire en sorte que ce qu'elle dise ressemble à une question sans en être vraiment une.

« Et pourquoi est-ce que je voudrais changer ? »

Je sentais maintenant l'irritation monter en moi comme un éternuement incontrôlable. Je la sentais venir, s'amplifier. Que je le veuille ou non, j'étais sur le point d'exploser. Je me suis alors souvenue de ce que m'avait dit Zozie dans le salon de thé anglais. J'aurais tant voulu effacer de son visage cet air supérieur qu'avait adopté Suzanne. Pas lui faire de mal – ça non, jamais –, mais faire quelque chose pour lui donner quand même une bonne leçon.

Alors, derrière mon dos, j'ai fait un signe avec mes doigts en cornes et j'ai prononcé mentalement :

Essaie un peu pour voir et tu m'en diras des nouvelles.

Pendant un instant, j'ai cru avoir aperçu une sorte d'éclair sur son visage. Il a disparu avant que j'aie vraiment eu le temps de le bien voir.

Et j'ai dit : « Mieux vaut être grotesque que de devenir une vulgaire photocopie des autres ! »

Puis je lui ai tourné le dos et je suis allée prendre place à l'arrière de la queue. Les autres nous regardaient tous. Suze, les yeux exorbités, paraissait franchement laide avec ses cheveux roux, son visage écarlate et sa bouche grande ouverte de surprise. Debout, à l'arrière de la queue, indifférente, j'attendais l'arrivée de l'autobus.

Je ne suis pas sûre d'avoir espéré qu'elle me suive. Je pensais qu'elle allait peut-être le faire. Mais non. Quand l'autobus est enfin arrivé, elle s'est assise à côté de Sandrine et ne m'a plus même jeté un regard.

J'ai essayé de raconter toute l'histoire à Maman quand je suis rentrée à la maison mais, déjà, elle était en train de parler à Nico, de terminer un paquet cadeau – une boîte de truffes au rhum – tout en préparant le goûter de Rosette. Je n'ai pas trouvé les mots qu'il fallait pour lui décrire ce que je ressentais.

À la fin, tout en versant le lait dans une casserole de cuivre, elle m'a conseillé : « Ne fais pas attention à ces filles-là ! Tu veux bien surveiller le lait pour moi, s'il te plaît, Nanou ? Tu n'as qu'à le mélanger tout doucement pendant que j'enveloppe cette boîte ! »

Elle garde tout ce qu'il faut pour le chocolat chaud dans un placard au fond de la cuisine. Devant, il y a une batterie de casseroles en cuivre, des moules étincelants de propreté pour les différentes formes de chocolats et la plaque de granit pour le trempage. Pas qu'elle les utilise bien souvent. D'ailleurs, la plupart de ses vieux ustensiles sont en bas, dans la cave. Même avant la mort de Mme Poussin, nous n'avions guère le temps de nous consacrer à nos spécialités.

Nous avons quand même toujours quelques minutes pour le chocolat chaud – lait, noix de muscade râpée, vanille, chili, cassonade, graine de cardamome et chocolat à cuire à 70 % (le seul qui vaille la peine d'être acheté, dit-elle). Il est délicieusement onctueux avec un petit arrière-goût amer comme un caramel qui commence à prendre couleur. Le chili lui ajoute un rien de piquant, jamais trop, un soupçon seulement. Les épices lui confèrent cette odeur d'église qui me fait un peu penser à Lansquenet, aux nuits passées au-dessus de la chocolaterie avec Maman – nous deux seulement – et Pantoufle assis à côté, aux bougies aussi qui brûlaient sur une table improvisée avec un cageot à oranges.

Ici, bien sûr, plus de cageot à oranges. L'année dernière, Thierry nous a installé une cuisine toute neuve. Naturel, n'est-ce pas ? Après tout, c'est lui, le propriétaire. Il a beaucoup d'argent. D'ailleurs, c'est son devoir de propriétaire de veiller aux réparations de sa maison. Maman a insisté quand même pour qu'on en fasse tout un plat, pour préparer, en son honneur, un dîner de fête dans la nouvelle cuisine. Si vous aviez vu ça ! On aurait juré que c'était la première fois que nous possédions une cuisine ! Les grandes tasses elles-mêmes sont neuves maintenant, avec *Chocolat* écrit dessus en lettres fantaisie bien moulées. Thierry en a acheté une pour chacun de nous et une pour Mme Poussin aussi. Lui n'aime pas vraiment le chocolat chaud. Je le sais. Je le vois. Il ajoute bien trop de sucre dans le sien.

Autrefois, j'avais une grande tasse à moi, une grosse tasse rouge, un peu ébréchée, avec la lettre **A** (pour Anouk) peinte dessus. Roux me l'avait donnée. Je ne l'ai plus. Je ne me souviens même plus comment je l'ai perdue. Cassée, peut-être ? Ou oubliée quelque part ? D'ailleurs, cela n'a plus d'importance. Je ne bois plus de chocolat.

Maman revenait dans la cuisine, alors j'ai dit : « Suzanne dit que je ne suis pas normale.

– Mais bien sûr que tu es normale ! » a-t-elle répliqué en grattant soigneusement avec un couteau l'intérieur d'une gousse de vanille. Le chocolat était pratiquement prêt maintenant et cuisait à petits bouillons dans la casserole. « Tu en veux ? Il est bon !

– Non, merci !

– Comme tu veux ! »

Elle en a versé à Rosette en y ajoutant quelques pépites de chocolat et une grande cuillerée de crème. Cela avait l'air terriblement bon et l'odeur m'en faisait monter l'eau à la bouche, mais je n'ai pas voulu le laisser paraître. J'ai cherché dans le garde-manger et j'y ai découvert une moitié de croissant du petit déjeuner et de la confiture.

En versant pour elle ce qui restait du chocolat dans une petite tasse à café, Maman m'a dit : « Ne fais pas attention à Suzanne ! » J'ai remarqué que ni elle ni Rosette ne se servait des grandes tasses à chocolat. « Je connais bien ce genre de filles ! a-t-elle continué. Essaie donc de te trouver d'autres copines. »

Moi j'ai pensé : *C'est plus facile à dire qu'à faire.* Et puis, à quoi bon ? Ce ne serait pas vraiment avec moi qu'elles seraient copines. Ce ne serait pas *mes* cheveux, ni *mes* vêtements – ce ne serait pas *moi* du tout.

« Qui, par exemple ?

– Je ne sais pas, moi ! » Il y avait un peu d'impatience dans sa voix pendant qu'elle remettait les épices dans le placard. « Il doit bien y avoir quelqu'un avec qui tu t'entends. »

J'aurais voulu lui expliquer que ce n'était pas de ma faute. Pourquoi penser tout de suite que c'était moi la difficile ? La vérité, c'est que Maman n'est vraiment jamais allée à l'école. C'est l'expérience qui lui a tout appris – elle le dit, du moins.

Ce qu'elle sait du lycée, c'est ce qu'elle en a lu dans les livres pour enfants, ce qu'elle a observé de l'extérieur, à travers les grilles d'une cour. Mais, vu de l'intérieur, croyez-moi, ce n'est pas toujours rigolo !

« Alors ? » Toujours cette impatience dans la voix, ce ton qui dit : *Tu devrais remercier ton étoile. J'ai travaillé dur pour t'amener ici, pour te trouver un vrai lycée, te permettre de sortir de l'ornière qui était mon lot, à moi.*

J'ai demandé : « Je peux te poser une question ?

– Mais, bien sûr, Nanou. Il y a quelque chose qui te travaille ?

– Mon père, c'était un Africain ? »

Elle a eu un léger sursaut. Si léger que je ne l'aurais pas vu s'il n'avait pas été révélé par ses couleurs.

« C'est ce que Chantal raconte à l'école !

– Vraiment ? » a dit Maman en coupant une tranche de pain pour Rosette. Pain. Couteau. Nutella. Rosette s'est mise à tourner et retourner la tartine de ses petits doigts habiles de singe. Le visage de Maman révélait un effort intense de concentration. Elle paraissait absorbée par son travail mais je ne savais pas exactement ce qu'elle pensait. Ses yeux étaient noirs comme l'Afrique et son regard indéchiffrable.

Elle a fini par demander : « Cela ferait-il une grosse différence pour toi ?

– 'Sais pas ! » ai-je répondu en haussant les épaules.

Alors, elle s'est retournée vers moi et, pendant un instant, j'ai cru revoir la Maman qu'elle était autrefois, celle qui n'avait jamais prêté attention au jugement des autres.

Elle a dit d'une voix lente : « Tu sais, Anouk. Pendant longtemps, j'ai pensé que tu n'avais pas vraiment besoin d'un père. Je croyais que nous serions toujours toutes les deux seulement, comme moi j'étais seule avec ma mère, et puis Rosette est arrivée et je me suis dit que, peut-être… » Elle s'est interrompue brusquement, m'a souri, puis elle a changé si rapidement de conversation que, pendant un instant, je ne m'en suis même pas aperçue – un peu comme dans des tours de prestidigitation à la foire avec les trois tasses et la bille qu'il faut trouver.

Elle m'a demandé : « Tu aimes bien Thierry, n'est-ce pas ? »

J'ai haussé de nouveau les épaules. « Il n'est pas mal !

– Je savais bien que tu le trouvais gentil et lui t'aime aussi beaucoup, tu sais. »

D'un coup de dents j'ai fait disparaître la pointe de mon croissant. Rosette, assise sur sa petite chaise, faisait l'avion avec sa tartine.

« Ce que je veux dire c'est que si l'une de vous n'aimait pas Thierry… »

À la vérité, je ne l'aime pas tellement. Il parle toujours trop fort et il sent le cigare. Il interrompt toujours Maman lorsqu'elle est en train de parler. Il m'appelle *jeune fille* comme s'il s'agissait d'une bonne blague. Quant à Rosette, il ne s'entend pas du tout avec elle. Il ne la comprend pas non plus quand elle parle par signes. Il attire toujours l'attention sur des mots savants qu'il m'explique comme si je ne les avais jamais encore entendus.

J'ai répété : « Il n'est pas mal.

– Eh bien, Thierry veut m'épouser.

– Depuis quand ?

– Il m'en a parlé, la première fois, l'année dernière, mais je lui ai répondu que je n'étais pas prête, que je devais penser à Rosette, à Mme Poussin. Il m'a dit qu'il était tout à fait préparé à attendre. Mais nous sommes seules maintenant.

– Tu n'as quand même pas répondu oui ? »

J'ai posé la question d'une voix trop forte pour Rosette qui s'est mis les mains sur les oreilles.

« C'est compliqué, a dit Maman d'un air las.

– Tu dis toujours ça !

– Parce que les choses sont toujours compliquées. »

Honnêtement, je ne vois pas pourquoi. Elles me paraissent simples à moi. Elle n'a jamais été mariée, n'est-ce pas ? Alors, pourquoi voudrait-elle l'être comme ça, brusquement ?

« Les choses ont changé, Nanou !

– Quelles choses ? » Moi, je voulais comprendre.

« La chocolaterie pour commencer. Le loyer est payé jusqu'à la fin de l'année mais après… » Elle a poussé un soupir. « Cela ne sera pas facile toute seule de faire marcher le magasin. Je ne peux pas accepter d'argent de Thierry. Il est toujours généreux, mais ce ne serait pas chic. Alors, j'ai pensé… »

J'avais bien deviné que quelque chose n'allait pas mais j'avais cru qu'elle était triste à cause de Mme Poussin. Je voyais bien maintenant que c'était de Thierry qu'il s'agissait, qu'elle était inquiète au cas où je n'entrerais pas de bonne volonté dans *leur* plan.

Et quel plan ! Je nous vois d'ici. Maman, Papa et les deux petites filles. Un conte sorti tout droit de la comtesse de Ségur. Nous irions à l'église. Tous les jours, nous mangerions un steak-frites. Nous porterions des robes achetées dans de belles boutiques. Thierry aurait notre photo sur son bureau – un portrait fait par un professionnel – avec Rosette et moi habillées de vêtements de même couleur.

«J'ai dit qu'il n'était pas mal mais il ne faut pas te tromper, nous...» Je me suis arrêtée.

«Eh bien, tu ne dis rien. Le chat a mangé ta langue?»

J'ai grignoté un petit morceau de mon croissant et j'ai fini par dire : «Nous n'avons pas vraiment besoin de lui.

– Nous avons besoin de quelqu'un, ça, c'est sûr! J'espérais que tu comprendrais cela au moins. Tu dois aller au lycée, Anouk. Tu as besoin d'avoir une vraie maison, d'un père...»

Un père? Ne me fais pas rigoler! Comme si j'avais besoin d'un père, moi! Elle dit toujours que l'on choisit sa famille mais quel choix est-ce qu'elle me donne à moi?

Elle m'a dit : «Anouk, c'est pour toi que je fais cela.»

J'ai haussé les épaules et jeté dans la rue le reste du croissant.

«Comme tu veux!»

8

Le Jaguar

Samedi 10 novembre

Je suis entrée ce matin à la chocolaterie. J'ai acheté une boîte de cerises à la liqueur. La mère était là, avec la petite. Le magasin était désert. Pourtant, Yanne m'a semblé harassée, rendue presque mal à l'aise par ma présence. Et les chocolats, lorsque je les ai goûtés, n'avaient rien de spécial du tout.

Elle me les a tendus dans leur cornet de papier, en m'expliquant : « Autrefois, je les confectionnais moi-même mais les chocolats à la liqueur exigent tant de soins que je ne trouve jamais de temps pour ça maintenant. J'espère que vous les aimerez quand même. »

J'en ai fourré dans ma bouche avec un air de gourmandise bien étudié et, malgré leur goût acide de pâte de cerises à l'eau-de-vie, j'ai dit : « Délicieux ! » – Rosette, derrière le comptoir, fredonnait doucement, à plat ventre sur le sol couvert de papiers et de crayons de couleur.

« Alors, elle ne va pas à la maternelle ? »

Yanne a secoué la tête : « Non, j'aime la garder à l'œil. »

C'est évident. Je le vois parfaitement. Je vois aussi beaucoup d'autres choses maintenant que je les cherche. La porte bleu ciel, par exemple, dissimule un nombre de détails auxquels les clients habituels semblent aveugles. D'abord, le magasin lui-même est vieux et délabré. L'étalage, sans doute, est assez coquet avec ses colonnes et petites boîtes de carton et de coffrets de métal et les murs, peints d'un joli jaune, sont agréablement accueillants aussi mais l'humidité est là, sournoise, gagnant les coins, s'établissant sous le plancher, témoignant du manque de temps et d'argent. On a pourtant pris bien soin de dissimuler tout ça, une toile d'araignée en fil d'or pour masquer le réseau de fissures sur le mur, une draperie chatoyante à l'entrée et, dans l'air, ce somptueux parfum, la promesse de quelque chose d'un peu plus recherché que ces chocolats plutôt banals.

Laisse-toi tenter. Laisse-toi séduire.

D'un mouvement discret de la main gauche, j'ai évoqué l'Œil de Tezcatlipoca, la Noire. Les couleurs ont soudain flamboyé autour de moi, confirmant mes soupçons du premier jour. Quelqu'un avait pratiqué son art ici et, si je ne me trompais pas, ce n'était pas Yanne Charbonneau. Non, ce talent-là était jeune encore et naïf, exubérant aussi. Il trahissait une volonté qui avait besoin d'un peu de raffinement encore.

Annie? Qui d'autre qu'elle? Et la mère? Eh bien, quelque chose me turlupine à propos de la mère, quelque chose que je n'ai vu qu'une fois – le premier jour – quand elle a ouvert la porte en entendant son nom. À ce moment-là, bien sûr, ses couleurs étaient plus vives. Et quelque chose me dit qu'elles le sont toujours, même si elle prend bien soin de les cacher.

Rosette, par terre, dessinait toujours en fredonnant son petit air *Bam-bam-bamm… Bam-Badda… Bamm…*

«Allons, Rosette, viens! C'est l'heure de ta sieste.»

Rosette n'a pas levé les yeux de son dessin mais sa voix s'est faite plus forte, accompagnée d'un battement rythmé de son pied chaussé de sandale contre le carrelage.

«Allons, Rosette. Il faut ranger tes crayons», a dit Yanne d'une voix douce.

De Rosette toujours aucune réaction.

Bam-bam-bamm… Bam-Badda-Bammm. En même temps, ses couleurs – d'un jaune d'or de chrysanthème jusqu'à un orange lumineux – se sont intensifiées. Elle s'est mise à rire en étendant ses mains ouvertes comme pour attraper une pluie de pétales. *Bam-bam-bamm… Bam-Badda-Bamm.*

«Chut, Rosette!»

Maintenant je devinais une tension chez Yanne. Pas la simple gêne d'une mère dont l'enfant refuse d'obéir mais celle de quelqu'un qui sent le danger approcher. Elle a soulevé dans ses bras Rosette qui, imperturbable, continuait son gazouillis d'oiseau et m'a adressé une petite grimace en manière d'excuses.

Elle m'a dit: «Désolée mais elle a tendance à se conduire comme ça lorsqu'elle est trop fatiguée.»

J'ai répondu : « Ne vous excusez pas ! Elle est adorable. »

Un pot contenant des crayons est tombé sur le plancher. Les crayons ont roulé dans toutes les directions.

« Bam ! » a dit Rosette en désignant du doigt les crayons éparpillés.

Yanne a dit : « Je dois la coucher maintenant. Elle est trop énervée lorsqu'elle n'a pas fait de sieste. »

De nouveau, j'ai jeté un coup d'œil à Rosette qui ne semblait pas du tout fatiguée, à mon avis. La mère, par contre, semblait pâle, lessivée, à bout de forces. Avec sa coupe de cheveux trop angulaire, son pull noir bon marché la faisait paraître encore plus blême.

J'ai demandé : « Ça va ? »

Elle a répondu oui d'un signe de tête.

L'unique ampoule de la lampe au-dessus d'elle a commencé à trembloter. J'ai pensé : *Les vieilles maisons sont toutes les mêmes, leur circuit électrique a toujours grand besoin d'être modernisé.*

« Êtes-vous sûre que ça va ? Vous me semblez un peu pâlotte !

– Ce n'est rien. Un mal de crâne. Je me débrouillerai ! »

Cette expression lui est familière mais j'ai des doutes à ce propos. Elle s'accroche à l'enfant comme si mon intention était de la lui arracher des bras.

Pensez-vous que j'en serais capable ? J'ai été mariée deux fois – pas sous mon vrai nom –, et je n'ai jamais eu envie d'avoir d'enfant. Avec un enfant, les complications n'en finissent pas, d'après ce que l'on m'a dit. D'ailleurs, dans ma profession, un excès de bagages à traîner serait bien la dernière chose à désirer !

Cependant…

J'ai dessiné en l'air le signe du cactus de Xochipilli, en m'arrangeant pour que ma main reste bien cachée. Xochipilli, la fine langue, le dieu des rêves et des prophéties. Pas que les prophéties m'intéressent particulièrement ! Mais les paroles que les gens laissent échapper, par contre, peuvent devenir sources de revenus, comme je l'ai découvert. Tout enseignement devient monnayable pour quelqu'un de ma profession.

Pendant une ou deux secondes, le signe symbolique a flotté dans l'air puis… a disparu dans l'obscurité comme un anneau de fumée.

Pendant un instant, rien ne s'est produit.

Pour être franche, il faut bien le dire, je ne m'étais pas réellement attendue à un résultat. J'étais curieuse pourtant. D'ailleurs, ne me devait-elle pas quelque petite compensation après tout ce que j'avais fait pour elle ?

J'ai donc redessiné le symbole de Xochipilli, celui qui chuchote à votre oreille, révèle des secrets et vous soutire des confidences. Cette fois, le résultat a dépassé tous mes espoirs.

J'ai d'abord vu ses couleurs légèrement s'aviver puis s'embraser comme flamboie une langue de feu lorsqu'elle lèche une poche de gaz. Au même instant, Rosette a brusquement cessé de se montrer enjouée. Cambrée dans les bras de sa mère, elle s'est jetée en arrière avec un gémissement de protestation. L'ampoule qui tremblotait a soudain fait entendre une petite détonation sèche et une pyramide de boîtes de biscuits s'est écroulée à l'étalage avec un bruit à réveiller les morts.

Yanne Charbonneau, surprise en perte d'équilibre, a fait un écart de côté et s'est heurté la hanche contre le comptoir. Il y avait là un meuble à étagères miniature offrant tout un assortiment de dragées roses, jaunes, blanches et argentées dans de très jolies petites soucoupes de verre. Le choc ayant ébranlé les étagères, Yanne a instinctivement étendu la main pour les stabiliser et l'une des petites soucoupes est tombée par terre.

« Rosette ! » s'est écriée Yanne au bord des larmes.

J'ai entendu la soucoupe se fracasser et les dragées rebondir sur le carrelage.

Je l'ai entendue se fracasser mais je n'ai pas détourné mon regard fixé sur Rosette et Yanne. L'enfant était enveloppée de couleurs vives maintenant et la mère, si immobile qu'on l'aurait crue pétrifiée.

Je me suis penchée pour ramasser les débris de verre en disant : « Laissez-moi vous aider !

– Non, je vous en prie, merci ! »

J'ai dit : « C'est déjà fait ! »

Je devinais en elle une tension nerveuse accumulée, prête à exploser. La perte d'une malheureuse soucoupe n'en était sûrement pas la cause. À ma connaissance, les femmes comme Yanne Charbonneau ne piquent pas de crises de nerfs à propos de verre cassé. Les choses les plus étranges, au contraire, peuvent le faire : une vraiment mauvaise journée, un mal de tête douloureux, la gentillesse d'une inconnue…

Je l'ai alors aperçu, du coin de l'œil, le dos rond, appuyé sous le comptoir. D'un jaune orange strident et exécuté d'une main encore maladroite, il était pourtant parfaitement reconnaissable avec sa longue queue en boucle et ses petits yeux brillants. C'était une espèce de singe. Je me suis soudain tournée de façon à le regarder bien en face. Il a alors montré des petites dents pointues avant de disparaître complètement dans le vide.

« Bam ! » a dit Rosette.

Un long silence a suivi. Un très long silence. J'ai ramassé la petite soucoupe en verre de Murano au bord délicatement flûté que j'avais entendue se fracasser sur le carrelage dans un bruit d'explosion et de feu d'artifice. Elle était là, dans ma main, intacte. Cela ne pouvait pas être un hasard.

J'ai pensé *Bam!*

Les dragées grinçaient sous mes pieds comme des dents. Yanne Charbonneau me dévisageait maintenant sans dire un mot. Autour de moi, son silence affolé filait comme un cocon de soie.

J'aurais pu dire *Eh bien, ça alors, c'est de la chance*, et remettre simplement la soucoupe à sa place sans plus rien ajouter mais j'ai pensé que le moment était venu, que c'était maintenant ou jamais. *C'est quand la résistance est affaiblie qu'il faut frapper, l'occasion ne se représentera peut-être plus.*

Alors, je me suis redressée, j'ai plongé mon regard droit dans celui de Yanne et, avec tout le charme que je pouvais y mettre, je lui ai dit : «Ne vous en faites pas. Je sais exactement ce qu'il vous faut!»

Je l'ai vue se raidir un instant, soutenir mon regard d'un air de défi et d'incompréhension hautaine.

Je lui ai alors pris le bras et j'ai souri en disant d'une voix douce : «Un chocolat chaud, une recette à moi : chili, noix de muscade, un doigt d'armagnac et un soupçon de poivre noir. Allez! laissez-vous faire! Et amenez la petite diablesse avec vous.»

Elle m'a suivie dans la cuisine toujours sans mot dire. Ça y était! J'avais pénétré ses défenses.

TROISIÈME PARTIE

DEUX LAPINS

DEUXIEME PARTIE

DEUXIEME

Le Soleil noir

Mercredi 14 novembre

C e don-là, je n'ai jamais souhaité l'avoir. Je n'en ai même jamais rêvé – ma mère m'a pourtant souvent assuré que, des mois avant ma naissance, elle avait entendu mon appel : je ne m'en souviens pas, bien sûr. Ma petite enfance ne représente que de très vagues souvenirs de lieux, d'odeurs, de gens qui passaient près de nous à la vitesse d'un train, de frontières franchies sans papiers, de voyages sous des noms d'emprunt, de nuits dans des hôtels minables, d'aurores jamais observées deux matins de suite au même endroit, de fuites... toujours des fuites – comme si notre survie dépendait de la vitesse de notre course folle tout au long de chaque route, chaque chemin, chaque sentier de la planète, en nous efforçant de ne pas laisser une seule trace, pas même une ombre derrière nous.

Ma mère me disait : *On choisit sa famille.* Mon père, lui, n'avait pas été choisi, il me semble.

« À quoi aurait-il bien pu nous servir, Vianne ? Les pères, ça ne compte pas. Toi et moi, ça suffit. »

À dire vrai, il ne m'a pas manqué. Comment l'aurait-il pu ? Je n'avais aucun point de comparaison pour mesurer le vide causé par son absence. Je l'imaginais brun, légèrement sinistre, un parent peut-être de cet Homme noir que nous fuyions. Et j'aimais ma mère, j'aimais le monde que nous nous étions créé, ce monde que nous emportions avec nous partout où nous allions, ce monde que les gens ordinaires ne pouvaient même jamais espérer atteindre.

Elle disait : *Nous sommes différentes, c'est pour ça.* Nous, nous avions des yeux pour voir. Nous avions le don. On choisit sa famille : c'est ce que nous faisions, partout où nous allions. Une sœur ici, une grand-mère là, visages familiers d'une tribu éparpillée aux quatre vents. Mais, autant que je puisse le dire, il n'y avait pas d'hommes dans la vie de ma mère.

À part l'Homme noir, bien sûr.

Mon père était-il cet Homme noir ? La question d'Anouk, l'autre jour, si proche de la mienne, m'a tant surprise. J'avais moi-même considéré cette possibilité-là alors que nous fuyions chemise au vent, chemise chamarrée aux couleurs du carnaval, lacérée par les coups de griffe cruels de la bise. L'Homme noir n'existait pas, bien sûr, et j'en étais arrivée à me persuader que mon père n'existait pas non plus.

Pourtant, mon envie de savoir n'avait pas disparu. De temps en temps, des yeux, je parcourais la foule à New York, à Berlin, à Venise ou à Prague dans l'espoir d'apercevoir peut-être un homme, un solitaire, aux yeux sombres comme les miens.

En attendant, ma mère et moi poursuivions notre fuite. D'abord, par pur plaisir de la course et puis, comme toute chose, fuir était devenu pour nous une simple habitude, pour finir par se transformer en une sorte de corvée. Les derniers mois, j'avais l'impression que fuir était la seule chose qui la gardait en vie tandis que le cancer la prenait de vitesse et envahissait son corps tout entier.

C'est alors qu'elle a commencé à parler de cette fille. Moi, j'étais persuadée qu'il s'agissait d'une histoire inventée de toutes pièces, provoquée par les analgésiques qu'elle prenait. Car son esprit battait vraiment la campagne au fur et à mesure que la mort approchait. Elle racontait des choses sans queue ni tête, parlant de l'Homme noir et s'adressant à des absents.

Cette petite fille dont le nom ressemblait tant au mien aurait pu n'être, à cette époque incertaine, qu'un caprice de ses hallucinations, un archétype, un esprit, un détail lu dans les faits divers d'un journal – une autre petite fille perdue, aux cheveux noirs, aux yeux sombres, une enfant kidnappée un jour de pluie, devant un bureau de tabac, à Paris.

Sylviane Caillou. Disparue comme tant d'autres enfants à l'âge de dix-huit mois, arrachée de son siège de bébé dans la voiture que ses parents avaient garée devant une pharmacie, près de La Villette, et enlevée avec un sac contenant des jouets et un nécessaire pour la changer. Elle portait un simple petit bracelet d'argent avec un porte-bonheur, un chat, pendu à l'anneau de la fermeture.

Je n'étais pas cette petite fille-là. C'était impossible. Et même si je l'étais, après tout ce temps…

Nous choisissons notre famille, disait Maman. Je t'ai choisie comme tu m'as choisie. Cette fille-là ne t'aurait pas vraiment aimée. Elle n'aurait pas su s'occuper de toi. Elle n'aurait pas su couper la pomme de manière à te révéler l'étoile qui s'épanouit à l'intérieur. Elle n'aurait pas su nouer un sachet magique, ni chasser les démons en tapant sur une casserole, ni endormir le vent avec une chanson. Non, elle n'aurait pas su t'enseigner toutes ces choses-là.

Et nous nous sommes quand même bien débrouillées, n'est-ce pas, Vianne ? Ne te l'avais-je pas promis ?

Ce petit chat porte-bonheur, je l'ai toujours. Je ne me souviens pas du bracelet d'argent – elle l'a donné sans doute, ou vendu –, mais je crois me rappeler les jouets : un éléphant rouge en peluche et un petit ours brun que j'adorais et auquel il manquait un œil. Le porte-bonheur est toujours dans le coffret de ma mère. Une petite babiole, ce coffret bon marché, le genre d'objet qu'un enfant pourrait avoir acheté, fermé par un bout de ruban rouge. Il est là avec les cartes de Maman et quelques autres petites choses – une photo de nous deux prise lorsque j'avais six ans, une réserve de bois de santal, quelques coupures de journaux, une bague, un dessin que j'avais fait pour elle à l'école maternelle – la seule à laquelle je sois allée à une époque où nous parlions encore de nous établir quelque part, un jour.

Bien sûr, ce porte-bonheur-là, je ne l'ai jamais porté. J'évite même de le toucher maintenant. Trop de secrets y sont emprisonnés, comme des parfums qui n'ont besoin que de la chaleur du corps pour être libérés. En principe, je ne touche à rien du contenu de ce coffret, mais je n'ose pas m'en débarrasser non plus. Un fardeau trop lourd ralentit votre course ; mais si vous êtes trop léger, au contraire, emporté par le vent comme une vulgaire graine de pissenlit, vous pouvez à jamais tomber dans l'oubli.

Quatre jours que Zozie est avec nous. Déjà, sa personnalité a commencé à transformer tout ce qu'elle touche. Je ne pourrais pas dire comment les choses se sont passées – un moment de faiblesse de ma part peut-être. Certainement, je n'avais pas eu l'intention de lui proposer de travailler pour moi. D'abord, je ne peux pas me permettre de lui offrir un vrai salaire, mais elle paraît tout à fait contente d'attendre que je sois en mesure de le faire. Cela semble pourtant si naturel qu'elle soit parmi nous, comme si elle avait toujours fait partie de ma vie.

C'est le jour de l'Accident que tout a commencé, le jour où elle m'a préparé ce chocolat et l'a bu avec moi dans la cuisine, onctueux et chaud, avec du piment rouge frais et des coquilles de chocolat. Rosette en a bu aussi, dans sa tasse à elle, puis a continué à jouer sur le plancher pendant que je restais là, silencieuse. Zozie m'observait de ce regard souriant qu'elle a et ses yeux de chat étaient réduits à des fentes minuscules.

Ce jour-là, les circonstances étaient exceptionnelles. Un autre jour, à un autre moment, j'aurais été préparée. Mais ce jour-là – la bague de Thierry encore dans ma poche et Rosette à son pire, et Anouk si taciturne depuis qu'elle *sait*, et cette longue journée déserte qui s'étendait devant moi...

N'importe quel autre jour, j'aurais tenu ferme, mais ce jour-là...

Ne vous en faites pas. Je sais exactement ce qu'il vous faut.

Mais que sait-elle exactement ? Qu'une soucoupe cassée s'est recollée toute seule ? Complètement stupide ! Qui serait prêt à croire ça ? Surtout que ce tour de prestidigitateur est l'œuvre d'une petite fille de quatre ans, une petite qui ne sait même pas parler ? Encore moins crédible.

Zozie a dit : « Vous semblez fatiguée, Yanne. Tant de responsabilités, cela doit vous peser ? »

J'ai acquiescé de la tête.

Le souvenir de l'Accident de Rosette était là entre nous, dernière part de gâteau restée après la fête.

J'ai alors mentalement supplié comme j'avais essayé de le faire avec Thierry. *N'en parlez pas, surtout. Ne dites rien, s'il vous plaît. Je ne veux pas en parler.*

J'ai cru entendre sa réponse silencieuse. Un sourire, un soupir, la fugitive vision de quelque chose dans l'ombre, un bruit assourdi de cartes battues sur une table, de cartes toutes parfumées de bois de santal.

Silence.

J'ai dit : « Je ne veux pas en parler de ça. »

Avec un haussement d'épaules, Zozie m'a conseillé : « Alors, buvez votre chocolat ! »

– Vous l'avez bien vu pourtant.

– Je vois des tas de choses !

– Comme quoi ?

– Je vois par exemple que vous êtes épuisée.

– Je dors mal. »

Pendant un moment, elle m'a regardée en silence. Ses yeux de chat, tachetés d'or, avaient les couleurs de l'été. Comme dans un rêve, j'ai pensé : *Je devrais connaître vos préférés mais je n'ai peut-être plus le don.*

À la fin, elle a suggéré : « J'ai une idée. Pourquoi ne me laisseriez-vous pas m'occuper du magasin, vous donner un coup de main ? Je suis née dans un magasin. Je sais ce qu'il y a à faire. Emmenez Rosette et allez vous reposer toutes les deux. Je vous appellerai si j'en ai besoin. Allez donc ! Cela m'amusera. »

Quatre jours ont passé depuis et personne n'en a reparlé. Bien sûr, Rosette ne comprend pas encore que, dans le monde réel, une soucoupe que l'on casse est à jamais cassée, même si l'on préfère qu'elle ne le soit pas. Zozie n'a pas même tenté d'aborder le sujet. Je lui en suis reconnaissante. Elle sait parfaitement que quelque chose s'est passé mais semble tout à fait heureuse de ne pas y faire allusion.

« Dans quel genre de magasin êtes-vous née, Zozie ?

– Une librairie. Vous connaissez le genre New Age ?

– Vraiment ?

– Ma mère s'intéressait beaucoup à toutes ces choses-là : le matériel pour magiciens, les cartes de tarot… Elle vendait des bâtons d'encens et des bougies à des hippies fauchés, échevelés et à court d'optimisme. »

J'ai esquissé un sourire. J'étais pourtant un peu mal à l'aise.

« C'était il y a bien longtemps. Je m'en souviens à peine. »

J'ai demandé : « Mais vous y croyez toujours ? »

Elle a souri à son tour. « Je crois que ce que nous décidons de faire peut changer les choses. »

Silence.

« Et vous ?

– Je le croyais autrefois, plus maintenant.

– Puis-je vous demander pourquoi ? »

J'ai secoué la tête : « Un autre jour, peut-être ! »

Elle a dit : « D'accord. »

Je sais, je sais ! C'est dangereux – tout acte, même le plus insignifiant, a des conséquences. La magie est quelque chose que l'on peut obtenir mais à quel prix ! Il m'a fallu longtemps pour le comprendre – après Lansquenet, après Les Laveuses – maintenant, pourtant, les choses me paraissent très claires lorsque je vois les conséquences de notre errance se propager en ondes concentriques à la surface de notre vie.

Prenez ma mère, par exemple, si généreuse envers les autres, qui prodiguait à tous sa bonne volonté et ses porte-bonheur. Et tout ce temps-là, dans son corps, se multipliaient les cellules cancéreuses comme des intérêts montant en flèche sur des économies dont elle ignorait jusqu'à l'existence. Oui, quel comptable incorruptible est le maître de notre univers ! La moindre vétille : un porte-bonheur, un simple sortilège, un cercle innocent tracé sur le sable d'une plage et la dette doit être réglée. Jusqu'au dernier sou. En terribles gouttes de sang.

Il y a un équilibre à maintenir, vous voyez. Pour chaque moment de joie : un malheur ; pour chaque gentillesse : une blessure. Quelqu'un pend un sachet de soie rouge à votre porte, et une ombre s'étend quelque part. On allume un cierge chez soi pour écarter la malchance et, de l'autre côté de la rue, la maison d'un étranger est avalée par les flammes et disparaît en cendres. Un jour, c'est le festival du chocolat, et une amie très chère s'éteint justement ce jour-là.

Malchance.

Accident.

C'est cela qui m'empêche de me confier à Zozie. Elle m'est trop sympathique pour que je perde sa confiance. Les enfants aussi semblent l'aimer d'ailleurs. Il y a cette jeunesse en elle qui la rend plus proche de la génération d'Anouk que de la mienne, quelque chose qui semble la rendre plus abordable.

Ses cheveux peut-être, longs, dénoués, avec une mèche rose sur le front ? Ses vêtements, aux couleurs exubérantes, dénichés dans des magasins de charité et portés au hasard comme s'ils sortaient tout droit du coffre à déguisements d'un enfant, et qui lui vont étrangement bien pourtant ? Aujourd'hui, elle portait une robe bleu ciel à taille de guêpe des années cinquante avec un motif de petits bateaux à voile et des ballerines jaunes. Vous allez me dire : pas très recommandé pour le mois de novembre. Mais elle ne s'en soucie guère. Elle ne se soucie jamais de détails de ce genre.

Je me souviens d'avoir été comme ça autrefois. Je me souviens de cette attitude de défi que je prenais devant la vie. La maternité change bien notre perspective, pourtant. Elle fait de nous des lâches. Des lâches et des menteuses, et pis encore quelquefois.

Les Laveuses. Anouk. Et ce vent. Oh ! ce vent !

Quatre jours, et je suis surprise de découvrir à quel point je compte sur Zozie, pas seulement pour surveiller Rosette comme le faisait Mme Poussin mais pour toutes sortes de petites tâches au magasin.

Emballage, empaquetage, nettoyage, commandes. Elle m'assure qu'elle y prend plaisir, que travailler dans une chocolaterie avait toujours été son rêve. Pourtant elle ne chipe jamais de chocolats comme le faisait souvent Mme Poussin et n'en profite pas pour en réclamer.

Je n'ai pas encore parlé d'elle à Thierry. Pourquoi ? Je n'en suis pas sûre. Je devine pourtant qu'il n'approuverait pas. Peut-être parce que je ne l'ai pas consulté. Peut-être parce que Zozie est aussi différente de Mme Poussin que le jour l'est de la nuit. Elle est enjouée avec les clients – quelquefois presque trop familière. Elle bavarde constamment avec eux tout en préparant leurs petits paquets, pesant leurs chocolats ou attirant leur attention sur les dernières nouveautés. Elle a l'art de les inviter à se confier. Elle ne manque pas de demander à Mme Pinot comment va son dos, d'échanger quelques mots avec le facteur qui fait sa tournée. Elle connaît les chocolats favoris du Gros Nico, flirte de façon éhontée avec Jean-Louis et Paupaul, les soi-disant artistes qui racolent le client autour du P'tit Pinson, elle passe du temps à jacasser avec Richard et Mathurin, les deux vieux qu'elle surnomme les Patriotes et qui, déjà là parfois à huit heures du matin, quittent rarement le café avant le soir.

Elle connaît le nom des camarades de classe d'Anouk, l'interroge à propos de ses profs et parle des vêtements qu'elle porte. Elle ne me met pourtant jamais mal à l'aise et ne risque jamais les questions que toute autre employée à sa place poserait.

Autrefois, à Lansquenet, j'éprouvais la même chose pour Armande Voisin. Espiègle et fougueuse, éhontée aussi cette Armande dont j'entrevois encore le jupon rouge et dont la voix que je crois encore entendre et qui ressemble étrangement à celle de ma mère me force à me retourner parfois et à la chercher des yeux parmi la foule.

Zozie, bien sûr, ne lui ressemble pas du tout. Armande avait déjà quatre-vingts ans lorsque j'ai fait sa connaissance. Elle était vieille et desséchée, querelleuse aussi. Pourtant je la reconnais dans l'exubérance de Zozie, dans son appétit insatiable pour tout ce qu'est la vie. Et si Armande avait une petite parcelle de ce que ma mère appelait *magie*…

Mais, de nos jours, nous ne parlons pas de ces choses-là. Notre accord est tacite peut-être, mais nous l'observons strictement. La moindre imprudence – le moindre éclair dans le regard – et, une fois de plus, le château de cartes deviendrait la proie des flammes. C'est déjà arrivé à Lansquenet, aux Laveuses, et dans des centaines d'endroits. Alors, plus maintenant. Non. Cette fois, nous resterons ici.

Ce matin, elle est arrivée plus tôt que d'habitude, juste avant qu'Anouk ne parte au lycée. Je l'ai laissée toute seule un peu moins d'une heure, le temps de faire faire une promenade à Rosette. Quand je suis rentrée, le magasin m'a semblé tout de suite plus gai, moins encombré, plus attrayant. Elle avait refait l'étalage. Par-dessus la pyramide de boîtes qui le remplissaient, elle avait arrangé un bout de velours bleu de nuit sur lequel elle avait posé une paire de souliers vernis à hauts talons cerise remplis de bonbons enveloppés de papier rouge et or.

Un peu excentrique, sans doute, mais attrayant. Les souliers – ceux qu'elle portait le jour où nous avions fait connaissance – semblaient éclairer de leur lumière notre étalage obscur et les bonbons répandus scintillaient autour, sur le velours, comme des pierreries.

À mon retour, Zozie a expliqué : « J'espère que vous ne m'en voudrez pas mais j'ai pensé qu'un peu de changement ne ferait pas de mal. »

J'ai répondu : « Chaussures et chocolats, c'est une bonne idée ! »

Zozie a souri : « J'ai une passion pour les deux. »

J'ai demandé : « Alors, dites-moi, quels sont vos chocolats préférés ? » Ce n'est pas que j'avais particulièrement envie de savoir, c'était plutôt par curiosité professionnelle. Elle était là depuis quatre jours et j'étais toujours aussi incapable de le deviner que le premier jour.

Elle a haussé les épaules en disant : « Je les aime tous mais les chocolats que l'on achète tout faits ne valent pas ceux qui sont faits maison, n'est-ce pas ? Vous avez bien dit que vous en fabriquiez vous-même autrefois ?

– Oui, mais je n'ai plus le temps. »

Elle m'a regardée : « Mais vous avez tout le temps que vous voulez. Laissez-moi m'occuper du magasin et vous pourrez vous livrer dans la cuisine à vos préparations magiques.

– Magiques ? »

Apparemment inconsciente de l'impact du mot qu'elle venait d'utiliser, Zozie était déjà occupée à dresser des plans. Un assortiment de truffes au chocolat roulées à la main, les plus simples à confectionner, et des mendiants peut-être, des mendiants parsemés d'amandes, de griottes à l'eau-de-vie et de gros raisins secs de Smyrne, voilà ce qu'elle envisageait.

Je pourrais faire tout cela les yeux fermés. Un enfant en serait capable. Anouk, bien des fois, m'avait aidée quand nous étions à Lansquenet, choisissant les plus gros raisins, les cerises les plus savoureuses – dont elle réservait une part généreuse pour sa propre consommation – et les disposant sur les disques clairs ou sombres de chocolat fondu en minutieux dessins géométriques.

Depuis cette époque-là, je n'en ai plus refait. Ils évoquent trop de souvenirs pour moi : la petite boulangerie avec la gerbe de blé sur son enseigne au-dessus de la porte, Armande, Joséphine, Roux.

Indifférente à mon manque d'enthousiasme, Zozie continuait : « On peut demander des prix exorbitants, vous savez, pour des chocolats maison. Et si vous pouviez installer quelques chaises et créer un peu d'espace, ici », elle indiquait l'endroit. « Les clients pourraient même s'asseoir un moment, boire quelque chose en mangeant une tranche de gâteau. Ce serait bien, n'est-ce pas ? Je veux dire que ce serait accueillant. Ce serait en tout cas une façon de les inviter à entrer !

– Hum ! »

Je n'étais pas entièrement convaincue. Cela ressemblait un peu trop à Lansquenet. Une chocolaterie se devait de rester une chocolaterie, un lieu de commerce où les clients restent des clients et ne deviennent pas des amis. Ou alors l'inévitable, un jour, arrivera et, une fois ouverte cette boîte de Pandore, il sera impossible de la refermer. D'ailleurs, je savais ce que Thierry dirait de tout cela.

J'ai fini par répondre : « Non, je ne crois pas. »

Zozie n'a rien répliqué. Elle m'a longuement regardée. Je devine que, d'une certaine manière, je l'ai déçue : c'est idiot et pourtant…

Quand donc me suis-je transformée en cette femme craintive ? Quand ai-je commencé à avoir autant de scrupules ? J'entends ma voix résonner, une voix sèche et timorée, une voix de prude. Alors je m'interroge : est-ce la voix qu'entend Anouk ?

« C'est comme vous voulez. Ce n'était qu'une idée ! »

J'ai pensé : *Quel mal y aurait-il à ça ?* Il ne s'agit là que de chocolats après tout. Une douzaine de plateaux de truffes, juste ce qu'il faut pour m'empêcher de perdre la main. Thierry va penser que c'est du temps perdu, et alors ? Pourquoi cela me ferait-il hésiter ? Je m'en fiche après tout !

« Enfin, je suppose qu'à la rigueur je pourrais en faire quelques boîtes pour Noël. »

Mes casseroles sont toujours là, mes casseroles de cuivre et la grande, en émail, toutes dans leurs boîtes, bien enveloppées, dans la cave. J'ai même gardé la plaque de granit sur laquelle je refroidis le chocolat fondu, et les thermomètres spéciaux, les moules de plastique et de céramique, les petites louches, les grattoirs et les écumoires. Tout est là, propre, net et bien rangé, prêt à être utilisé. Rosette aimerait peut-être cela et Anouk…

« Formidable ! s'est exclamée Zozie. Vous pourrez me donner quelques petites leçons à moi aussi. »

Et pourquoi pas ? Quel mal y aurait-il à ça ?

« D'accord ! Je vais essayer ! »

C'était décidé. Nous étions enfin reparties sur le chemin de la création et sans en faire toute une histoire. Et si, par hasard, j'ai encore quelques petits doutes…

Il ne peut pas y avoir grand danger à faire un plateau de truffes au chocolat, ou de mendiants, ou un gâteau ou deux. Sûrement, les Bonnes Dames charitables ont autre chose en tête que de se préoccuper de friandises aussi innocentes.

Du moins, c'est ce que je souhaite au fur et à mesure que les jours passent emportant avec eux Vianne Rocher, Sylvie Caillou et même Yanne Charbonneau, une liste pâlie de noms qui s'estompent de plus en plus et disparaissent dans l'oubli comme un renvoi au bas d'une page.

La bague que je porte au doigt de la main droite me paraît bien étrange après toutes ces années. Et ce nom Le Tresset plus étrange encore. Je le prononce quand même, juste pour en voir l'effet, partagée entre un sourire et une grimace.

Yanne Le Tresset.

Ce n'est qu'un nom après tout.

Mais déjà j'entends la voix de Roux, ce vétéran des alias, des métamorphoses, ce champion des quatre vérités, ce gitan : *Conneries. C'est bien plus qu'un nom, c'est une condamnation.*

2

La Lune montante

Jeudi 15 novembre

A lors, ça y est. Cette bague que lui a donnée Thierry, elle la
porte! Mais vous vous rendez compte? Thierry qui n'aime pas
le chocolat chaud qu'elle lui prépare! Thierry qui ne sait rien
d'elle, pas même son vrai nom! D'après ce qu'elle dit, elle n'a encore
aucun plan. Elle veut d'abord *s'habituer* à l'idée. Elle en parle comme
s'il s'agissait d'une paire de chaussures que l'on doit faire à son pied
avant de les trouver confortables.

Elle évoque une cérémonie toute simple: à la mairie, pas d'église,
pas de curé. À qui veut-elle vraiment faire croire cela? Il finira par lui
faire accepter ce qu'il veut: tout le grand tralala, avec Rosette et moi
en robes de la même couleur. Ça sera un véritable enfer!

C'est ce que j'ai expliqué à Zozie. Elle a fait une petite grimace en
disant: «À chacun ses goûts!» C'est marrant quand même quand on y
pense car il faudrait être fou pour croire une seule minute que ces deux-là
soient réellement *au goût* l'un de l'autre, qu'ils soient amoureux.

Enfin, lui, peut-être. Mais que sait-il d'elle vraiment? Il est arrivé
à la maison hier soir pour nous emmener dîner – pas au P'tit Pinson,
cette fois –, dans un restaurant huppé des bords de la Seine d'où nous
pourrions regarder les bateaux passer. J'ai mis une robe pour l'occasion. Il m'a dit que j'étais très jolie mais que j'aurais dû juste me
coiffer un peu. Zozie est restée garder Rosette. D'après Thierry, ce
n'était pas le genre de restaurant où l'on pouvait emmener de jeunes
enfants. Nous savions tous que là n'était pas la véritable raison.

Maman portait la bague qu'il lui a donnée. Un gros diamant, très laid, perché sur son doigt comme un insecte sculpté dans un bloc de glace. Au magasin, elle l'enlève bien sûr car il accroche partout. Elle l'a tapoté toute la soirée, hier, le faisant pivoter autour de son doigt comme s'il n'était pas très agréable à porter.

Tu commences à t'y habituer ? Comme s'il était possible de s'habituer à quelque chose comme ça, de s'habituer à lui, à la façon dont il nous traite – comme des gosses gâtés que l'on peut acheter et soudoyer ! Il a aussi donné un portable à Maman, l'assurant que c'était simplement pour pouvoir *garder le contact. Inimaginable,* lui a-t-il dit, *que tu n'en aies encore jamais eu un !* Après cela, nous avons bu du champagne (que je déteste), nous avons mangé des huîtres (que je déteste aussi) et un soufflé glacé au chocolat qui était très bon (pas tout à fait aussi bon que ceux que Maman faisait autrefois), mais aussi très, très petit.

Au début, Thierry riait beaucoup, il m'appelait *jeune fille* et parlait de la chocolaterie. Il a annoncé qu'il était obligé de retourner à Londres mais que, cette fois, il aimerait que Maman l'accompagne. Trop de travail, a-t-elle dit, mais elle le ferait peut-être après les fêtes de Noël quand le commerce exigerait moins de son temps.

Il s'est montré étonné : « Trop de travail ? Mais je croyais que ça n'allait pas très bien au magasin ? »

Alors Maman a expliqué : « Justement, j'essaie quelque chose de nouveau. » Et elle lui a parlé des truffes maison qu'elle avait l'intention de lancer pour les fêtes, de comment Zozie allait pouvoir l'aider pendant quelque temps et des vieux ustensiles de préparation qu'elle ressortait des boîtes où elle les avait rangés. Elle a parlé un bon moment. Son visage était tout rose comme il l'est toujours lorsqu'elle s'enthousiasme pour un projet. Plus elle s'animait, plus Thierry se taisait et moins il riait. Alors, elle a brusquement cessé et a eu l'air un peu gênée.

Elle a dit : « Je m'excuse. Je sais que ces choses-là ne t'intéressent pas vraiment !

– Si, si ! a dit Thierry. C'est Zozie, bien sûr, qui t'a mis cette idée-là dans la tête, n'est-ce pas ? » Il n'avait pas l'air content du tout maintenant.

Maman a souri : « Elle est bien sympathique, n'est-ce pas, Annie ? »

Moi, j'ai répondu oui.

« Mais crois-tu qu'elle ait vraiment le bagage nécessaire pour s'oc-cuper de la gestion d'une boutique ? Tu vois ce que je veux dire. Elle n'est peut-être pas mal du tout comme employée mais, il faut regarder les choses en face, tu as besoin de quelqu'un d'un peu plus qualifié qu'une serveuse que tu as fauchée à Laurent Pinson.

– De la gestion ? a dit Maman.

– Eh bien, oui ! J'imagine que, lorsque nous serons mariés, tu voudras trouver quelqu'un pour gérer le magasin. »

Lorsque nous serons mariés ! Tu vois un peu ça !

Maman a levé les yeux et légèrement froncé les sourcils.

« Je sais que tu as l'intention de gérer toi-même le magasin mais tu n'auras quand même pas besoin d'y passer tout ton temps. Il y aura des tas de choses à faire. Nous serons libres de partir en voyage, de parcourir le monde.

– Je l'ai déjà fait ! » a-t-elle répliqué un peu trop rapidement. Thierry l'a dévisagée alors avec un air tout drôle.

« Tu ne t'attends tout de même pas à ce que je vienne habiter au-dessus du magasin ? » a-t-il protesté avec un sourire pour bien indiquer qu'il n'était pas sérieux. Il l'était, bien sûr. Je le savais, rien qu'au ton de sa voix.

Maman n'a pas répondu. Elle a détourné les yeux.

« Et toi, qu'en dis-tu, Annie ? m'a-t-il demandé. Je parie que tu aimerais beaucoup voyager partout dans le monde, voir l'Amérique, par exemple. Ça serait *cool*, hein ? »

Je déteste qu'il emploie ce mot-là : *cool*. C'est un vieux, lui. Il a cinquante ans, au moins. Je sais qu'il fait beaucoup d'efforts pour paraître jeune mais, dans sa bouche, c'est un mot tout simplement gênant, vous ne trouvez pas ?

Quand Zozie dit *cool*, par contre, cela semble parfaitement naturel, comme si elle avait inventé le mot elle-même. Partir visiter l'Amérique serait *cool*, si *elle* y venait. La chocolaterie a l'air plus *cool* maintenant avec le miroir doré qu'elle a accroché en face de la vieille vitrine où sont les dragées, et ses souliers cerise qu'elle a mis à l'étalage comme des pantoufles magiques débordant de joyaux et de pierreries.

Je me suis souvenue de l'épisode du salon de thé et de la serveuse qui ressemblait à Jeanne Moreau et j'ai pensé : *Si Zozie était là, elle saurait bien lui clouer le bec.* J'ai immédiatement eu un peu honte, comme si j'avais fait quelque chose de mal, comme si cette seule pensée était capable de déclencher un Accident.

Alors, la petite voix dans ma tête chuchote : *Ce n'est pas Zozie qui se laisserait arrêter par quelque chose comme ça !* Zozie, elle, n'en ferait qu'à sa tête. Et après tout, cela serait-il si mal ? Bien sûr que ce serait mal ! Et pourtant...

Ce matin, comme je me préparais à partir au lycée, j'ai surpris Suze, le nez collé au nouvel étalage. Dès qu'elle m'a aperçue, elle s'est reculée et a pris la fuite – nous sommes toujours encore un peu fâchées. Pendant un instant, je me suis sentie si triste que j'ai dû m'asseoir dans l'un des vieux fauteuils que Zozie a dénichés je ne sais pas où et imaginer Pantoufle, les yeux noirs et brillants, les favoris hérissés, assis à côté de moi, prêt à écouter mes confidences.

Je ne peux pas dire que j'aime Suze tant que ça. Pourtant, quand je suis arrivée au lycée, elle s'est montrée gentille. Elle venait au magasin. Nous bavardions. Nous regardions ensemble la télé. Nous allions place du Tertre voir les artistes. Une fois, à un éventaire, elle m'a acheté un pendentif rose en émail – un petit chien de dessins animés avec *Ma meilleure amie* écrit dessus.

Ce n'était rien qu'une pacotille et le rose n'avait jamais été une de mes couleurs mais je n'avais jamais encore eu de « meilleure amie », et la nouveauté m'était bien agréable. De savoir que le pendentif m'appartenait me rendait heureuse. Même s'il y a bien longtemps que je ne le porte plus.

Et puis Chantal est arrivée.

Chantal, celle que tout le monde aime, Chantal, tellement parfaite avec ses cheveux blonds – parfaits –, ses vêtements – parfaits – et cette façon qu'elle a de ricaner de tout avec mépris. Maintenant, Suze veut la copier en tout. Moi, je ne suis que celle avec qui elle condescend à parler lorsque Chantal est occupée ailleurs. Le plus souvent, je ne suis pour elles qu'un objet de sarcasmes.

Et ce n'est pas juste ! Qui décide de ces choses-là ? Qui a décrété que Chantal mérite d'être populaire alors qu'elle ne lève pas le petit doigt pour venir en aide à qui que ce soit et qu'elle n'aime vraiment qu'elle-même ? Qu'est-ce qui fait que Jean-Loup Rimbault soit plus apprécié que Claude Meunier ? Et les autres – Mathilde Chagrin ou ces filles avec leurs foulards noirs –, qu'est-ce qui en fait des lépreuses ? Qu'est-ce qui fait que j'en sois une moi-même ?

J'étais en train de me poser mentalement toutes ces questions et je n'avais même pas remarqué que Zozie était entrée. Elle sait se déplacer silencieusement, vous savez, encore plus silencieusement que moi. Aujourd'hui, c'était particulièrement étrange car elle portait ses espèces de mules, des sabots de bois qui font un bruit de claquettes qu'il est impossible d'étouffer. Les mules étaient rose fuchsia, ce qui en faisait des chaussures vraiment fabuleuses.

« À qui parlais-tu ? »

Je n'avais pas remarqué que j'avais parlé à haute voix.

« À personne. Je parlais toute seule !

– Je sais ! » Je me sentais tout de même gênée, assise là, consciente de la présence de Pantoufle qui m'observait. Il semblait d'ailleurs tout à fait réel avec son petit nez rayé qui montait et descendait en rythme comme celui d'un vrai lapin. Quand je suis triste, je le vois bien plus clairement, c'est pour cela que je ne devrais pas parler toute seule. Et c'est toujours quand on ne fait plus de différence entre rêve et réalité que les Accidents arrivent.

Zozie a souri puis elle a fait un signe – un peu comme le signe pour « ça va », en formant un O avec le pouce et l'index. Elle m'a regardée à travers ce O puis a laissé retomber sa main en disant : « Tu sais, quand j'étais gosse, il m'arrivait souvent de parler toute seule. À la vérité, je bavardais tout le temps avec ma copine invisible. »

Je ne sais pas pourquoi cela m'a tellement surprise : « Tu faisais ça, toi ?

– Ma copine s'appelait Mindy, a continué Zozie. Ma mère disait que c'était mon guide spirituel. Elle avait foi en ces trucs-là. Il faut bien le dire, ma mère croyait pratiquement à tout : au pouvoir des cristaux, à l'instinct spécial des dauphins, aux enlèvements par des extraterrestres, à l'Abominable Homme des Neiges. À tout et n'importe quoi. » Elle a grimacé un sourire. « Le plus rigolo, c'est que quelquefois ça marche, tu sais. »

Je ne savais trop quoi répondre. *Quelquefois ça marche.* Que voulait-elle dire au juste ? Je me sentais à la fois mal à l'aise et un peu excitée. Ce ne pouvait sûrement pas être une coïncidence ou un Accident comme ce qui s'était passé dans le salon de thé anglais. Zozie, cette fois, parlait de vraie magie, elle en parlait ouvertement comme s'il s'agissait d'une science véritable, pas d'un jeu d'enfant pour lequel j'étais maintenant trop grande.

Zozie y croyait, elle.

Alors, j'ai pris mon sac pour le lycée et je me suis dirigée vers la porte en disant : « C'est l'heure, il faut que je parte.

– Tu dis tout le temps ça. Dis-moi, qu'est-ce que c'est exactement ? Un chat ? » Elle a fermé un œil et m'a regardée par le O que faisaient son pouce et son index.

J'ai répondu : « Je ne sais vraiment pas de quoi tu parles !

– De ce petit personnage à grandes oreilles. »

Je l'ai dévisagée. Elle souriait toujours.

Je savais qu'il ne fallait pas lui dire un mot de Pantoufle. Parler de ces choses-là ne fait que les aggraver. Mais je ne voulais pas non plus mentir à Zozie. Zozie ne me ment jamais, elle.

Alors, avec un soupir, j'ai répondu : « Un lapin. Il s'appelle Pantoufle !

– Cool ! » a dit Zozie.

Et la conversation s'est arrêtée là.

3

Le Jaguar

Vendredi 16 novembre

Deuxième coup, et une nouvelle brèche est créée. Un coup bien placé suffit pour que la *piñata* commence à craquer et qu'elle éclate. La faille dans leur muraille est la mère. Yanne une fois conquise, Annie suivra aussi sûrement que l'été suit le printemps.

L'adorable gamine, si jeune, si éveillée! Quel succès spectaculaire je pourrais obtenir avec une gamine comme celle-là! Si seulement je pouvais écarter la mère! Mais chaque chose en son temps, n'est-ce pas? La grosse erreur serait de forcer mon avantage. La fillette, encore méfiante, pourrait se replier sur elle-même si je me montrais trop pressée. Alors, je vais patienter et concentrer mon attention sur Yanne. À vrai dire, cela m'amuse beaucoup. Mère célibataire, un commerce à tenir et un jeune enfant constamment dans les pattes, vous pouvez me faire confiance, je saurai me rendre indispensable, devenir une confidente, une amie pour elle. Elle a besoin de moi. Rosette, avec sa curiosité insatiable et l'habitude qu'elle a de se fourrer dans les pires endroits, m'offrira toutes les excuses nécessaires.

Rosette, d'ailleurs, m'intrigue de plus en plus. Si petite pour son âge! Avec son visage en pointe et ses yeux très écartés, on dirait une espèce de chat. Elle se déplace à quatre pattes sur le plancher (une technique qu'elle préfère à la marche normale), enfonce les doigts dans les trous des lambris, ouvre et referme sans arrêt la porte de la cuisine et fait avec de petits objets de longs dessins compliqués sur le parquet. Il faut la surveiller constamment car, bien qu'elle soit d'habitude tout à fait sage, elle semble ne posséder aucun sens du danger. Quand elle se sent triste ou frustrée, elle fait parfois des crises de nerfs – silencieuses, le plus souvent – pendant lesquelles elle se balance d'un pied sur l'autre avec une telle violence qu'elle pourrait bien se cogner la tête contre le mur.

J'ai demandé à Annie : « De quoi souffre-t-elle ? »

Elle m'a dévisagée d'un air circonspect comme si elle se demandait s'il était vraiment prudent d'en parler. « Personne ne le sait vraiment. Quand elle n'était encore qu'un bébé, on l'a emmenée voir un docteur. Il a vaguement parlé d'un trouble que l'on appelle cri-du-chat, mais il n'en était pas sûr et nous n'y sommes jamais retournées. »

Cri-du-chat ! On jurerait une de ces affections du Moyen Âge que l'on aurait attribuée à un cri de chat entendu au moment de la conception.

« C'était exactement ça : un petit miaulement. Je l'appelais le Chaton. »

Elle a ri et, brusquement, elle a détourné le regard d'un air presque coupable comme si en parler même pouvait être dangereux. « Elle ne souffre vraiment de rien du tout. Elle est différente, c'est tout », a dit Annie.

Encore ce mot-là : *différente.* Comme *Accident*, ce terme-là semble avoir pour elle une certaine résonance, bien au-delà de son sens habituel. On ne peut nier que Rosette semble attirer les accidents mais je devine que, dans son cas, cela va bien au-delà de jouer à verser l'eau de ses godets de peinture dans ses bottes de caoutchouc, de pousser des tranches de pain grillé dans le magnétoscope ou d'enfoncer les doigts dans le fromage pour faciliter le passage de souris invisibles.

Les Accidents arrivent quand elle est là. Comme le jour de la soucoupe en verre de Murano – j'aurais pu jurer qu'elle était cassée, maintenant je n'en donnerais pas ma main à couper ! Comme lorsque les ampoules s'allument et s'éteignent toutes seules – il s'agit sans doute des caprices du circuit électrique d'une très vieille maison ! Le reste, je l'ai peut-être imaginé, tout simplement. Mais ma mère disait toujours : *Même avec un « peut-être » et un « sans doute », une faute n'est jamais absolue.* Et d'ailleurs, il n'est pas dans mes habitudes de laisser aller mon imagination.

Ces derniers jours, nous avons été très occupées. Grand branle-bas dans la maison : nettoyage, réorganisation et renouvellement des stocks. Toutes les casseroles de cuivre de Yanne, ses moules, ses plats de céramique, à ressortir des boîtes où elles étaient rangées. Malgré le soin qu'elle avait mis à les protéger, bien des casseroles étaient ternies ou piquées de vert-de-gris. Je me suis occupée du magasin en laissant Yanne passer des heures dans la cuisine à nettoyer et faire briller chaque ustensile jusqu'au dernier.

« C'est simplement pour m'amuser », se justifiait-elle comme si elle avait légèrement honte du plaisir qu'elle éprouvait, comme s'il s'était agi d'une vieille habitude d'enfance dont elle aurait dû se débarrasser depuis longtemps. « Ce n'est pas vraiment du travail sérieux, vous savez ! »

Pourtant, à la regarder, j'aurais juré qu'elle était tout à fait sérieuse. Aucun jeu n'aurait pu être l'objet d'une préparation aussi méticuleuse. Elle n'achète la couverture que de la meilleure qualité, celle qu'elle obtient directement d'un fournisseur de produits de commerce équitable du côté de Marseille et qu'elle paie en argent comptant. Elle déclare qu'elle commencera avec une douzaine de grandes plaques de chaque variété. À observer son enthousiasme, je sais déjà que cela ne suffira pas. Elle me dit qu'autrefois elle confectionnait elle-même tous ses chocolats. Au début, je dois avouer que je ne la croyais pas trop. À la façon dont elle s'y est remise, je dois reconnaître qu'elle n'exagérait pas.

Observer la préparation (qui exige beaucoup de dextérité) a un effet étrangement thérapeutique. Il faut d'abord faire fondre le chocolat de couverture puis le tremper pour le débarrasser de son aspect cristallin et lui donner peu à peu l'aspect lustré et la malléabilité nécessaire à la confection des truffes. Elle opère sur une plaque de granit, étalant le chocolat liquide en une couche mince comme de la soie et le ramenant vers elle avec une raclette pour le remettre dans la bassine de cuivre encore chaude. Elle répète l'opération autant de fois que nécessaire, jusqu'à ce qu'elle la juge terminée.

Elle ne se sert que rarement du thermomètre. Elle dit qu'il y a si longtemps qu'elle confectionne des chocolats qu'elle devine tout simplement quand la température requise est atteinte. Et je suis prête à la croire. Ces derniers jours, je l'ai observée. Elle n'a réalisé rien de moins que la perfection, à tous les coups. Pendant ce temps, j'ai appris à détecter d'un œil critique le moindre indice de pâleur suspecte qui révèle que la trempe n'a pas été exécutée avec succès et à reconnaître la surface brillante idéale, celle qui se brise avec un bruit sec et qui est la marque de la haute qualité de la confection.

Elle m'assure que les truffes sont les plus simples à préparer. À l'âge de quatre ans, Annie en était déjà capable. Maintenant, c'est au tour de Rosette d'essayer, de rouler les truffes d'un air solennel sur la plaque saupoudrée de cacao, petit raton laveur aux yeux vifs et au visage tout barbouillé de chocolat fondu…

Et, pour la première fois, j'entends le rire de Yanne.

Oh, Yanne! Cette faiblesse.

Entre-temps, je pratique mon art à moi. J'ai, bien sûr, intérêt à ce que le magasin fasse des affaires, je me suis donc employée à le rendre plus accueillant. Très discrètement, pour ne pas blesser la sensibilité de Yanne! L'Épi de Maïs, symbole de Cinteotl, et la Graine de Cacao, celui de la Lune sanguine, que j'ai gravés dans la pierre du pas de la porte, juste sous le linteau, devraient nous garantir beaucoup de clients.

Yanne, je connais leurs préférés, je sais le lire dans leurs couleurs. Je sais que la jeune marchande de fleurs vit dans un état de peur constante, que la femme au petit chien traîne en permanence un sentiment de culpabilité, que le jeune homme obèse et bavard sera mort avant d'avoir atteint ses trente-cinq ans s'il ne fait pas un effort pour perdre du poids.

C'est un don, vous comprenez. Je devine l'objet de leur désir et l'objet de leur crainte. Je sais sur quelle musique les faire danser.

Si ma mère avait fait la même chose, elle n'aurait jamais eu une vie aussi difficile, elle qui accusait ma magie pratique d'interventionnisme et me laissait entendre qu'un tel abus de mes talents était, au mieux, une preuve d'égoïsme de ma part et, au pire, la cause d'un châtiment terrible qui allait s'abattre sur nos deux têtes.

Elle me rappelait la Loi des Dauphins: *Des affaires d'autrui se mêler, c'est du Paradis le chemin oublier.* La Loi des Dauphins déborde de ce genre de sagesse. Les bases de mon système à moi étaient cependant déjà bien établies et, depuis longtemps, j'avais compris que non seulement j'avais trahi la profession de foi des dauphins, mais que j'étais née pour fourrer mon nez dans les affaires des autres.

Il reste à décider par lesquelles je devrais commencer. Celles de Yanne ou celles d'Annie? De Laurent Pinson ou de Mme Pinot? Tant de vies se mêlent ici, chacune avec ses secrets, ses ambitions et ses rêves, pleines d'angoisses cachées et de sombres desseins, de passions oubliées et de désirs jamais exprimés. Tant de vies pour quelqu'un comme moi qui ne demande qu'à les faire siennes en butinant leur pollen.

La jeune fleuriste est entrée ce matin. Elle a chuchoté: «J'ai aperçu l'étalage. C'était si joli que je n'ai pu m'empêcher d'entrer.»

J'ai dit: «Vous êtes Alice, n'est-ce pas?»

Elle a répondu d'un hochement de tête en parcourant les nouveautés d'un regard fureteur de petit animal.

Alice, nous le savons, est d'une timidité maladive. Assourdie par l'épais rideau de sa chevelure, sa voix est à peine audible. Ses yeux, plutôt jolis et cernés de rimmel, apparaissent sous la masse d'une frange blanche décolorée. Bras et jambes ressortent à un angle bizarre d'une robe bleue qui, autrefois, a pu être celle d'une fillette d'une dizaine d'années.

Ses énormes bottes à semelles compensées paraissent bien trop lourdes pour ses petites pattes d'insecte. Le chocolat qu'elle préfère est un fondant au lait. Elle achète pourtant toujours de simples carrés de chocolat noir parce qu'ils contiennent beaucoup moins de calories. Le fil d'or dans ses couleurs est dû à l'inquiétude qui la torture constamment.

Elle a dit en flairant l'air : « Ça sent bon ici ! »

Je lui ai expliqué : « Yanne est en train de faire des chocolats.

– Elle les fait elle-même ? Elle sait les faire ? »

Je l'ai invitée à s'asseoir dans le vieux fauteuil que j'ai récupéré dans une benne à ordures, rue de Clichy. Malgré son aspect râpé, il est encore très confortable et j'ai bien l'intention d'en tirer profit dans les jours à venir, comme du magasin d'ailleurs.

Je lui ai dit : « Allez, goûtez ça un peu. Je vous l'offre. »

Ses yeux ont alors brillé de plaisir : « Je ne devrais pas, vous savez. »

À demi assise sur le bras du fauteuil, je lui ai dit : « Nous allons le partager. J'en mangerai une moitié. » Ce signe de la Graine de Cacao est si facile à dessiner du bout de l'ongle, et l'observer dans le Miroir fumant pendant qu'elle mange à petites becquées comme un oisillon est si facile aussi.

Je la connais bien. Je l'ai déjà observée. Enfant inquiète, toujours consciente de ne pas être tout à fait comme les autres, de ne pas être à la hauteur des ambitions de ses parents – de braves gens exigeants qui lui ont clairement fait comprendre que l'échec n'était même pas à considérer, que rien ne pouvait être trop bien pour eux et pour leur petite fille. Alors, un jour, elle se prive du repas du soir. Elle se sent bien, vidée de toutes les craintes qui la paralysent. Puis, elle saute le petit déjeuner. Elle est alors saisie de vertige devant cette nouvelle, cette enivrante sensation de puissance. Elle se met à l'épreuve et se prend au jeu. Elle se récompense de ses efforts. Et voilà ce qu'elle est devenue : une petite jeune fille si gentille, si pleine de bonne volonté. À vingt-trois ans, elle en paraît treize, mais ce n'est pas encore le but qu'elle s'est fixé, ce n'est jamais tout à fait assez.

« Mmmm », a-t-elle dit en finissant la truffe.

Elle m'a vue en manger une aussi, je m'en suis assurée.

« Cela doit être vraiment terrible de travailler ici ?

– Terrible ?

– Je veux dire *dangereux*. » Elle a rougi un peu. « Je sais que cela semble bête, c'est pourtant ce que je pense. Devoir passer toute la journée entourée de chocolats, devoir les toucher, respirer constamment leur odeur. » Elle perdait sa timidité maintenant. « Comment résistez-vous ? Comment se fait-il que vous n'en mangiez pas à longueur de temps ? »

J'ai souri. « Et qu'est-ce qui vous fait croire que je ne le fais pas ?

– Mais vous êtes si mince », a répondu Alice. (Je pèse au moins vingt-cinq kilos de plus qu'elle !)

J'ai ri : « C'est la vieille histoire du fruit défendu, n'est-ce pas ? Toujours plus appétissant que les vrais. Tenez, prenez encore une truffe ! »

Elle a refusé d'un signe de tête.

J'ai dit : « Le Chocolat, *Theobroma cacao*, est la nourriture des dieux. Cacao pur fraîchement moulu, piment rouge, cannelle et juste ce qu'il faut de sucre pour en adoucir l'amertume. C'est la recette des Mayas, vieille de plus de deux mille ans. Ils s'en servaient pendant les rituels pour se donner du courage, en donnaient à leurs victimes avant de leur arracher le cœur et en prenaient au cours de leurs orgies qui duraient des heures. »

Elle m'a regardée, les yeux écarquillés.

« Vous voyez bien que cela *peut* être dangereux et qu'il serait sage de ne pas en abuser. » J'ai souri de sa réaction.

Je souriais toujours lorsqu'elle a quitté le magasin avec sa boîte de douze truffes à la main.

Et maintenant : nouvelles d'une autre vie.

On parle de Françoise Lavery dans les journaux. Je me suis trompée, à ce qu'il paraît, à propos de la caméra de surveillance de la banque. La police a pu tirer une bonne série de photos de ma dernière visite et une employée a reconnu Françoise. L'enquête qui a suivi a, bien sûr, prouvé que Françoise n'existait pas et que son histoire tout entière n'était qu'un tissu de mensonges. J'aurais pu le leur dire. La photo, un peu granuleuse, de la coupable présumée est parue dans le journal du soir, accompagnée de plusieurs articles laissant entendre que son imposture avait vraisemblablement des raisons plus sinistres que la simple escroquerie. *Paris-Soir* suggère même qu'il s'agissait peut-être là d'une maniaque sexuelle à la recherche de jeunes garçons.

N'importe quoi! dirait Annie. Enfin, c'est un bon titre pour la une. Je m'attends bien à revoir plusieurs fois cette photo jusqu'à ce que l'on décide que les lecteurs s'en sont désintéressés. Pas que cela m'affecte le moins du monde! Qui imaginerait Zozie de l'Alba dans cette petite souris grise? La plupart de mes collègues auraient bien du mal à reconnaître Françoise elle-même. La pellicule n'est pas toujours le miroir fidèle de la réalité – ma raison pour ne pas m'être lancée dans le cinéma! La photo en question ressemble moins à Françoise et plus à une fille que j'ai connue, une fille toujours victime des autres à Saint-Michel-en-Pré.

Je ne pense pas souvent de nos jours à cette pauvre gosse à la peau boutonneuse dont la mère bizarre avait des plumes dans les cheveux. Quelle chance avait-elle vraiment jamais eue?

Eh bien, celle que chacun de nous possède, celle qui nous est donnée dès la naissance, la seule, l'unique chance. Certains passent leur vie à se trouver des excuses, à se plaindre des cartes qu'on leur a distribuées, à souhaiter en avoir reçu de meilleures et d'autres – comme moi – acceptent de jouer avec la main qu'ils ont, font monter les enjeux, utilisent tous les trucs qu'ils connaissent pour gagner et trichent chaque fois qu'ils en ont l'occasion.

Et ils gagnent! Oui, ils gagnent. Et c'est la seule chose qui compte. Moi, j'aime la victoire. J'ai l'étoffe d'une championne.

La question est de décider par où commencer. Il est évident qu'Annie aurait bien besoin d'un petit coup de main, de quelque chose qui lui redonnerait confiance en elle et la remettrait sur le bon chemin.

Les noms et symboles du Jaguar et du Lapin de la lune, dessinés à la pointe de feutre au fond de son sac d'école devraient suffire à développer son assurance parmi ses camarades au lycée, mais je devine qu'il lui faudra un peu plus que ça. Alors, je lui donne Hurakan, le Vengeur. Il lui promet la fin spectaculaire de l'époque où la victime c'était elle.

Ce ne serait sûrement pas le choix d'Annie, bien sûr. Il n'y a pas chez elle la moindre méchanceté. C'est dommage. Elle qui rêve de voir toutes les filles du monde se donner la main. Mais je peux la guérir de cette folie. La vengeance est une drogue. On y goûte une fois et on ne peut plus s'en passer. Croyez-moi, je connais la question.

Bien sûr, ce n'est pas mon rôle d'exaucer les vœux des autres. Dans mon jeu à moi, c'est chacun pour soi. Mais je reconnais en Annie une plante rare, une plante qui, si on lui prodiguait des soins, pourrait produire des fleurs spectaculaires. Et d'ailleurs, je n'ai que très peu

l'occasion d'utiliser mes talents créatifs. La plupart des cas que j'ai
à résoudre sont simples comme bonjour : alors, pourquoi se torturer
l'imagination lorsqu'un vulgaire sortilège ferait aussi bien l'affaire ?

D'ailleurs, pour une fois, je peux *comprendre*, me mettre à sa place.
Je me souviens parfaitement de ce que c'était d'être victime des autres.
Je me souviens du goût de la vengeance.

Ce sera un plaisir pour moi.

4

Le Jaguar

Samedi 17 novembre

Le jeune homme obèse qui ne sait jamais se taire s'appelle Nico. Il me l'a dit cet après-midi quand il est entré pour voir ce qui se passait. Yanne venait de terminer un plateau de truffes à la noix de coco et le magasin tout entier était imprégné de ce parfum d'épices et de terroir qui vous prend à la gorge. Je crois vous avoir déjà dit que je n'aimais pas le chocolat, ce parfum-là pourtant me rappelle celui de l'encens du magasin de ma mère et son arôme exquis et troublant agit sur moi comme une drogue, me faisant oublier toute prudence, me rendant impulsive et me donnant envie de perturber les choses.

« Eh, jeune fille ! J'suis fou de vos chaussures. Elles sont formidables, fabuleuses, faramineuses ! » C'est bien lui, le Gros Nico, un jeune homme d'une vingtaine d'années, si je ne me trompe, pesant plus de cent cinquante kilos, aux cheveux bouclés tombant sur les épaules, au visage bouffi et tout plissé de bébé gigantesque, constamment au bord du rire ou des larmes.

J'ai dit : « Merci bien ! » D'ailleurs, ces chaussures-là sont parmi mes favorites, des mules des années cinquante, à hauts talons, en velours vert fané avec un nœud et des boucles de cristal sur le bout du pied.

On peut juger quelqu'un d'après ses chaussures, vous savez. Les siennes étaient bicolores noir et blanc, des chaussures de bonne qualité mais éculées, comme des chaussons que l'on ne se donne pas la peine d'enfiler correctement. Je devine que Nico vit toujours chez

ses parents – un petit garçon à sa maman si j'en ai jamais vu un dont
les chaussures représentent la révolte silencieuse.

« Qu'est-ce que ça sent ici ? » Il avait enfin pris conscience de l'odeur.
Il a tourné son gros visage en direction de la cuisine. Yanne, derrière
moi, chantait. Un bruit rythmé de cuiller de bois contre pot de terre
me disait que Rosette l'accompagnait : « On dirait que quelqu'un est
en train de préparer quelque chose de bon. Alors, soufflez-moi un
peu, ô Jeune Fille aux chaussures de velours. Qu'y a-t-il au menu ? »

J'ai répondu avec un sourire : « Truffes à la noix de coco ! »

En moins d'une minute, il les avait toutes achetées.

Oh ! je ne vais pas essayer de vous faire croire qu'à cette occasion
j'y aie été pour quelque chose. Il est ridiculement facile à tenter. Un
jeu d'enfant. Et il a payé avec sa carte bleue ce qui, en un instant, m'a
permis d'ajouter son code personnel à ma collection – après tout, il
est important de garder la main ! Je n'ai d'ailleurs aucunement l'intention de m'en servir tout de suite. Cela laisserait une piste trop facile
à remonter et qui mènerait tout droit à la chocolaterie. Je m'amuse
trop, en ce moment, pour courir le risque d'être découverte. Plus tard,
on verra. Lorsque je saurai pourquoi je suis ici.

Nico n'est pas le seul à avoir remarqué une différence. Ce matin
seulement, croyez-moi, j'ai vendu huit boîtes des truffes de Yanne non
seulement à des habitués mais aussi à des gens de passage que cette
odeur délicieuse et enivrante avait incités à entrer.

L'après-midi, c'est Thierry Le Tresset qui est arrivé. Pardessus de
cachemire, costume foncé, cravate de soie rose et souliers de cuir faits
sur mesure. Mmmm ! Moi, j'adore les chaussures sur mesure. Leur
cuir est luisant comme le flanc d'un cheval bien étrillé et chacun
des petits points de leurs coutures parfaites vous chuchote à l'oreille
Veau d'or, veau d'or. J'ai peut-être eu tort de ne pas prêter davantage
attention à Thierry. Ce n'est peut-être pas un grand intellectuel, mais
un type comme lui, un millionnaire, vaut le coup d'œil.

Il a découvert Yanne dans la cuisine, avec Rosette. Elles riaient toutes
deux à s'en tenir les côtes. Il a paru un peu mécontent d'apprendre que
Yanne devait travailler – il était revenu aujourd'hui tout spécialement
pour la voir –, mais il a dû accepter de revenir après dix-sept heures.

À travers la porte de la cuisine, j'ai entendu : « Je ne comprends pas,
enfin, pourquoi n'as-tu pas vérifié tes messages sur ton portable ? »

Je crois que Yanne avait envie de rire. Elle a dit : « Pardon, mais, tu
sais, je ne connais pas grand-chose à tous ces trucs-là. J'ai dû oublier
de l'allumer. D'ailleurs, Thierry... »

Lui s'est exclamé : « Dieu Tout-Puissant, je vais épouser une femme des cavernes, un être préhistorique. »

Elle a de nouveau ri : « Dis plutôt une ennemie des gadgets !

– Mais comment puis-je te contacter si tu ne réponds pas à tes appels ? »

Alors, laissant Yanne et Rosette, il est rentré dans le magasin pour échanger un petit mot avec moi. Je sais qu'il se méfie de moi. Je ne suis pas du tout son type de femme. Il pense peut-être même que j'exerce ici une mauvaise influence. Comme la plupart des hommes, il ne voit que ce qui lui crève les yeux : la mèche de cheveux roses, les chaussures extravagantes, l'allure vaguement bohème, cette allure que j'ai eu tant de mal à parfaire.

« Alors, comme ça, vous aidez Yanne ? C'est gentil à vous ! » m'a-t-il dit. Et il a souri. Il a vraiment beaucoup de charme, vous savez, mais, à ses couleurs, je pouvais deviner chez lui la prudence. « Et le P'tit Pinson alors ? »

J'ai répondu : « Oh, j'y travaille toujours, le soir, mais, dans la journée, Laurent n'a pas besoin de moi et, il faut bien le dire, il n'est pas le plus facile des patrons.

– Et Yanne l'est ? »

J'ai souri : « Disons que Yanne n'a pas les mains aussi baladeuses ! »

Il a paru interloqué. Ça se comprend. « Ah, pardon ! Je pensais…

– Je sais ce que vous pensiez. Je détonne un peu dans ce décor-ci mais je ne fais que donner un petit coup de main à Yanne. Elle le mérite bien, n'est-ce pas ? »

Il a acquiescé d'un hochement de tête.

« Allons, Thierry. Je devine ce dont vous avez besoin. Un café-crème et un carré de chocolat au lait. »

Il a eu un grand sourire. « Vous connaissez bien mes goûts ! »

J'ai dit : « Bien sûr, j'ai le nez pour ça ! »

Après lui, Laurent Pinson est arrivé – la première fois en trois ans, m'assure Yanne. Il est arrivé tout raide, comme s'il entrait dans une église, avec ses souliers de cuir marron bon marché, bien cirés. Il a fait durer ridiculement longtemps sa comédie de *hum* et de *ah*, s'interrompant de temps en temps pour jeter un regard jaloux dans ma direction, par-dessus la plaque de verre du comptoir. Il a fini par arrêter son choix sur les chocolats les moins chers qu'il a pu trouver et m'a demandé de lui faire un paquet cadeau.

J'ai pris tout mon temps avec ruban et ciseaux à le lui préparer, aplatissant du bout des doigts le papier de soie bleu pâle maintenu par un ruban argenté avant de finir avec une double boucle et une rosette de papier.

J'ai demandé : « Vous fêtez un anniversaire ? »

Laurent a répondu par son grognement habituel et s'est mis à compter pièce par pièce sa monnaie pour payer. Il ne m'a pas encore reproché mon passage à l'ennemi mais je sais qu'il m'en veut malgré la politesse exagérée qu'il a déployée lorsque je lui ai finalement remis entre les mains la boîte qu'il venait d'acheter.

Je ne me fais pas d'illusion à propos de ces chocolats à offrir. C'est un geste de défi. Il veut me faire comprendre que le vrai Laurent Pinson n'est pas homme à révéler toutes ses cartes. C'est un avertissement. Si je suis assez folle pour mépriser ses attentions, une autre en bénéficiera à ma place.

Eh bien, qu'elle en profite ! Avec un sourire enjoué, je lui ai dit au revoir et, du bout de l'ongle, sur le couvercle de la boîte, j'ai tracé une spirale : le signe d'Hurakan. Je n'ai vraiment aucun grief envers Laurent mais je dois reconnaître que je ne verserais pas de larmes si son café était soudain frappé par la foudre ou si l'un de ses clients souffrait d'un empoisonnement dû à la nourriture qu'il sert et le traînait devant un tribunal. Je n'ai pas vraiment le temps de prendre des gants pour m'occuper de lui. D'ailleurs, avoir constamment dans les jupes un sexagénaire amoureux qui me suivrait partout est bien la dernière chose dont j'aie envie.

Comme il quittait le magasin, je me suis retournée. J'ai remarqué que Yanne avait observé la scène.

« Laurent Pinson achète des chocolats ? »

Avec un sourire, je lui ai répondu : « Je vous avais bien dit qu'il avait le béguin pour moi ! »

Elle a ri de ma réponse et a paru un peu interdite. Rosette a passé la tête derrière le genou de sa mère, une cuiller de bois dans une main et quelque chose de fondu dans l'autre.

Les doigts couverts de chocolat, elle a fait un signe.

Et Yanne lui a passé un macaron.

J'ai dit : « Nous sommes à court de vos chocolats maison. On les a tous vendus. »

Elle a souri : « Je le vois. Eh bien, il ne me reste plus qu'à recommencer.

– Je pourrais vous aider si vous le vouliez. Cela vous permettrait de vous reposer un peu. »

Elle a hésité. Elle a réfléchi à cette possibilité comme s'il s'agissait de quelque chose qui dépassait de loin la simple confection de chocolats.

« J'apprends vite, je vous assure ! »

Et c'est vrai. J'y ai été bien forcée. Quand on a une mère comme la mienne, on doit apprendre vite ou on ne survit pas. C'est dans un établissement secondaire du centre de Londres que j'ai fait mon apprentissage. Il ne s'était pas relevé des ravages de notre nouvel enseignement soi-disant égalitaire. On y avait entassé tous les cas sociaux, les violents, les immigrés, les damnés. Là, j'ai vite appris.

Ma mère avait bien essayé de m'éduquer elle-même à la maison. Avant dix ans, je savais lire couramment, écrire et tracer le double lotus. Les services sociaux s'en sont mêlés, hélas, invoquant le manque de diplômes de ma mère. Ils m'ont envoyée à Saint-Michel-en-Pré, une énorme fosse où s'agitaient deux mille fauves.

Là, en quelques jours, j'ai été dévorée.

Mon système n'en était encore qu'à son b.a.-ba. Je n'avais aucun moyen de défense. Je portais une salopette de velours vert avec des dauphins brodés sur les poches et un bandeau turquoise pour assurer l'alignement de mes chakras. Ma mère venait m'attendre au portail après l'école. Le premier jour, un petit groupe s'est attroupé pour voir *ça*. Le second, une pierre a été lancée. Je sais que, de nos jours, on a du mal à y croire. Ces choses-là arrivent pourtant et souvent pour bien moins que ça. On l'a vu au lycée d'Annie et pour rien de plus banal qu'un ou deux malheureux foulards. Les oiseaux sauvages se liguent toujours contre ceux qui arrivent de contrées plus exotiques. Les perruches, tourtereaux et canaris échappés de leur cage, ceux qui avaient rêvé de pouvoir voler dans un ciel enfin libre, se retrouvent la plupart du temps à terre, brisés, déplumés par les coups de bec de leurs cousins plus conformistes.

Il fallait s'en douter. Pendant six mois, tous les soirs, je me suis endormie en pleurant. J'ai supplié pour que l'on m'envoie dans un autre établissement. J'ai fait des fugues. Chaque fois, on m'a ramenée. Alors, j'ai adressé de ferventes prières à Jésus, à Osiris et à Quetzalcoatl pour qu'ils me protègent des démons de Saint-Michel-en-Pré.

Comme on aurait pu s'y attendre, mes prières n'ont pas été entendues. J'ai alors essayé de m'adapter. J'ai troqué ma salopette contre un jean et un tee-shirt. Je me suis mise à fumer. J'ai traîné dans la rue avec les autres. Trop tard, hélas. Quelqu'un avait déjà fixé la hauteur de la barre. Chaque établissement secondaire a besoin d'un souffre-douleur. Pendant cinq ans environ, c'est le rôle que j'ai tenu.

À cette époque-là, c'est moi qui aurais eu grand besoin de quelqu'un comme Zozie de l'Alba. En quoi ma mère aurait-elle pu m'être d'aucune utilité, elle, l'apprentie sorcière qui sentait le patchouli, la magicienne de seconde classe avec ses cristaux, ses capteurs de rêves et ses envolées faciles à propos de karma ? La perspective d'une juste rétribution karmanique ne créait pas d'états d'âme chez moi. La seule rétribution que je souhaitais à mes bourreaux concernait leur vie présente. Je voulais qu'ils paient pour leurs crimes non pas plus tard, dans une autre vie, mais immédiatement, et qu'ils paient jusqu'au dernier sou, avec leur dernière goutte de sang.

Alors, j'ai fait des études et quelles dures études ! Je me suis élaboré un programme à partir de livres et de brochures trouvés dans le magasin de ma mère. Et mon système en a été le résultat, chaque élément affilé, raffiné et testé, soigneusement classé dans mon esprit dans un seul but.

Vengeance.

Vous ne vous souviendrez pas de cette affaire. Les informations à l'époque en ont parlé bien sûr, mais, de nos jours, les histoires de ce genre sont si nombreuses. Les grands gestes de ces éternels paumés armés de revolvers et d'arquebuses qui, en une seule journée, se font un nom dans les annales des lycées et collèges, un nom glorieux enfin qu'ils tracent dans leur propre sang.

Cela n'a jamais été mon genre. Butch Cassidy et le Kid n'ont jamais été des héros pour moi. Je suis trop bien accrochée à la vie. Pendant cinq longues années, j'ai survécu dans la peur à une campagne d'intimidation, d'insultes et de violence, de harcèlement verbal, de pincements douloureux, de vol et de vandalisme. Victime de graffiti cruels sur les murs des vestiaires et cible constante de la méchanceté des autres, j'ai survécu.

En un mot, j'étais une victime.

Alors j'ai pris mon mal en patience, et attendu le bon moment. J'ai étudié et j'ai appris. Mon programme n'était peut-être pas très orthodoxe – certains le jugeaient même blasphématoire – mais, pour ces études-là, je me montrais toujours bonne élève. Ma mère n'était pas vraiment consciente de mes recherches. Si elle l'avait été, elle en aurait été scandalisée. Cette magie *interventionniste*, comme elle aimait l'appeler, était à l'extrême opposé de son éthique. Elle avait foi en un certain nombre de gentilles théories menaçant de châtiment cosmique ceux qui oseraient prendre leur destinée en main.

Eh bien, moi, j'ai osé ! Quand je me suis sentie prête, j'ai soufflé sur Saint-Michel-en-Pré comme le vent du nord en décembre. Ma mère n'a jamais deviné la moitié de cette histoire. Une bonne chose, sans doute, car elle aurait sûrement désapprouvé. Mais j'ai réussi. Je venais à peine d'avoir seize ans et, déjà, j'avais décroché le seul diplôme vraiment valable.

Annie, elle, en est encore bien loin mais, avec le temps, j'espère faire d'elle quelqu'un de vraiment unique.

Alors, Annie, si on parlait de cette vengeance?

5

La Lune montante

Lundi 19 novembre

S uze est arrivée aujourd'hui au lycée avec un foulard sur la tête. Apparemment, au lieu de lui décolorer ses mèches, la coiffeuse lui a fait perdre des touffes entières de cheveux. Une mauvaise réaction à l'eau oxygénée, à l'en croire. Suzanne lui avait affirmé que ce n'était pas la première fois qu'elle en utilisait et n'avait pas eu d'ennuis. Elle mentait. Et maintenant la coiffeuse proteste en disant qu'elle ne peut être tenue responsable de l'accident, que les cheveux de Suzanne étaient déjà très abîmés par les fers chauds qu'elle utilisait pour les aplatir, que, si Suzanne lui avait dit la vérité dès le début, elle aurait choisi un autre décolorant et rien ne serait arrivé.

D'après Suzanne, sa mère va faire un procès à la compagnie pour obtenir compensation pour le traumatisme subi par sa fille.

C'est à crever de rire, je trouve.

J'ai tort, je le sais, puisque Suze est une copine. Enfin, pas vraiment peut-être. Une copine vous soutient lorsque vous avez des problèmes et ne se range jamais du côté des autres lorsqu'elles vous disent des méchancetés. *Copines contre mesquines,* dit Zozie. *Une vraie copine ne se moque pas de vous.*

J'ai eu de longues conversations avec Zozie récemment. Elle comprend bien ce que c'est que d'être différente à mon âge. Autrefois, sa mère tenait un magasin que certains n'aimaient pas beaucoup. Un jour, quelqu'un a même essayé d'y mettre le feu.

J'ai remarqué : « C'est un peu ce qui nous est arrivé. » J'ai dû lui raconter toute l'histoire : comment nous avions débarqué, un jour, dans le village de Lansquenet-sous-Tannes, au début du Carême, et comment nous avions ouvert notre chocolaterie juste en face de l'église. Je lui ai parlé du curé qui nous détestait, de nos amis, les gitans de la rivière, de Roux et d'Armande qui était morte comme elle avait vécu, sans regrets ni adieux, avec le goût du chocolat qu'elle aimait tant dans la bouche.

Je n'aurais peut-être pas dû lui raconter tout ça. Mais avec Zozie, se taire est bien difficile. Après tout, elle travaille dans notre magasin. Elle est donc de notre côté. Elle comprend.

Hier, elle a avoué : « Moi, je détestais l'école. Je détestais les autres élèves et les profs aussi, tous ces gens qui pensaient que je n'étais pas tout à fait normale, qui refusaient de s'asseoir à côté de moi à cause des herbes et des trucs que Maman fourrait dans mes poches – l'asa fœtida qui vous prenait à la gorge, le patchouli qui était censé avoir des pouvoirs bénéfiques et le sang-dragon qui déteignait et faisait des taches rouges partout. Alors les autres se moquaient de moi, disaient que j'avais des poux, que je sentais mauvais. Les profs eux-mêmes s'en sont mêlés. Une bonne femme qui s'appelait Mme Fuller m'a même prise à part pour me donner des conseils d'hygiène.

– C'est une honte ! »

Elle a souri : « Je me suis bien vengée.

– Comment ?

– Je te raconterai ça une autre fois, peut-être. Le fait, Nanou, est que, pendant longtemps, je me suis sentie coupable. J'ai cru que c'était de ma faute si je n'étais pas tout à fait normale et que je ne ferais jamais rien de ma vie.

– Mais tu es si intelligente, et si belle !

– À l'époque, je ne me sentais ni belle ni intelligente. Je n'étais jamais assez bonne, assez propre ni assez gentille pour les autres. Je ne faisais jamais d'efforts dans mon travail car je partais du principe que les autres étaient tous plus doués que moi. Je passais mon temps à parler à Mindy.

– Ta copine invisible ?

– Cela faisait rire les autres. Mais de toute manière ce que je faisais n'avait vraiment aucune importance. Elles se seraient moquées de moi quoi que je fasse. »

Elle s'est tue. Je l'ai regardée en essayant de l'imaginer à cette époque-là sans son aplomb, sa beauté et son charme.

« Tu sais, a dit Zozie, la beauté n'a pas grand-chose à voir avec le physique. Elle n'a rien à voir avec la couleur de tes cheveux, ta taille ou ta silhouette. C'est entièrement *là-dedans.*» Elle s'est frappé le front. «Ce qui compte vraiment, c'est la façon dont tu te tiens, dont tu parles, dont tu penses, ton attitude, ta démarche. Comme *ceci* par exemple. »

Alors, brusquement, elle a fait quelque chose d'époustouflant. *Elle a changé de visage.* Je ne veux pas dire qu'elle ait fait une grimace ni rien. Non. Ses épaules se sont simplement courbées, son regard a évité le mien, les commissures de ses lèvres se sont abaissées, ses cheveux sont tombés sur sa figure comme un pauvre rideau tout effiloché. Et soudain, elle est devenue une autre personne encore vêtue des vêtements de Zozie, pas vraiment *laide* mais quelconque, le genre de fille sur laquelle on ne se retourne pas, quelqu'un que l'on oublie dès qu'elle est passée.

«Ou comme *cela*!» s'est-elle exclamée. Et, d'un petit coup de tête, elle a renvoyé ses cheveux en arrière et son dos s'est redressé. En une seconde, elle est redevenue Zozie, l'éblouissante Zozie, avec ses anneaux qui cliquetaient autour de ses poignets, sa jupe paysanne noir et jaune, sa mèche de cheveux roses et ses souliers vernis jaunes à semelles compensées qui auraient paru bien étranges portés par quelqu'un d'autre mais qui lui allaient à merveille parce qu'elle était Zozie et qu'à Zozie tout va.

Je me suis exclamée: «Cool! Tu pourrais m'apprendre à faire ça?»

Elle a répondu en riant: «Je viens de te montrer!»

Alors, j'ai murmuré: «C'est de la magie!» Et j'ai rougi soudain.

«C'est vrai. La plupart du temps, la magie, c'est aussi simple que ça», a-t-elle déclaré du ton le plus naturel du monde. Si quelqu'un d'autre l'avait dit, j'aurais juré qu'il se moquait de moi mais pas Zozie, pas elle.

J'ai protesté: «La magie n'existe pas!»

Elle a haussé les épaules. «Les gens lui donnent des noms divers. Tu peux parler d'attitude, d'état d'esprit, si tu veux, ou de charisme, de coquetterie, de rayonnement ou de charme. Mais, à la vérité, cela se résume à peu de chose: à se tenir les épaules bien en arrière, à regarder les autres droit dans les yeux, à leur décocher un sourire dévastateur en te disant: *Va te faire foutre! Je suis irrésistible. Je le sais.*»

Cela m'a bien fait rire et pas seulement parce que Zozie avait employé une expression vulgaire. «C'est moi qui voudrais bien pouvoir faire ça.

– Eh bien, essaie donc! a dit Zozie. Tu seras peut-être étonnée. »

Aujourd'hui, bien sûr, j'ai eu de la chance. La journée a été formidable. Zozie, elle-même, n'aurait pas pu le deviner. Je me sentais différente, plus alerte, comme si le vent mauvais avait enfin tourné.

D'abord, il y a eu ce truc de Zozie à propos d'attitude, d'état d'esprit. J'avais promis d'essayer, je l'ai donc fait. Ce matin, avec un peu d'appréhension, les cheveux tout propres, un soupçon d'eau de rose, celle de Zozie, derrière les oreilles, je me suis regardée dans le miroir de la salle de bains et je me suis entraînée à afficher un sourire dévastateur.

Je dois avouer que le résultat n'était pas si mal. Pas parfait, évidemment. Mais il est tout à fait vrai que si l'on se tient bien droit et que l'on prononce les mots de Zozie (dans sa tête seulement), la différence est spectaculaire.

J'avais vraiment l'air d'une autre, de quelqu'un qui ressemblait à Zozie, le genre de fille capable de lâcher un gros mot dans un salon de thé chic et de s'en foutre comme de sa première chemise.

Je me répétais intérieurement que cela n'avait strictement rien à voir avec la magie. Pourtant, du coin de l'œil, je voyais le nez de Pantoufle monter et descendre d'un air désapprobateur.

Je lui ai murmuré : « N'aie pas peur, Pantoufle. Ce n'est pas de la magie. C'est permis, ça. »

Ensuite, il y a eu cette histoire de Suze et de son foulard. Il paraît qu'elle va devoir le porter jusqu'à ce que ses cheveux aient repoussé. Ça ne lui va pas du tout. Elle ressemble à une boule en colère et les autres ont commencé à s'exclamer « Allah Akhbar ! » à son passage. Chantal a bien ri et Suze en a été très vexée. Depuis, elles ne se parlent plus du tout.

Chantal a donc passé l'heure de midi tout entière avec ses autres copines et Suze est venue se plaindre et pleurnicher sur mon épaule. Je ne crois pas avoir éprouvé beaucoup de pitié pour elle à ce moment-là. D'ailleurs, j'étais avec quelqu'un.

Ce qui m'amène à la troisième chose.

C'était pendant la récré du matin. Les autres étaient en train de jouer avec une balle de tennis sauf Jean-Loup Rimbault qui, comme d'habitude, restait plongé dans sa lecture, et quelques solitaires dont la plupart des musulmanes qui ne jouent jamais à rien.

Chantal faisait rebondir la balle vers Lucie. Quand je suis arrivée, elle s'est exclamée : « Annie est l'Ennemie » – Alors, ils se sont tous mis à rire et se sont passé la balle d'un coin à l'autre de la salle en criant : « Allez, attrape, attrape ! »

Un autre jour, peut-être, j'aurais accepté d'entrer dans leur jeu – après tout, c'était bien d'un jeu qu'il s'agissait et mieux valait être l'Ennemie que de ne pas même être invitée à jouer ! – mais, aujourd'hui, je m'étais entraînée à ce truc que Zozie appelle l'attitude, l'état d'esprit.

Alors, je me suis interrogée : *Que ferait-elle, elle, dans mon cas ?* J'ai tout de suite deviné que Zozie préférerait crever plutôt que d'être *l'Ennemie.*

Chantal hurlait encore : « Allez ! Attrape ! Attrape ! » comme si j'avais été un chien. Alors, pendant un moment, je l'ai tout simplement regardée, regardée, comme si je ne l'avais encore jamais vue vraiment.

Jusque-là, je l'avais toujours trouvée jolie, vous savez. Elle devrait bien l'être, avec tout le temps qu'elle consacre à se pomponner. Mais, aujourd'hui, je voyais clairement ses couleurs et celles de Suzanne. Ça faisait longtemps que je ne les avais pas vraiment vues et maintenant leur laideur à toutes deux me fascinait.

Les autres aussi ont dû s'apercevoir de quelque chose car Suze a laissé tomber la balle et personne ne l'a ramassée. J'ai eu aussi vaguement l'impression qu'ils formaient cercle autour de nous comme lorsqu'une bataille ou autre chose de particulièrement intéressant se prépare.

Chantal n'appréciait pas du tout la façon dont je la dévisageais. Elle a demandé : « On ne t'a jamais dit qu'il était impoli de dévisager les gens comme ça ? »

Sans cesser de la regarder, j'ai simplement souri.

Derrière elle, j'ai bien remarqué que Jean-Loup Rimbault avait levé les yeux du bouquin qu'il était en train de lire. Mathilde aussi observait la scène, la bouche ouverte, et, dans leur coin, Faridah et Sabine avaient soudain interrompu leur conversation. Quant à Claude, il avait ce petit sourire que l'on a quand le temps est vraiment à la pluie et que pendant un instant, le soleil tout à coup apparaît.

Chantal m'a décoché un de ses regards pleins de mépris. « Certains d'entre nous peuvent se permettre d'avoir une vie sociale. Toi, bien sûr, tu dois te contenter de lire, de regarder et d'imaginer ! »

Je savais exactement ce que Zozie lui aurait répondu. Mais je ne suis pas Zozie. Je déteste les querelles. J'aurais voulu m'asseoir à mon bureau et noyer mon chagrin dans un livre. J'avais pourtant promis d'essayer. Alors, je me suis redressée et je l'ai toisée de toute ma hauteur en décochant à la ronde le sourire dévastateur que j'avais bien répété.

J'ai dit : « Va donc te faire foutre ! Je suis irrésistible, je le sais », et, ramassant la balle qui avait roulé à mes pieds, je l'ai fait rebondir sur la tête de Chantal : Pok !

Et j'ai déclaré : « L'Ennemie, c'est toi maintenant ! »

Alors, me dirigeant vers le fond de la classe, je me suis arrêtée devant le bureau de Jean-Loup qui, la bouche à demi ouverte, ne faisait même plus semblant de lire et me regardait stupéfait.

Je lui ai demandé : « Tu veux causer un peu avec moi ? » Et nous sommes sortis.

Nous avons bavardé pendant longtemps et nous avons découvert que nous avons beaucoup de goûts en commun : les vieux films en noir et blanc, la photographie, Jules Verne, Chagall, Jeanne Moreau, le cimetière...

J'avais toujours cru Jean-Loup un peu méprisant. Il ne participe à aucun jeu – parce qu'il est plus vieux que nous d'une année peut-être – et il passe son temps à prendre des photos des choses les plus étranges avec son appareil miniature. Je ne lui avais jamais adressé la parole que parce que je savais très bien que Chantal et Suze allaient en crever de jalousie.

En tout cas, Jean-Loup est vraiment sympa. Il a bien ri lorsque je lui ai raconté l'histoire de Suze et de sa liste. Et lorsque je lui ai dit où j'habitais, il s'est exclamé : « Dans une chocolaterie, mais c'est génial ! »

J'ai haussé les épaules : « C'est pas mal !

– Et tu manges quelquefois de ces chocolats ?

– Tout le temps ! »

Il a roulé des yeux d'un air d'envie qui m'a fait rire, et il a dit : « Ne bouge pas. » Vite, il a sorti son petit appareil, pas plus grand qu'une grosse boîte d'allumettes, et, le braquant sur moi, il s'est écrié : « Je t'ai eue ! »

Je me suis détournée en protestant : « Arrête ! Je n'aime pas me voir en photo ! »

Mais Jean-Loup a regardé le petit écran de son appareil. Il s'est mis à sourire en disant : « Regarde un peu ça ! », et il m'a montré.

Je n'ai pas beaucoup de photos de moi. Les rares que j'ai sont des portraits officiels faits dans une de ces cabines pour photos de passeports, tous sérieux, sur fond blanc. Sur celle-ci, je riais. Il m'avait photographiée sous un angle bizarre, à demi tournée vers l'appareil, le visage entouré d'un vague halo de cheveux fous et le visage tout illuminé de rire.

Jean-Loup a dit : « Allez, avoue que ce n'est pas si mal ! »

J'ai haussé les épaules. « Oui, pas mal ! Tu fais ce truc-là depuis longtemps ?

– Depuis la première fois où j'ai dû faire un séjour à l'hôpital. J'ai trois appareils. Mon préféré est un vieux Yashica classique – je ne l'utilise que pour les photos en blanc et noir – mais celui-ci, le numérique, est franchement bon aussi et je peux l'emmener partout.

– Pourquoi as-tu dû aller à l'hôpital ?

– À cause de mon cœur. C'est pour ça que j'ai redoublé. J'ai subi deux opérations et pendant quatre mois je n'ai pas pu venir au lycée. C'était franchement débile. » *Débile* est le mot favori de Jean-Loup.

« C'est grave ? »

Jean-Loup a haussé les épaules : « À vrai dire, sur la table d'opération, j'ai cessé de vivre pendant cinquante-cinq secondes. Officiellement, j'étais mort !

– Pas vrai ! Et tu as une cicatrice ?

– J'en ai des tas ! Je pourrais les montrer sur une foire. »

Et, avant que je n'en sois vraiment consciente, nous étions partis dans une conversation sérieuse. Je lui ai parlé de Maman et de Thierry. Lui m'a raconté comment ses parents avaient divorcé lorsqu'il avait neuf ans, comment son père s'était remarié, l'année dernière, et comment sa nouvelle femme avait beau être gentille...

« ... mais tu la détestes encore plus. Et justement parce qu'elle est si gentille. » C'est moi qui ai terminé sa pensée. Il a ri et nous sommes devenus copains, comme ça, d'un seul coup, sans en faire toute une histoire, sans même l'exprimer. Que Suze préférât Chantal et que l'Ennemie fût toujours moi quand nous jouions avec la balle de tennis n'avait soudain plus aucune importance.

Pour prendre l'autobus et rentrer chez moi, j'ai attendu, en tête de queue, avec Jean-Loup. De leur place habituelle, au milieu, Chantal et Suze nous ont mitraillés de regards furibonds mais n'ont fait aucun commentaire.

6

Le Soleil noir

Lundi 19 novembre

Aujourd'hui, au retour du lycée, Annie a manifesté un débordement d'énergie bien inhabituel. Rapidement elle a changé ses vêtements d'école pour ceux qu'elle porte pour le jeu, m'a embrassée, et m'a annoncé qu'elle allait sortir avec quelque camarade.

Je n'ai pas essayé d'en apprendre davantage. Récemment elle avait été si morose que je n'ai pas voulu jeter de froid sur son enthousiasme. Je n'ai pourtant pas cessé de la surveiller discrètement. Elle ne m'avait pas reparlé de ses copines depuis sa querelle avec Suzanne Prudhomme. Je me serais bien gardée d'ailleurs d'intervenir dans ce qui n'était, après tout, qu'une dispute de gamines. Cependant, cela m'attristait beaucoup de la voir tenue à l'écart par les autres.

J'avais fait tant d'efforts pour qu'elle fût acceptée. J'avais invité Suzanne je ne sais combien de fois, j'avais fait des gâteaux pour elles, je les avais emmenées au cinéma. Rien ne semblait réussir. La barrière qui séparait Anouk de ses camarades se faisait de jour en jour plus infranchissable.

Aujourd'hui pourtant n'a pas été une journée ordinaire, je le devine. Lorsqu'elle a filé (à toute vitesse, comme d'habitude), j'ai cru voir mon Anouk d'autrefois, celle qui traversait la place avec son manteau rouge, les cheveux claquant au vent comme le drapeau d'un navire de pirates, et courait avec son ombre galopant à ses talons. Je me sens un peu intriguée. Qui est la copine? Pas Suzanne en tout cas. Mais, aujourd'hui, ce nouvel optimisme dont l'air est plein se moque de mes inquiétudes. Le soleil montrant le nez après une semaine de ciel gris en est peut-être la cause. Ou le fait que, pour la première fois en trois ans, nous nous trouvons à court de boîtes de chocolats – nous les avons toutes vendues. À moins encore que ce ne soit l'odeur du chocolat, le plaisir de travailler de nouveau, de manipuler casseroles et moules de céramique, de sentir la grande plaque de granit se réchauffer sous mes mains, de préparer ces friandises toutes simples qui donnent aux gens un tout petit peu de bonheur.

Pourquoi, alors, avoir si longtemps hésité ? Pour endiguer le flot de souvenirs que cette odeur déclenche encore en moi ? – Lansquenet et Roux, Armande et Joséphine, le curé, Francis Reynaud, lui-même, tous ces gens dont la vie a été changée simplement parce que nos routes se sont par hasard croisées.

C'est l'éternel retour, disait ma mère. Celui de chaque parole, chaque ombre, chaque empreinte de pas sur la grève. On n'y peut rien. Cela fait partie de notre identité profonde. Alors, pourquoi cette angoisse *maintenant* ? Pourquoi cette angoisse *ici* ?

Nous avons tant travaillé ces trois dernières années. Contre vents et marées nous avons lutté. Nous méritons une récompense. Et je crois maintenant sentir le vent tourner. Le succès est à nous, sans philtres, sans sortilèges, grâce à nos seuls efforts.

Cette semaine, Thierry est de nouveau à Londres. Il surveille son chantier à King's Cross et ce matin encore il m'a envoyé des fleurs – un bouquet de roses de couleurs assorties attachées avec un brin de raphia – et une carte qui disait : *À ma technophobe préférée. Tout mon amour. Thierry.*

C'était un gentil geste. Démodé peut-être, légèrement puéril, comme ces carrés de chocolat au lait qu'il aime tant, mais gentil quand même. Je me sens légèrement coupable de remarquer que, dans le débordement d'activité des deux derniers jours, j'ai à peine pensé à lui, que sa bague, si gênante pour la préparation des chocolats, est là, quelque part dans un tiroir, depuis samedi soir.

Il va pourtant être heureux de voir le magasin et les affaires que nous faisons. Il n'est pas grand expert en chocolat. Pour lui, il s'agit de simples friandises pour les femmes et les enfants. Il n'a pas remarqué la popularité croissante du chocolat de qualité au cours des dernières années et il lui est donc très difficile d'imaginer une chocolaterie en tant qu'entreprise commerciale sérieuse.

Bien sûr, il est encore trop tôt pour triompher mais quand tu vas nous revoir, Thierry, tu seras surpris, je te le promets.

Hier, nous nous sommes mises à repeindre le magasin. Encore

une fois, une idée de Zozie, pas la mienne. Au début, je m'étais fait une montagne du dérangement, du chaos que cela allait occasionner. Mais ce qui aurait réellement pu être une vraie corvée, avec l'aide de Zozie, d'Anouk et de Rosette, est devenu en fait une sorte de jeu, un peu loufoque. Zozie, perchée sur l'échelle, les cheveux protégés par un foulard jaune, un côté du visage couvert de peinture jaune, s'occupait des murs. Rosette s'attaquait aux meubles avec son petit pinceau et Anouk, au stencil, ajoutait des décorations de fleurs bleues, de spirales et de silhouettes d'animaux. Les chaises étaient toutes au soleil, devant la porte, protégées par de vieux draps constellés d'éclaboussures de peinture.

Lorsque nous avons découvert les petites empreintes des mains de Rosette sur la vieille chaise blanche de la cuisine, Zozie a dit : « Aucune importance puisque nous allons les peindre aussi ! » Alors, pour Rosette et Anouk, avec de petits plateaux de peinture déjà prête, cela est devenu un jeu. À la fin, la chaise, toute couverte d'empreintes de main multicolores, semblait si gaie et si accueillante que nous en avons fait autant avec les autres et aussi avec la petite table que Zozie avait trouvée dans une occasion et rapportée pour le magasin.

« Mon Dieu, qu'est-ce qui se passe ? Vous n'allez pas fermer boutique ? »

C'était la jeune fille blonde, celle qui vient faire un tour au magasin presque toutes les semaines mais n'achète jamais grand-chose. Elle ne dit pratiquement rien non plus, d'ailleurs. Mais les meubles empilés et protégés par de vieux draps, les chaises multicolores dont la peinture séchait à la porte, l'ont assez intriguée pour la pousser à poser des questions.

Elle a paru presque inquiète lorsque je me suis mise à rire. Elle s'est arrêtée quand même pour admirer les efforts de Rosette (et pour accepter une truffe au chocolat pour célébrer l'occasion). Elle semble tout à fait à l'aise avec Zozie qui lui a parlé une ou deux fois dans le magasin et elle a l'air d'éprouver beaucoup d'affection pour Rosette. Elle s'est agenouillée par terre pour comparer ses mains (qui sont toutes petites) à celles de Rosette, maculées de peinture, qui le sont encore plus.

Peu de temps après, cela a été le tour de Jean-Louis et de Paupaul, venus voir de quoi il s'agissait. Richard et Mathurin, les habitués du P'tit Pinson, les ont suivis. Et enfin, c'est Mme Pinot, faisant semblant d'aller faire une course quelconque, qui a tourné au coin. Au passage, bien sûr, elle a jeté un coup d'œil curieux par-dessus son épaule vers les meubles empilés à la porte de la chocolaterie.

Le Gros Nico est passé à son tour. Avec son exubérance habituelle, devant la nouvelle peinture du magasin, il s'est exclamé : « Hé ! Dites donc, jaune et bleu, le croiriez-vous ? Mes couleurs favorites. C'est de vous, cette idée-là, ô ma Dame aux Chaussures ? »

Zozie a répondu avec un sourire : « Nous y avons toutes contribué. »

D'ailleurs, elle ne portait pas de chaussures aujourd'hui et ses longs et élégants pieds nus agrippaient fermement les marches du vieil escabeau branlant. Quelques mèches s'échappaient du foulard qui lui couvrait la tête et ses bras nus étaient jusqu'au coude gantés de couleurs vives.

D'un ton de vague regret et faisant jouer les articulations de ses grosses mains blanches, Nico a murmuré : « Toutes ces empreintes minuscules, ça paraît rigolo. C'est moi qui aurais bien voulu m'y mettre aussi mais trop tard, je devine, vous avez déjà tout fini, hein ? »

Je lui ai indiqué les plateaux de peinture toute prête : « Allez-y, faites comme chez vous ! »

Il a étendu la main vers l'un des plateaux, un plateau de peinture rouge, un peu salie quand même maintenant. Après un instant d'hésitation, d'un geste rapide, il y a trempé le bout des doigts.

Et, avec un large sourire, il a déclaré : « C'est plutôt agréable. Comme si on mélangeait sans cuiller la sauce pour les spaghettis ! » Alors, il a ouvert la main toute grande et, cette fois, y a plongé la paume entière.

Anouk lui a indiqué un endroit sur l'une des chaises : « Là ! Rosette en a oublié un peu ! »

Rosette, comme par hasard, en avait oublié un peu partout. Et Nico est resté encore après pour aider Anouk avec ses stencils. Alice elle-même s'est attardée à regarder les travailleurs. Moi, j'ai préparé pour tout le monde du chocolat chaud que nous avons bu, assis sur les marches, à l'extérieur, comme les gitans. Lorsque des touristes japonais passant par là nous ont pris en photo, nous avons bien ri.

Mais Nico avait raison, c'était plutôt agréable.

Pendant que nous rangions la peinture et les pinceaux pour le lendemain matin, Zozie a déclaré : « Un nom ! Voilà ce qu'il nous faut maintenant pour le magasin ! D'ailleurs, il y a déjà une enseigne, là-haut ! Elle a montré du doigt la pancarte de bois toute décolorée qui pendait au-dessus de l'entrée. Mais il me semble que, depuis des années, rien n'y a jamais été écrit. Qu'en dites-vous, Yanne ? »

J'ai haussé les épaules. « Vous croyez vraiment que les gens ont besoin d'un nom pour comprendre de quel genre de magasin il s'agit ? » Je savais parfaitement, bien sûr, ce qu'elle voulait dire. Quand vous donnez un nom à quelque chose d'inanimé, vous lui conférez une certaine puissance, vous lui accordez ce pouvoir de provoquer les émotions et jusque-là mon petit magasin tranquille en a été bien privé.

Mais Zozie ne voulait rien entendre. « Je crois pouvoir me débrouiller tout à fait bien. Pourquoi ne pas me permettre d'essayer simplement ? » a-t-elle dit.

J'ai haussé les épaules de nouveau, un peu mal à l'aise. Mais Zozie avait été si gentille et ses yeux brillaient d'un tel enthousiasme que je me suis laissé persuader. J'ai répondu : « D'accord, mais surtout pas de fantaisie ! Pas de petits chichis ! *Chocolaterie*, c'est tout ! »

Rien qui pût rappeler l'enseigne de Lansquenet, voilà ce que je voulais dire. Pas de nom. Pas de slogan. C'était déjà bien assez que mon petit projet d'un coup de pinceau discret pour le magasin se fût transformé en une orgie de couleurs psychédéliques.

« Je suis entièrement d'accord », a dit Zozie.

Nous avons donc décroché l'enseigne décolorée sur laquelle, après des efforts, nous avons quand même réussi à lire une inscription à peine déchiffrable : *Frères Payen*, ce qui aurait pu être le nom d'un café ou de quelque chose d'entièrement différent. « Le bois a pâli mais il est encore en très bon état », a déclaré Zozie. Avec un peu de papier émeri, d'huile de coude et de peinture fraîche, elle pensait pouvoir faire quelque chose d'assez durable.

Alors, nous nous sommes quittés. Nico est reparti chez lui, rue Caulaincourt, et Zozie vers son minuscule studio, de l'autre côté de la Butte, où elle a promis de s'occuper de l'enseigne.

Moi, je me suis dit que je n'avais plus qu'à espérer que le résultat ne fût pas de trop mauvais goût. Zozie a tendance au dérapage vers l'extravagance dans son choix de couleurs. J'avais des visions d'enseigne d'un vert agressif, avec du rouge et du violet peut-être, représentant des fleurs ou une licorne que je devrais, à contrecœur, accrocher au-dessus de la porte de mon magasin de peur de la vexer.

Vous comprenez pourquoi c'est avec un peu d'appréhension que je suis sortie avec elle ce matin, la main couvrant mes yeux, comme elle me l'avait recommandé, pour admirer le résultat de son travail.

« Eh bien, qu'en dites-vous ? » m'a-t-elle demandé.

Pendant un instant je suis restée muette. L'enseigne pendait au-dessus de la porte comme si elle y avait toujours été – un panneau jaune avec le nom soigneusement peint en bleu.

Dans la voix de Zozie, je décelais une légère trace d'inquiétude : « Cela ne fait pas trop chichi pour vous ? Je sais que vous m'aviez dit de rester très simple mais cela m'est venu à l'esprit tout d'un coup, comme ça. Qu'en pensez-vous ? »

Quelques secondes se sont écoulées. Mon regard, rivé sur cette enseigne, ne pouvait se détacher de ce nom minutieusement peint en lettres bleues. Mon nom. Pure coïncidence, bien sûr. Comment pourrait-il en être autrement? Alors, j'ai dit en me tournant vers elle avec mon plus beau sourire: «Très joli, vraiment! Très joli.»

Elle a poussé un soupir de soulagement: «Je commençais à me faire du souci, vous savez!»

Elle a souri à son tour et, trébuchant un peu sur la marche du seuil, elle est rentrée. Était-ce l'effet du soleil ou des couleurs à l'intérieur? La marche semblait presque lumineuse. Je suis restée devant la porte et je me suis haussée pour mieux lire l'enseigne si soigneusement calligraphiée:

Le Rocher de Montmartre
Chocolat

QUATRIÈME PARTIE

CHANGEMENT

La Lune montante

Mardi 20 novembre

Ça y est. Nous sommes copains maintenant, Jean-Loup et moi, c'est officiel. Suzanne n'est pas venue au lycée aujourd'hui. Alors je n'ai pas pu voir la tête qu'elle aurait faite mais celle de Chantal a bien compensé. Toute la journée, elle a été franchement laide, faisant semblant de ne pas me regarder alors que toutes ses copines se contentaient d'écarquiller les yeux en se disant des messes basses.

Pendant le cours de chimie, Sandrine m'a demandé : « Alors, comme ça, tu sors avec lui ? » Avant qu'elle ne se range du côté de Chantal et de ses satellites, je la trouvais assez sympathique. Aujourd'hui, je voyais bien sa curiosité, elle avait les yeux ronds comme des boules de billard. Elle me demandait sans cesse : « Alors, tu l'as déjà embrassé ? »

Si j'avais tenu à être populaire, j'aurais pu répondre oui, mais je n'en ai que faire. Je préfère paraître grotesque à leurs yeux qu'être une vulgaire copie des autres. Jean-Loup, malgré sa popularité parmi les filles, est d'ailleurs presque aussi bizarre que moi avec ses bouquins, ses films et ses appareils photo.

J'ai répondu : « Non, nous sommes juste copains ! »

Alors, elle m'a lancé un de ses coups d'œil ! « Eh bien, comme tu veux, ne me dis rien alors ! » Et, sur un coup de talon, elle est partie rejoindre Chantal.

Toute la journée elle lui a chuchoté à l'oreille en ricanant et nous a espionnés, Jean-Loup et moi, pendant que nous bavardions et prenions des photos d'elles en train de nous observer.

Puérile, voilà le mot pour te décrire, Sandrine! Nous sommes copains, c'est tout, comme je l'ai déjà dit. Et Chantal, Sandrine et Suze peuvent toujours aller se faire voir, nous sommes irrésistibles tous les deux!

À la fin des cours, aujourd'hui, nous sommes allés ensemble au cimetière de Montmartre. C'est l'un des quartiers de Paris que je préfère. Jean-Loup l'aime bien aussi, ce cimetière avec ses petites maisons et ses monuments, ses chapelles au toit pointu et ses élégants obélisques, ses rues, ses allées, ses places et ses immeubles pour les morts. Le mot juste est *nécropole* – la cité des morts –, car c'est une véritable cité. Les tombes, à mon avis, pourraient presque être des maisons, avec leur portail minuscule soigneusement fermé, leur gravier bien ratissé et les jardinières accrochées à leurs fenêtres à meneaux. Oui, de petites maisons bien propres, une sorte de cité-jardin à l'intention des morts. Rien que d'y penser, cela me donnait à la fois le fou rire et le frisson. Jean-Loup a levé les yeux de son appareil photo et m'a demandé pourquoi je riais. J'ai répondu : «Avec du feu, un duvet, un oreiller et un peu de nourriture, on pourrait presque vivre ici. Si quelqu'un se cachait à l'intérieur de l'un de ces monuments, personne ne s'en apercevrait. Les portes sont toutes fermées. Il y ferait plus chaud la nuit que de dormir sous un pont.»

Il a souri et m'a demandé : «As-tu jamais dormi sous un pont?»

À vrai dire, cela m'est arrivé une ou deux fois mais je ne voulais pas qu'il le sache. Alors, j'ai répondu : «Non! Mais je peux quand même imaginer ce que c'est.

– Et tu n'aurais pas peur?

– Peur de quoi?

– Des fantômes!»

J'ai haussé les épaules : «Ce ne sont que des fantômes après tout!»

Un chat, abandonné il y a longtemps par ses maîtres et redevenu sauvage, est lentement sorti de l'une des étroites allées de pierre. Le déclic de l'appareil de Jean-Loup l'a surpris. Avec un sifflement de colère, il a disparu, rasant le sol entre les tombes. Il avait sans doute aperçu Pantoufle. Les chats et les chiens parfois ont peur de lui comme s'ils savaient qu'il n'a pas sa place ici.

«Un jour, je finirai par apercevoir un fantôme. C'est pour cela que je prends toujours mon appareil lorsque je viens ici!»

Je l'ai dévisagé. Ses yeux brillaient de plaisir anticipé. Il y croit vraiment. Il aime y croire aussi. Cela me le rend encore plus sympathique. Je déteste les gens qui se foutent de tout, qui vivent sans se préoccuper des autres, sans croire à quoi que ce soit.

Il a dit : « Alors, tu n'as vraiment pas peur des fantômes ? »

Quand on en a vu autant que j'en ai vu, on n'y prête même plus attention. Mais je n'allais pas lui dire *cela* non plus. Sa mère est une catholique traditionaliste, elle croit au *Saint*-Esprit, au pouvoir de l'exorcisme, au vin de communion qui se transforme en sang. Vous imaginez ça, vous ? Elle fait maigre tous les vendredis. À ne pas y croire, hein ? Je pense d'ailleurs être un fantôme moi-même quelquefois, mais un fantôme qui marche, parle et qui respire.

« Les morts ne nous font rien. C'est pour cela qu'on les met ici et que les portes de ces petites chapelles n'ont pas de poignées à l'intérieur. »

Il a demandé : « Et tu as peur de la mort ? »

J'ai haussé les épaules : « Sans doute, on en a tous peur, n'est-ce pas ? »

Envoyant un coup de pied dans un caillou, il a répondu : « Oui, mais peu de gens savent comment c'est. »

Intriguée, j'ai demandé : « Et c'est comment ? »

Il a répondu en haussant les épaules à son tour : « La mort... c'est comme un tunnel de lumière où tous tes morts – tes parents, tes amis – t'attendent et t'accueillent avec un sourire. À l'extrémité, dans une lumière extraordinaire, resplendissante – divine, je suppose –, une voix s'élève. Elle te dit que tu dois retourner à la vie mais que tu dois le faire sans inquiétude parce qu'un jour tu reviendras, un jour tu entreras, toi aussi, dans la lumière avec tous tes amis et... »

Il s'est arrêté soudain : « En tout cas, c'est ça que croit ma mère. Et c'est ce que je lui ai dit avoir vu. »

Je l'ai regardé droit dans les yeux : « Mais qu'est-ce que tu as *vraiment* vu ?

– Rien ! Rien du tout ! »

Le silence est retombé pendant que Jean-Loup braquait son objectif sur les avenues du cimetière rempli de tous ses morts. J'ai entendu le déclic de son appareil quand il a appuyé sur le bouton. Ping !

« Ça serait une sacrée blague si tout cela n'avait vraiment aucun sens ! » Ping ! « Si après tout le Paradis n'existait pas ? » Ping. « Si les morts n'étaient occupés à rien d'autre qu'à pourrir ? » Ping.

Sa voix s'était faite plus claire maintenant. Quelques oiseaux perchés sur l'une des tombes se sont soudain envolés dans un fracas d'ailes.

« *Ils* vous racontent qu'ils savent tout mais ce n'est pas vrai. *Ils* vous racontent des histoires. *Ils* mentent à longueur de temps !

– Non, pas tout le temps. Maman ne ment pas, elle ! »

Il m'a jeté un long regard bizarre, celui d'un être beaucoup, beaucoup plus âgé que moi, auquel des années de déception et de souffrance auraient conféré la Sagesse.

«Elle finira par le faire, a-t-il dit. *Ils* finissent toujours par le faire.»

Le Soleil noir

Mardi 20 novembre

Aujourd'hui, Anouk a amené son nouveau copain à la maison. Jean-Loup Rimbault est beau garçon, un peu plus âgé qu'Anouk, et d'une politesse un tantinet désuète qui attire l'attention. Il est venu directement du lycée après la fin des cours – il habite de l'autre côté de la Butte – et, au lieu de repartir tout de suite, il est resté une demi-heure, assis, à bavarder avec Anouk en dégustant un moka avec des biscuits.

Quel plaisir de voir Anouk avec un copain ! Pourtant, l'inquiétude que cela me cause, sans aucune raison, n'en est pas moins douloureuse. À mon oreille, une petite voix chuchote les titres sur les pages d'un album perdu : *Anouk à treize ans. Anouk à seize ans, très haut dans le ciel comme un cerf-volant. Anouk à vingt ans. Anouk à trente ans et plus.*

« Tu veux un chocolat, Jean-Loup ? C'est moi qui offre. »

Jean-Loup. Le prénom n'est pas banal. Le garçon non plus avec ce regard sombre et critique qu'il jette sur le monde qui l'entoure. Parents divorcés, d'après ce que j'ai entendu. Il habite chez sa mère et voit son père trois fois par an. Le chocolat qu'il préfère est amer et croque sous la dent – un goût très adulte, à mon avis –, mais le garçon, d'ailleurs, est étrangement adulte et très maître de ses émotions. Cette habitude qu'il a de tout observer à travers le viseur de son appareil est un peu troublante. Comme s'il tentait de mettre une certaine distance entre lui et le monde extérieur pour découvrir, là, sur l'écran minuscule de son appareil numérique, une réalité plus simple et plus attrayante que l'autre.

« Qu'est-ce que tu viens de prendre ? »

Sans aucune protestation, il m'a montré. À première vue, on aurait juré une peinture abstraite, un éblouissement de couleurs et de formes géométriques. Mais, après un moment, j'ai compris que c'étaient les chaussures de Zozie, prises à hauteur des yeux et intentionnellement floues, parmi un kaléidoscope de chocolats dans leur papier métallique de toutes les couleurs.

« J'aime beaucoup ! » Et j'ai demandé : « Qu'est-ce que c'est, là, dans le coin ? » On aurait dit que quelque chose, à l'extérieur, avait projeté une ombre sur l'image.

Il a expliqué avec un haussement d'épaules : « Quelqu'un se tenait peut-être trop près. » Puis, braquant son appareil sur Zozie, qui se tenait derrière le comptoir, les mains pleines de rubans multicolores, il a dit : « C'est joli, ça !

– Je préférais que tu ne le fasses pas ! » a-t-elle dit d'une voix tranchante sans lever les yeux.

Jean-Loup a bredouillé : « Je voulais seulement…

– Je sais ! » Elle a souri et il a repris son sang-froid. « C'est tout simple, je n'aime pas que l'on me prenne en photo. Il est bien rare qu'elles soient ressemblantes. »

Ça, je pouvais parfaitement le comprendre. Mais cette fraction de seconde pendant laquelle j'avais surpris une certaine insécurité, chez Zozie surtout, Zozie dont la bonne humeur inaltérable face à n'importe quelle tâche la rend si agréable à effectuer, m'a rendue un peu mal à l'aise. Je me suis demandé si je n'en étais pas arrivée à compter trop sur mon amie qui, comme tout le monde, devait bien avoir ses propres problèmes aussi.

Le fait est que, si elle en a, elle le cache bien. Elle apprend rapidement et avec une telle facilité que cela nous étonne toutes deux. Tous les jours elle arrive à huit heures, au moment où Anouk part au lycée, et passe l'heure qui précède l'ouverture du magasin à m'observer pendant que je lui montre les différentes techniques de fabrication des chocolats.

Elle sait maintenant tremper la couverture, composer les différents mélanges, arriver à la bonne température et la maintenir. Elle sait comment obtenir le lustre le plus satiné, comment dessiner à la douille une décoration sur les chocolats sortis du moule et découper de fragiles coquilles avec un épluchoir.

Ma mère aurait dit qu'elle a le « don » pour ça. Mais c'est avec les clients que se révèle surtout son talent véritable. J'ai, bien entendu, déjà remarqué l'art qu'elle a de s'adapter aux différentes personnalités et sa mémoire des noms, son sourire communicatif et la façon dont elle réussit à faire en sorte que, quel que soit le nombre de clients dans le magasin, chacun d'entre eux se sente vraiment spécial.

J'ai déjà essayé de la remercier mais elle m'oppose toujours un éclat de rire, comme si travailler ici n'était pour elle qu'une sorte de jeu, quelque chose qu'elle ferait par plaisir, pas vraiment pour gagner sa vie. Je lui ai bien offert de la payer pour ses services mais, jusque-là, elle a toujours refusé. Pourtant, depuis la fermeture du P'tit Pinson, elle est de nouveau sans emploi réel.

Aujourd'hui, j'ai encore une fois abordé la question.

Je lui ai dit : « Zozie, vous méritez un vrai salaire. Ce que vous faites va bien au-delà de me donner un coup de main de temps en temps. »

Elle a haussé les épaules. « Pour le moment, vous ne pouvez pas vous permettre de payer quelqu'un à plein temps.

— Mais je parle sérieusement !

— Moi aussi, je suis sérieuse ! » Et elle a levé les sourcils. « Vous, madame Charbonneau, devriez cesser de vous faire du souci pour les autres et vous préoccuper un peu plus de vous-même pour une fois ! »

J'ai ri et j'ai dit : « Zozie, vous êtes un ange !

— Ouais, c'est vrai ! » a-t-elle ricané. Et elle a enchaîné : « Et si nous revenions à nos chocolats ? »

Le Jaguar

Mercredi 21 novembre

C'est ahurissant de voir les changements qu'un simple signe peut opérer. Le mien, bien sûr, est une sorte de phare projetant son appel lumineux au-dessus des rues de Paris.

Laisse-toi tenter. Laisse-toi séduire. Laisse-toi savourer.

Et ça marche. Aujourd'hui, au magasin, nous avons eu autant d'inconnus que d'habitués et pas un n'est reparti les mains vides. Ils sont ressortis avec un paquet cadeau tout enrubanné ou quelque petite friandise : une souris en sucre, une prune confite à la liqueur, une poignée de mendiants ou cinq cents grammes de nos truffes amères présentées sur fond de poudre de cacao comme des bombes de chocolat prêtes à exploser.

Bien sûr, il est trop tôt encore pour chanter victoire – surtout que les gens du coin sont difficiles à séduire. Je devine pourtant que la chance a déjà tourné et qu'avant Noël ils viendront tous nous manger dans le creux de la main.

Quand je pense qu'au début j'avais vraiment cru ne rien trouver d'intéressant pour moi ici ! Mais ce magasin est un don du ciel. L'endroit les attire comme des mouches. Imaginez un peu ce que nous allons pouvoir y glaner – et pas seulement de l'argent mais des histoires, des gens, des *vies* entières !

Nous ? Mais, bien entendu : je suis prête à partager. Nous avons toutes les trois – toutes les quatre, si nous comptons Rosette – des talents spéciaux. Ensemble, nous serions capables d'accomplir des merveilles. *Elle* l'a déjà fait, à Lansquenet. Elle a cru avoir réussi à brouiller la piste.

Pas tout à fait! Ce nom – Vianne Rocher – et les menus détails rassemblés au cours de mes bavardages avec Annie ont suffi à me permettre de la remonter, cette piste. La suite a été très simple. Quelques coups de téléphone en province, quelques copies d'un journal local, vieilles de quatre ans, dont l'une montrait la mauvaise photo jaunie d'une Vianne au sourire impertinent, à la porte d'une chocolaterie, et d'une jeune tête ébouriffée – Annie, bien sûr – qui apparaissait juste sous le bras tendu de sa mère.

Et ce nom : *La Céleste Praline*? Quelle impertinence, quand même! Vianne Rocher devait en posséder une certaine dose à cette époque. On aurait du mal à le croire de nos jours. Elle était intrépide aussi avec ses chaussures rouges, ces bracelets qui tintaient à ses poignets et ces longs cheveux fous qui faisaient d'elle une gitane de bandes dessinées. Pas une beauté classique, peut-être – bouche trop large, yeux un peu trop petits – mais toute magicienne digne de ce nom pourrait vous le confirmer, elle était ensorcelante. Elle avait ce pouvoir de modifier le cours d'une vie, de séduire, d'apaiser et de protéger.

Mais, alors, que s'est-il passé?

On ne prend pas sa retraite, Vianne, quand on est magicienne! Un talent comme le nôtre exige qu'on l'utilise.

Quand elle est occupée dans l'arrière-boutique à préparer ses truffes et ses chocolats à la liqueur, je l'observe. Ses couleurs brillent plus vives depuis ce jour-là où je l'ai rencontrée. Maintenant que je sais où regarder, je reconnais la magie dans chacun de ses gestes. Elle semble pourtant en être totalement inconsciente comme si elle avait réussi à se rendre aveugle à l'évidence, en la rejetant de son esprit assez longtemps. C'est la même technique qu'elle utilise quand elle refuse de voir les animaux totems de ses enfants. Vianne est pourtant bien loin d'être une imbécile, alors pourquoi se comporte-t-elle comme si elle en était une? Que faudra-t-il pour lui ouvrir les yeux?

Elle a passé toute la matinée dans l'arrière-boutique d'où s'élevait une odeur de gâteau sorti du four. Devant elle, un chaudron de chocolat. En moins d'une semaine, le magasin a tellement changé qu'il est presque impossible de le reconnaître. Notre table et nos chaises, décorées des empreintes de mains des enfants, lui ont fait prendre un air de vacances. On a beau s'efforcer de bien les aligner, elles font toujours un peu désordre. Leurs couleurs retentissent comme l'écho des voix dans une cour de récréation. Il y a aussi les cadres sur les murs – des rectangles de tissu indien brodé rose vif et jaune citron. Et deux vieux fauteuils trouvés dans une benne. Les ressorts en sont fichus, les pattes toutes tordues mais j'ai pu les rendre tout à fait confortables en n'utilisant rien de plus que quelques coupons de fausse fourrure de léopard fuchsia et de lamé doré achetés pour deux sous dans quelque magasin de bienfaisance. Annie les adore, moi aussi. Si ce n'était l'exiguïté de notre boutique, nous pourrions parfaitement passer pour un de ces petits cafés des quartiers chics de Paris. Et nous n'aurions pas pu mieux choisir notre moment.

Il y a deux jours, à la suite d'un cas d'empoisonnement alimentaire et la visite des inspecteurs des services d'hygiène qui a suivi, le P'tit Pinson a dû fermer ses portes. Pas de surprise pour moi! Je me suis laissé dire qu'il faudrait bien un mois de nettoyage à fond et la rénovation des cuisines avant que Laurent n'obtienne la réouverture de son café. Sa clientèle de Noël va en souffrir.

Il a donc mangé ses chocolats, après tout. Pauvre Laurent!

La fureur d'Hurakan se manifeste parfois de façon bien mystérieuse. Il y a des gens qui l'attirent sur leurs têtes comme un paratonnerre attire la foudre.

Enfin, c'est nous qui allons profiter de cette situation. Nous n'avons pas de licence pour la vente d'alcool mais l'exquise odeur du chocolat chaud, des pâtisseries fraîches, des biscuits et des macarons, sans parler, bien sûr, de l'arôme enivrant des truffes amères, des chocolats à la liqueur, à la fraise, à l'abricot ou aux noix sont des invitations auxquelles il est bien difficile de résister.

Jusqu'à présent pourtant, les commerçants du coin nous ont ignorées. Ils restent méfiants devant tout changement. Ils ont tellement l'habitude de voir en une chocolaterie un piège à touristes, un lieu de perdition où des gens comme eux ne mettraient pas le pied qu'il va me falloir utiliser tous mes pouvoirs de persuasion pour leur faire franchir notre porte.

Que Laurent ait été aperçu à l'intérieur est sûrement pour nous un atout. Laurent qui déteste tout changement et vit dans son monde imaginaire où seuls les Parisiens de naissance sont les bienvenus, est friand de sucreries comme tous les alcooliques. Et où pourrait-il aller maintenant que l'on a fermé son café? Où trouverait-il un auditoire pour son interminable catalogue de plaintes?

Il est entré, hier, au moment de midi, l'air boudeur mais indéniablement curieux. Il n'était pas venu depuis que nous avions refait l'intérieur. D'un air revêche, il a jeté un coup d'œil critique sur les améliorations. Nous avons eu de la chance qu'il y ait eu des clients justement à ce moment-là. En chemin vers le jardin public et leur partie de pétanque journalière, Richard et Mathurin s'étaient arrêtés. Ils ont semblé un peu gênés d'être vus par Laurent chez nous après avoir été de longue date des habitués du P'tit Pinson.

Laurent a décoché un regard dédaigneux dans leur direction en disant : « On dirait que ça marche les affaires, mais qu'est-ce que c'est censé être exactement ici maintenant ? Un bon dieu de café ? »

J'ai répondu avec un sourire : « Et qu'est-ce que vous en pensez ? »

Laurent a alors émis son exclamation favorite : « *Gniahh !* » puis a continué : « Tout le monde pense que même un simple d'esprit pourrait faire ce boulot-là ! »

J'ai répondu : « Pas moi ! Ce n'est pas facile de nos jours de créer quelque chose d'authentique ! »

Après un autre grognement, Laurent a protesté : « Ah ! Ne me lancez pas sur ce sujet-là ! Mais regardez un peu le Café des Artistes, à l'autre bout de la rue, eh bien, le propriétaire est turc, vous l'auriez deviné, celui d'à côté est un café italien et, juste après, c'est le salon de thé anglais. En plus, il y a je ne sais combien de Starbucks maintenant. Ces sacrés Amerloques, ils croient que ce sont eux qui ont inventé le café ! » Il m'a regardée fixement comme s'il était possible que j'aie quelques gouttes de sang américain dans mon ascendance et il a claironné : « Je me demande où est passée la *loyauté* de nos jours et ce qui est arrivé au bon vieux *patriotisme* français ? »

Mathurin est vraiment dur d'oreille et je crois très sincèrement qu'il ne l'a pas entendu. Par contre, je suis tout à fait sûre que Richard a fait simplement semblant de ne pas entendre, lui.

Il a dit : « Yanne, c'était bien bon mais il faut qu'on parte ! »

Ils ont posé l'argent sur la table et sont sortis sans même jeter un coup d'œil derrière eux. Le visage de Laurent s'est légèrement empourpré et ses yeux se sont mis à saillir dangereusement.

Il a commencé : « Quand je pense au nombre de fois où ces vieux pédés sont venus chez moi prendre un bock ou faire une belote… Et maintenant que les choses se gâtent, regardez un peu ce qu'ils font ! »

Je lui ai adressé un sourire compréhensif. « Je sais, Laurent ! Mais les chocolateries, vous savez, font partie de la tradition parisienne. On peut même affirmer historiquement qu'elles sont antérieures à l'apparition des cafés, ce qui contribue à leur authenticité. » Il fulminait encore quand je l'ai gentiment poussé vers la table que les autres venaient de libérer. « Je vous en prie, Laurent, asseyez-vous donc et prenez une tasse. Dégustation gratuite, bien sûr ! »

Cela n'était que le début. Pour le prix d'une boisson et d'une praline au chocolat, nous avons maintenant Laurent Pinson de notre côté.

Nous ne dépendons pas de sa clientèle, bien sûr. C'est un parasite qui se remplit les poches des morceaux qu'il prend dans le sucrier, sur la table, et passe des heures entières assis devant une demi-tasse. Malgré cela, il représente la pierre d'achoppement de cette petite communauté. Là où va Laurent, les autres suivront.

Mme Pinot aussi est venue ce matin. Elle n'a rien acheté, bien entendu, mais elle a tout inspecté et elle est repartie avec un chocolat gratuit. Jean-Louis et Paupaul en ont fait autant. Et il se trouve que la jeune fille qui m'a acheté des truffes ce matin est employée à la boulangerie de la rue des Trois-Frères et qu'elle va nous faire de la réclame parmi ses clients. Elle essaiera de leur faire comprendre. Ce n'est pas seulement leur goût, vous savez – la somptuosité du chocolat noir parfumé au rhum avec un rien de piment rouge, le centre moelleux qui fond délicieusement dans la bouche, le goût amer de la poudre de cacao dans laquelle elles ont été roulées – non, tout cela ne suffit pas à expliquer l'étrange séduction des truffes au chocolat de Yanne Charbonneau. C'est l'effet qu'elles produisent sur ceux qui les mangent peut-être. On se sent plus fort, plus vigoureux, plus réceptif aux couleurs, plus tactile, plus conscient de son corps, de ce qu'on a là sous la peau, de sa langue, de sa bouche, de sa gorge.

Je dis : « Prenez-en juste une pour essayer ! »

Ils prennent, ils goûtent, et ils achètent.

Ils en achètent tant qu'aujourd'hui Vianne a été occupée toute la journée et m'a laissée tenir le magasin et servir du chocolat chaud à ceux qui sont entrés. Avec un peu de bonne volonté, nous avons de quoi asseoir jusqu'à six clients. La salle est petite, jolie, tranquille et reposante, étrangement gaie aussi. Les gens peuvent y entrer et oublier momentanément leurs soucis, s'asseoir, boire leur chocolat et bavarder à loisir.

Bavarder, oui, c'est bien ce qu'ils font ! Vianne est l'exception, mais j'ai tout le temps. Au début, on doit se contenter de petites victoires, n'est-ce pas ? Dans le cas de Nico, cela a été une *grande* victoire.

« Hé ! Ma Demoiselle aux jolies chaussures, qu'allez-vous m'offrir aujourd'hui ? »

J'ai répondu : « À vous de décider ! Chocolats à la crème de rose, carrés noirs au piment rouge, macarons à la noix de coco-oo ! » Et j'ai eu une moue gourmande, pleine de promesses. Je connaissais son faible pour la noix de coco.

« Je ne devrais pas me laisser tenter ainsi, vous savez ! »

Sa protestation est du pur cinéma, bien entendu. Il aime opposer un semblant de résistance et prendre un air coupable, pour sourire, sans vraiment espérer me tromper.

«Allez, un seul!

– Une moitié seulement!»

Les chocolats, comme les biscuits cassés, ne comptent pas, tout le monde sait ça. Les *petites* tasses servies avec quatre macarons seulement, non plus. Ni la part de moka que Vianne apporte. Ni le glaçage resté au fond du bol dans lequel on l'a mélangé.

Il m'a confié: «Maman en faisait toujours un peu trop de façon à m'en laisser un peu au fond. Mais parfois, elle en faisait tant que, même moi, j'étais incapable de le finir.»

Il s'est tu brusquement.

«Votre mère?

– Elle est morte!» Son visage de grand bébé s'est assombri.

«Elle vous manque?»

Avec un signe de tête, il a répondu: «Oui, je suppose.

– Et quand est-elle morte?

– Il y a trois ans déjà. D'une chute dans l'escalier. Elle était un peu forte, je reconnais.»

«C'est bien triste!» J'ai essayé de ne pas sourire. *Un peu forte,* pour lui, doit vouloir dire dans les cent cinquante kilos. Un nuage est tombé sur son visage maintenant sans expression. Ses couleurs ont viré au vert glauque et au gris cendré que j'associe aux émotions négatives.

Il se croit coupable de l'accident, c'est sûr. Le tapis de l'escalier était peut-être à reclouer. Il était peut-être rentré en retard du travail ou s'était arrêté dix minutes de trop à la boulangerie. Il s'était peut-être attardé sur un banc à regarder passer les filles.

J'ai dit: «Vous n'êtes pas le seul, vous savez? Beaucoup se sentent comme vous. Moi aussi, je me suis sentie coupable à la mort de ma mère.»

Je lui ai saisi la main. Sous la graisse, son ossature est encore celle d'un enfant.

«J'avais seize ans à l'époque. Je n'ai jamais pu me débarrasser de l'idée que, d'une façon ou d'une autre, c'était moi la responsable.» Je l'ai regardé de mon air le plus sincère en faisant, derrière mon dos, un signe pour m'empêcher de rire. Je croyais à ce que je racontais, j'avais de très bonnes raisons d'y croire, bien sûr.

Mais le visage de Nico tout de suite s'est illuminé. «C'est vrai?»

J'ai hoché tristement la tête.

Le soupir qu'il a poussé alors semblait provenir d'une montgolfière.

J'ai tourné la tête pour dissimuler mon sourire et je me suis occupée des chocolats refroidissant à côté de moi sur le comptoir et qui dégageaient une odeur innocente d'enfance et de vanille. Il est bien rare qu'un gros garçon comme Nico, vivant seul avec une mère encore plus volumineuse que lui et alignant ses petites consolations sur le bras du canapé sous le regard maternel inquiet mais approbateur, réussisse à se lier d'amitié.

Tu n'es pas gros, Nico. *Tu as une forte ossature, c'est tout. Tu es bâti comme ça, tu n'y peux rien. Mais tu es si gentil!*

Il a fini par expliquer : « Il vaudrait mieux pas, peut-être. Le docteur m'a recommandé de moins manger. »

J'ai demandé en levant un sourcil : « Qu'en sait-il, lui ? »

Il a eu un haussement d'épaules et des ondes de chair se sont propagées tout le long de ses bras.

« Vous vous sentez en forme, n'est-ce pas ? »

Avec un sourire penaud, il a répondu : « Sans doute mais il y a un ennui…

– Quoi ?

– Eh bien, c'est pour les filles… » Il a rougi soudain. « Les filles, qu'est-ce qu'elles voient, elles ? Un grand et gros balourd ! Je pensais que, peut-être, en perdant quelques kilos, en faisant un peu de musculature, alors, peut-être…

– Vous n'êtes pas si gros que ça, Nico ! Vous n'avez pas besoin de changer. Vous finirez par trouver quelqu'un. Vous verrez ! Patience ! »

Il a poussé un autre gros soupir.

« Alors, qu'est-ce que vous allez prendre ?

– Une boîte de macarons ! »

J'étais en train de la décorer d'un joli nœud lorsque Alice est entrée. Pourquoi a-t-il besoin du ruban ? Je ne comprends pas. Nous savons tous les deux que la boîte sera entamée bien longtemps avant qu'il ne soit arrivé à la maison. Mais il aime ça – un paquet cadeau avec un ruban jaune qui semble si cocasse dans ses grosses pattes.

J'ai dit : « Bonjour, Alice. Asseyez-vous donc. Je serai à vous dans une minute ! »

Pour être tout à fait franche, elle a dû attendre cinq minutes. Mais Alice a besoin de temps. Elle contemple Nico d'un air un peu effrayé. On dirait un géant à côté d'elle – et, de plus, un géant affamé –, mais Nico se tait soudain. Il est ébranlé sous ses cent cinquante kilos. Une rougeur envahit son visage.

« Nico, je vous présente Alice ! »

Elle murmure : « Enchantée ! » Du bout de l'ongle, dessiner un signe sur le satin de la boîte de chocolats est la chose la plus simple du monde. Ce n'est peut-être rien – un simple hasard – mais peut-être aussi un commencement, un détour de la route, un chemin capable de conduire à une vie nouvelle.

Tout change.

Elle murmure encore quelque chose, s'abîme dans la contemplation de ses énormes bottes et aperçoit la boîte de macarons.

« J'adore ça ! dit Nico. Vous allez bien accepter de me tenir compagnie ? »

Alice commence par refuser d'un signe de tête, puis elle se dit qu'il a l'air gentil après tout. Malgré sa corpulence, il y a en lui quelque chose d'enfantin, de fragile, de rassurant. Elle pense aussi qu'il y a quelque chose dans ses yeux, quelque chose qui lui fait espérer que peut-être, peut-être, lui pourra comprendre.

« Un seul ! » dit-il.

Le signe tracé sur le couvercle de la boîte commence à luire d'un pâle éclat, le Lièvre de la Lune, symbole d'amour et de fertilité. Alors, au lieu du carré de chocolat nature qu'elle prend habituellement, Alice, avec timidité, accepte une tasse de café mousseux et un macaron. Et c'est au même instant – sinon ensemble – qu'ils sortent, elle emportant sa toute petite boîte et lui, la grande, et qu'ils s'éloignent sous la pluie fine de novembre.

Je les observe. Nico ouvre son énorme parapluie rouge avec les mots *Merde, il pleut !* écrits dessus pour en protéger la petite Alice. Son rire est clair et lointain pourtant comme quelque chose que l'on n'entend pas vraiment mais dont on se souvient. Et je les vois s'éloigner à côté l'un de l'autre le long de la rue pavée, elle sautillant avec ses énormes bottes pour éviter les flaques et lui, solennel, tenant ce parapluie saugrenu qui les abrite tous les deux. Le gros ours des dessins animés et le vilain petit canard d'un conte de fées un peu fêlé partant bravement pour la grande aventure.

4

Le Soleil noir

Jeudi 22 novembre

J'ai loupé trois appels de Thierry et une photo du Musée national des sciences accompagnée d'un SMS qui disait : *Femme des cavernes, allume ton portable!* Cela m'a fait rire mais d'un rire un peu forcé. Je ne partage pas la passion de Thierry pour les gadgets. Après avoir en vain essayé de lui répondre, j'ai enfoui le téléphone au plus profond du tiroir de la cuisine.

Thierry a rappelé plus tard. Il ne pourra pas rentrer ce week-end. Il promet de le faire la semaine prochaine. D'une certaine manière, cela me soulage un peu, je l'avoue. J'aurais ainsi le temps de mettre un peu d'ordre, de préparer mon stock, de m'accoutumer à ce nouveau magasin qui est le mien, à ses particularités, à ses clients.

Nico et Alice sont revenus aujourd'hui. Alice a acheté une boîte de carrés de fondant au chocolat, une très petite boîte, mais elle les a mangés. Nico, lui, a acheté cinq cents grammes de macarons.

« Je ne peux jamais en avoir assez, de ces petits vilains. Alors, tu peux toujours les amener ici, Yanne, a-t-il dit en montrant la table près de la porte. D'accord ? »

Son enthousiasme m'a fait sourire. Tous deux se sont assis. Elle a pris un moka et lui, un chocolat chaud crémeux et des pâtes de guimauve. Nous nous sommes retirées discrètement dans l'arrière-cuisine, Zozie et moi, jusqu'à l'arrivée d'un autre client. Rosette a pris un bloc de papier et commencé à dessiner des singes souriants, à longue queue, de toutes les couleurs de sa boîte à crayons.

« Mais dis donc, tu dessines bien ! a remarqué Nico quand Rosette lui a tendu son dessin où un gros singe violet était en train de dévorer une noix de coco. D'après ce que je vois, tu aimes beaucoup les singes, hein ? »

Et il a fait une grimace simiesque. Rosette a éclaté de rire en faisant le signe pour *encore*. De nos jours, elle rit plus souvent, je l'ai observé, avec Nico, avec moi, avec Anouk et Zozie. À la prochaine visite de Thierry, elle sera peut-être plus communicative avec lui.

Alice aussi a bien ri. Alice est la préférée de Rosette. Peut-être parce qu'elle-même est si petite. On dirait une enfant encore, avec sa courte robe à fleurs et son manteau bleu ciel. Peut-être aussi parce qu'elle est si peu bavarde – même avec Nico qui, lui, parle pour deux.

Elle a pourtant remarqué : « Ce singe-là ressemble à Nico. » Alice parle d'une voix fluette et hésitante lorsqu'elle s'adresse à un adulte, mais comique et riche d'intonations lorsqu'elle s'adresse à Rosette qui y répond par un sourire radieux.

Rosette a alors dessiné un singe pour chacune de nous. Celui de Zozie porte quatre moufles rouge vif. Celui d'Alice, d'un bleu phosphorescent, a le corps minuscule et une très longue queue ridiculement courbée. Le mien fait le timide et enfouit son visage dans ses mains. Sans aucun doute, Rosette a du talent. Primitifs peut-être, ses dessins sont étrangement vivants. En quelques coups de crayon, elle réussit à donner une expression à un visage.

Nous étions en train de rire lorsque Mme Luzeron est entrée avec son chien – une petite boule à longs poils blonds. Mme Luzeron sait s'habiller. Elle porte des twin-sets gris par-dessus une taille qui s'épaissit et des manteaux anthracite ou noirs toujours bien coupés. Elle habite l'une de ces grandes maisons à façade de stuc derrière le jardin public, va tous les jours à l'église, tous les deux jours chez le coiffeur, sauf le jeudi où elle va au cimetière après son passage à notre magasin. Elle n'a pas plus de soixante-cinq ans mais ses mains sont déformées par l'arthrite et son visage anguleux est tout blanc d'une crème qui doit en masquer les imperfections.

« Trois truffes au rhum et faites-moi un petit paquet ! »

Mme Luzeron ne sait pas dire *s'il vous plaît*. Trop bourgeois pour elle, sans doute. Par contre, elle contemple le gros Nico, Alice, les tasses vides et les singes d'un air soupçonneux. Elle lève un sourcil trop épilé :

« Je vois que vous avez… refait votre intérieur. » La pause à peine perceptible pour trouver le mot correct indique un doute de sa part à propos de la sagesse de notre décision.

Zozie s'écrie : « Formidable, n'est-ce pas ? » Elle n'est pas encore accoutumée aux habitudes de *Madame*. *Madame* jette vers elle un regard perçant qui englobe la jupe trop longue, les cheveux attachés avec une rose de plastique, les multiples bracelets, les chaussures à semelles compensées en toile imprimée de cerises qu'elle arbore aujourd'hui avec des bas à rayures roses et noires. Zozie étend la main vers le plateau où elle choisit les chocolats et continue : « Les chaises, nous les avons peintes nous-mêmes. Nous avons pensé que ce serait une bonne chose de rendre l'endroit un peu plus gai. »

Le sourire de *Madame* devient celui de la ballerine aux pieds torturés par ses chaussures de danse.

Mais Zozie ne remarque rien. Elle continue à jacasser : « Oui, madame. Tout de suite ! Truffes au rhum. Et voilà ! Le ruban, de quelle couleur ? Voyons, rose ? Ce serait joli. Ou rouge peut-être ? Qu'est-ce que vous en dites ? »

Madame ne répond rien mais Zozie ne semble pas s'attendre à une réponse. Elle glisse les chocolats dans leur écrin de carton, y met un ruban et une fleur de papier et dépose la petite merveille sur le comptoir entre elles deux.

Madame inspecte les truffes d'un air soupçonneux à travers le papier cellophane et dit : « Ce ne sont pas celles que je prends d'habitude !

– Vous avez raison, elles sont différentes. Yanne les a faites elle-même !

– Dommage ! dit Madame. J'aimais beaucoup les autres.

– Mais vous allez bientôt préférer celles-ci ! dit Zozie. Goûtez-en une. La dégustation est gratuite ! »

J'aurais pu lui dire qu'elle perdait complètement son temps. Les habitants des grandes villes se méfient toujours de ce qui est gratuit. Certains refusent même, par principe, comme s'ils ne pouvaient supporter l'idée d'être redevables à quelqu'un même pour un simple chocolat. *Madame*, avec un léger reniflement, relève le nez – version haut de gamme du *Gniahh* de Laurent –, et dépose des pièces de monnaie sur le comptoir pour payer.

À ce moment précis, lorsque sa main a effleuré celle de Zozie, j'ai cru voir une pichenette de lumière presque impossible à distinguer, une lueur éphémère dans la grisaille de novembre. Simple pulsation peut-être de la lumière de l'enseigne au néon de l'autre côté du square ? Mais le P'tit Pinson était fermé et, de toute façon, il fallait attendre encore deux heures avant que, dans les rues, ne s'allument les lumières. D'ailleurs, j'étais bien placée pour reconnaître cet éclair-là, cette étincelle qui passe d'un être à un autre comme un courant électrique.

«Allez! Laissez-vous tenter! Il y a si longtemps que vous ne vous êtes pas permis une petite gâterie!»

Madame l'avait-elle aussi sentie cette étincelle? En un instant, son expression a changé. Sous le maquillage soigné et la poudre, des émotions sont passées rapidement comme des nuages sur la pâleur de son visage tiré. J'y ai lu embarras, désir, solitude et chagrin, oui, profond chagrin.

À la hâte, j'ai détourné le regard en me disant: *Je ne veux pas connaître votre vie secrète. Je ne veux pas savoir ce que vous pensez. Sortez vite avec votre petit chien ridicule et vos chocolats et rentrez chez vous avant qu'il ne soit trop...*

Mais c'était déjà trop tard. J'avais *vu*...

... Ce cimetière avec la grande vague taillée dans le gris clair du marbre, la photo dans son cadre de pierre, le garçon de treize ans environ qui souriait de toutes ses dents d'un air espiègle... la photo, la dernière prise avant sa mort peut-être, une photo d'école en blanc et noir, retouchée de couleur pastel pour l'occasion. Et sous la photo s'alignaient les chocolats, des rangées et des rangées de boîtes minuscules souillées par la pluie, marquant chaque jeudi, des boîtes non ouvertes enrubannées de jaune, de rose et de vert.

Je lève les yeux vers elle. Son regard est fixe mais ce n'est pas moi qu'elle contemple de ses yeux bleu pâle où se reflètent la frayeur et l'épuisement, de ses grands yeux étonnamment pleins d'espoir.

Elle proteste d'une toute petite voix. «Je vais me mettre en retard!»

Zozie murmure gentiment: «Mais vous avez le temps! Asseyez-vous donc un peu et reposez-vous une minute. Nico et Alice s'apprêtent justement à sortir.» *Madame* semble prête à élever une protestation «Allez, insiste Zozie. Installez-vous dans ce fauteuil. Prenez un chocolat. Il pleut dehors. Votre fils peut bien attendre!»

À ma grande surprise, *Madame* se laisse faire.

«Merci!» dit-elle en s'asseyant. Elle paraît bizarrement déplacée là, dans le fauteuil, les yeux fermés, la tête appuyée contre la fausse fourrure rose vif, à savourer son chocolat.

Elle paraît si détendue, pourtant et si heureuse – oui, si heureuse.

À l'extérieur, la nouvelle enseigne est secouée par le vent et j'entends la pluie crépiter sur les pavés mouillés. Décembre est bientôt là et s'apprête à frapper à notre porte, mais la maison semble si sûre et si solide. J'en oublie presque que nos murs ont l'épaisseur du papier, nos vies, la fragilité du cristal, qu'une simple rafale suffirait à nous briser et qu'une tempête d'hiver pourrait nous emporter.

5

Le Soleil noir

Vendredi 23 novembre

J'aurais dû deviner qu'elle avait donné le coup de pouce qu'il fallait pour les mettre dans la bonne direction. Je l'aurais fait moi-même à l'époque de Lansquenet. D'abord, cela a été Alice et Nico. Étrangement semblables ces deux-là. Je sais qu'il l'a déjà remarquée il y a longtemps, qu'il passe chez la fleuriste toutes les semaines pour acheter des jonquilles – ses fleurs préférées – mais qu'il n'a jamais encore trouvé le courage de lui parler ni de lui demander un rendez-vous.

Et brusquement, comme ça, à propos d'une simple boîte de chocolats…

Je me dis que ce n'est qu'une coïncidence.

Mais maintenant, c'est Mme Luzeron, si crispée autrefois, si renfermée, qui laisse échapper ses secrets comme un flacon que l'on croyait vide depuis bien longtemps révèle son parfum.

Ce halo ensoleillé autour de notre porte aussi, même quand le temps est à la pluie, m'amène à craindre que quelqu'un nous est venu en aide, que le défilé de clients que nous avons eu ces derniers jours n'est pas dû à la seule qualité de nos produits.

Je sais ce que ma mère aurait dit.

Et où est le mal à ça ? Personne n'en souffre. Vianne, ne méritent-ils pas qu'on les aide ? Et nous alors ?

Hier, j'ai bien essayé d'avertir Zozie, de lui expliquer pourquoi il était important de laisser les choses suivre leur cours. Je n'ai pas réussi.

Une fois ouvert, le coffre à secrets ne peut plus jamais se refermer. D'ailleurs, je devine qu'elle me juge déraisonnable, aussi mesquine qu'elle est généreuse, comme le cuisinier de ce vieux conte qui voulait faire payer à un pauvre l'odeur de ses viandes rôties.

Je sais qu'elle dirait : *Quel mal y a-t-il à ça ? Qu'avons-nous à perdre en les aidant ?*

Oh ! J'ai été à deux doigts de l'avertir mais, chaque fois, je me suis arrêtée. D'ailleurs, il se pourrait encore que ce fût pure coïncidence.

Aujourd'hui, pourtant, quelque chose d'autre est arrivé, quelque chose qui a confirmé mes doutes. Laurent Pinson ne semblait peut-être pas l'homme idéal mais il a pourtant joué le rôle de catalyseur. Je l'ai aperçu plusieurs fois au magasin cette semaine. Ce n'est pas exactement la découverte de l'année mais, à moins de me tromper lourdement, je peux dire que ce qui l'attire n'est pas la qualité de notre chocolat.

Ce matin, il était encore une fois ici, inspectant d'un air soupçonneux les chocolats sous leur dôme de verre, reniflant avec indignation devant leurs étiquettes, notant chaque détail de notre nouvel arrangement, le regard amer, et laissant échapper à intervalles ce grognement qui ne cachait pas sa désapprobation.

Gniahh !

C'était une de ces journées de novembre tout ensoleillées, d'autant plus précieuses qu'elles sont rares. On aurait dit une journée d'été encore avec l'immense clarté bleue du ciel où des traînées de vapeur mettaient quelques égratignures.

J'ai dit : « Belle journée, hein ?

– Gniahh ! a répondu Laurent.

– Vous jetez un coup d'œil simplement ou puis-je vous servir quelque chose ?

– À ces prix-là ?

– Je vous l'offre ! »

Il y a des hommes qui sont incapables de résister à une boisson gratuite. Laurent s'est donc assis, à contrecœur. Il a accepté une tasse de café et une praline avant de commencer sa litanie habituelle.

« Me forcer à fermer mon café et à ce moment-ci de l'année ? C'est une honte. Je suis victime de représailles, c'est moi qui vous le dis. Quelqu'un a décidé de m'acculer à la banqueroute ! »

J'ai demandé : « Qu'est-il arrivé ? »

Alors il m'a raconté ses malheurs. Quelqu'un avait rapporté qu'il réchauffait parfois des restes au four à micro-ondes. Un imbécile était tombé malade. On lui avait envoyé un inspecteur des services d'hygiène qui parlait à peine français. Laurent avait pourtant été *par-*

faitement poli envers lui, mais le type s'était cru insulté à cause de quelque chose qui avait été dit et...

«Bang! Fermé. Comme ça! Sans aucune raison! Je vous demande un peu où va le pays quand un café parfaitement honnête – établi ici depuis des dizaines et des dizaines d'années – se retrouve fermé et par un sacré bon dieu de pied-noir par-dessus le marché!»

J'ai fait semblant d'écouter tout en poursuivant mentalement l'inventaire des articles qui se vendaient le mieux et de ceux dont le stock devait être renouvelé. J'ai aussi fait semblant de n'avoir rien vu lorsque Laurent a repris une praline sans que je la lui aie offerte. Je pouvais bien me le permettre. D'ailleurs, il avait besoin de se défouler.

Quelques minutes après, Zozie a émergé de la cuisine où elle aidait à la préparation de bûches au chocolat miniatures. Alors, Laurent a soudain interrompu sa tirade et s'est mis à rougir jusqu'aux plus petites rides des lobes de ses oreilles.

«Zozie, je vous souhaite le bonjour!» a-t-il prononcé d'un ton ridiculement compassé.

Elle a répondu par un sourire. Tout le monde sait qu'il la trouve très belle – qui penserait le contraire? – et aujourd'hui, elle l'était particulièrement avec sa longue robe de velours couleur de bleuet et ses brodequins de la même couleur.

Je n'ai pu m'empêcher d'avoir un peu pitié de lui. Zozie est jolie fille et Laurent est à l'âge où un homme se laisse facilement tourner la tête. Mais j'ai aussi compris soudain que, jusqu'à Noël, nous allions l'avoir tous les jours sous nos pieds, s'attendant à des dégustations gratuites, agaçant les clients, chipant des morceaux de sucre et déplorant amèrement la rapide contamination de tout le voisinage par ces maudits étrangers.

Je me suis légèrement retournée. J'aurais très bien pu ne pas même apercevoir le signe qu'elle a fait derrière son dos, le signe dont ma mère se servait pour éloigner la malchance.

Esprit malin, passe ton chemin!

Au même instant, j'ai vu la main de Laurent s'abattre sur son cou comme si un insecte venait de le piquer. J'ai ouvert la bouche pour parler. Trop tard! C'était fait. Et avec le même naturel que je l'aurais fait moi-même à Lansquenet, comme si ces quatre dernières années s'étaient tout simplement envolées.

J'ai dit: «Laurent!

– Je dois m'esquiver, a-t-il répondu. Du boulot à faire, vous comprenez. Pas le temps de baguenauder!»

Et se frottant toujours la nuque en s'extrayant avec difficulté du fauteuil dans lequel il venait de passer une bonne demi-heure, il est sorti précipitamment.

Zozie s'est exclamée avec un sourire : « Enfin ! »

Moi, je me suis assise lourdement sur une chaise.

« Y'a quelque chose qui ne va pas ? »

Je l'ai dévisagée. Ça commence d'habitude comme cela, par de petites choses, le genre de choses qui ne comptent pas vraiment. Mais une chose en mène à une autre puis à une troisième et, avant que vous ayez eu le temps de vous retourner, ça y est. Le vent a changé. Les Bonnes Dames charitables ont relevé votre odeur et...

Pendant un instant, j'en ai rendu Zozie responsable. C'était bien elle après tout qui avait transformé une chocolaterie tout à fait ordinaire, la mienne, en ce repaire de forbans. Avant qu'elle n'y mette les pieds, j'étais tout à fait heureuse, moi, d'être Yanne Charbonneau, de tenir un petit magasin pas différent des autres, de porter cette bague que Thierry m'a offerte et de permettre à la terre de tourner sans même y fourrer le petit doigt.

Mais tout a changé maintenant. Il a suffi d'une simple petite pichenette et voilà ! Quatre longues années de prudence sont réduites à zéro et une femme qui devrait être morte depuis longtemps ouvre tout à coup les yeux et semble reprendre vie...

D'une voix douce, elle a commencé : « Vianne...

– Ce n'est pas mon nom !

– Mais ça l'était, n'est-ce pas ? Vianne Rocher ! »

J'ai hoché la tête : « Oui, dans une *autre* vie !

– Cela n'a pas besoin d'être une autre vie ! »

Vraiment ? Cette seule possibilité présente pour moi un attrait si dangereux. Être Vianne encore une fois, accomplir des prodiges et permettre à certains de prendre conscience de leurs propres talents.

Mais il fallait que je l'avertisse, que tout cela cesse immédiatement. Elle n'est encore coupable de rien mais je ne peux pas permettre aux choses de continuer. Les Bonnes Dames charitables attachées à notre piste sont aveugles peut-être, mais terriblement opiniâtres. Elles arrivent, je le devine, cardant le brouillard de leurs longs doigts crochus, attentives à la moindre lueur, à la moindre étincelle révélant la magie.

J'ai dit : « Je sais que vous voulez faire ce que vous pouvez pour aider mais nous sommes capables de nous débrouiller sans avoir à recourir à *ça* ! »

Elle a levé un sourcil d'un air surpris.

« Vous savez très bien de quoi je parle. » Le mot semblait s'accrocher dans ma gorge. Alors, j'ai simplement allongé la main vers une boîte de chocolats et, sur son couvercle, j'ai tracé la spirale magique.

« Oh, je vois ! C'est de *ça* qu'il est question ! » Elle m'a regardée avec curiosité. « Et pourquoi pas ? Où est le mal ?

– Vous ne pourriez pas comprendre !

– Pourquoi ? Ne sommes-nous pas semblables, vous et moi ?

– Oh, non ! Nous ne sommes pas semblables ! » Ma voix résonnait trop fort. J'étais agitée d'un tremblement : « Je ne fais plus ces choses-là. Je suis *normale* maintenant. Complètement sans intérêt. Vous n'avez qu'à interroger les gens. »

« O. K., comme vous voulez ! » Imitant la façon dont Anouk s'exprime en ce moment, elle a eu ce haussement d'épaules qui s'étend au corps tout entier, ce mouvement par lequel les adolescentes expriment leur désapprobation. Zozie l'avait imitée par jeu mais je n'avais pas envie de jouer, moi.

J'ai dit : « Désolée ! Je sais que vos intentions sont bonnes mais les enfants sont rapides à remarquer ces choses-là. Cela commence par un jeu et bientôt le jeu tourne à l'aigre.

– C'est ce qui est arrivé ? Les choses ont mal tourné là-bas ?

– Je ne veux pas en parler, Zozie ! »

Elle s'est assise à côté de moi. « Allons, Vianne. Cela ne peut pas avoir été bien terrible. Vous pouvez me raconter. »

Mais je les voyais maintenant, ces Bonnes Dames charitables. Je voyais leur figure, leurs mains rapaces. Je les apercevais derrière le visage de Zozie, j'entendais leur voix enjôleuse, raisonnable et tellement, oh ! tellement douce. Alors, j'ai continué.

« Je vais me débrouiller. Je me débrouille toujours. »

Oh, comme tu sais bien mentir !

C'était la voix de Roux si présente, si claire que mon regard a presque cherché l'homme qui venait de parler. J'ai pensé : *Il y a trop de spectres ici, trop de bruits qui me rappellent une époque à laquelle…, un village où… et, pis encore, qui me rappellent tout ce qui aurait pu être.*

Mentalement, j'ai imploré : *Va-t'en ! Je suis une autre maintenant. Laisse-moi tranquille !*

Et avec l'ombre d'un sourire, j'ai répété : « Je peux me débrouiller !

– Eh bien, si jamais vous aviez besoin d'aide… »

J'ai hoché la tête : « Oui, j'en demanderais. »

6

La Lune montante

Lundi 26 novembre

U ne fois de plus, aujourd'hui, Suzanne était absente au lycée.
Elle est censée être grippée, mais Chantal affirme que c'est
à cause de ses cheveux. Ne croyez pas que Chantal me parle
beaucoup. Depuis que Jean-Loup et moi sommes copains, elle est
devenue encore plus méchante envers moi – si c'est possible.

Elle est tout le temps en train de parler de moi. De mes cheveux,
de mes vêtements, de mes habitudes. Aujourd'hui, j'avais mis des souliers neufs – simples mais assez jolis, pas comme ceux de Zozie, bien
sûr. Elle n'a pas cessé d'en parler de la journée, me demandant où
j'avais bien pu les dénicher, combien ils avaient coûté et ricanant de
tout. Les siens venaient de quelque magasin des Champs-Élysées. Je
n'arrive pas à croire que sa mère ait accepté de payer un tel prix pour
des chaussures. Elle m'a questionnée aussi à propos de mes cheveux,
du prix d'une coupe comme la mienne et, de nouveau, elle a ricané.

Moi, vraiment, je ne vois pas où est l'intérêt de tout ça. J'ai interrogé
Jean-Loup à ce propos. Il a répondu qu'elle devait se sentir très peu
sûre d'elle-même sans doute. C'est peut-être vrai après tout. En tout
cas, depuis la semaine dernière, j'ai eu ennui sur ennui. Des cahiers
ont disparu de mon bureau, mon sac a été bousculé par quelqu'un et
son contenu s'est retrouvé éparpillé sur le plancher. Brusquement des
gens que jusque-là je trouvais assez sympathiques ne veulent plus être
assis à côté de moi. J'ai bien vu hier Sophie et Lucie jouer à un jeu
imbécile avec ma chaise. Elles faisaient semblant d'y avoir découvert

des puces et essayaient de s'asseoir aussi loin d'elle que possible comme s'il y avait eu là quelque chose de franchement répugnant.

Et puis nous avons fait du basket en cours de gym. J'ai laissé mes vêtements au vestiaire comme d'habitude. Lorsque j'y suis revenue, quelqu'un avait caché mes souliers neufs. Je les ai cherchés partout. À la fin, Faridah me les a montrés, derrière le radiateur, tout éraflés et couverts de poussière. Je serais bien incapable de le prouver, bien sûr, mais je sais que Chantal était responsable de cette plaisanterie minable. Je le sais tout simplement.

Et puis elle s'est attaquée à la chocolaterie.

Elle a dit: «J'ai entendu dire que c'est très *joli*.» Ce ricanement encore comme si le mot *joli* était une sorte de code secret que seules ses copines et elle comprenaient vraiment. «Comment s'appelle-t-elle déjà?»

Je ne voulais pas lui répondre mais je l'ai dit quand même.

«Oooh! *Joli*, ça!» Et elles ont toutes pouffé de rire, Chantal et sa petite cour de copines: Lucie et Danielle et leurs satellites, comme Sandrine qui était assez gentille avec moi avant et maintenant ne m'adresse plus la parole qu'en l'absence de Chantal.

Elles lui ressemblent toutes un peu d'ailleurs comme si Chantal était une forme de rougeole sophistiquée qui pouvait s'attraper comme ça. Elles ont toutes les mêmes cheveux lissés, coupés à la décoiffée, avec des petits bouts qui rebiquent. Elles ont toutes acheté le même parfum (cette semaine, c'est Angélique), et choisi la même nuance rose perlée de rouge à lèvres. J'en crèverai, j'en suis sûre, si elles viennent au magasin. Je le sais, j'en crèverai. Rien qu'à la perspective de les voir nous observer, de les entendre se moquer de Rosette, de Maman avec ses gants de chocolat qui lui montent jusqu'au coude et qui me demanderait d'un ton plein d'espoir: *Ce sont des copines?*

J'en ai parlé hier à Zozie.

«Eh bien, tu sais ce qu'il te reste à faire, n'est-ce pas? La seule chose à faire, Nanou! Tu dois te rebiffer et leur faire bien regretter toutes leurs moqueries.»

J'étais sûre qu'elle me dirait ça. Zozie sait se défendre! Il y a des choses pourtant pour lesquelles l'*attitude* seule n'est pas une arme suffisante. Bien entendu, je suis très consciente d'avoir fait des progrès depuis notre petite conversation, l'autre jour. L'essentiel est de se tenir bien droite et de s'entraîner à ce sourire dévastateur. D'ailleurs, maintenant, je porte ce que je veux plutôt que ce que Maman pense que je devrais porter. Je me fais sans doute encore plus remarquer mais je me sens mieux, je me sens davantage *moi*.

« D'accord, dans certains cas, ça réussit mais dans d'autres, Nanou, ce n'est pas tout à fait assez. J'ai appris cette leçon-là à l'école. Tu dois leur montrer une fois pour toutes que cela doit s'arrêter. Et si elles utilisent de sales petites combines, toi, tu dois être prête à en faire autant. »

Si seulement j'en étais capable ! « Lui cacher ses chaussures ? C'est ce que tu veux dire ? »

Zozie m'a regardée de cet air qu'elle prend parfois : « Non, ce n'est pas ce que je veux dire !

– Quoi, alors ?

– Tu le sais, Annie. Tu l'as déjà fait ! »

J'ai soudain pensé à ce jour où nous attendions l'autobus, à Suze, à ses cheveux, à ce que j'avais dit alors.

Ce n'était pas moi. Je n'ai pas fait ça.

Alors, je me suis souvenue de Lansquenet, des tours que nous jouions, des Accidents de Rosette et de Pantoufle, de ce que Zozie avait fait dans le salon de thé et des couleurs, de ce village des bords de Loire avec sa petite école et son monument aux morts, des bancs de sable au milieu du fleuve, des pêcheurs et du café avec les deux vieux si gentils. Comment s'appelait-il déjà, ce village-là ?

Les Laveuses m'a soufflé la petite voix dans ma tête.

Et j'ai dit : « Les Laveuses.

– Nanou, qu'est-ce qui ne va pas ? »

Soudain, je me suis senti la tête légère et je me suis assise sur une chaise couverte des petites empreintes de main de Rosette et des grandes de Nico.

Zozie m'a regardée avec attention. Ses yeux bleus, très brillants, se sont plissés jusqu'à n'être plus que de minuscules fentes.

J'ai déclaré : « Mais la magie, ça n'existe pas !

– Oh si, Nanou ! »

J'ai secoué la tête.

« Tu sais parfaitement bien que ça existe. »

Et pendant un instant, j'ai su qu'elle disait vrai. C'était quelque chose d'à la fois excitant et effrayant comme de suivre un chemin étroit, battu par le vent, à la crête d'une falaise au pied de laquelle fait rage un océan déchaîné dont seul le gouffre nous sépare.

Je l'ai regardée et j'ai dit : « Je ne peux pas.

– Et pourquoi ? »

J'ai hurlé : « C'était un Accident ! » Les yeux me brûlaient, mon cœur battait la chamade et tout le temps ce vent soufflait à mes oreilles, ce vent…

« Bon, oublie, Nanou, cela n'a aucune importance. » Elle a ouvert les bras et j'ai appuyé mon visage brûlant contre son épaule.

« Tu n'es jamais forcée de faire ce que tu ne veux pas faire. Je vais m'en occuper, moi. Tu verras. Ce sera cool. »

Là, contre son épaule, les yeux fermés, baignée dans cette odeur de chocolat qui flottait autour de nous, je me sentais bien. Pendant un moment, j'ai vraiment cru que tout irait bien, que Chantal et les autres me ficheraient enfin la paix et qu'avec Zozie de mon côté, rien de vraiment désagréable ne pourrait jamais arriver.

Je savais pourtant qu'elles viendraient un jour. C'est peut-être Suze qui leur a dit où me trouver. À moins que je ne le leur aie dit moi-même à une époque où je pensais que cela m'aiderait peut-être à me faire des amies ? Cela m'a fait quand même un choc de les découvrir toutes là. Elles avaient dû prendre le métro et monter la Butte quatre à quatre pour arriver au magasin avant moi.

« Hé, Annie. » C'était Nico, qui sortait de la chocolaterie avec Alice. « Y'a une vraie petite bande ici, des copines à toi, du lycée, je pense. »

J'ai bien remarqué qu'il était un peu rouge. Mais comme il est gros, l'exercice l'essouffle vite. C'est alors que j'ai commencé à me sentir mal à l'aise. Ce rouge écarlate qui rayonnait de lui (et je ne veux pas parler seulement de son visage) m'avertissait que quelque chose de désagréable allait arriver.

À ce moment-là, j'ai presque fait demi-tour. La journée avait déjà été franchement moche. Jean-Loup avait été forcé de rentrer à midi chez lui – un rendez-vous chez le docteur, je crois – et Chantal m'avait harcelée tout l'après-midi en me demandant avec un ricanement : « Où est ton p'tit copain ? », en me parlant d'argent et de tous les cadeaux qu'elle allait recevoir à Noël.

C'était peut-être elle qui avait lancé l'idée de venir au magasin. En tout cas, elles étaient toutes là – Lucie, Danielle, Chantal et Sandrine – assises devant leur coco-cola et rigolant comme des tordues.

Il me fallait entrer. Je n'avais nulle part où me cacher. D'ailleurs, quel genre de fille aurait préféré la fuite ? Alors, tout bas, j'ai murmuré : « Je suis irrésistible ». À la vérité, je ne me sentais pas irrésistible du tout. Simplement fatiguée. J'avais la bouche desséchée et une vague envie de vomir. J'aurais voulu pouvoir m'asseoir devant la télé et regarder une de ces stupides émissions pour gosses avec Rosette, ou lire peut-être.

Au moment où je suis entrée, Chantal disait : « Vous avez vu le gros plein de soupe ? Un vrai tonneau. » À mon arrivée, elle a joué la surprise. Cela ne m'a pas trompée.

« Oooh ! Annie. C'est ton petit copain, ce gars-là ? »

Un chœur de ricanements a éclaté.

J'ai répondu en haussant les épaules : « Un ami. »

Au comptoir, Zozie, assise, faisait semblant de ne rien entendre. Elle a jeté un rapide coup d'œil dans la direction de Chantal puis a regardé dans la mienne d'un air interrogateur : *C'est elle ?*

D'un signe de tête, j'ai confirmé, déjà soulagée. Je ne sais pas exactement ce à quoi je m'attendais. Qu'elle les mette à la porte peut-être, ou qu'elle fasse en sorte qu'elles renversent leur verre comme elle l'avait fait dans le salon de thé anglais ou qu'elle leur demande de s'en aller tout simplement !

C'est pourquoi j'ai été plutôt étonnée quand, au lieu de rester dans le magasin pour m'aider, elle s'est levée de son siège en disant : « Assieds-toi une minute avec tes amies pour bavarder. Si tu as besoin de moi, je serai dans l'arrière-salle. Amusez-vous bien, d'accord ? »

Et sur ces paroles, elle est sortie, avec un sourire et un clin d'œil, comme si elle imaginait sérieusement que d'être ainsi précipitée dans la fosse à loups représentait pour moi une partie de plaisir.

7

Le Jaguar

Mardi 27 novembre

Bizarre quand même cette répugnance à reconnaître son propre talent. On aurait pu croire qu'avec une mère comme la sienne, une fille aurait donné n'importe quoi pour être ce qu'elle est. Bizarre aussi le sens qu'elle donne à ce mot : *Accident*.

Vianne l'utilise de la même façon pour parler d'événements non désirés ou impossibles à expliquer. Comme s'il était vraiment possible d'y croire dans notre monde où tout est lié à tout, où la moindre chose exerce son influence mystérieuse sur tout le reste comme chacun des fils de soie d'une tapisserie contribue à son ensemble. Rien n'est jamais dû au hasard, rien n'est jamais perdu. Et nous, les initiés, nous qui savons *voir*, nous traversons la vie et relevons ces fils pour en former les écheveaux avec lesquels nous tissons les motifs de notre choix dans la bordure du Grand Ouvrage.

Ce n'est pas extraordinaire, ça, Nanou ? Extraordinaire et bouleversant, merveilleux et magnifique ? Ne veux-tu pas y contribuer ? Ne veux-tu pas découvrir le fil de ta propre destinée dans cet enchevêtrement absurde et lui donner forme – non pas par hasard mais par intention ?

Elle m'a retrouvée dans la cuisine cinq minutes plus tard, déjà pâle de rage contenue. Je sais comment l'on se sent : écœurée, dégoûtée, accablée d'impuissance.

« Il faut qu'elles s'en aillent, m'a-t-elle dit. Je ne veux pas que Maman les trouve encore ici lorsqu'elle rentrera. »

Je ne veux pas leur donner d'autre matière à moquerie, voilà ce qu'elle voulait vraiment dire.

J'ai pris un air de commisération : « Ce sont des clientes. Je ne peux pas les mettre dehors. »

Elle m'a regardée sans comprendre.

« Je suis tout à fait sérieuse. D'ailleurs ce sont tes copines.

– Sûrement *pas* ! »

J'ai fait semblant d'hésiter un peu. « Eh bien, alors, ce ne serait pas vraiment un Accident si toi et moi nous *réarrangions* un peu les choses ? »

À cette seule idée, ses couleurs se sont mises à flamboyer. « Maman dit que c'est dangereux.

– Ta Maman a des raisons de le dire sans doute.

– Quelles raisons ? »

J'ai haussé les épaules : « Tu sais, Nanou, les adultes parfois ne racontent pas tout à leurs enfants quand ils veulent les protéger. Et parfois il ne s'agit pas tant de protéger leur enfant que de se protéger eux-mêmes des conséquences de ce que l'enfant apprendrait… »

Elle a eu l'air perplexe et elle a demandé : « Tu crois qu'elle m'a menti ? »

Il y avait un risque. J'en étais tout à fait consciente. Mais j'ai déjà accepté ma part de risques et, d'ailleurs, elle *veut* être séduite. Cet instinct de rébellion, présent au cœur de l'enfant le plus docile, lui inspire le désir de défier l'autorité et de renverser ces petites idoles que sont ses parents.

Annie a poussé un soupir : « Tu ne comprends pas !

– Bien sûr que je comprends ! Tu as peur. Tu as peur d'être différente. Tu penses que cela te fait remarquer. »

Un instant, elle a réfléchi à ce que je venais de dire.

Elle a fini par murmurer : « Non, ce n'est pas ça !

– C'est quoi, alors ? »

Elle m'a regardée de nouveau. Derrière la porte qui mène au magasin, j'entendais les voix claires et perçantes d'adolescentes en train de mijoter quelque méchanceté.

Alors, je lui ai dit avec un sourire rempli de compréhension : « Tu sais, elles ne vont jamais te laisser tranquille. Maintenant qu'elles savent où elles peuvent te trouver, elles seront libres de décider de revenir quand il leur plaira. Elles ont déjà visé Nico. »

Je l'ai vue tressaillir. Je sais qu'elle apprécie la gentillesse de Nico.

« Tu veux vraiment les voir ici, tous les soirs, assises là à se moquer de toi ?

– Maman les mettra à la porte », a-t-elle répondu rapidement mais elle n'en avait pas l'air très sûre.

J'ai demandé : « Et après ? J'ai bien vu ce qui se passe, tu sais, c'est arrivé à ma mère et à moi. Au début, il s'agit de petites choses, le genre de choses que nous croyons pouvoir supporter : les farces, le chapardage, les graffitis qui apparaissent sur les volets pendant la nuit. Car on peut supporter ces choses-là si l'on y est forcé, tu sais. Elles n'ont rien de drôle mais on n'en meurt pas. Hélas, cela ne s'arrête pas là. Les autres n'abandonnent pas. Crottes de chien devant la porte, téléphone qui sonne au milieu de la nuit, carreaux cassés… Et puis, un jour, c'est de l'essence versée par l'ouverture de la boîte à lettres et le tout part en fumée… »

Je suis bien placée pour savoir de quoi je parle. C'est pratiquement ce qui nous est arrivé. Une librairie spécialisée dans l'occulte, cela attire l'attention. Surtout en dehors du centre-ville. Lettres imprimées dans les journaux locaux, pamphlets condamnant la célébration de Halloween, petite manif à la porte du magasin avec affiches libellées à la main, une dizaine de bonnes âmes de la paroisse qui s'agitent et font campagne pour nous forcer à fermer.

« Ce n'est pas ce qui est arrivé à Lansquenet ?

– À Lansquenet, c'était autre chose ! »

Elle a jeté un coup d'œil rapide vers la porte. Je devinais ce qui se passait dans son esprit, son raisonnement. Elle était toute prête à céder. Je le sentais comme de l'électricité dans l'air.

J'ai dit : « Allez, vas-y ! Fais-le ! »

Elle m'a regardée.

« Fais-le ! Et je t'assure que tu n'as pas besoin de t'inquiéter ! »

Ses yeux brillaient. « Maman dit que…

– Mais les parents ne savent pas toujours tout ! Il faudra bien, tôt ou tard, apprendre à te débrouiller seule. Allez ! Vas-y ! N'accepte pas d'être leur bouc émissaire, Nanou. Ne les laisse pas te forcer à prendre la fuite ! »

De nouveau, elle a réfléchi. Je voyais bien que je n'avais pas encore tout à fait gagné sa confiance.

Elle a murmuré : « Mais il y a des choses pires que la fuite.

– Ça, c'est ce que dit ta mère. C'est pour cela qu'elle a changé de nom ? Pour cela qu'elle t'a appris la peur. Pourquoi ne me racontes-tu pas ce qui vous est arrivé aux Laveuses ? »

Cette fois, j'avais visé plus juste mais pas encore assez. Elle a pris cet air à la fois têtu et affranchi que les adolescentes adoptent avec un tel talent et qui signifie *Cause toujours !*

Alors, je l'ai un peu aidée. Un tout petit peu seulement. J'ai rendu mes couleurs iridescentes. J'ai essayé d'atteindre ce secret quel qu'il fût.

Et de façon très éphémère, je l'ai *vu* : un chapelet d'images flottant à la surface de l'eau comme de la fumée.

J'ai pensé. *De l'eau ? C'est ça ! Un fleuve. Et une petite breloque d'argent en forme de chat ? Un petit chat.* Tous les deux brillaient comme des chandelles de Halloween. De nouveau, j'ai essayé de l'atteindre et, cette fois, je l'ai presque touché mais…

BAM !

J'ai eu l'impression de m'être appuyée à une clôture électrique. La secousse m'a ébranlée et rejetée en arrière. La fumée s'est dispersée et l'image s'est brisée en mille morceaux. Chaque nerf de mon corps a semblé frémir sous la décharge électrique. J'ai deviné que cela n'avait pas été prémédité, que c'était la conséquence inévitable d'une libération soudaine d'énergie trop longtemps réprimée, comme les piétinements furieux d'un enfant en colère. Si seulement j'avais eu même la moitié de ce pouvoir-là à son âge !

Annie me regardait, les poings serrés.

Je lui ai dit avec un sourire : « Tu es drôlement forte ! »

Elle a secoué la tête.

« Oh ! Si, tu es forte, très forte. Meilleure que moi, même. Tu es douée ! »

D'une voix basse et tendue, elle a grommelé : « D'accord, je sais ! Tu parles d'être douée ! Il vaudrait mieux que ce soit pour la danse ou pour l'aquarelle ! » Une pensée a dû lui traverser l'esprit car elle a soudain tressailli. « Tu ne diras rien à Maman ? »

– Pourquoi le ferais-je ? Tu crois vraiment être la seule à savoir garder un secret ? »

Elle a longuement observé mon visage.

J'ai entendu tinter le carillon de la porte.

« Elles sont parties ! » a dit Annie.

Et elle avait raison. Lorsque j'ai jeté un coup d'œil dans la salle, les filles avaient disparu laissant derrière elles une traînée de chaises éparpillées, de canettes de Coca à moitié vides et un vague parfum de chewing-gum, d'aérosol à cheveux et de cette étrange odeur biscuitée, de gamines en sueur.

« Oui, mais elles reviendront !

– Pas sûr ! a dit Annie.

– Enfin, si tu as besoin de mon aide…

– Je te la demanderai ! »

Demander, demander! Mais elle me prend pour qui? La bonne fée sa marraine?

J'ai fait des recherches sur Les Laveuses en commençant, bien sûr, par Internet. Rien. Pas même la page d'un office du tourisme. Pas la moindre allusion à une fête ou à une chocolaterie. Poursuivant mes investigations, je suis tombée sur une crêperie citée dans un magazine de cuisine. La propriétaire en était une certaine Françoise Simon, une veuve.

Vianne sous un autre nom, peut-être? Possible! Aucun détail à propos de cette veuve n'est donné dans l'article. Le coup de téléphone que j'ai passé m'a montré que je faisais fausse route. C'est Françoise elle-même qui répond à mon appel. Sa voix est sèche et méfiante à l'appareil, la voix d'une septuagénaire. Je lui raconte que je suis journaliste. Elle me réplique qu'elle n'a jamais entendu parler d'une Vianne Rocher pas plus que d'une Yanne Charbonneau. Au revoir et merci!

Les Laveuses est un point minuscule sur la carte, à peine un village, d'après ce que je comprends : une église, quelques magasins, la crêperie, le café et le monument aux morts. Autour, ce sont des exploitations agricoles, des champs – maïs, tournesol – et des vergers. Le fleuve suit docilement le village comme un long chien brun suit son maître. Un trou, quoi! C'est ce que vous penseriez sans doute. Pourtant, il y a là quelque chose, un souvenir point dans ma mémoire, un souvenir encore vague, un petit fait divers dans la presse.

Je suis allée à la bibliothèque où tous les numéros d'*Ouest-France* sont archivés sur disque et microfilm. Alors, je me suis mise au travail, hier soir, à six heures. J'ai cherché pendant deux heures avant de partir au boulot. Je continuerai demain, et après-demain, jusqu'à ce que je découvre ce qu'il y a à découvrir. La clef, j'en suis sûre, est ce village des bords de Loire : Les Laveuses. Une fois obtenue, quels secrets me révélera-t-elle cette clef?

Je repense sans cesse à Annie. Hier soir, elle a promis : *Je te la demanderai.* Mais un besoin réel doit se manifester pour qu'elles consentent à demander de l'aide, quelque chose qui aille bien au-delà des petites misères du lycée Jules Renard, quelque chose qui leur fasse oublier toute prudence et les précipite dans les bras protecteurs de leur bonne copine, Zozie.

Je sais ce dont elles ont peur.

Mais de quoi ont-elles *besoin* vraiment?

Comme j'étais seule cet après-midi au magasin – Vianne était sortie promener Rosette –, je suis montée à l'étage fouiller dans ses

affaires. Avec beaucoup de doigté bien sûr. Mon intention n'est pas
de la voler, cela va infiniment plus loin. Apparemment elle ne possède
pas grand-chose. Une garde-robe encore plus rudimentaire que la
mienne. Au mur, un tableau, dans un cadre sans doute acheté au
Marché aux Puces. Un dessus-de-lit en patchwork qu'elle a peut-être
fait elle-même. Trois paires de souliers noirs! (Peut-on imaginer plus
ennuyeux que ça?) Et enfin… sous le lit, un coffret en bois, de la taille
d'une boîte à chaussures, rempli de tout un tas de vieilleries.

Ce n'est pas ce qu'elle en dirait, bien sûr. Moi qui ai l'habitude
de mettre tout ce que je possède dans des sacs et des cartons, je sais
parfaitement que les gens comme elle n'accumulent pas de choses inu-
tiles. Ce coffret doit donc renfermer les pièces importantes du puzzle
de sa vie; celles qu'elle ne consentirait jamais à laisser derrière elle
quand elle quitte un endroit. Ce coffret représente son passé, sa vie
entière, le secret enfoui au plus profond de son cœur.

C'est donc avec beaucoup de précautions que je l'ai ouvert. Vianne
est de nature secrète, ce qui la rend soupçonneuse. Elle sait avec précision où se trouve chaque papier, chaque objet, chaque fil, chaque
petit fragment, chaque grain de poussière. Si quelqu'un a dérangé
un objet, elle le verra tout de suite. Heureusement, je possède une
mémoire visuelle excellente et je n'ai aucune l'intention de
déplacer quoi que ce soit.

Un à un sont donc apparus les morceaux de ce puzzle, une sorte
de condensé de Vianne Rocher. D'abord, un jeu de tarot bien banal,
visiblement souvent utilisé et tout jauni par l'âge.

Dessous, des papiers officiels, des passeports au nom de Vianne
Rocher, l'acte de naissance d'Anouk portant le même nom de famille.
Anouk est donc devenue Annie comme Vianne est devenue Yanne.
Mais pour Rosette, aucun papier – ce qui est étrange! Un autre passeport, périmé celui-là, au nom de Jeanne Rocher – la mère de Yanne,
sans doute? Vianne ne lui ressemble pas beaucoup d'après la photo –
mais Rosette ne ressemble pas à Anouk non plus! Un ruban fané avec
un porte-bonheur en forme de chat. Quelques photos, une douzaine à
peine. J'y reconnais Anouk, plus petite, Vianne, plus jeune, une autre
de Jeanne en noir et blanc, plus jeune que sur son passeport, toutes soigneusement rangées et attachées par un ruban avec de vieilles lettres
étranges et une petite liasse de coupures de journaux. Les feuilletant
avec précaution pour ne pas en abîmer les bords jaunis et les plis
maintenant fragiles, j'ai remarqué un article dans un journal du pays
à propos d'un Festival du Chocolat à Lansquenet-sous-Tannes – à
peu près le même que celui que j'avais déjà lu mais, dans celui-ci, la

photo était plus grande. Vianne y figure avec deux autres personnes : un homme et une femme. La femme à cheveux longs est vêtue d'une sorte de manteau écossais, lui s'efforce de sourire au photographe. Des amis peut-être ? Aucun nom.

La coupure suivante dont le papier est devenu friable et roux comme une feuille morte vient d'un journal parisien. J'ose à peine la déplier. Je sais déjà qu'il s'agit de l'enlèvement d'une petite fille : Sylviane Caillou, disparue de sa poussette il y a plus de trente ans. Le troisième article, plus récent celui-là, relate les effets d'une mini-tornade dans un village minuscule des bords de la Loire : Les Laveuses. Vous me direz : rien de bien important, sans doute, et pourtant ces choses-là sont assez précieuses pour que Vianne tienne à les emporter où qu'elle aille depuis toutes ces années et qu'elle les garde dans cette petite boîte qui n'a pas été ouverte depuis bien longtemps à en juger par la couche de poussière qui la recouvre.

Alors, Vianne Rocher, ce sont donc là tes fantômes ! Étrange comme ils me semblent modestes. Les miens sûrement sont moins discrets. Mais l'humilité m'a toujours paru une qualité médiocre ! Oh, Vianne, tu aurais pu faire tellement tellement mieux ! Et avec mon aide, tu en as encore le temps.

Hier soir, pendant des heures, je suis restée assise devant mon ordinateur portable à boire du café en regardant clignoter les enseignes au néon dans la rue et en tournant et retournant cette histoire dans ma tête. Rien de nouveau à propos des Laveuses, rien non plus à propos de Lansquenet. Je commençais à être persuadée que Vianne Rocher était aussi insaisissable que je l'étais moi-même, une naufragée rejetée par la mer sur le rocher de Montmartre, une femme sans passé, un être invincible.

Complètement idiot, bien entendu. Personne n'est vraiment invincible. Ayant épuisé toutes les autres sources possibles de renseignements, il ne m'en restait plus qu'une, ce qui m'a tenue éveillée une bonne partie de la nuit.

Ce n'est pas que j'aie peur, bien sûr, mais il n'est pas possible d'accorder vraiment confiance à ces techniques qui soulèvent plus de questions qu'elles n'offrent de réponses. D'ailleurs, si Vianne avait le moindre soupçon de mes recherches, toute chance de pouvoir un jour recevoir ses confidences disparaîtrait à jamais.

Enfin, le risque est un élément du jeu, et voilà bien longtemps que je n'ai pas consulté ma boule de cristal. Mon système à moi s'appuie sur des méthodes plus pratiques que clochettes, livres et bougies. De toute façon, neuf fois sur dix, il est plus rapide de consulter Internet pour obtenir un résultat. Le moment vient parfois pourtant où l'improvisation est nécessaire.

Une cuillerée de poudre de racine de cactus séchée en infusion dans l'eau bouillante suffit au conditionnement idéal de l'esprit. C'est le *pulque*, ce breuvage divin dont s'enivraient les Aztèques, redécouvert pour mon besoin personnel. Je dessine ensuite, à mes pieds, dans la poussière du plancher, le symbole du Miroir fumant. Puis assise, jambes croisées, devant l'écran de mon ordinateur portable, j'y fais paraître un dessin abstrait convenant à l'occasion et j'attends la révélation.

Ma mère n'aurait sûrement pas approuvé ma technique. Sa préférence allait toujours aux recettes traditionnelles pour la divination – la boule de cristal –, même si, en dernier recours, elle en venait à des alternatives moins coûteuses – miroirs magiques ou cartes de tarot. On aurait dû s'y attendre, son magasin en était plein après tout ! Mais si elle a jamais obtenu une seule révélation sérieuse, elle ne m'en a jamais parlé.

Bien sûr, on raconte des tas de bêtises sur la divination. Une des croyances les plus populaires assure qu'un équipement spécialisé est nécessaire. Ce n'est pas vrai. Il suffit parfois de fermer les yeux. J'ai personnellement une préférence pour les images qui apparaissent sur l'écran entre les différentes chaînes de la télévision ou pour les dessins bizarres qui sillonnent celui de mon ordinateur en pause. Cette méthode-là en vaut bien une autre. C'est une façon d'occuper l'hémisphère gauche du cerveau, capable d'analyse rationnelle, à des futilités, tout en confiant à celui de droite, capable d'intuition et de créativité, le soin de repérer des indices peut-être révélateurs.

Et ensuite…

Vous laissez errer votre pensée.

La sensation est plutôt agréable et le plaisir augmente sous l'effet du breuvage. Cela commence par une sorte d'aliénation spatiale, l'impression d'un trou béant tout autour de moi. Mon regard ne quitte pas l'écran et pourtant je suis consciente que la pièce où je me trouve est bien plus vaste que d'habitude. Ses murs ont reculé très loin et, là, ils enflent et se gonflent comme des voiles au vent du large.

En prenant de profondes inspirations, je concentre ma pensée sur Vianne.

Son visage apparaît devant moi, sur l'écran. En sépia, comme dans les vieilles photos de journaux. Du coin de l'œil, j'aperçois un cercle de lumières autour de moi. Elles me font entrer dans leur ronde comme des lucioles.

Vianne, quel est ton secret!
Anouk, quel est le tien!
Dites-moi toutes deux, ce dont vous avez besoin!

Et le Miroir fumant me semble chatoyer soudain. Un effet de ce breuvage peut-être ? La concrétisation d'une métaphore visuelle. Un visage – celui d'Anouk – monte à la surface de l'écran, maintenant aussi clair qu'une photo. Puis, c'est Rosette, un pinceau à la main. Une carte postale du Rhône aux couleurs toutes fanées. Un bracelet d'argent – bien trop étroit pour être celui d'un adulte –, avec un petit pendentif en forme de chat.

Maintenant, un souffle d'air passe brusquement, puis ce sont des applaudissements soudains et un rapide battement d'ailes invisibles. Je me sens à deux doigts d'une découverte importante. À présent je vois ce que c'est : la coque ventrue d'un bateau long et bas qui glisse lentement sur l'eau. Une inscription aussi dont l'écriture est maladroite.

Alors, j'interroge. Qui est-ce ? Mais, bon Dieu, qui cela peut-il bien être ?

L'écran lumineux est sourd à ma question. Il ne reste bientôt plus que le clapotis de l'eau et, sous la ligne de flottaison, le chevrotement des moteurs qui va se perdre dans le chuintement plaintif de l'ordinateur, les volutes répétitives de l'image qui se forme et se déforme sur l'écran et les pulsations douloureuses d'un mal de tête naissant.

Bourdonnement, bruissement, recherches et emm…

Je vous l'ai bien dit, avec cette méthode-là, on ne peut pas souvent compter sur un résultat.

Et pourtant, je crois quand même en avoir tiré quelque chose. Du plus loin du passé, je vois venir quelqu'un. Ce quelqu'un n'est plus loin. Un importun sans doute ?

Encore un détail à découvrir, Vianne, et l'affaire sera dans le sac. Une autre de tes petites faiblesses, c'est tout. Alors la jolie *piñata* volant en éclats, trésors et secrets révélera. Et ta vie, Vianne Rocher – sans oublier ta remarquable petite fille –, m'appartiendra enfin.

8

Le Jaguar

Mercredi 28 novembre

La première existence que j'ai faite mienne a été celle de ma mère. Et vous le savez : *jamais de la vie on ne l'oubliera, la première vie que l'on déroba –*, même si ce vol-là manquait franchement d'élégance ! D'ailleurs, à l'époque, je n'y pensais pas comme à un vol. Dans la situation où j'étais, la fuite était ma seule ressource. Le passeport de ma mère était là, inutile, ses économies stagnaient sur son compte en banque. Et elle était, pour ainsi dire, à deux doigts de la mort déjà.

J'avais dix-sept ans à peine. Je pouvais en paraître plus ou moins selon les besoins du moment. Il est très rare que les gens *voient* ce qu'ils *croient voir*. Ce qu'ils voient, c'est ce qu'ils veulent voir : beauté, vieillesse, jeunesse, intelligence, étourderie même lorsque le besoin s'en fait sentir. Et moi, dans ce domaine-là, j'avais presque atteint la perfection.

C'est en aéroglisseur que j'ai traversé la Manche. À la douane française, ils ont jeté un coup d'œil distrait à mon passeport volé. J'avais compté sur cette négligence. Et, pour compléter l'illusion, sur un brin de maquillage, une coiffure différente et un vieux manteau qui avait appartenu à ma mère, le reste étant, comme on le dit, question d'imagination.

À cette époque-là, bien entendu, on ne prenait pas très au sérieux les questions de sécurité. Je suis montée à bord avec, pour toutes possessions, les deux petits porte-bonheur d'argent de mon bracelet – un cercueil et une paire de souliers. Quand j'ai mis pied à terre, de l'autre côté, je ne connaissais que quelques mots de français et n'avais pour toute fortune que les six mille livres prélevées sur le compte de ma mère.

J'ai vécu la situation comme une aventure. J'ai trouvé du travail dans une petite fabrique de textiles de la banlieue parisienne. J'ai loué une chambre avec une autre ouvrière, Martine Mathieu, âgée de vingt-quatre ans, originaire du Ghana, qui attendait toujours son permis de travail. Je lui ai fait croire que j'avais vingt-deux ans et que j'arrivais du Portugal. Elle a avalé mon histoire – du moins c'est ce que j'ai cru. Elle était gentille et j'étais seule. Je lui ai fait confiance. Mon erreur a été de ne pas rester sur mes gardes. Martine était fouineuse. En fouillant dans mes affaires, elle a découvert les papiers de ma mère, cachés dans un tiroir. Pourquoi les avais-je gardés? Je ne comprends pas. Par imprudence peut-être? Ou par paresse? Ou par une sorte de nostalgie mal placée? Je n'avais nullement l'intention d'utiliser une autre fois cette identité-là, trop liée à Saint-Michel-en-Pré. Manque de chance! Martine s'est souvenue avoir lu quelque chose dans un journal. Elle a fait le rapprochement entre la photo et moi.

J'étais encore très jeune, vous comprenez. La seule pensée d'être recherchée par la police a suffi à me remplir de panique. Martine le savait et elle en a bien profité. La moitié de mon salaire y est passée. C'était du chantage pur et simple. Il me fallait pourtant bien l'accepter. Qu'aurais-je pu faire d'autre?

Fuir, je suppose? Mais j'étais déjà très tenace et, par-dessus tout, je voulais me venger. Alors, semaine après semaine, j'ai payé le silence de Martine. Je me suis montrée docile, rampante, supportant ses colères, faisant son lit, préparant ses repas et, en général, prenant mon mal en patience. Quand elle a enfin reçu ses papiers, j'ai pris une journée de congé maladie. En son absence, j'ai vidé l'appartement de tout ce qui aurait pu me servir – argent, passeport, carte d'identité – avant d'aller la dénoncer au service de l'immigration: elle, son patron, et les autres ouvrières qui se laissaient exploiter par lui.

C'est Martine qui m'a ainsi procuré mon troisième porte-bonheur: un petit soleil d'argent que j'ai pu facilement accrocher à mon bracelet. C'était le début d'une collection. Depuis, chaque vie que j'ai faite mienne m'a apporté un nouveau porte-bonheur. C'est une petite folie que je m'accorde comme témoignage de mes progrès.

J'ai, bien sûr, brûlé le passeport de ma mère. Il évoquait trop de souvenirs désagréables et, en plus, il aurait été trop dangereux pour moi qu'il soit découvert. Pourtant, il symbolisait ma première victoire officielle. S'il m'a appris quelque chose, c'est bien que la nostalgie est un luxe que l'on ne peut se permettre si l'on veut survivre.

Depuis, si leurs fantômes ont cherché à me poursuivre, ils l'ont fait sans succès. D'ailleurs, les Chinois sont persuadés que les fantômes ne se déplacent qu'en ligne droite. Alors, la Butte, avec tous ses escaliers et ses ruelles sinueuses, représente le refuge idéal : aucun fantôme ne pourrait jamais y retrouver ses petits.

C'est du moins ce que j'espère. Une fois encore, hier, la photo de Françoise Lavery a paru dans le journal du soir, agrandie peut-être, de meilleure qualité, semble-t-il, mais sans grande ressemblance avec Zozie de l'Alba.

Des enquêtes ont cependant révélé que la *vraie* Françoise était morte, l'année dernière, à un moment quelconque, dans des circonstances qui, à présent, semblent suspectes. À la suite de la mort de son mari et souffrant de dépression, reconnue par la médecine, elle s'est donné la mort en avalant une dose excessive de tranquillisants. C'est ce que le docteur a pensé. Bien sûr, les causes du décès pourraient être tout autres. Sa voisine – du nom de Paulette Yatoff – a disparu peu de temps après la mort de Françoise, mais ce n'est que longtemps après cette disparition que l'on a découvert qu'elles avaient été amies.

Enfin, vous savez, il y a des gens que l'on ne peut tout simplement pas aider. Et d'elle, je m'attendais vraiment à mieux. Ces petites souris-là cachent parfois une force de caractère que l'on ne peut pas prévoir. Ce n'était sûrement pas le cas de la pauvre Françoise.

Je ne le regrette pas. J'aime être Zozie. Tout le monde l'aime. Zozie est si bien dans sa peau. Elle se moque totalement de ce que pensent les autres. Elle est si différente de Mlle Lavery que vous pourriez vous trouver assise à côté d'elles dans le métro et ne pas leur trouver la moindre ressemblance.

Enfin, pour en être tout à fait sûre, j'ai quand même changé la couleur de mes cheveux. Le noir aile de corbeau me va bien, d'ailleurs. Je parais ainsi plus française, ou italienne, peut-être. Cela donne à ma peau une nuance plus satinée en accentuant aussi le gris-bleu de mes yeux. Cela convient parfaitement à ma nouvelle personnalité. Et comme, en plus, les hommes semblent aimer cela, qui s'en plaindrait ?

J'ai fait un petit signe de la main à Jean-Louis en passant place du Tertre devant les artistes abrités sous leurs parapluies. Il m'a répondu à sa façon habituelle.

« Vous voilà, enfin !

– Vous n'abandonnez jamais, hein ? »

Il a répondu avec un sourire : « Allez ! Laissez-vous faire ! Aujourd'hui, vous êtes à croquer. Que diriez-vous d'un petit profil ? Ce serait si joli sur le mur, dans votre chocolaterie. »

J'ai ri. «Pour commencer, je ne suis pas propriétaire de la chocola-terie, ensuite, j'accepterais *peut-être* de poser pour vous mais à la seule condition que vous veniez goûter à mon chocolat chaud.»

Le tour était joué, comme le dirait Anouk. Une victoire de plus à notre palmarès. Jean-Louis et Paupaul sont donc venus tous les deux. Ils ont pris une tasse de chocolat et sont bien restés une heure pendant laquelle Jean-Louis a non seulement terminé mon portrait mais en a fait deux autres encore. L'un était celui d'une jeune femme entrée pour acheter des truffes et qui avait immédiatement succombé à son baratin flatteur; le second, celui d'Alice, commandé spontanément par Nico qui s'était arrêté pour ses friandises habituelles.

En se levant pour sortir, Jean-Louis a lancé: «Vous n'auriez pas une petite place ici, pour un artiste résident? L'endroit est formidable, il a tellement changé!»

J'ai souri: «Je suis ravie que cela vous plaise et j'espère bien que tout le monde pensera comme vous.»

Vous voyez, je n'ai pas oublié le retour de Thierry samedi. J'ai bien peur qu'il ne trouve les choses très différentes. Pauvre Thierry, si romantique, avec ses idées un peu surannées à propos des femmes et de l'argent.

C'est sa situation de pauvre abandonnée qui l'a d'abord attiré chez Vianne. La jeune veuve courageuse, prête à lutter contre le malheur – mais sans grand succès –, capable d'optimisme malgré tout – et pourtant si vulnérable –, Cendrillon attendant son Prince.

Voilà ce qu'il adore en elle. Il se voit déjà volant à son secours pour la protéger. De quoi exactement? Et pourquoi? Le sait-il lui-même? Il ne le reconnaîtrait jamais, ne se l'avouerait même pas et, pourtant, ses couleurs indiquent clairement cette confiance absolue qu'il a en lui-même. Un type facile à vivre, ce Thierry, dont la foi en l'attrait de sa fortune et de son charme personnel reste inébranlable. Et Vianne prend cela pour de la modestie! Je me demande quelle va être la réaction de Thierry maintenant devant le succès de sa chocolaterie. J'espère qu'il ne sera pas déçu.

9

Le Soleil noir

Samedi 1er décembre

De Thierry, hier soir, un nouveau SMS.

    100 toi G vu 1 000 cheminées. Pas 1 n'a pu me réchauffer. À demain Je T.M. Th

Et aujourd'hui, il pleut. Une pluie fine et spectrale qui se perd dans les jupons de brume de la Butte. Le Rocher de Montmartre ressort étincelant de cette grisaille mouillée comme une chaumière de conte de fées. Les ventes ont dépassé tous nos espoirs aujourd'hui. Plus d'une douzaine de clients en une seule matinée. La plupart étaient des gens de passage, mais aussi quelques-uns de nos fidèles habitués.

Tout s'est passé si vite – quinze jours à peine – et déjà la différence est étonnante. C'est peut-être la nouvelle disposition intérieure, ou le parfum du chocolat fondu, ou le décor de la vitrine qui les attire.

En tout cas, notre clientèle s'est multipliée, gens du quartier mais touristes aussi, et ce qui, au début, n'était qu'un simple exercice d'entraînement pour m'empêcher de perdre la main est devenu maintenant un travail à plein temps pour Zozie et moi qui essayons de satisfaire les commandes de plus en plus nombreuses pour ma gamme de chocolats maison.

Aujourd'hui, nous en avons confectionné assez pour une quarantaine de boîtes. Quinze de truffes qui continuent à bien se vendre mais aussi des carrés des îles – à la noix de coco –, des bouchées aux griottes, des papillotes à l'écorce d'orange amère, de jolies crottes à la violette et une centaine de lunes de miel – ces petits disques en forme de lune montante avec son profil en croissant dessiné en blanc sur le chocolat noir.

C'est un tel plaisir d'acheter une boîte, d'hésiter sur sa forme – carrée, ronde, en cœur ? –, de choisir lentement ce que l'on va y mettre, de voir un à un chacun des chocolats se nicher dans les ondulations soyeuses du papier couleur de mûre, de laisser leur arôme caresser vos narines – ce cocktail de rhum brun, de crème, de caramel et de vanille, d'entendre le papier de riz soupirer au contact du couvercle, avant de choisir un emballage et d'y ajouter une jolie fleur ou un cœur de papier.

Depuis la naissance de Rosette, tout cela me manquait terriblement : la chaleur du cuivre sur la cuisinière, l'odeur du chocolat de couverture fondu, les moules de céramique dont les formes sont pour moi aussi familières et aussi précieuses que des ornements de sapin de Noël passés de génération en génération – cette étoile, ce carré, ce disque… Chaque ustensile a sa raison d'être, chaque geste répété tant de fois est riche de souvenirs.

Pas de photos chez moi, pas d'album, rien qui me rappelle le passé, à part le coffret de ma mère et son contenu : le jeu de tarot, les documents et le petit chat porte-bonheur. Mes souvenirs à moi sont tout autres : chaque cicatrice, chaque égratignure sur un chaudron de cuivre ou une cuiller de bois. Celle-ci, aux bords plats, est ma préférée. C'est Roux qui me l'a sculptée dans une branche de hêtre. Elle est parfaite pour moi. Cette spatule rouge – en plastique – m'a été donnée par un épicier de Prague, je l'ai depuis mon enfance. La petite casserole de métal émaillé dont le bord est ébréché est celle dont je me servais pour préparer le chocolat chaud d'Anouk à l'époque où oublier cette cérémonie, deux fois par jour, aurait été aussi inadmissible qu'oublier la communion l'aurait été pour le père Reynaud.

Les lignes minuscules qui sillonnent le marbre que j'utilise pour le trempage seraient plus faciles à lire que celles de ma main mais je m'en garde bien. Je n'ai pas envie de connaître l'avenir. Le présent m'effraie déjà bien trop.

« Où est la chocolatière ? »

À ne pas s'y tromper, c'était la voix de Thierry, cette grosse voix joviale et confiante, que j'avais entendue de la cuisine où j'étais occupée à préparer mes chocolats à la liqueur – les plus difficiles. Le carillon de la porte, un bruit de pas puis le silence pendant qu'il regardait tout autour de lui.

En m'essuyant les mains à mon tablier, je suis sortie de la cuisine.

Gardant les mains écartées pour ne pas risquer de tacher son costume, je l'ai serré contre moi en disant : « Thierry ! »

Avec un large sourire, il s'est exclamé : « Eh bien, dis donc, tu en as fait des changements !

– Et tu aimes ?

– C'est… original ! » J'ai peut-être tout simplement imaginé ce soupçon d'incrédulité dans sa voix alors que son regard enregistrait tour à tour les murs vibrant de couleurs, les silhouettes dessinées au stencil, les empreintes de mains sur les meubles, les vieux fauteuils rembourrés et, sur la table, la cruche de chocolat, les tasses, et, à l'étalage, les chaussures de Zozie débordant de trésors sucrés.

« C'est… » Il s'est arrêté. J'ai surpris le coup d'œil rapide qu'il a jeté vers mon annulaire. J'ai vu ses lèvres se pincer un peu comme lorsque quelque chose ne lui plaît pas, mais c'est d'une voix chaleureuse qu'il a continué : « C'est formidable ! Tu as réalisé des merveilles ! »

Zozie qui versait une tasse lui a proposé : « Chocolat ?

– Oui… non…, enfin d'accord, mais un seul ! »

Elle lui a tendu la tasse et une de mes truffes, sur la soucoupe, à côté, en ajoutant avec un sourire : « C'est une de nos nouveautés, une spécialité de la maison ! »

D'un air un peu abasourdi, il a, encore une fois, contemplé les boîtes empilées, les présentoirs, les rubans et les fleurs de papier, les fondants, les croquettes au caramel, les jolies crottes à la violette, les blancs-manteaux, les truffes au rhum, les palets au piment rouge, les parfaits au citron et l'énorme moka au café qui trônait sur le comptoir.

Il a fini par demander : « Et c'est toi qui as fait tout ça ?

– Tu ne devrais pas paraître aussi surpris !

– Je devine que c'est l'approche de Noël… » Il a légèrement froncé le sourcil en remarquant l'étiquette sur une boîte de palets au piment rouge. « Les gens sont vraiment prêts à acheter ça ?

– Et ils ne s'en lassent pas !

– Tous ces changements ont dû te coûter une fortune en peinture et en falbalas.

– Non, nous avons tout fait nous-mêmes. Tout le monde s'y est mis.

– Eh bien, je trouve cela magnifique, moi. Vous avez vraiment bien travaillé ! »

Il a goûté son chocolat et, encore une fois, j'ai vu ses lèvres se crisper.

En adoucissant ma voix pour cacher mon impatience, j'ai dit : « Ne te crois pas obligé de le boire si tu ne l'aimes pas. Je peux te faire du café si tu préfères.

– Non, vraiment, c'est délicieux!» Et il y a de nouveau trempé le bout des lèvres. Il ne sait pas mentir. Je devrais me féliciter de sa franchise, je le sais, mais elle me remplit d'un certain malaise. Il est si vulnérable derrière ce masque de confiance, et si peu conscient de certains changements inexplicables. «Je suis simplement un peu surpris. C'est comme si *tout* avait complètement changé en l'espace d'une nuit!

– Non, *tout* n'a pas changé!» ai-je dit avec un sourire.

Mais j'ai remarqué que Thierry, lui, n'a pas souri.

«Et comment cela s'est-il passé à Londres? Qu'as-tu fait de beau?

– Je suis allé voir Sarah et je lui ai annoncé notre mariage. Tu m'as terriblement manqué!»

J'ai souri de ce qu'il venait de dire. «Et ton fils, Alain?»

Alors, il s'est mis à sourire lui aussi. Il sourit dès qu'il s'agit de son fils, il en parle rarement pourtant. Comment s'entendent-ils? Je me suis parfois interrogée à ce sujet. Ce sourire-là n'est-il pas un peu forcé? Si le fils ressemble au père, il est possible qu'ils soient trop semblables pour s'entendre vraiment.

J'ai bien vu qu'il ne mangeait pas sa truffe.

Lorsque je le lui ai fait remarquer, il a paru interdit. «Tu me connais, Yanne. Je ne suis pas très sucreries, moi!» Et j'ai eu droit à ce grand et large sourire qu'il réserve d'habitude aux moments où il parle d'Alain. Mais c'est très drôle quand on y pense. Thierry a une préférence très marquée pour les desserts et les entremets sucrés, mais il en éprouve un peu de honte comme si le seul fait d'avouer sa préférence pour le chocolat au lait allait jeter un doute sur sa virilité. Mes truffes sont trop noires, trop riches. Il se sent aliéné par leur goût amer.

Alors, je lui ai tendu un carré de chocolat au lait.

Je lui ai dit: «Allez, va! Je lis en toi comme dans un livre!»

À ce moment précis, Anouk est arrivée et, avec elle, est entré un parfum de feuilles mouillées. Elle était tout échevelée et tenait dans chaque main un cornet de châtaignes grillées. Depuis plusieurs jours, un homme en vendait au pied du Sacré-Cœur et Anouk avait pris l'habitude de lui en acheter chaque fois qu'elle passait. Aujourd'hui, elle débordait de vie. Avec sa parka rouge, son pantalon vert et cette masse de boucles toutes perlées de pluie, on aurait cru voir une décoration de Noël qui s'était égarée en route.

«Salut, jeune fille, a dit Thierry. Mais d'où viens-tu? Tu es toute trempée!»

Anouk l'a toisé de son air le plus adulte: «Je reviens du cimetière où je suis allée avec Jean-Loup et je ne suis *pas* trempée. Je porte une parka. Elle me protège de la pluie.»

Thierry s'est mis à rire : « Ah ! Tu es allée à la *nécropole* ? Sais-tu seulement ce que ce mot veut dire, Annie ?

– Bien sûr ! C'est la Cité des morts. » Anouk a toujours eu beaucoup de vocabulaire mais, au contact de Jean-Loup Rimbault, il s'est encore amélioré.

Thierry a fait une drôle de grimace. « Ce n'est pas un endroit un peu lugubre pour y rencontrer les copains ?

– Jean-Loup prenait des photos de chats au cimetière.

– Vraiment ? Eh bien, si vous voulez bien vous arracher à vos occupations, je vous emmène déjeuner à la Maison rose, j'ai retenu une table.

– Pour déjeuner ? Mais… le magasin ?

– Je m'en occuperai, a dit Zozie. Passez un bon après-midi !

– Alors, Annie, tu es prête ? » a demandé Thierry.

J'ai vu le coup d'œil qu'Anouk a jeté dans sa direction, un coup d'œil peut-être pas tout à fait de mépris mais de ressentiment, sans doute. Cela ne m'étonne pas. Il est plein de bonnes intentions, ce Thierry, mais son attitude envers les enfants est un peu dépassée. Anouk doit bien sentir que certaines de ses activités – ses courses avec Jean-Loup sous la pluie, les heures qu'elle passe au vieux cimetière où se rassemblent vagabonds et indésirables, les jeux bruyants qu'elle invente pour Rosette – ne sont pas tout à fait de son goût.

Il a ajouté : « Tu pourrais peut-être te mettre en robe ? »

Sur le visage d'Anouk, l'antipathie s'est faite plus évidente. « J'aime ce que je porte. »

Et moi aussi, je dois l'avouer. Dans cette ville où il est de bon ton de respecter une certaine élégance, Anouk ose faire preuve d'imagination. L'influence de Zozie se fait sentir peut-être. Les couleurs qui tranchent sont celles qu'elle préfère et elle a pris l'habitude de personnaliser ce qu'elle porte en y ajoutant un ruban, un badge, un galon de coton de couleur. Cela donne à sa tenue une sorte de franche exubérance que je ne lui ai pas vue depuis Lansquenet.

Peut-être est-ce sa façon à elle de retrouver cette époque de sa vie où tout était tellement plus simple. À Lansquenet, elle courait en toute liberté, errait toute la journée au bord de la Baïse, poursuivait d'interminables conversations avec Pantoufle, jouait aux pirates et au crocodile et causait la consternation à l'école.

C'était un autre monde là-bas. À l'exception des gitans de la rivière qui avaient très mauvaise réputation, et parfois même la conscience un peu élastique mais ne représentaient aucun danger, il ne passait aucun étranger à Lansquenet. Personne ne voyait la nécessité de fermer sa porte à clef dans un pays où les chiens eux-mêmes vous reconnaissaient.

Elle a déclaré : « Je n'aime pas les robes. »

Je sentais la désapprobation silencieuse de Thierry à côté de moi. Dans son monde à lui, les filles portent des robes. Il leur en avait d'ailleurs acheté plusieurs au cours des six derniers mois, dans l'espoir sans doute que je tiendrais compte de la suggestion.

Il me regardait maintenant les lèvres pincées. Je lui ai dit : « Tu sais, je n'ai pas vraiment faim. Si nous allions simplement faire une promenade et prendre un petit quelque chose dans un café en passant. Si nous allions au parc de la Turlure ? ou...

– Mais j'ai réservé une table ! »

Je n'ai pu me retenir de sourire devant son expression. Pour lui, les choses doivent se passer comme il les a prévues. Il y a une façon de les faire, de terminer les travaux au jour dit, de suivre les instructions. Une réservation de table ne peut être annulée. Alors que nous savons parfaitement bien que c'est dans un café-restaurant comme le P'tit Pinson qu'il se sent le plus à l'aise, aujourd'hui il a choisi la Maison rose et c'est pourquoi Anouk *doit* se mettre en robe. Voilà le genre de type qu'est Thierry, solide comme un roc, très prévisible dans ses réactions, et parfaitement conscient de savoir rester maître d'une situation. J'aimerais pourtant parfois qu'il ne soit pas si inflexible, qu'il se laisse aller à un peu plus de spontanéité.

« Tu ne portes pas ta bague », a-t-il remarqué.

Instinctivement, j'ai baissé les yeux vers mes mains et j'ai expliqué : « C'est parce que le chocolat se fourre partout.

– Oh, toi et ton chocolat ! »

Cette sortie-là n'a pas été des plus agréables. Le temps maussade y était peut-être pour quelque chose, ou la foule, ou le manque d'appétit d'Anouk, ou l'entêtement de Rosette à refuser de se servir de sa cuiller. J'ai vu les lèvres de Thierry se crisper de nouveau tandis qu'il observait Rosette ranger ses petits pois en spirale sur son assiette.

« Allons, Rosette, tiens-toi bien ! » a-t-il fini par s'exclamer.

Rosette, bien sûr, ne lui a prêté aucune attention et a poursuivi son jeu avec encore plus d'application.

« Rosette ! » a-t-il répété d'un ton plus sec.

Elle a continué sans se préoccuper de lui. À une table voisine une femme s'est retournée à son éclat de voix.

« Laisse donc, Thierry ! Tu sais comment elle est. Ne la regarde pas ! »

Exaspéré, Thierry s'est exclamé : « Mais enfin, quel âge a-t-elle donc ? Quatre ans bientôt ? » Et, le regard en feu, il s'est tourné vers moi. « Yanne, ce n'est pas normal. Il va falloir le reconnaître. Elle a besoin d'aide. Mais regarde-la, enfin ! » Il s'est retourné vers Rosette d'un air furieux. Elle mangeait un à un ses petits pois avec les doigts et semblait se concentrer intensément sur l'exercice.

Alors, il a tendu la main à travers la table pour saisir celle de Rosette qui l'a dévisagé avec effroi. « Allons, prends ta cuiller, Rosette, et tiens-la bien ! » Et il la lui a mise de force dans la main. Elle l'a immédiatement laissée tomber. Il l'a ramassée.

« Thierry !

– Non, Yanne. Il faut qu'elle apprenne. »

De nouveau, il a essayé de lui faire tenir la cuiller. Rosette a fermé son petit poing en signe de refus.

La scène commençait à m'agacer. « Écoute, Thierry. Pour Rosette, laisse-moi décider de ce qu'il faut.

– Aïe ! » Il s'est arrêté et a rapidement retiré la main qu'il tendait vers elle. « Elle m'a mordu, la sale gamine, oui, mordu ! »

Du coin de l'œil, j'ai cru apercevoir une vague silhouette fauve, un œil tout rond et une queue recourbée.

Rosette a fait le signe pour appeler : *Viens par ici !*

« Rosette, oh non. S'il te plaît ! »

« Bam ! » a dit Rosette.

« Oh non, pas ici, pas maintenant ! »

Je me suis levée pour quitter le restaurant. « Annie ! Rosette ! » J'ai regardé Thierry dont le poignet montrait des marques de petites dents. J'ai été saisie de panique. Un Accident dans le magasin, passe encore, mais en public, et devant tant de gens !

J'ai dit : « Je m'excuse mais il est temps qu'on rentre !

– Mais vous n'avez pas terminé votre repas ! »

Je l'ai vu hésiter entre colère et indignation et le terrible besoin de nous retenir pour se prouver à lui-même que tout allait bien, qu'il était capable de parer à la situation et de faire en sorte que ses intentions ne soient pas contrecarrées.

En prenant Rosette dans mes bras, j'ai expliqué : « Je ne peux pas rester ici. Je suis désolée. Il faut que je sorte.

– Yanne », a dit Thierry en m'attrapant par le bras. Mon indignation à l'idée qu'il avait osé se mêler de ma vie et de celle de mes enfants est retombée dès que j'ai surpris la tristesse de son regard.

« Je voulais tant que tout soit parfait, a-t-il murmuré.

– Je sais ! Ce n'est pas de ta faute, ne t'inquiète pas ! »

Il a réglé l'addition et nous sommes rentrés à pied. Il faisait déjà noir à quatre heures de l'après-midi et la lumière des réverbères se reflétait sur les pavés mouillés. Le silence était presque total. Anouk tenait Rosette par la main. Toutes deux avançaient en évitant soigneusement les intervalles entre les dalles du trottoir. Le visage figé, les mains enfoncées dans les poches, Thierry marchait sans dire un mot.

« Thierry, ne fais pas cette tête-là. Rosette n'a pas fait de sieste aujourd'hui et tu sais combien ça la perturbe. »

Je me demande s'il le sait vraiment. Son fils doit avoir maintenant dans les vingt ans. Il a sans doute oublié ce que c'est un jeune enfant, les crises, les larmes, le bruit, les multiples petites tâches... À moins que Sarah ne s'en soit occupée seule et ait laissé à Thierry toutes les choses agréables : matchs de football, promenades dans le parc, batailles de polochon, jeux multiples...

« Tu as oublié ce que c'est. La situation est assez difficile pour moi et tu l'aggraves en t'en mêlant ! »

Il s'est retourné vers moi, le visage tendu et blafard. « Je n'ai pas oublié autant que tu le crois. À la naissance d'Alain... » Il s'est brusquement interrompu. Je l'ai vu lutter pour reprendre son calme.

J'ai posé la main sur son bras : « Qu'est-ce qui ne va pas ? »

Il a secoué la tête. « Plus tard, a-t-il dit d'une voix enrouée d'émotion. Je t'en parlerai plus tard. »

Nous étions arrivés place des Faux-Monnayeurs. Je me suis arrêtée devant la porte du Rocher de Montmartre dont la nouvelle enseigne grinçait un peu au vent. J'ai pris une profonde respiration. L'air était glacé.

De nouveau, je me suis excusée. Il a haussé les épaules. Avec son pardessus de cachemire, il ressemblait à un ours grognon, mais l'expression de son visage s'était un peu adoucie.

Je lui ai dit : « Pour me faire pardonner, je t'invite à dîner à la maison et, après avoir couché Rosette, nous pourrons reparler de tout ça. »

Il a soupiré. « Bon, d'accord ! »

Et j'ai poussé la porte pour entrer.

À l'intérieur, il y avait un homme debout, un homme vêtu de noir et parfaitement immobile dont le visage m'était plus familier que le mien, un homme dont le sourire rare mais foudroyant comme un éclair, l'été, commençait à s'éteindre sur ses lèvres.

Roux.

CINQUIÈME PARTIE

L'AVENT

I

Le Jaguar

Samedi 1ᵉʳ décembre

Dès l'instant où il a franchi la porte du magasin, j'ai reconnu en lui un être dangereux, un fomentateur de troubles, un agitateur qui me ressemble comme un frère. Certaines personnes sont comme des bombes à retardement, vous savez. Cela se voit à leurs couleurs. Les siennes ont le bleu jaune de la flamme de la gazinière dangereusement baissée au maximum et qui, à tout moment, pourrait déclencher une explosion.

À le voir, vous ne le croiriez pas. Vous penseriez qu'il n'a vraiment rien de remarquable, que, tous les ans, Paris en dévore un million comme lui de ces types en jean et brodequins d'ouvriers qui se sentent à l'étroit dans la grande ville et que l'on paie de la main à la main. Je les reconnais au premier coup d'œil pour m'être trop souvent trouvée dans leur situation. Et si l'on essayait de me faire croire qu'il était entré pour acheter des chocolats, moi, je pourrais me faire passer pour sainte Bernadette.

J'étais perchée sur une chaise, occupée à suspendre un portrait – le mien, d'ailleurs, celui que Jean-Louis avait fait. Je l'ai entendu entrer – le carillon de la porte suivi du bruit de ses brodequins sur le plancher.

« Vianne ! » a-t-il appelé. Le ton de sa voix m'a forcée à me retourner. Et je l'ai vu. Un grand type roux, vêtu d'un jean et d'un tee-shirt noir, aux cheveux attachés derrière la nuque. Comme je l'ai dit, rien de remarquable.

Il y avait pourtant quelque chose en lui, un air vaguement familier. Son sourire éblouissant comme les Champs-Élysées la veille de Noël aurait suffi à le rendre extraordinaire. Cela n'a d'ailleurs duré qu'un instant car le sourire lumineux a fait place à la gêne lorsqu'il a compris son erreur.

Il a bredouillé : « Je vous demande pardon. Je vous avais prise pour… » Et il s'est brusquement interrompu. « Vous êtes la propriétaire ? » Il avait la voix ensoleillée, les *r* adoucis et les voyelles chantantes des gens du Midi.

J'ai répondu en souriant : « Non, seulement une employée. La propriétaire est Mme Charbonneau. Vous la connaissez ? »

Pendant un instant, il a semblé hésiter.

Je l'ai aidé : « Yanne Charbonneau !

– Ouais, je la connais !

– Eh bien, elle est sortie un moment mais je suis sûre qu'elle ne tardera pas.

– Je vais l'attendre, alors ! » Et il s'est assis à une table en continuant à tout inspecter autour de lui : tableaux, chocolats… – avec plaisir, je crois, et avec aussi un peu d'inquiétude comme s'il n'était pas certain de la réaction que son arrivée allait provoquer.

J'ai demandé : « Et vous êtes… ?

– Un ami, tout simplement. »

J'ai souri : « Je voulais savoir comment vous vous appeliez.

– Ah ! » J'étais maintenant tout à fait consciente de son malaise. Il avait enfoncé les mains dans ses poches pour cacher son ennui de ma présence qui allait déranger un plan bien trop compliqué pour qu'il le modifie.

« Roux », a-t-il fini par répondre.

J'ai pensé à cette carte postale signée R. Un nom ou un surnom ? Un surnom, sans doute. *En route vers le nord. Passerai vous dire bonjour si je peux.*

Maintenant, je savais où je l'avais vu. Sur la photo du journal de Lansquenet, à côté de Vianne Rocher.

« Ah, Roux, Roux de Lansquenet ? »

Il a hoché la tête.

« Annie n'arrête pas de parler de vous. »

En entendant cela, son visage s'est illuminé comme un arbre de Noël et j'ai commencé à comprendre ce que Vianne pouvait bien voir dans un homme comme lui. Pauvre Thierry, son visage à lui ne s'illumine jamais – sauf quand il allume un de ses cigares –, mais Thierry est riche, cela console d'à peu près tout.

«Mais installez-vous donc. Je vais vous préparer du chocolat chaud.»

Il a souri : «Mon favori.»

Je l'ai fait très concentré, avec de la cassonade et un peu de rhum. Il l'a bu et, de nouveau, s'est agité, allant d'une pièce à l'autre, inspectant casseroles, bocaux, moules et cuillers, tout l'équipement de notre chocolatière.

«Vous lui ressemblez beaucoup, a-t-il fini par déclarer.

– Vous trouvez?»

À vrai dire, je ne lui ressemble pas du tout mais j'ai remarqué que la plupart des hommes sont incapables de voir ce qui devrait leur crever les yeux. Un peu de parfum, de longs cheveux dénoués, une jupe rouge et des souliers à hauts talons – des trucs si simples qu'ils ne tromperaient pas même un enfant!... Un homme s'y laissera prendre à tous les coups pourtant.

«Ça fait combien de temps que vous n'avez pas vu Yanne?

– Trop longtemps! a-t-il répondu en haussant les épaules.

– Je vous comprends. Tenez, prenez donc une truffe.»

Et j'en ai posé une à côté de sa tasse, roulée dans la poudre de cacao pur, suivant une recette à moi, et marquée du signe du cactus, le signe de Xochipilli, le dieu de l'extase toujours prêt à délier les langues.

Mais il ne mangeait pas, se contentant de la faire rouler autour de la soucoupe encore et encore. Je croyais avoir déjà observé un geste semblable sans pouvoir dire chez qui. J'attendais qu'il se mette à bavarder comme, en général, les gens le font en ma présence. Mais il semblait tout à fait heureux de ne rien dire, de continuer son petit manège avec la truffe tout en regardant la rue où le jour tombait rapidement.

J'ai demandé : «Vous comptez rester à Paris?

– Ça dépend», a-t-il répondu avec un nouveau haussement d'épaules.

Il n'a pas semblé relever mon regard interrogateur alors j'ai demandé : «Cela dépend de quoi?»

Même geste des épaules et la réponse : «Rester toujours au même endroit est quelque chose qui m'ennuie vite!»

Je lui ai reversé du chocolat, une demi-tasse. Son mutisme plus proche de la maussaderie que de la discrétion commençait à m'agacer prodigieusement. Enfin, cela faisait presque une demi-heure qu'il était là. À moins d'avoir totalement perdu le don, j'aurais déjà dû savoir de lui tout ce qu'il y avait à savoir. Et ce faiseur d'ennuis, si vous en avez jamais vu, restait là, apparemment réfractaire à toutes mes avances.

Mon impatience commençait à grandir : il y avait chez cet homme un secret que je devais à tout prix découvrir. Je le devinais, mes cheveux se hérissaient de frustration sur ma nuque et pourtant...

Mais, enfin, réfléchis donc!

Une rivière. Un bracelet. Un petit chat porte-bonheur. Non, ce n'est pas tout à fait ça. Une rivière. Un bateau. Anouk et Rosette.

J'ai dit: «Mais vous n'avez pas goûté à votre truffe. Vous devriez essayer. C'est l'une de nos spécialités.

– Oh! Pardon!» Et il a pris la truffe entre ses doigts. Le signe de Xochipilli y brillait comme une invitation. Il l'a portée à ses lèvres mais son geste s'est interrompu. Il a froncé le sourcil en reconnaissant l'odeur du cacao, ce parfum âcre, sombre et basalmique, le parfum de la séduction.

Laisse-toi tenter.

Laisse-toi séduire!

Savoure-moi!

Je croyais déjà le tenir lorsque j'ai entendu le bruit de voix devant la porte. Il s'est levé brusquement et la truffe est tombée.

Le carillon a tinté. La porte s'est ouverte.

«Vianne!»

Alors, elle aussi s'est figée, les yeux écarquillés. Elle a pâli, elle a mis la main devant elle comme pour se protéger d'un choc terrible.

Ahuri, Thierry se tenait derrière elle. Il devinait que la situation n'était pas tout à fait normale mais il était trop absorbé par ses propres pensées pour en prendre vraiment conscience. À côté de Vianne, Rosette et Anouk sont apparues main dans la main. Rosette, le regard fixe, observait l'homme, fascinée. Le visage d'Anouk, lui, s'est éclairé soudain.

Roux, d'un coup d'œil, avait tout remarqué: l'homme, l'enfant, l'effarement sur le visage de Vianne, l'anneau qu'elle portait à son doigt. J'ai vu ses couleurs pâlir de nouveau et faiblir pour retourner à ce bleu blafard de la flamme de gaz à son minimum.

Il a dit: «Désolé! Je passais simplement, alors... tu sais... Avec mon bateau.»

J'ai bien vu qu'il n'avait pas l'habitude du mensonge. Le ton de désinvolture apparente qu'il avait adopté semblait forcé et il avait enfoncé profondément dans ses poches ses poings serrés.

Vianne, le visage sans expression, les yeux écarquillés, demeurait figée. Pas un geste. Pas un sourire. Simplement un masque sous lequel j'apercevais tout juste ses couleurs tourbillonner avec frénésie.

Anouk a sauvé la situation en poussant un hurlement de plaisir: «Roux!»

La tension a alors disparu. Vianne a fait un pas en avant et un sourire est lentement apparu sur son visage, un sourire où se mêlaient l'effroi, la joie forcée et autre chose encore que je ne reconnaissais pas tout à fait.

« Thierry, je te présente un vieil ami. » Elle rougissait adorablement maintenant et si on avait pu attribuer le ton de sa voix à une heureuse surprise à la rencontre d'un vieil ami, ses couleurs me révélaient tout autre chose. Ses yeux brillaient d'une lueur inquiète : « Roux. De Marseille. Thierry, mon… hum ! »

Ce mot qu'elle avait été incapable de prononcer était tombé entre eux comme une bombe.

« Roux, enchanté de faire votre connaissance ! »

Encore un menteur. L'antipathie que Thierry éprouve pour cet homme – cet intrus – est spontanée, irrationnelle, totalement viscérale. Sa façon de la cacher prend la forme d'une bonhomie terrible, semblable à celle qu'il adopte avec Laurent Pinson. Sa voix retentit comme celle d'un Père Noël de théâtre. Sa poignée de main fait craquer les jointures. Dans un instant, il va appeler *mon pote* cet homme qu'il ne connaît pas du tout.

« Alors, comme ça, vous êtes un ami de Yanne ? Pas dans la même branche de travail quand même ? »

Roux secoue la tête.

« Non, bien sûr ! » Thierry déploie son sourire le plus large tout en évaluant l'âge de cet homme, plus jeune que lui, et en comparant son potentiel à ce que lui peut offrir. Sa jalousie d'un instant disparaît. Je m'en aperçois à ses couleurs. Le gris ardoise de l'envie prend peu à peu chez lui l'éclat cuivré de la suffisance.

« Eh bien, mon pote, vous allez bien venir prendre un verre avec nous ? »

Je vous l'avais bien dit, non ?

« Qu'est-ce que vous diriez d'une ou deux p'tites bières ? Il y a justement un café au bas de la rue. »

Roux, de nouveau, secoue la tête. « Le chocolat me suffira, merci ! »

Thierry cache son mépris sous un sourire jovial et verse du chocolat – quel hôte accompli ! – mais sans quitter des yeux le visage de l'intrus.

« Et alors, vous êtes dans quel genre d'affaires ?

– Je ne suis pas dans les affaires !

– Vous faites quel boulot, alors ?

– Du simple boulot ! »

Maintenant, la gaieté de Thierry ne connaît plus de bornes. « Et vous disiez que vous viviez sur un bateau ? »

C'est Anouk qui confirme la chose. Roux, lui, se contente de hocher la tête. Il fait un sourire à Anouk – la seule qui semble sincèrement heureuse de le voir. Rosette continue à le contempler, fascinée.

Maintenant, ce qui ne m'avait pas frappée auparavant me paraît évident. Les traits encore mal dessinés de la petite frimousse de Rosette, les cheveux roux et les yeux gris-vert sont ceux de son père. Le caractère impénétrable et épineux aussi.

Personne d'autre que moi ne semble avoir remarqué la chose. Et Roux encore moins que tous, peut-être. Je devine que le léger retard dans le développement physique et mental de Rosette le trompe et lui fait penser qu'elle est beaucoup plus jeune qu'elle ne l'est.

« Vous allez rester longtemps à Paris ? » demande Thierry qui ajoute goguenard : « Y'en a qui pensent que nous avons déjà trop de *boat people* ici ! » Et il rit encore, un peu trop fort d'ailleurs.

Roux le dévisage d'un regard sans expression.

« Enfin, si vous êtes à la recherche d'un p'tit boulot, j'aurais besoin d'aide pour rénover mon appartement de la rue de la Croix. » Et de la tête, il en indique la direction. « Bel appart, et spacieux, mais je veux le refaire : plâtres, parquets, tapisseries, peintures. J'espère bien pouvoir terminer dans les trois semaines à venir. Je ne veux pas que Yanne et les gamines aient à passer un autre Noël dans ce trou ! »

Et, d'un bras protecteur, il entoure les épaules de Vianne qui se dégage immédiatement avec un air consterné.

« Vous avez sans doute deviné que nous allons nous marier bientôt ?

– Toutes mes félicitations !

– Vous aussi, vous êtes marié ? »

Roux secoue la tête. Pas une trace d'émotion ne paraît sur son visage. À peine une petite lueur dans ses yeux. Pourtant ses couleurs flamboient avec une violence qu'il ne peut contenir.

« Enfin, si vous décidez d'essayer, surtout n'hésitez pas à venir me voir. Je pourrais vous dénicher un p'tit pavillon. Avec un demi-million, on peut quelquefois tomber sur q'que chose de pas mal du tout !

– Désolé, je dois filer ! »

Anouk proteste : « Mais tu viens d'arriver ! » Elle décoche à Thierry un regard furieux. Lui ne remarque rien. L'antipathie qu'il éprouve pour Roux est instinctive plutôt que raisonnée. Devant l'évidence il est aveugle et, pourtant, il soupçonne l'intrus de *quelque chose*. Cet homme n'a rien dit, ni rien fait, de répréhensible mais il est tout simplement du genre à *ça*.

Du genre à quoi ? Vous savez ! Rien à voir bien sûr avec ses vêtements de mauvaise qualité, ses cheveux trop longs, ni son manque d'aisance en société. Non, c'est autre chose. Son air pas très catholique, l'air de celui qui sort des milieux mal famés de la société, le genre de type à commettre n'importe quel acte criminel, à forger une carte de crédit, à ouvrir un compte en banque sans plus de preuve d'identité qu'un permis de conduire volé, à obtenir un faux acte de naissance, ou même un passeport, pour un individu mort depuis des années, à enlever un enfant à sa mère et à disparaître avec sa proie comme le joueur de flûte de Hamelin en ne laissant derrière lui que des questions sans réponse.

Comme je l'ai dit…

Un homme qui me ressemble comme un frère.

2

La Lune montante

Samedi 1ᵉʳ décembre

Eh bien ça, alors. Pour une surprise, ç'a été une surprise! Il était là dans le magasin comme s'il ne s'était absenté que pour l'après-midi, pas pour quatre longues années, quatre anniversaires, quatre Noëls sans même envoyer un petit mot – ou presque –, sans une visite, et soudain…

«Roux!»

J'aurais voulu lui dire que je n'étais pas contente du tout de son long silence. Je le voulais certainement mais je n'ai pas réussi. C'est ma voix qui m'a trahie vraiment – j'ai crié son nom bien plus fort que je ne l'avais prévu.

Il a dit: «Eh bien, Nanou, tu es maintenant presque une jeune fille!»

Il y avait une sorte de tristesse dans sa voix comme s'il regrettait la chose. À part cela, c'était le même bon vieux Roux – cheveux plus longs, brodequins plus propres, vêtements un peu différents peut-être –, toujours le même, les épaules légèrement voûtées, les mains dans les poches comme il le fait quand il voudrait être ailleurs mais toujours souriant pour bien me faire comprendre qu'il ne m'en voulait pas, que si Thierry ne s'était pas trouvé là, il m'aurait soulevée dans ses bras et fait tourner à toute vitesse comme il le faisait autrefois à Lansquenet.

«Non, pas tout à fait une jeune fille. Je n'ai que onze ans et demi.

– À onze ans et demi, à mon avis, on est déjà une jeune fille. Et comment s'appelle cette petite étrangère?

– Rosette!

– Eh bien, bonjour Rosette!» a dit Roux en lui faisant un petit *coucou* de la main. Elle n'a pas fait un geste pour répondre au sien, pas de signe du tout. Elle est souvent comme ça avec les inconnus. Elle s'est contentée de le dévisager de ses grands yeux de chat jusqu'à ce que Roux détourne son regard.

Thierry lui a offert du chocolat – Roux a toujours aimé le chocolat. Du moins, autrefois il l'aimait. Il l'a pris noir avec du sucre et du rhum. Pendant ce temps-là, Thierry lui a parlé de ses affaires, de Londres, de la chocolaterie et de l'appartement.

Oh, oui, le fameux appartement! Il paraît que Thierry le refait, le rénove pour qu'il soit formidable quand nous allons y emménager. C'est ce qu'il a promis devant Roux. Il paraît qu'il y aura une chambre pour Rosette et moi avec une nouvelle tapisserie et qu'il a bien l'intention que tout soit terminé pour Noël de façon que *ses* filles y soient à l'aise.

Pourtant, malgré tout ce qu'il a promis, il y avait quelque chose de méchant en lui. Il souriait mais ses yeux, eux, ne souriaient pas. Il était comme Chantal quand elle nous parle de son nouvel iPod, de ses chaussures neuves, de son dernier ensemble, de son bracelet de chez Tiffany et que moi, je suis là, comme une imbécile, à l'écouter.

Roux aussi restait là, sans réaction, commotionné.

Quand Thierry s'est enfin tu, Roux a dit : «Écoutez, je dois filer maintenant. Je passais comme ça, alors j'ai voulu voir comment vous alliez.»

Moi, j'ai pensé : *Sacré menteur! Tu as pris soin de nettoyer tes brodequins.*

«Où logez-vous?

– J'ai mon bateau.»

Je comprends parfaitement. Il a toujours eu une passion pour les bateaux. Je me souviens de celui qu'il avait à Lansquenet, celui qui a brûlé. De l'expression de son visage aussi, cette expression que l'on a quand, après avoir travaillé dur pour quelque chose, quelqu'un de méchant vous le prend.

J'ai demandé : «Où est-il?»

Il a répondu : «Sur la rivière.»

J'ai dit : «Que je suis bête alors, quelle question!» Ç'aurait dû le faire sourire. Alors je me suis rendu compte que je ne l'avais pas encore embrassé, que je ne m'étais pas même précipitée dans ses bras et je me suis sentie coupable. Si je le faisais maintenant, ce serait comme si cela m'était juste venu à l'esprit mais qu'au fond je n'en avais pas vraiment envie.

Alors, je lui ai pris la main, une main rude et rêche d'ouvrier. J'ai bien vu qu'il en a été surpris, et puis, il m'a souri.

« Je voudrais bien le voir.

– Tu le verras peut-être !

– Est-il aussi beau que l'autre ?

– Ça, tu en jugeras toi-même !

– Quand ? »

Il a eu un haussement d'épaules.

Maman m'a regardée de cet air qu'elle prend quand elle n'est pas contente du tout mais qu'elle ne veut rien dire devant les autres. Elle a bredouillé : « Je suis vraiment désolée, Roux ! Si seulement tu nous avais prévenues. Je ne m'attendais pas à ta visite ! »

Il a répondu : « J'ai écrit. Je t'ai envoyé une carte !

– Je ne l'ai pas reçue !

– Ah ! » J'ai bien vu qu'il ne la croyait pas et je savais qu'elle non plus ne le croyait pas. De tous les gens du monde, Roux est sûrement celui qui déteste le plus écrire. Il en a toujours l'intention mais ne se décide jamais à commencer. Et il n'aime pas le téléphone non plus. Au lieu de cela, il nous envoie de petites choses : une feuille de chêne sculptée par lui dans le bois au bout d'un cordonnet, un galet aux rayures étranges qu'il a ramassé, un livre avec un petit mot parfois, le plus souvent sans rien du tout.

Après un coup d'œil vers Thierry, il a répété : « Je dois filer. »

Ouais, d'accord. À qui veut-il faire croire qu'il a rendez-vous quelque part ? Roux ne fait jamais que ce qu'il veut et ne permet à personne de lui dire que faire. « Je repasserai ! »

Sacré menteur, va !

La colère m'a envahie si brutalement que j'ai presque dit à haute voix ce que j'avais dans la tête. *Pourquoi es-tu revenu, Roux ? Pourquoi as-tu pris la peine de revenir ?*

C'est ce que je lui ai demandé dans mon imagination comme je l'avais fait le premier jour où j'avais parlé à Zozie à la porte de la chocolaterie.

J'ai ajouté : *Tu prends la fuite, grand lâche !*

Zozie m'a entendue. Elle m'a regardée. Roux, lui, s'est contenté d'enfoncer les mains encore plus profondément dans les poches de son pantalon. Il a ouvert la porte et, sans faire un geste pour dire au revoir, il est parti et s'est éloigné sans même jeter un regard en arrière. Alors, Thierry est sorti sur ses talons comme le chien de garde reconduit un intrus. Je savais que Thierry n'était pas du genre à en venir aux mains avec Roux mais la seule pensée de cette possibilité m'a amené les larmes aux yeux.

Maman s'apprêtait à sortir à leur poursuite mais Zozie l'en a empêchée.

Elle a dit: «J'y vais. N'ayez pas peur. Attendez ici avec Rosette et Nanou.»

Et, à son tour, elle a disparu dans la nuit noire.

Maman a dit: «Monte, Nanou, je vous rejoindrai dans un instant.»

Alors, nous sommes montées toutes les deux et nous avons attendu. Rosette s'est endormie. Peu de temps après, j'ai entendu Zozie monter et, quelques minutes plus tard, Maman est montée à son tour sur la pointe des pieds pour ne pas nous réveiller. Alors, je me suis assoupie, moi aussi, au bout d'un moment mais les craquements du plancher dans la chambre de Maman m'ont fait ouvrir les yeux une fois ou deux encore. Je devinais qu'elle était là, toujours éveillée, assise dans l'obscurité près de la fenêtre, qu'elle écoutait le vent en souhaitant qu'une fois, rien qu'une toute petite fois, il nous oublie un peu.

3

Le Soleil noir

Dimanche 2 décembre

Hier soir, ils ont allumé les décorations de Noël. Le quartier tout entier est illuminé. Pas de couleurs. Du blanc simplement. Une dentelle d'étoiles au-dessus de la ville. Place du Tertre où sont les artistes, ils ont installé la crèche avec le bébé tout souriant dans la mangeoire, sur la paille, avec ses parents émerveillés qui le contemplent et les rois mages avec leurs offrandes. Rosette, fascinée, ne se lasse pas d'aller la voir.

Elle fait le signe pour *bébé* et un autre pour *veux voir le bébé*. Elle est déjà allée deux fois le voir avec Nico, une fois avec Alice, je ne sais plus combien de fois avec Zozie, avec Jean-Louis et Paupaul aussi et, bien entendu, avec Anouk, presque aussi fascinée par cette scène de famille que Rosette elle-même, semble-t-il, et qui inlassablement lui répète l'histoire du bébé – qui, d'ailleurs, dans sa version a changé de sexe – né dans une étable, une nuit d'hiver, alors qu'il neigeait, ce bébé que les rois mages et les animaux de la ferme étaient venus admirer, ce bébé si merveilleux qu'une étoile étonnée en avait suspendu sa course pour mieux le regarder.

« Parce que ce bébé-là était *spécial*, explique Anouk à la grande joie de Rosette. Oui, *spécial*, comme toi ! Et bientôt, ce sera ton anniversaire à toi aussi. »

Avent. Aventure. Les mots suggèrent l'approche d'un événement extraordinaire. Je n'avais jamais auparavant fait le rapprochement. Je ne m'étais jamais préoccupée non plus du calendrier grégorien.

Je n'avais jamais fait carême, ni pénitence. Je ne m'étais jamais confessée.

Enfin, *presque* jamais.

Quand Anouk était petite, nous fêtions le solstice d'hiver. Nous allumions de grands feux pour combattre l'obscurité. Nous tressions des guirlandes de gui et de houx. Nous buvions du cidre chaud avec de la cannelle et des clous de girofle. Nous chantions et trinquions à la santé de tous et nous grignotions des châtaignes grillées en plein air sur un feu de bois.

Et puis Rosette est née, et les choses ont de nouveau changé. Plus de guirlandes, de bougies ni d'encens. Aujourd'hui, nous allons à l'église, nous achetons plus de cadeaux que nous pouvons nous le permettre, nous les disposons au pied d'un sapin artificiel et nous regardons la télévision en nous inquiétant de la durée de cuisson de la dinde. Les décorations de Noël ressemblent peut-être à des étoiles mais, si vous y regardez de près, vous verrez qu'elles sont fausses et que de lourds faisceaux de câbles électriques, seuls, permettent de les tendre à travers les rues étroites. La magie a disparu de ce Noël-là. *Est-ce vraiment ce que tu désirais, Vianne?* interroge cette voix sèche qui résonne dans ma tête et me rappelle celle de ma mère, celle de Roux, celle de Zozie un peu aussi, peut-être, cette voix qui me rappelle la femme que j'étais autrefois, et dont la patience est pour moi une sorte de reproche.

Mais cette année, tout sera différent. Thierry adore les Noëls traditionnels : l'église, l'oie, la bûche au chocolat. Ce sera l'occasion non seulement de célébrer la période des fêtes mais aussi tout ce que nous avons déjà partagé ensemble et que nous continuerons à partager.

Aucune magie là-dedans bien sûr. Mais faut-il le regretter ? Cela promet au moins le confort, la sécurité, l'amitié, la tendresse… Cela ne devrait-il pas nous suffire ? N'avons-nous pas eu notre part du reste ? Nourrie, dès l'enfance et pendant toute ma vie, de contes et d'histoires, pourquoi m'est-il si difficile de croire à *et ils vécurent heureux jusqu'à la fin des temps*? Pourquoi, alors que je sais très bien où il me mènera, pourquoi rêvé-je encore de suivre le dangereux joueur de flûte ?

J'ai envoyé Anouk et Rosette se coucher et je suis partie à la recherche de Roux et de Thierry. Trois, cinq minutes au plus, s'étaient peut-être écoulées depuis leur sortie mais, en m'enfonçant parmi la foule qui encombrait encore les rues, je devinais que Roux aurait déjà disparu dans le dédale des ruelles de Montmartre. Pourtant, je devais quand même essayer de le retrouver. J'ai commencé par le

Sacré-Cœur. Là, au milieu des groupes de touristes et de visiteurs, j'ai aperçu la silhouette familière de Thierry. Les mains dans les poches, la tête en avant comme un coq de combat, il s'acheminait vers la place Dalida.

Alors, j'ai ralenti. J'ai pris le tournant à gauche pour remonter une rue pavée qui menait à la place du Tertre. Toujours rien. Roux avait disparu, c'était évident. D'ailleurs, pourquoi serait-il resté ? Je me suis pourtant attardée encore un peu. Devant moi s'étendait la place. Je frissonnais – j'avais oublié de mettre mon manteau – tout en prêtant l'oreille aux rumeurs d'une nuit de décembre à Montmartre. La musique des cabarets au pied de la Butte, les rires et les bruits de pas, les voix d'enfants autour de la crèche là-bas, la mélodie plaintive du saxophone d'un musicien des rues, les bribes de conversation apportées par le vent.

C'est son immobilité parfaite qui a fini par attirer mon attention. À Paris, la foule s'agite avec la frénésie d'un banc de poissons. Qu'un seul s'arrête, même une seconde, et il sera avalé par un plus gros. Lui restait là, figé, immobile, presque invisible dans la lumière rouge du néon de l'enseigne bigarrée d'un café. Il attendait, silencieux. Il attendait quelqu'un. Moi.

Alors, j'ai couru vers lui. Traversant la place, je me suis jetée sur sa poitrine. J'ai bien cru un instant qu'il n'allait pas répondre à mon élan. Je le sentais tendu de tout son corps. Un pli profond lui barrait le front. Dans cette lumière dure, c'était un étranger qui se trouvait devant moi.

Il m'a pourtant entourée de ses bras, d'abord, sans grand enthousiasme, ai-je pensé, puis avec un emportement qui contredisait ses paroles : «Tu ne devrais pas être ici, Vianne!»

Son épaule gauche offre pour ma tête un creux parfait. Je l'ai tout de suite redécouvert. Il sentait bon la nuit, le bois de cèdre, l'huile de moteur et le patchouli, le chocolat, le goudron et la laine, ce parfum unique qui est le sien, aussi familier et éphémère qu'un rêve qui vous hante nuit après nuit.

«Je sais!»

J'étais bien incapable pourtant de me détacher de lui. Un mot, un avertissement, un simple froncement de sourcil aurait suffi. *Je me suis fait une vie avec Thierry maintenant. Ne me la gâte pas!* Essayer de suggérer autre chose aurait été ridicule, cruel et, dès le départ, condamné à l'échec. Et pourtant…

«Je suis content de te voir, Vianne!» Sa voix était douce et cependant curieusement lourde de tension maîtrisée.

J'ai souri : «Moi aussi! Mais pourquoi maintenant, dis-moi? Après si longtemps?»

Un haussement d'épaules de sa part peut exprimer bien des choses : l'indifférence, le mépris, l'ignorance, la plaisanterie même. Celui-là, en tout cas, a délogé ma tête du creux où elle était si bien. Il m'a brutalement ramenée à la réalité.

«Si je te le disais, cela changerait-il vraiment la situation?

— On ne sait jamais!»

De nouveau, il a haussé les épaules : «Aucune raison! Es-tu heureuse ici?

— Mais bien sûr! C'est la réalisation de mes rêves : une chocolaterie, une maison, des écoles pour les petites tous les jours, devant ma fenêtre la même vue rassurante, et Thierry…

— Je ne t'imaginais pas voulant t'établir ici. Je pensais que, si je te donnais du temps, un jour, tu re…

— Un jour, je ferais quoi? Je me résignerais? J'abandonnerais mes rêves? Je choisirais de passer le reste de ma vie à errer jour après jour, de village en village comme tu le fais, toi, et les autres rats de la rivière?

— Mieux vaut vivre en liberté comme un rat qu'en cage comme un oiseau!»

Il commençait à perdre son calme. La voix était encore douce mais l'accent du Midi se faisait plus prononcé, comme chaque fois qu'il est agacé. J'ai soudain compris que mon intention était peut-être de le mettre en colère justement, de provoquer peut-être un affrontement à la suite duquel nous n'aurions ni l'un ni l'autre plus de choix. Imaginer cette possibilité m'était douloureux, c'était peut-être la vérité pourtant. Peut-être le devinait-il lui-même? Il m'a soudain regardée dans les yeux et a souri.

«Et si je te disais que j'ai changé?

— Tu n'as pas changé!

— Qu'en sais-tu?»

Oh! J'en suis bien certaine! Cela me faisait mal de voir à quel point *lui* n'avait pas changé alors que moi… Ce sont mes enfants qui m'ont transformée. Finie l'époque où je pouvais n'en faire qu'à ma tête! Ce que je désire maintenant est…

«Je suis heureuse de te voir, Roux, heureuse que tu sois venu, mais c'est trop tard, j'ai fait ma vie avec Thierry qui est vraiment très gentil quand on le connaît. Il a tant fait pour Anouk et Rosette!

— Et tu l'aimes?

— Roux, comment peux-tu…?

— Je te demande si tu l'aimes.

– Bien sûr!»

Ce geste des épaules, ce mépris encore quand il a laissé tomber : «Alors, mes félicitations, Vianne!»

Je ne l'ai pas retenu. Qu'aurais-je pu faire d'autre? Je me suis dit qu'il reviendrait, qu'il devait revenir. Il ne l'a pas encore fait pourtant. Pas d'adresse. Pas de numéro de téléphone. D'ailleurs, que Roux possédât un téléphone m'étonnerait bien. Il n'a jamais eu de poste de télévision non plus à ma connaissance. Il dit toujours qu'il préfère regarder le ciel, que là, le spectacle ne l'ennuie jamais et que le déjà-vu y est inconnu.

Je me demande où il a trouvé à se loger. Il a parlé à Anouk d'un bateau. Une péniche, sans doute, remontant la Seine en transportant des marchandises. Ou un autre rafiot quelconque construit pour la navigation fluviale – s'il a pu en dénicher un à son prix! Une vieille carcasse de bateau, peut-être, sur laquelle il travaille entre deux petits boulots et qu'il remet à neuf pour la faire sienne. En ce qui concerne les bateaux, Roux est d'une patience infinie. Ce n'est pas la même chose avec les êtres humains!

«Roux, va-t-il revenir aujourd'hui?» a demandé Anouk au petit déjeuner. Elle a attendu jusqu'au matin pour parler. Elle parle rarement sous le coup d'une impulsion. Elle passe et repasse ce qu'elle va dire dans sa tête. Elle réfléchit puis s'exprime prudemment, avec une certaine solennité, comme le détective de vieux films policiers à la télé au moment de dévoiler le nom du coupable.

J'ai répondu : «Je ne sais pas. C'est à lui de décider.

– Mais tu n'as pas envie qu'il revienne, toi?» L'un des traits les plus caractéristiques d'Anouk a toujours été sa ténacité.

J'ai poussé un soupir : «C'est difficile à dire!

– Pourquoi? Tu ne l'aimes plus?» Je sentais le reproche dans sa voix.

«Mais si, Anouk. Ce n'est pas ça!

– Alors, c'est quoi?»

Sa question m'a presque fait rire. À entendre Anouk, les situations sont toujours très claires. Comme si notre vie n'était pas un château de cartes, comme si chaque choix n'exigeait pas d'être fait, chaque décision prise en tenant soigneusement compte d'une multitude d'autres, le tout maintenu dans un équilibre précaire, de plus en plus précaire, et toujours prêt à s'écrouler.

«Écoute, Nanou. Je sais que tu aimes beaucoup Roux. Je l'aime beaucoup moi aussi mais tu dois te souvenir que...» Je ne trouvais pas les mots. «Roux n'en fait toujours qu'à sa tête. Il a toujours été comme ça. Il ne reste jamais longtemps dans le même endroit. Comme il vit seul, cela n'a aucune importance. Nous trois, par contre, il nous faut plus que ça.

– Si nous habitions avec Roux, il ne vivrait plus seul», a déclaré Anouk d'un ton très raisonnable.

Cela m'a fait rire mais d'un rire bien douloureux. Roux et Anouk se ressemblent tellement. Tous d'eux ne pensent qu'en termes d'absolu. Tous deux restent secrets, tenaces et terriblement lents à pardonner.

J'ai essayé de lui expliquer. «Roux aime la solitude. Il passe toute l'année sur la rivière. Il dort en plein air. Il se sent prisonnier dans une maison. Nous ne pourrions pas mener une vie pareille, Nanou. Il en est conscient, et toi aussi, n'est-ce pas?»

Elle m'a lancé un coup d'œil sombre, un coup d'œil de juge: «Thierry le déteste. Je sais ça!»

Après la scène d'hier soir, il n'était pas difficile de penser qu'avec la voix retentissante qu'il avait adoptée et sa méchante gaieté de troll, son mépris évident et sa jalousie n'étaient plus un secret pour personne. Je me disais pourtant que ce n'était pas là le comportement habituel du vrai Thierry, que quelque chose avait dû le froisser. La scène à la Maison rose peut-être?

«Tu ne le connais pas, Nanou!

– Thierry non plus ne nous connaît pas!»

Elle est remontée dans sa chambre, un croissant dans chaque main, avec l'air de quelqu'un qui n'a pas terminé la conversation et se promet bien de la reprendre plus tard. Moi, je suis retournée dans la cuisine pour y faire du chocolat. Je me suis assise et je l'ai regardé refroidir. Je rêvais de Lansquenet en février, des mimosas en fleur sur les bords de la Tannes, des gitans de la rivière avec leurs longues péniches étroites amarrées si serrées les unes contre les autres qu'elles formaient un véritable pont sur l'onde.

Un homme, assis tout seul sur le toit de la sienne, contemplait la rivière. Il ne semblait pas vraiment différent des autres. Pourtant, j'avais deviné tout de suite qu'il l'était. Certains êtres semblent inondés de lumière. Roux est de ceux-là. Et même aujourd'hui, après tout ce temps, je me sens encore attirée par cette lumière. Sans Anouk et Rosette, je l'aurais sans doute suivi hier soir. Il y a, après tout, pire que la pauvreté. Mais mes enfants méritent mieux. Voilà pourquoi je suis toujours ici. Je ne peux pas me permettre de remonter le temps, de redevenir la Vianne Rocher de Lansquenet. Pas même pour Roux. Pas même pour moi.

Quand Thierry est entré, j'étais toujours assise. À neuf heures du matin, il faisait encore très sombre. Dehors, j'entendais le bruit assourdi de la circulation lointaine et le carillon de la petite église de la place du Tertre.

Il s'est assis en face de moi. Son pardessus était tout imprégné de l'odeur de son cigare et du brouillard parisien. Pendant une trentaine de secondes, il n'a rien dit, puis il a avancé la main sur la table et en a couvert la mienne.

« Je te demande pardon pour hier soir... »

J'ai soulevé ma tasse pour en inspecter le fond. Une peau plissée flottait à la surface du chocolat froid. J'avais sans doute laissé le lait bouillir. Quelle étourderie !

« Yanne ! »

Je l'ai regardé.

« Je m'excuse. J'étais tendu. J'aurais voulu que tout soit parfait. Je voulais vous emmener au restaurant toutes les trois et, une fois arrivés, vous parler de l'appartement, vous raconter comment j'avais réussi à obtenir une date pour le mariage – et imagine ça ! – à l'église même où mes parents se sont épousés, en mil...

– Quoi ? »

Il m'a pressé la main. « Oui, c'est fixé. Ce sera dans sept semaines, à Notre-Dame-des-Apôtres. Un couple a annulé sa réservation et je connais bien le prêtre, j'ai fait un p'tit boulot pour lui, il y a quelque temps déjà.

– Mais de quoi parles-tu ? Tu veux jouer au patriarche avec mes enfants. Tu te montres franchement impoli envers un ami à moi. Tu déguerpis sans un mot d'explication et maintenant tu t'attends à me voir sauter de joie à l'idée d'un appartement et de préparatifs de mariage ! »

Il a eu un grand sourire triste : « Excuse-moi si je ris. Je n'en ai pas vraiment envie mais tu n'as décidément pas encore l'habitude de ton portable, hein ?

– Quoi ?

– Allume ton portable ! »

Je l'ai allumé. J'y ai trouvé un message de Thierry passé la veille, à huit heures et demie : *Ma seule excuse : t'aime tant. À demain, 9 h. Thierry.*

« Ah ! »

Il m'a pris la main : « Je m'excuse vraiment pour hier soir et ce copain à vous.

– Roux ! »

Il a hoché la tête. «Je sais que cela doit te paraître ridicule mais le voir ici avec toi, entendre Anouk lui parler comme s'il vous connaissait depuis des années m'a fait réaliser tout ce que j'ignore de toi, tous ces gens que tu as connus, ces hommes que tu as aimés...»

Je l'ai regardé, surprise. Thierry a toujours manifesté une indifférence remarquable en ce qui concerne mon passé. Ce manque de curiosité est l'une des choses qui m'ont toujours attirée chez lui.

«Il a le béguin pour toi. Même moi, je suis capable de voir ça!»

J'ai poussé un soupir. Cela finit toujours comme ça, par des questions, des interrogatoires – toujours menés avec les meilleures intentions du monde mais lourds de soupçon.

D'où venez-vous? Où allez-vous? Alors, vous avez de la famille dans le pays?

Je croyais pourtant qu'il existait un accord entre Thierry et moi. Je ne lui parle jamais de son divorce. Lui ne me questionne pas sur mon passé. Et cela marche – ou plutôt, cela marchait jusqu'à hier.

J'ai pensé avec amertume : *Roux, tu as bien choisi ton moment.* Mais je me suis dit que Roux était comme ça, précisément. Maintenant, la voix dans ma tête me harcèle comme le vent. *Vianne, ne te berce pas d'illusions. Tu ne peux pas passer ici le reste de ta vie et tu te leurres si tu te penses bien à l'abri dans ta petite maison de paille. Comme le loup du conte, je sais très bien, moi, qu'il n'en est rien.*

Je suis entrée dans la cuisine pour préparer un autre chocolat. Thierry m'a suivie. Avec son grand pardessus, il se heurtait maladroitement aux tables et aux petites chaises de Zozie.

J'ai râpé le chocolat dans la casserole et j'ai commencé à lui expliquer : «Tu veux que je te raconte comment j'ai connu Roux? Eh bien, voilà. Je l'ai rencontré à l'époque où j'étais dans le Midi. Pendant quelque temps, j'ai tenu une chocolaterie dans un village du Sud-Ouest. Lui vivait sur une péniche. Il se déplaçait de ville en ville à la recherche de petits boulots. Il se faisait tour à tour menuisier, charpentier, couvreur et ouvrier agricole pour la cueillette des fruits. Il a fait quelques petits travaux pour moi. Voilà quatre ans que je ne l'ai pas revu. Tu es satisfait?»

Il a paru tout interdit. «Yanne, je te demande pardon. C'est ridicule de ma part. Ce n'était certainement pas mon intention de te faire subir un interrogatoire. Je te promets que cela ne se reproduira plus!

– Je n'aurais jamais cru que tu serais jaloux! ai-je dit en ajoutant au chocolat chaud une gousse de vanille et une pincée de noix de muscade râpée.

– Je ne suis pas jaloux! a protesté Thierry. Et pour te le prouver...» Il m'a saisie par les épaules pour me forcer à le regarder. «Écoute, Yanne.

C'est un ami à toi, n'est-ce pas ? Il a besoin d'argent. Comme j'ai vraiment l'intention de terminer les travaux dans l'appartement avant Noël et qu'il est pratiquement impossible de trouver de la main-d'œuvre à cette époque-ci de l'année, j'ai eu l'idée de lui proposer de l'embaucher. »

Je l'ai regardé incrédule : « Tu as fait ça ? »

Il a eu un sourire : « C'était une sorte de pénitence, une façon de te prouver que le jaloux d'hier soir n'est pas le vrai moi. Et il y a quelque chose d'autre... » Il a sorti alors un petit paquet de la poche de son pardessus. « Un tout petit quelque chose. Je voulais en faire un cadeau de fiançailles mais... »

Les petits quelque chose de Thierry sont toujours extravagants : quatre douzaines de roses, un bijou de Bond Street, un foulard de chez Hermès. Un tantinet conventionnels, peut-être, mais bien typiques. Prévisible Thierry.

« Oui ? »

Le paquet était tout petit, presque aussi mince qu'une enveloppe de sécurité. Je l'ai ouvert. Dans une pochette de carton, il contenait quatre billets d'avion, en première classe, pour New York, datés du 28 décembre.

Je les ai regardés sans comprendre.

Il a dit : « Tu verras, tu aimeras New York. C'est le meilleur endroit de la planète pour passer le Nouvel An. J'ai retenu des chambres dans un hôtel splendide. Les petites adoreront cela. Il y aura de la neige, de la musique, des feux d'artifice. » Il m'a prise dans ses bras et il m'a serrée frénétiquement. « Oh, Yanne. Je suis si impatient de te montrer New York ! »

Je connais déjà New York à dire vrai. C'est là que ma mère est morte, dans une rue pleine de monde, devant une épicerie italienne, un 4 juillet. Ce jour-là le soleil brillait et il faisait chaud. Mais, en décembre, il fera froid. Il y a des gens qui meurent de froid en décembre à New York.

« Mais je n'ai pas de passeport ! Enfin, j'en avais un mais...

– Il est périmé ? Je vais m'en occuper ! »

Ce n'est pas tout à fait ça, c'est bien plus embêtant qu'un passeport périmé : un passeport à un autre nom – celui de Vianne Rocher. Mais comment le lui dire ?

Comment lui avouer que la femme dont il est amoureux est quelqu'un d'autre ?

Mais comment le lui cacher maintenant ? La petite scène d'hier soir a été instructive : ce que fait Thierry n'est pas toujours aussi prévisible que je le pensais. Le mensonge est une herbe folle dont on ne peut se débarrasser. À moins de pouvoir la contrôler dès le début, elle envahit tout, se propage, dévore et étouffe tout pour ne laisser derrière elle qu'un enchevêtrement stérile et sec.

Il était debout près de moi. Ses yeux bleus brillaient d'inquiétude – ou peut-être de toute autre chose. De lui se dégageait une odeur vaguement réconfortante de sève de pin, d'herbe fraîchement coupée, de pain frais ou de vieux livres. Il s'est rapproché encore et m'a entourée de ses bras. J'avais la tête sur son épaule – mais où donc se cachait ce petit creux qui semblait n'être fait que pour moi ? Je me sentais tellement bien dans cette odeur familière et rassurante. Pourtant, cette fois, je percevais de l'électricité entre nous comme si deux fils sous tension allaient brusquement entrer en contact.

Ses lèvres ont touché les miennes. Cette étincelle encore. Mi-plaisir, mi-révulsion. Une décharge d'électricité statique – je me suis surprise à penser à Roux. *Non, mon Dieu, pas maintenant!* Et je me suis dégagée de ce long baiser.

« Écoute, Thierry, je dois t'expliquer… »

Il m'a regardée : « M'expliquer quoi ?

– Le nom sur mon passeport, le nom que je vais être obligée de donner au secrétariat de la mairie… » J'ai pris une profonde inspiration. « Eh bien, ce n'est pas celui sous lequel tu me connais maintenant. Je l'ai changé. C'est une longue histoire. J'aurais dû t'en parler avant mais… »

Il m'a interrompue. « Cela n'a aucune importance. Pas besoin d'explications. Nous avons tous des choses dont nous préférons ne pas parler. Cela m'est parfaitement égal que tu aies changé ton nom. Ce qui m'intéresse, c'est la femme que tu es maintenant, pas de savoir si tu t'appelles vraiment Francine, Marie-Claude ou même – et Dieu nous en préserve – Cunégonde ! »

J'ai souri à sa plaisanterie. « Cela t'est vraiment égal ? »

Il a fait oui d'un signe de tête : « Je t'ai promis de ne pas te faire subir d'interrogatoire. Le passé est le passé. Je n'ai aucun besoin de le connaître. À moins, bien sûr, que tu ne m'apprennes que tu étais un homme autrefois ou quelque chose de ce genre-là. »

J'ai ri : « Pour ça, tu peux être tranquille ! »

– Je pourrais peut-être quand même vérifier… Pour en être tout à fait certain. » Ses mains se sont fermement posées sur mes reins et son baiser s'est fait plus pressant, plus exigeant. D'habitude Thierry n'exige jamais rien. C'est un gentleman. Sa courtoisie est l'une des choses qui m'ont attirée. Aujourd'hui, pourtant, il est différent. Je perçois chez lui une trace de passion depuis longtemps réprimée, de volonté d'obtenir quelque chose de plus.

Un instant, je perds pied. Ses mains remontent à ma taille, à mes seins. Avec une avidité sauvage et enfantine, il embrasse mon visage, ma bouche, comme un animal marque son territoire et il murmure : « Je t'aime, Yanne. J'ai envie de toi. »

En riant un peu, je refais surface. « Mais pas ici, Thierry. Il est neuf heures et demie ! »

Il a poussé un grognement comique. « Si tu crois que je vais attendre sept semaines ! » Maintenant son étreinte était vraiment celle d'un ours et j'étais prisonnière contre cette poitrine d'où s'élevait une odeur de musc, de transpiration et de vieux cigare.

Brusquement, pour la première fois depuis le début de notre longue amitié, je nous ai imaginés faisant l'amour, nus, entre les draps, en sueur. Le sursaut de révolte que cette image a provoqué en moi m'a sidérée.

Les deux mains sur sa poitrine, je l'ai repoussé. « Thierry, s'il te plaît… »

Il a grimacé.

« Zozie va être ici dans une minute.

– Eh bien, montons dans ta chambre avant son arrivée. »

Déjà je n'arrivais plus à respirer. L'odeur de transpiration se faisait plus forte, se mêlait à celle de café refroidi, de laine non traitée et de vieille bière. Elle n'avait plus rien de rassurant. Elle évoquait des images de bars bondés, de dangers évités de justesse, d'inconnus ivres rencontrés dans le noir. Les mains de Thierry sont larges, carrées, pressantes, éclaboussées de taches brunes et de touffes de poils.

Je me suis surprise à les comparer à celles de Roux avec ses longs doigts agiles de pickpocket et ce reste d'huile de moteur qu'il a sous les ongles.

« Allez, Yanne, viens ! »

Il me tirait pour me faire traverser la pièce. Ses yeux brillaient d'anticipation. J'ai voulu protester mais trop tard. J'avais fait mon choix. Faire marche arrière maintenant était impensable. Je l'ai suivi vers l'escalier.

Soudain, une ampoule électrique a explosé avec un claquement sec de feu d'artifice.

Des débris de verre sont retombés en pluie tout autour de nous.

Un bruit de pas nous est parvenu de l'étage. Rosette était réveillée. Soulagée, je me suis mise à trembler.

Thierry a laissé tomber un juron.

J'ai dit : « Je dois aller m'occuper de Rosette ! »

Sa réponse a été plus un ricanement qu'un rire. Il m'a embrassée une dernière fois pourtant, mais le moment était déjà passé. Du coin de l'œil, dans l'ombre, j'ai aperçu une lueur fauve. Le lever du soleil peut-être? Un reflet de lumière quelconque?

J'ai répété: «Je dois aller m'occuper de Rosette, Thierry!

— Je t'aime!» a-t-il dit.

Je sais.

Il était dix heures et Thierry venait seulement de partir lorsque Zozie, enveloppée d'un grand manteau et chaussée de ses souliers à semelles compensées, est entrée, portant à deux mains une énorme boîte de carton qui avait l'air de peser assez lourd. Son visage était un peu congestionné lorsqu'elle l'a posée par terre avec précaution.

«Je m'excuse, je suis en retard, mais c'est rudement lourd, ce truc-là!

— Qu'est-ce que c'est?»

Zozie a souri. Elle s'est dirigée vers l'étalage et en a retiré les chaussures rouges qui y trônaient depuis deux semaines déjà.

«J'ai pensé qu'il était temps d'apporter un peu de changement. Et si nous refaisions l'étalage? Je n'ai jamais eu l'intention de garder celui-là. D'ailleurs, je dois bien l'avouer, ces chaussures me manquent un peu.»

J'ai souri et j'ai dit: «Je comprends.

— Et j'ai trouvé ça au Marché aux Puces.» Elle montrait du doigt la boîte en carton. «Cela m'a donné une idée que j'aimerais bien essayer.»

J'ai regardé la boîte, puis Zozie. Tout ébranlée encore de la visite de Thierry, de la réapparition de Roux et des complications que cela allait entraîner, la gentillesse inattendue de ce simple geste m'a amené les larmes aux yeux.

«Ne vous croyez pas obligée, vous savez, Zozie!

— Allez, ne dites pas de bêtises! J'aime faire ça.» Elle m'a longuement observée. «Il y a quelque chose qui cloche?

— Oh! C'est Thierry!» J'ai eu un sourire forcé. «Depuis quelques jours il agit de façon étrange.»

Elle a dit avec un haussement d'épaules: «Pas étonnant! Vous avez des clients maintenant. Les affaires marchent bien. La chance vous sourit enfin!»

J'ai froncé les sourcils. «Je ne sais pas ce que vous voulez dire.»

Avec patience, Zozie a expliqué: «Ce que je veux dire, c'est ceci: Thierry adore jouer à la fois au Père Noël, au Prince Charmant et au bon roi Wenceslas. Tout cela était bien beau tant que vous aviez du mal à joindre les deux bouts. Il pouvait vous payer le restaurant, vous habiller et vous couvrir de cadeaux. Mais la situation a changé. Vous n'avez plus à compter sou par sou. Quelqu'un lui a chipé sa poupée Cendrillon et l'a remplacée par une vraie femme. Le pauvre. Il a du mal à se remettre du choc!

– Thierry n'est pas comme ça!

– Vous en êtes sûre?

– Enfin, peut-être un tout petit peu.»

Ma réponse l'a fait rire. Je me suis jointe à elle. Je me sentais pourtant un peu surprise. Zozie est très observatrice, c'est un fait. Mais n'aurais-je pas dû moi-même m'apercevoir de ces choses-là?

Zozie a ouvert la boîte de carton.

«Allez donc vous reposer un peu. Retournez au lit ou jouez avec Rosette. Ne vous inquiétez pas du magasin. Et s'*il* revient, je vous appellerai.»

Cela m'a fait sursauter. «Si *qui* revient?

– Allons, Vianne, vraiment!

– Ne m'appelez pas Vianne.»

Elle a souri. «Mais Roux, bien sûr! De qui donc pensez-vous que je parlais? Du pape?»

J'ai eu un petit sourire blême : «Il ne viendra pas aujourd'hui.

– Et qu'est-ce qui vous en rend si sûre?»

Je lui ai raconté alors ce que Thierry avait dit de l'appartement et comment il était bien décidé à nous y voir pour Noël, je lui ai aussi parlé des billets d'avion pour New York et de l'offre d'embauche qu'il avait faite à Roux pour le chantier de la rue de la Croix.

Zozie a semblé surprise. «Et il a accepté? Il doit avoir besoin d'argent alors, car je ne peux pas croire qu'il l'ait fait simplement pour lui faire plaisir.»

J'ai secoué la tête. «Quel fiasco! Mais pourquoi ne m'a-t-il pas annoncé son arrivée? Je m'y serais prise autrement. J'aurais été préparée au moins.»

Zozie s'est assise à la table de la cuisine : «Roux est le père de Rosette, n'est-ce pas?» a-t-elle demandé.

Je n'ai pas répondu à sa question. J'ai allumé les fours. J'avais l'intention de préparer des Pères Noël en pain d'épices comme ceux que l'on attache au sapin avec des rubans de couleur, tout dorés, le visage, la barbe et la hotte soulignés de sucre glacé.

Zozie a poursuivi: «Bien sûr, ça ne me regarde pas! Mais Annie est-elle au courant?»

J'ai fait non de la tête.

« Est-ce que quelqu'un est au courant ? Roux lui-même sait-il la vérité ? »

Je me suis brusquement sentie toute faible. J'ai dû rapidement m'asseoir sur l'une des chaises comme un pantin enchevêtré dans ses ficelles que quelqu'un aurait coupées, le laissant sans voix, immobile, incapable du moindre mouvement.

Dans un murmure j'ai fini par articuler : « Je ne peux tout de même pas le lui dire maintenant !

– Il n'est pas fou. Il comprendra bien tout seul. »

J'ai de nouveau secoué la tête en silence. C'est bien la première fois que j'ai l'occasion de me féliciter des petits problèmes de Rosette qui, à quatre ans bientôt, se conduit comme si elle en avait deux et demi. Qui serait prêt à croire à l'impossible ?

« Trop tard, de toute façon ! Il y a quatre ans c'était peut-être possible mais plus maintenant.

– Pourquoi ? Vous vous êtes querellés ? »

Elle parle comme Anouk. Je me surprends à essayer de lui expliquer, à elle aussi, que les choses ne sont pas si simples et que, pour être solide, une maison doit être faite de pierres car, lorsque le vent se met en colère – ou que le loup fait ouf et pouf –, seule la pierre peut nous empêcher d'être emportés par leur souffle.

Pourquoi jouer la comédie ? Qu'est-ce qui t'attire tellement chez ces gens-là que tu veuilles les imiter ? l'entends-je me demander dans mon imagination.

« Non, il n'y a pas eu de querelle. Nous avons simplement poursuivi des routes différentes. »

Une image s'est soudain présentée à mon esprit et m'a fait sursauter – le Joueur de flûte avec son cortège de petits enfants, à part l'infirme, resté seul au bord du chemin, au moment où la montagne se referme sur eux et les engloutit.

« Et Thierry alors ? »

La question est pertinente. A-t-il des soupçons ? Lui non plus n'est pas un imbécile, même s'il y a en lui quelque chose qui le rend aveugle à la vérité : confiance ou arrogance ? Un peu des deux, peut-être. Pourtant, à l'égard de Roux, il n'éprouve que méfiance. Je l'ai bien vu, hier soir, ce regard qui jauge, cette aversion instinctive du bon bourgeois de la ville pour le travailleur itinérant, le voyageur, le bohémien, le gitan.

J'ai pensé : *On choisit sa famille, Vianne !*

« Enfin, je suppose que vous avez fait votre choix.

– Oui, et un choix sage, j'en suis sûre. »

Je voyais bien qu'elle ne me croyait pas. Pour elle, c'était aussi évident que la quenouille rose et mousseuse d'une barbe à papa autour de son bâton. Il y a tant de façons d'aimer pourtant. Lorsque l'amour-passion, égoïste et féroce, s'est consumé de lui-même, que les dieux soient bénis pour les hommes comme Thierry, ces hommes aux épaules solides mais sans imagination qui croient encore que *passion, magie* et *aventure* sont des mots qui n'appartiennent qu'à la littérature.

Zozie m'observait toujours avec son sourire patient de Mona Lisa. Elle attendait que je me livre davantage. Comme je ne le faisais pas, elle a simplement haussé les épaules et m'a passé une coupelle de mendiants. Elle les fait comme moi. Le chocolat y est assez mince pour se briser sous les doigts avec un bruit sec mais assez épais quand même pour qu'on puisse vraiment en apprécier le goût. Elle ajoute une généreuse poignée de gros raisins de Smyrne, une noix, une amande, une violette et une rose de sucre cristallisé.

« Goûtez et dites-moi ce que vous en pensez ! »

De la coupe s'élevait l'odeur âcre de poudre à feu d'artifice qu'a le vrai chocolat. Elle me rappelait l'été et tout ce temps que nous avions perdu. Notre premier baiser avait le goût de ce chocolat et un parfum d'herbe humide montait du sol où nous étions allongés tous les deux. Ses mains étaient d'une douceur surprenante et ses cheveux flamboyaient comme des gaillardes, l'été, dans la lumière du soleil qui déclinait à l'horizon.

Zozie me tendait toujours les mendiants, dans un petit ravier en verre de Murano bleu, décoré sur le côté d'une petite fleur d'or, une babiole seulement, mais à laquelle j'attache un prix énorme. C'est Roux qui me l'a donné à Lansquenet. Je l'ai toujours depuis emporté avec moi dans ma valise ou dans ma poche, comme une pierre de touche, un précieux talisman.

J'ai levé les yeux. Zozie me contemplait d'un regard lointain et bleu de conte de fées, de ce regard bleu que l'on ne voit qu'en rêve.

« Vous n'en parlerez à personne ?

– Bien sûr ! » D'une main délicate, elle a choisi un mendiant qu'elle m'a tendu. Un chocolat noir, somptueux, parfumé au rhum et aux raisins, rehaussé de vanille, de cannelle et de rose.

« Goûtez, Vianne, a-t-elle dit avec un sourire. Je sais que c'est votre préféré. »

4

Le Jaguar

Lundi 3 décembre

Aujourd'hui, j'ai fait du beau travail, même si c'est moi qui m'en félicite! Ce que je fais se réduit si souvent à un numéro de jongleur, à une série de balles, de poignards et de torches enflammées que je dois faire virevolter aussi longtemps que nécessaire sans les laisser retomber.

Et dans le cas de Roux, la chose a pris un certain temps, il faut l'avouer. Le type est malin comme un singe et il a fallu tout mon doigté pour le convaincre de rester. Samedi soir, j'ai réussi à l'empêcher de partir. Avec quelques paroles d'encouragement, j'ai fini par le retenir.

Mais, je dois l'admettre, cela n'a pas été facile. Sa première réaction a été de retourner tout droit d'où il venait et de disparaître de la scène à jamais. Je n'ai pas eu besoin de consulter ses couleurs pour le deviner, je le voyais à sa figure comme il descendait la Butte, à grandes enjambées, les cheveux dans les yeux et les mains enfoncées furieusement dans les poches. Thierry, lui aussi, le suivait et, pour avoir le champ libre, je me suis trouvée obligée de recourir à un petit sortilège qui l'a fait glisser au bon moment sur le pavé et tomber. Les quelques secondes de retard que cela a engendrées m'ont permis de rattraper Roux et de le retenir par le bras.

Je lui ai dit: «Vous ne pouvez pas tout simplement partir comme ça, Roux. Il y a bien des choses que vous ignorez ici.»

Sans ralentir, il m'a repoussée. «Et qu'est-ce qui vous fait croire qu'elles m'intéressent?

– Mais parce que vous êtes amoureux d'elle!»

Roux a haussé les épaules en continuant à descendre.

« Et aussi parce qu'elle n'est pas sûre de ses sentiments et ne sait pas comment l'avouer à Thierry. »

Maintenant, il était tout oreilles. Il a ralenti. Moi, j'en ai profité pour faire le signe du Jaguar, juste dans son dos. Cela aurait dû l'arrêter net mais Roux, instinctivement, d'un haussement d'épaule, s'en est débarrassé.

« Arrêtez donc, enfin ! » C'était la frustration plutôt que toute autre chose qui avait provoqué chez moi cette exclamation.

Il m'a décoché un regard curieux d'animal sauvage.

« Vous devez lui accorder le temps de réfléchir !

– Pourquoi ?

– Pour lui permettre de découvrir ce qu'elle veut vraiment. »

Cette fois, il s'est bel et bien arrêté. Il y avait dans son regard une nouvelle intensité. Pourtant, il restait si aveugle à toute autre femme que Vianne que j'en ai ressenti un certain dépit, tout en me disant que le temps viendrait bien de le lui faire regretter. L'essentiel, pour l'instant, était de le garder ici. J'aurais tout le loisir, plus tard, de lui faire payer son indifférence.

Pendant ce temps, Thierry, lui, s'était relevé et descendait la rue dans notre direction. J'ai donc rapidement dit : « Pas le temps d'en parler maintenant. Je vous retrouverai lundi soir après le boulot.

– Le boulot ? » Et il a commencé à rire. « Vous croyez vraiment que je vais travailler avec *lui* comme patron ?

– Vous devriez accepter si vous voulez mon aide. »

Je n'ai eu que le temps d'aller à la rencontre de Thierry qui approchait rapidement à une dizaine de mètres. Carré comme une armoire à glace avec son pardessus de cachemire, il a jeté vers moi et vers Roux, à quelques mètres derrière, le regard noir, perçant et féroce d'un gros nounours solitaire brusquement devenu sauvage et dangereux.

À mi-voix, je lui ai dit : « Vous avez bien raté votre chance ! Mais qu'est-ce qui vous a pris de vous comporter comme ça ? Yanne est très fâchée. »

Il a renâclé : « Et qu'est-ce que j'ai fait ? C'était…

– Oubliez *qu'est-ce que j'ai fait*. Moi, je peux vous aider mais, pour cela, vous devez être gentil. » Et, en toute hâte, du bout des doigts, j'ai dessiné le signe de la Lune sanguine. Cela a semblé le calmer. Il a paru consterné. J'ai recommencé mais, cette fois, avec le signe impérieux du Jaguar. Et j'ai vu ses couleurs pâlir un peu.

Celui-là est tellement plus facile à manipuler que Roux, tellement plus prêt à coopérer. En quelques mots, je lui ai expliqué le plan. J'ai dit : « C'est tout simple. Vous ne pouvez pas y perdre. À ses yeux, vous serez magnanime. Vous aurez pour l'appartement l'aide précieuse dont vous avez besoin. Vous verrez Yanne plus souvent et, encore mieux... » J'ai encore baissé la voix. « Vous serez dans une position où vous pourrez *le* garder à l'œil ! »

Cet argument-là a eu son effet. J'en étais sûre. Délicieux cocktail de vanité, de méfiance et d'arrogance à toute épreuve. À peine besoin d'avoir recours à des sortilèges avec un type comme lui qui fait tout seul si bien les choses.

Je suis en voie de le trouver bien sympathique, ce Thierry, si facile à vivre, si prévisible, sans épine où vous égratigner. De plus, un seul mot, un sourire et il me tombe tout cuit dans le bec. Pas comme Roux avec sa moue maussade et son air toujours méfiant.

Que le diable l'emporte, ai-je pensé ! D'ailleurs, qu'est-ce que j'ai qui le chiffonne ? Je ressemble à Vianne. J'aurais dû pouvoir gagner sa confiance les doigts dans le nez. Enfin, certains sont plus coriaces que d'autres et jusque-là, je ne suis jamais tombée avec lui au bon moment. Mais je peux attendre. Quelques jours au moins. Et si les sortilèges ne réussissent pas, les potions devraient faire l'affaire.

Aujourd'hui, j'ai attendu avec impatience l'heure de la fermeture tout en surveillant de l'œil la pendule. La journée m'a paru longue mais s'est déroulée très agréablement. Dehors, petit à petit, la pluie s'est transformée en bruine. Les passants défilaient comme des personnages de rêve, s'arrêtant parfois pour écarquiller des yeux brouillés de brume devant l'étalage à moitié terminé du Rocher de Montmartre avec sa lumière de lanterne magique.

Il ne faut jamais sous-estimer le pouvoir d'un étalage. Les yeux sont les miroirs de l'âme, dit-on. Un étalage devrait être les yeux d'un magasin, tout illuminés de promesses et de merveilles. L'ancien, avec mes souliers rouges débordant de chocolats, était assez joli mais je me rends bien compte que l'approche rapide de Noël exige quelque chose de plus alléchant qu'une paire de chaussures pour attirer la clientèle.

C'est ainsi que notre devanture, drapée de coupons de soie et éclairée d'une unique lanterne jaune, est devenue un calendrier de l'Avent. Une vétuste maison de poupée, découverte au Marché aux Puces, est le calendrier – trop vieillotte pour éveiller l'attention d'un enfant et trop abîmée pour présenter un intérêt quelconque pour un collectionneur ; son toit assemblé maladroitement avec de la colle et les fissures de sa façade réparées avec du ruban-cache, elle est exactement ce que je cherchais.

C'est une grande maison de poupée – assez large pour remplir l'étalage avec son toit en pente taillé en biseau et sa façade peinte découpée en quatre panneaux qui permettent, en les relevant, de jeter un coup d'œil à l'intérieur. Pour le moment, ces panneaux-là restent baissés mais, à travers les stores que j'ai posés aux fenêtres, on peut entrevoir la chaude lumière dorée qui baigne tout l'intérieur.

Vianne s'est exclamée d'admiration en découvrant ce que je faisais. «Qu'est-ce que c'est? C'est pour une crèche?»

J'ai souri. «Non, pas vraiment. C'est une surprise.»

Alors, je me suis mise au travail aussi rapidement que possible. Un grand morceau de soie à sari rouge et or derrière lequel, à l'abri des regards, allait s'opérer la métamorphose, bloquait la devanture.

J'ai commencé par installer le décor. Un parc miniature autour de la maison. Un étang de soie bleue sur lequel évoluent des canards de chocolat. Une petite rivière. Une allée de cristaux de sucre colorés, bordée d'arbustes et d'arbres de papier de soie et de cure-pipe, le tout saupoudré d'une neige de sucre glace sur laquelle de minuscules souris de sucre candi s'échappaient de la maison dans une scène digne d'un conte de fées.

La mise en place de ce décor a pris une bonne partie de ma matinée. Nico est entré avec Alice un peu avant midi – ces deux-là semblent inséparables maintenant; il s'est attardé pour admirer la devanture et acheter une autre boîte de macarons pendant qu'Alice, les yeux agrandis de curiosité, me regardait réparer et décorer la façade de la maison de poupée avec une poche à douille à minuscule ouverture.

«C'est formidable, a dit Alice. Bien plus joli qu'aux Galeries Lafayette!»

Je dois dire que l'effet est splendide. Moitié maison, moitié pâtisserie, avec ses cannelures de sucre à l'encadrement des fenêtres, ses gargouilles sur le toit, les colonnes de ses portes et les petits tas de neige poudreuse accumulés au rebord de ses fenêtres et sur les biseaux de chaque pot de cheminée.

À midi, j'ai appelé Vianne pour qu'elle vienne voir.

«Qu'est-ce que vous en pensez? Ce n'est pas encore terminé mais vous aimez?»

Pendant un instant, elle n'a rien dit du tout mais ses couleurs dont le flamboiement remplissait la pièce entière m'avaient déjà appris tout ce dont j'avais besoin. Ses yeux s'étaient-ils remplis de larmes? Oui, j'en étais à peu près sûre.

Elle a fini par murmurer : « Merveilleux. Tout simplement merveilleux ! »

J'ai fait la modeste : « Oh ! vous savez...

– Je parle sincèrement, Zozie. Vous m'avez tant aidée ! »

Je lui ai trouvé l'air préoccupé. Rien d'étonnant d'ailleurs. Le signe d'Ehecatl est puissant – il parle de voyage, de vent et de changement. Elle doit ressentir son effet dans tout ce qui l'entoure, dans son propre corps peut-être même. (Mes mendiants sont *spéciaux* dans bien des domaines !) Il catalyse son énergie qu'il mêle à la sienne, la métamorphose et la rend plus volatile.

« Et je ne vous verse même pas un salaire correct. »

J'ai suggéré avec un sourire : « Pourquoi ne me payez-vous pas en nature ? Tous les chocolats que je puisse manger ? »

Vianne a secoué la tête, elle a froncé les sourcils en paraissant tendre l'oreille à quelque chose dehors, mais le brouillard avait étouffé tous les bruits. « Je vous dois tant, a-t-elle fini par murmurer. Et je ne fais jamais rien pour vous. »

Elle s'est interrompue comme si elle avait entendu quelque chose ou qu'une idée si frappante s'était présentée à son esprit que cela lui en avait momentanément coupé la parole. Ses favoris, les mendiants, lui rappelaient sans doute des souvenirs d'une époque plus heureuse.

Son visage s'est brusquement éclairé : « Je sais ! Vous pourriez venir habiter ici chez nous. Les pièces qu'occupait Mme Poussin sont à votre disposition. Personne ne les utilise. Ce n'est pas grand-chose mais ce sera mieux qu'une chambre louée. Vous pourriez vivre avec nous, prendre vos repas à notre table – les gamines adoreraient cela – nous n'avons aucun besoin de ces pièces-là – et à Noël, quand nous déménagerons... »

Sa figure s'est alors allongée – un petit peu seulement.

« Mais je vous gênerais ! ai-je protesté en secouant la tête.

– Non, je vous assure ! Et nous pourrions travailler à toute heure. Ce serait nous rendre bien service.

– Et Thierry ?

– Qu'est-ce que cela a à voir avec lui ? » Je relevai un ton de défi dans la voix de Vianne. « Nous faisons ce qu'il veut, n'est-ce pas, en allant habiter rue de la Croix ? Alors, pourquoi n'habiteriez-vous pas chez nous jusque-là ? Et après, vous pourriez vous occuper du magasin, vous assurer que tout va bien. C'est lui qui a pratiquement suggéré la chose en disant que j'aurais besoin de quelqu'un pour gérer le magasin. »

J'ai fait semblant de réfléchir à sa proposition un moment. Je me suis interrogée. *Thierry se serait-il montré impatient ? S'est-il révélé trop entreprenant ?* Je le craignais un peu, je dois le dire. Et maintenant que Roux est réapparu, elle a besoin de les tenir tous deux à distance jusqu'à ce qu'elle soit parvenue à prendre une décision.

Ce dont elle a besoin, c'est d'un chaperon. Et quel meilleur choix que sa bonne petite copine Zozie ?

« Mais vous ne me connaissez que depuis très peu de temps. Je pourrais être n'importe qui ! »

En riant, elle s'est exclamée : « Non, je ne le crois pas. »

Et moi, j'ai pensé avec un sourire : *Ça prouve bien que vous ne savez pas grand-chose !*

Et j'ai dit : « D'accord, j'accepte ! »

Une fois de plus, le coucou avait fait son nid.

La Lune montante

Mardi 4 décembre

Ça y est. Elle est venue habiter chez nous. *Méga cool, n'est-ce pas?* dirait Jean-Loup. Hier, elle a apporté toutes ses affaires — enfin, tout ce qu'elle possède. Je n'ai jamais vu quelqu'un voyager avec si peu de bagages — à part Maman et moi, à l'époque où nous étions sans cesse sur les routes. Deux valises, c'est tout! L'une pleine de chaussures, l'autre du reste. En dix minutes, elle les avait défaites. Déjà, on dirait maintenant qu'elle a toujours vécu ici.

Sa chambre est encore pleine des meubles de Mme Poussin. Un mobilier de vieille dame. Une petite garde-robe étroite qui pue les boules à mites et une commode pleine de grosses couvertures qui grattent la peau. Les rideaux sont marron et beige dans un imprimé de roses. Le lit a un creux au milieu et un traversin en crin de cheval. Le miroir, tout piqué de rouille, fait de tout le monde des pestiférés. Oui, une chambre de vieille dame. Mais on peut compter sur Zozie pour la rendre *cool* en moins de rien.

C'est moi qui l'ai aidée à défaire ses valises hier soir. Je lui ai donné un des sachets de bois de cèdre de mon armoire à moi pour chasser l'odeur de la vieille dame.

En pendant ses vêtements dans l'antique garde-robe, elle m'a dit en souriant: «Ne t'en fais pas, j'ai apporté des trucs pour égayer tout ça!

— Quels trucs?

— Tu verras!»

Et nous avons bien vu! Pendant que Maman préparait le repas du soir et que, une fois de plus, je conduisais Rosette voir la crèche, Zozie s'est employée à arranger la pièce, là-haut. Il ne lui a pas fallu plus d'une heure. Lorsque nous sommes montées y jeter un coup d'œil, vous ne l'auriez pas reconnue. Les rideaux marron à roses de la vieille dame avaient disparu, remplacés par deux grands carrés de tissu à sari – un rouge et un bleu – et elle en avait utilisé un troisième – un violet, cette fois, avec un fil d'argent – pour cacher le dessus-de-lit de chenille de la vieille dame. La cheminée sur laquelle elle avait rangé par paires ses chaussures, comme autant d'ornements, était maintenant décorée d'une double ligne de petites lumières de couleur.

Il y avait aussi un tapis et une lampe à laquelle elle avait pendu ses boucles d'oreilles comme des glands autour de l'abat-jour. Au mur, à l'endroit où, autrefois, il y avait eu un cadre, elle avait accroché l'un de ses chapeaux. Un peignoir en soie de Chine pendait derrière la porte. Et autour du miroir piqué de rouille, elle avait fixé une rangée de papillons aux ailes décorées de sequins comme ceux qu'elle porte parfois dans les cheveux.

J'ai dit : « Je l'adore ! »

J'adorais l'odeur aussi. Un parfum d'église, très doux, qui m'a un peu rappelé Lansquenet.

« C'est de l'encens, Nanou ! a-t-elle dit. J'en brûle toujours dans ma chambre. »

Et c'était du vrai aussi, celui que l'on brûle sur des cendres chaudes. Autrefois, nous en brûlions comme ça aussi, Maman et moi, mais plus maintenant, plus jamais. Cela fait trop de saleté, peut-être. Il sent si bon pourtant. D'ailleurs, le désordre de Zozie me paraît plus raisonnable que l'idée d'ordre et de rangement de n'importe qui d'autre.

Après, Zozie a sorti, du fond de sa valise, une bouteille de grenadine et nous avons fait une petite fête, en bas, avec gâteau au chocolat et glace pour Rosette. Quand je me suis sentie fatiguée, il était déjà presque minuit. Rosette s'était endormie sur son pouf et Maman débarrassait la table. J'ai regardé Zozie avec ses longs cheveux, son bracelet avec tous ses petits porte-bonheur et ses yeux qui étincelaient comme des lumières sur un arbre de Noël, et j'ai cru revoir Maman telle qu'elle était autrefois à Lansquenet, à l'époque où elle était encore Vianne Rocher.

« Et qu'est-ce que tu penses de ma maison-calendrier ? »

Elle parlait du nouvel étalage, celui qui a remplacé les chaussures rouges. Je croyais bien au début qu'il s'agirait d'une crèche, comme sur la place du Tertre, avec le bébé Jésus, sa famille et tous les amis, mais c'est encore mieux, c'est une maison, une maison enchantée, dans un bois de rêve, comme dans les contes de fées. Une scène différente apparaîtra tous les jours derrière l'une des portes. Aujourd'hui, c'est le Joueur de flûte. La scène se déroule en grande partie à l'extérieur avec des souris en sucre au lieu de rats, des souris blanches, roses, vertes et bleues. Et le musicien lui-même – une pince à linge en bois –, aux cheveux peints en rouge, une allumette à la main en guise d'instrument, mène les souris vers une rivière faite de soie, au rythme de la musique de sa flûte enchantée.

À l'intérieur, le gros maire de Hamelin, celui qui refusait de donner son dû au Joueur de flûte, contemple la scène par la fenêtre de l'une des chambres. Lui aussi est fait d'une pince à linge, sa chemise, d'un mouchoir, et son bonnet de nuit, de papier. Dans son visage, dessiné à la pointe de feutre, la bouche est grande ouverte de surprise.

Je ne sais pourquoi mais, d'une certaine façon, le Joueur de flûte me fait un peu penser à Roux avec ses cheveux de feu et ses vêtements usés. Le vieux maire avare me rappelle Thierry. Je ne peux m'empêcher de me dire que c'est un peu comme la crèche de la place du Tertre, que ce qui est là n'est pas un simple étalage, que cela doit vouloir dire autre chose, quelque chose de plus important.

J'ai redit : « J'adore !

– J'espérais bien que tu allais aimer ! »

Sur son coussin, Rosette a reniflé un peu dans son sommeil en cherchant à tâtons sa couverture tombée à terre. Zozie l'a ramassée et l'en a recouverte. Un instant, elle s'est arrêtée pour caresser les cheveux de Rosette.

Alors, il m'est venu une pensée étrange. Plus qu'une pensée – une illumination. La maison-calendrier en était sans doute la cause. Je pensais à la crèche, à la façon dont tout le monde arrive justement à l'étable en même temps : les animaux, les mages, les bergers, les anges et l'étoile sans que personne les ait invités, ni rien comme ça, comme si quelqu'un les faisait apparaître par un coup de baguette magique.

J'ai failli en parler à Zozie tout de suite mais j'avais besoin de mettre de l'ordre dans mes idées, de m'assurer que je ne m'apprêtais pas à commettre une grosse bêtise. Quelque chose m'était revenu à l'esprit, vous comprenez. Un souvenir qui remontait à il y a bien longtemps, à l'époque où nous étions encore *différentes*. Un souvenir qui avait quelque chose à voir avec Rosette. Pauvre Rosette qui pleurait comme un petit chat, ne semblait jamais vouloir téter et cessait de respirer parfois, comme ça, sans raison, pendant des secondes, des minutes même.

Le bébé. La mangeoire. Les animaux.

Les anges et les mages.

D'ailleurs, un mage, qu'est-ce que c'est au juste? Et pourquoi me semble-t-il en avoir déjà rencontré un?

6

Le Jaguar

Mardi 4 décembre

E n attendant, la question de Roux restait encore à régler. En ce qui le concerne, mes plans ne demandent aucun contact avec Vianne mais il faut le persuader de rester dans le coin. À cinq heures et demie donc, comme convenu, je suis allée rue de la Croix et j'ai attendu sa sortie.

Il était près de six heures lorsqu'il a quitté la maison. Pendant les travaux à l'appartement, Thierry a pris une chambre dans un hôtel confortable. Son taxi était déjà arrivé mais Thierry n'avait pas encore quitté l'appartement. D'un endroit discret, au coin de la rue, je surveillais la scène. Roux, les mains dans les poches et le col remonté contre la pluie, attendait.

Thierry s'est toujours vanté d'être un gars sans prétention, un vrai, un type qui n'a pas peur de retrousser ses manches pour se mettre à l'ouvrage et qui ne ferait jamais qu'un autre, moins friqué ou moins éduqué, se sente inférieur. Bien sûr, tout cela est très loin de la vérité car Thierry est un snob de la pire espèce. Il ne s'en rend pas compte, c'est tout. Mais on le voit à ses manières, à la façon dont il appelle Laurent *mon pote*, à la lenteur étudiée avec laquelle il a fermé l'appartement, a vérifié et mis l'alarme de sécurité, à l'air surpris qu'il a eu quand il s'est retourné vers Roux comme pour dire : *Ah, oui, j'avais oublié !*

« Alors, on avait dit combien déjà ? Cent ? »

Moi, j'ai pensé : *Cent euros par jour, pas très généreux.* Mais Roux s'est contenté de hausser les épaules – geste qui fait enrager Thierry et le pousse à la confrontation. Roux, au contraire, est froidement détaché comme le bleu d'une flamme de gaz à son plus bas. J'ai pourtant remarqué qu'il gardait les yeux légèrement baissés comme s'il avait peur qu'on y lise quelque chose.

« Un chèque, ça ira ? »

J'ai pensé : *Le salaud*. Il doit bien sûr savoir que Roux ne possède pas de compte bancaire, qu'il ne paie pas d'impôts, que Roux n'est peut-être même pas son vrai nom.

« À moins que vous ne préfériez du liquide ? »

Roux a haussé les épaules encore une fois : « Je m'en fous ! » a-t-il répondu, prêt à sacrifier le prix d'une journée de travail plutôt que d'accorder un point à l'adversaire.

Thierry a expliqué avec son plus large sourire : « Dans ce cas, ce sera un chèque. Aujourd'hui, je suis un peu à court. Mais vous êtes bien sûr que ça vous va ? »

Malgré un flamboiement de ses couleurs, Roux a gardé le silence d'un air buté.

« Je vous fais le chèque à quel nom ?

– Laissez en blanc ! »

Thierry, toujours tout sourire, a pris tout son temps pour remplir le chèque qu'il a remis à Roux avec un clin d'œil jovial.

« Alors, demain, même heure. D'accord ? À moins que vous n'en ayez déjà assez ? »

Roux a fait non de la tête.

« Alors, disons huit heures et demie. Et pas de retard ! »

Il est monté dans son taxi qui s'est éloigné, laissant Roux avec son chèque inutile et apparemment trop préoccupé pour me voir venir vers lui.

« Roux !

– Vianne ! » Il s'est retourné avec ce sourire qu'il a à illuminer un arbre de Noël. « Oh, c'est vous ! » Et le sourire s'est éteint.

« Je m'appelle Zozie ! » Je l'ai regardé d'un air de reproche. « Et, entre nous, vous devriez travailler un peu votre numéro de charme !

– Je ne sais pas ce que vous voulez dire !

– Je veux dire que vous pourriez faire un petit effort pour avoir l'air content de me voir. »

Il a semblé interdit. « Oh ! pardon !

– Et le boulot, ça va comme vous voulez ?

– Comme ça ! »

J'ai souri devant sa réponse. « Allez, venez. Trouvons un coin à l'abri de la pluie pour parler. Où logez-vous ? »

Il m'a donné le nom d'une pension minable dans un des bas quartiers de la rue de Clichy. Exactement ce à quoi je m'attendais.

« Allons-y, alors. Je n'ai pas trop de temps. »

Je connaissais la pension. Un foyer de travailleurs bon marché. Propreté douteuse mais là, on accepte le règlement de la note en espèces. Pour un type comme Roux, ces choses-là sont importantes. Pas de clef à l'entrée, un digicode électronique. Roux se découpait de profil dans la lumière orange du réverbère. Je l'ai bien observé pendant qu'il composait le numéro : 825 436.

Je me suis dit : *À noter pour plus tard, les numéros de code peuvent toujours servir !*

Nous avons pénétré à l'intérieur. J'ai vu sa chambre, une pièce obscure. Le tapis semblait légèrement collant sous les pieds. Une cellule carrée, couleur de vieux chewing-gum. Un lit à une personne. Pas grand-chose d'autre. Pas de fenêtre, pas de siège. Un radiateur, un évier, et au mur une gravure minable.

« Eh bien ? a-t-il dit.

– Goûtez ça ! » J'ai sorti de la poche de mon manteau une petite boîte de chocolats enveloppée d'un papier et la lui ai tendue. « C'est moi qui les ai faits. Un cadeau de la maison. »

D'un air revêche, il a dit : « Merci ! » Et il l'a laissée tomber sur le lit sans lui accorder un regard.

Encore une fois, cela m'a agacée.

Une truffe, ai-je pensé, une seule petite truffe, est-ce vraiment trop lui demander ? Les symboles que j'avais dessinés sur la boîte étaient pourtant puissants. Le cercle rouge de la Lune sanguine, la séductrice, la croqueuse de cœurs. Une toute petite bouchée, et il me mangerait dans le creux de la main.

« Alors, je peux passer quand ? » a-t-il demandé d'un ton impatient.

Je me suis assise sur le bout du lit et j'ai commencé à lui expliquer : « C'est compliqué. En arrivant à l'improviste, comme ça, sans prévenir, vous l'avez surprise, vous savez ? Surtout qu'elle a quelqu'un d'autre. »

Son ricanement était plein d'amertume. « Ah oui, Le Tresset. Un type plein aux as.

– Ne vous en faites pas. Votre chèque, je vais vous l'encaisser ! »

Il m'a dévisagée : « Ah, vous savez ça ?

– Je connais Thierry. C'est le genre de type qui ne serre jamais la main à quelqu'un sans compter le nombre d'articulations qu'il peut broyer. Et il est jaloux en plus !

– Jaloux ? De moi ?

– Bien sûr ! »

Pendant un instant, cela a eu l'air de l'amuser et il a souri. « Parce que j'ai tout, moi, n'est-ce pas ? Le fric, la belle gueule et la petite résidence secondaire à la campagne !

– Vous avez bien plus !

– Quoi ?

– Elle vous aime. »

Il est resté muet une seconde. Il ne m'a pas jeté un coup d'œil mais je le savais tendu maintenant. Je voyais ses couleurs passer brusquement du bleu glacé au rouge néon. Cette révélation l'avait évidemment secoué.

Il a fini par demander : « Elle vous l'a dit ?

– Pas exactement, mais c'est la vérité. J'en suis sûre. »

Il y avait un verre en Pyrex près de l'évier. Il l'a rempli d'eau et l'a avalé d'un trait. Puis, prenant une profonde inspiration, il l'a rempli encore une fois.

« Si c'est vrai, pourquoi s'apprête-t-elle donc à épouser Le Tresset ? »

J'ai souri et lui ai tendu la petite boîte de chocolats. Le cercle rouge de la Lune sanguine éclairait son visage d'une lueur de carnaval.

« Vous êtes absolument sûr de ne pas vouloir de truffe ? »

Il a secoué la tête avec impatience.

« Bon ! Eh bien, dites-moi un peu, lorsque vous m'avez vue la première fois, vous m'avez appelée Vianne. Pourquoi ?

– Je vous l'ai déjà dit. Vous lui ressemblez. Enfin ce que je veux dire c'est que vous ressemblez à celle qu'elle était autrefois.

– Qui était-elle autrefois ?

– Elle a changé. Ses cheveux. Ses vêtements…

– C'est vrai ! Et c'est l'influence de Thierry. Il aime se sentir le patron. Il est tellement jaloux de sa position. Il exige que tout se passe comme lui l'a décidé. Au début, il a été formidable. Il l'a aidée avec les deux gamines. Il leur offrait des cadeaux, des cadeaux coûteux. Et puis, il a commencé à vouloir lui imposer une certaine façon de vivre, de s'habiller, de se comporter, d'élever les enfants, même ! Qu'il soit propriétaire de la maison et du magasin n'arrange pas les choses, bien sûr. Il pourrait la mettre à la rue à n'importe quel moment. »

Roux a froncé les sourcils. Ce que je disais l'intéressait enfin, je le voyais bien. Je devinais le doute dans ses couleurs et, mieux encore, je voyais en lui la colère s'épanouir comme une fleur.

« Alors, pourquoi ne m'en a-t-elle pas parlé ? Pourquoi n'a-t-elle pas écrit ?

– Elle avait peut-être peur.

– Peut-être ! »

Il réfléchissait maintenant, la tête enfoncée dans le cou, les yeux plissés. Pour quelque étrange raison, il n'a toujours pas confiance en moi. Je sais pourtant qu'il va mordre à l'hameçon. Il va le faire pour elle, pour Vianne Rocher.

« Je vais aller la voir, lui parler.

— Ce serait une grossière erreur !

— Pourquoi ?

— Elle ne veut pas vous voir encore. Vous devez lui donner du temps. Vous ne pouvez pas arriver comme ça et vous attendre à ce qu'elle choisisse en deux minutes ! »

À son regard, j'ai su que c'était précisément ce qu'il aurait voulu.

J'ai posé la main sur son bras en disant : « Écoutez, je vais lui parler. Je vais essayer de lui faire voir les choses de votre point de vue. Mais pas de visite, pas de lettre, pas de coup de téléphone. Il faut me faire confiance.

— Pourquoi ? »

D'accord, je savais très bien que ce ne serait pas facile avec lui, mais cela tournait vraiment au ridicule. Ma voix s'est faite tranchante et j'ai répondu : « Pourquoi ? Parce que je suis son amie, que ce qui lui arrive à elle et à ses gosses m'intéresse. Et que, si vous pouviez seulement cesser un moment de penser à vous-même et de vous plaindre, vous comprendriez peut-être pourquoi elle a besoin de temps pour réfléchir. Où étiez-vous par exemple ces quatre dernières années ? Comment peut-elle être sûre que vous n'allez pas disparaître de nouveau ? Thierry n'est pas parfait, c'est évident, mais il est là. Elle peut compter sur lui, ce qui est plus qu'on ne peut dire de vous ! »

Certains réagissent plus rapidement à une certaine brutalité de langage qu'au charme et à la douceur. Roux fait visiblement partie de ceux-là car il m'a répondu plus poliment qu'à aucun autre moment auparavant.

« Je vois. Je m'excuse, Zozie !

— Alors, vous êtes prêt à faire ce que je vous demande. Sans cela, je perdrais mon temps à essayer de vous aider. »

Il a acquiescé d'un signe de tête.

« Vous êtes d'accord ?

— Ouais ! »

J'ai poussé un soupir. Le plus dur était fait. J'ai pensé que, d'un certain point de vue, c'était un peu dommage. Il me plaisait plutôt, malgré tout. Mais chaque fois que les dieux vous octroient une faveur, il faut la payer d'un sacrifice. D'ailleurs, d'ici la fin du mois, c'est moi qui aurais une faveur à lui demander, et une faveur de taille.

7

La Lune montante

Mercredi 5 décembre

Aujourd'hui, Suze est revenue. Elle portait un bonnet de laine à la place du foulard et essayait de rattraper le temps perdu en commérages. À midi, conciliabules avec Chantal et, après ça, elle s'en est donné à cœur joie : commentaires imbéciles, questions : *Où est donc ton petit ami ?*, et ces jeux idiots d'*Annie est l'Ennemie*.

Ça fait belle lurette que ces jeux-là n'ont plus rien de drôle. Maintenant, ils ne sont plus seulement un tout petit peu méchants, ils le sont franchement, avec Sandrine et Chantal qui racontent à la ronde leur visite de la semaine dernière au magasin qu'elles décrivent comme un croisement entre une commune de hippies et un entrepôt de chiffonnier et se moquent de tout comme des timbrées.

Et, pour empirer la situation, Jean-Loup était mal fichu, si bien que je me suis retrouvée seule à leur servir de tête de turc. Je m'en balance, bien sûr, mais ce n'est pas juste. Nous avons tant travaillé, Maman, Zozie, Rosette et moi, et pourtant Chantal et les autres nous font passer pour des losers.

En temps normal, ça m'aurait été égal. Mais juste au moment où les choses s'arrangent pour nous, avec Zozie qui habite avec nous, le commerce qui marche si bien, le magasin qui est tous les jours plein de clients et Roux qui réapparaît soudain comme ça…

Et pourtant depuis quatre jours il n'est pas revenu. Je ne pouvais pas m'empêcher, aujourd'hui, de penser à lui au lycée. Je me demandais où il avait bien pu trouver un mouillage pour son bateau, ou s'il nous avait raconté des histoires à ce propos et s'il dormait quelque part sous un pont ou dans une vieille masure abandonnée comme il l'avait fait à Lansquenet lorsque M. Muscat avait brûlé sa péniche.

Et pendant les cours, je n'arrivais pas à rester attentive. M. Gestin m'a engueulée parce que j'étais en train de rêver. Chantal et les autres ont aussitôt ricané, et Jean-Loup n'était même pas là pour bavarder avec moi.

La journée a été encore plus moche aujourd'hui qu'hier. À la fin de l'après-midi, comme je faisais la queue pour attendre l'autobus à côté de Claude Meunier et de Mathilde Chagrin, Danielle est arrivée avec cet air faussement compatissant qu'elle adopte si souvent, pour me demander : «Alors, c'est vrai que ta petite sœur est une arriérée ? »

Chantal et Suze, en saintes-nitouches, se tenaient tout près. Elles essayaient de provoquer ma colère, je le voyais bien à leurs couleurs. Elles devaient faire un effort pour ne pas éclater de rire.

J'ai pris une voix très détachée pour répondre : «Je ne sais pas de quoi tu parles.» Personne ne sait rien à propos de Rosette – c'est du moins ce que je croyais, jusqu'à aujourd'hui. Et puis, je me suis souvenue d'un après-midi avec Suze, quand nous jouions dans le magasin avec Rosette.

Danielle a continué : « C'est ce que j'ai entendu dire. Que ta sœur est retardée. Tout le monde sait ça. »

J'ai pensé : *Et voilà ce que signifient « meilleures amies » et le pendentif d'émail rose et la promesse solennelle qu'elle avait faite de ne jamais le répéter sous peine de…*

Je l'ai foudroyée du regard, elle et son bonnet rose. (Les rousses ont vraiment intérêt à ne jamais porter cette couleur-là.)

«Il y a des gens qui feraient mieux de s'occuper de leurs fesses», ai-je déclaré d'une voix forte pour que tout le monde l'entende.

Danielle a minaudé. «Alors, c'est vrai ? » a-t-elle insisté, et ses couleurs ont flamboyé comme des charbons ardents sous un brusque courant d'air.

Quelque chose en moi s'est enflammé aussi et je lui ai lancé d'une voix furieuse : «Ferme-la ! Et si quelqu'un ose en parler encore…

– Bien sûr que c'est vrai ! a dit Suze. Enfin, elle a quoi ? Quatre ans, ou à peu près, et elle ne parle pas encore et ne sait pas manger proprement. Ma mère dit qu'elle est mongole. Elle en a bien l'air.

– Ce n'est pas vrai, ai-je murmuré.

– Oh si, c'est vrai. C'est une arriérée, et laide, comme toi ! »

Suze s'est contentée de rire. Chantal en a fait autant. Et bientôt, elles scandaient *A-rrié-rée A-rrié-rée*. J'étais consciente du regard pâle et inquiet de Mathilde Chagrin, et soudain...

Bam!

Je ne sais pas exactement ce qui s'est passé. Cela a été si rapide, comme un chat qui, en une seconde, passe d'un ronronnement paisible à une explosion de sifflements et de coups de griffes. Je sais que, des doigts, j'ai fait le signe pour éloigner le démon, comme Zozie dans le salon de thé anglais. Je ne pourrais pas dire exactement quelle était mon intention mais cela a été instinctif en quelque sorte, comme si je lui avais vraiment jeté quelque chose, un petit caillou ou lancé un disque d'une substance qui brûle.

En tout cas, l'effet a été rapide. J'ai entendu Suzanne pousser un hurlement, et je l'ai vue saisir son bonnet rose et brusquement l'arracher de sa tête.

« Aïe ! Aïe !

– Qu'est-ce que tu as ? a demandé Chantal.

– Ça me démange ! » a gémi Suze en se grattant désespérément la tête. J'apercevais les plaques roses de son crâne sous ce qui lui restait de cheveux. « Mon Dieu, que ça me démange ! »

Tout à coup je me suis sentie faible et prête à vomir, exactement comme l'autre soir avec Zozie. Le pire était que je n'en ressentais aucun remords ; au contraire, j'éprouvais une sorte de frisson, comme lorsque quelque chose de désagréable arrive, que vous en êtes responsable mais que personne ne le sait.

Chantal a demandé : « Qu'est-ce que c'est ?

– Je ne sais pas ! » a répondu Suzanne.

Danielle avait repris son faux air inquiet comme quand elle m'avait demandé si Rosette était bien une arriérée, et Sandrine faisait de petits bruits – des gémissements de compassion ou des exclamations, je ne pourrais le dire.

Et puis Chantal s'est mise à se gratter la tête.

« T'as des poux, Chantal ? » a demandé Claude Meunier.

Tous ceux qui étaient à l'arrière de la queue ont ri.

Et puis ç'a été le tour de Danielle.

C'était comme si un nuage de poudre à gratter s'était abattu soudain sur les quatre filles. Poudre à gratter ou quelque chose de pis. Chantal a eu l'air d'abord furieuse puis inquiète. Suzanne a presque piqué une crise de nerfs. Pendant un instant, je me suis sentie si *heureuse*.

Alors, je me suis souvenue de quelque chose à une époque où j'étais toute petite, d'une journée où nous étions au bord de la mer. J'étais en maillot de bain, au bord de l'eau, occupée à patauger. Maman était assise sur la plage à lire un livre. Un garçon m'a éclaboussée et le sel m'a piqué les yeux. Quand il est passé près de moi, je lui ai lancé un caillou – un petit galet –, m'attendant bien à le rater.

Ce n'était qu'un petit Accident.

Le garçon, la main sur la tête, s'est mis à pleurer. Maman, incrédule, a couru vers moi. Oh! cette impression de nausée, ce bouleversement – un petit accident.

Souvenirs de verre brisé, de genou égratigné, de chien errant, écrasé par un autobus.

Ce sont des Accidents, Nanou!

J'ai commencé à m'éloigner lentement. Je ne savais pas si je devais rire ou pleurer de toute cette histoire. C'était drôle – de la façon dont une chose horrible peut être drôle quand même. Mais je me sentais toujours heureuse, horriblement heureuse.

Chantal a hurlé: «Bon Dieu, qu'est-ce que c'est?»

Je me suis dit que, quelle que soit la chose, elle avait un pouvoir certain. La poudre à gratter elle-même n'aurait pas fait mieux. Mais je ne pouvais pas tout à fait voir ce qui se passait. Il y avait trop de gens entre moi et elles maintenant. La queue s'était transformée en une masse d'élèves qui se bousculaient pour voir.

Je n'ai même pas essayé. Je savais.

Je me suis soudain senti le besoin d'aller trouver Zozie. Elle saurait, elle, ce qu'il fallait faire et elle ne me ferait sûrement pas subir d'interrogatoire. Je n'ai pas voulu attendre l'autobus: j'ai pris le métro et j'ai couru sans arrêt jusqu'à la place Clichy. Quand je suis arrivée, j'étais complètement hors d'haleine. Maman était dans la cuisine où elle préparait le goûter de Rosette. Je jurerais que Zozie *savait* avant que j'aie même ouvert la bouche.

«Qu'est-ce qui ne va pas, Nanou?»

Je l'ai regardée. Elle portait un jean et ses chaussures à talons plus hauts et plus étincelants que jamais. Rien que leur vue a suffi à me remonter le moral, et je me suis écroulée dans l'un des fauteuils recouverts de faux léopard rose en poussant un énorme soupir de soulagement.

«Un chocolat?

– Non, merci!»

Elle m'a versé un Coca. «Si mauvaise que ça, cette journée? a-t-elle dit en m'observant l'avaler d'un trait et si rapidement que les bulles me ressortaient par le nez. Bois-en un autre et raconte-moi ce qui ne va pas.»

Je lui ai alors raconté mais à voix basse pour que Maman ne puisse pas entendre. J'ai dû m'interrompre deux fois, une fois lorsque Nico est passé avec Alice et une autre fois quand Laurent est entré prendre un café et s'asseoir une demi-heure pour se plaindre de toutes les réparations à faire au P'tit Pinson, de la difficulté de trouver un plombier à cette époque de l'année, du problème des immigrés et de tout ce dont il se plaint d'habitude.

Quand il est sorti, c'était l'heure de fermeture, et Maman préparait le repas du soir. Zozie a éteint les lumières dans le magasin pour que je voie la maison-calendrier. Maintenant, le Joueur de flûte avait disparu, un petit groupe de séraphins en chocolat l'avait remplacé. Ils chantaient dans la rue couverte de neige en sucre. Comme c'est beau! ai-je pensé. La maison cependant garde encore son mystère. Les portes en sont fermées, les rideaux tirés, un seul lampion brille à la fenêtre d'une mansarde.

J'ai demandé : « Je peux regarder à l'intérieur ?

– Demain peut-être, a répondu Zozie. Pourquoi ne montes-tu pas dans ma chambre ? Nous pourrons terminer notre petite conversation. »

Je suis montée lentement derrière elle. À chaque marche de l'escalier étroit, j'entendais claquer les chaussures à talons sucette *toc! toc! toc!* comme si quelqu'un frappait à une porte pour me demander, non, pour m'implorer de les laisser entrer.

8

Le Jaguar

Jeudi 6 décembre

Ce matin – pour la troisième fois cette semaine –, la brume pendait au-dessus de Montmartre comme une voile inutile. On nous promet de la neige dans un jour ou deux mais, aujourd'hui, le silence est à vous en donner le frisson, étouffant le bruit habituel de la circulation et les pas des passants sur les pavés des rues. On pourrait se croire transporté un siècle en arrière, des silhouettes, en longues redingotes, émergeant du brouillard comme des fantômes.

Cela pourrait être aussi le matin de mon dernier jour de classe, le jour où je me suis affranchie de ce lycée de Saint-Michel-en-Pré, celui où, pour la première fois, j'ai compris que la vie – que les vies – ne sont rien de plus que des lettres de rebut que le vent emporte, que l'on peut ramasser, collectionner, brûler ou rejeter selon l'occasion.

Tu l'apprendras bien assez tôt, Anouk. Je te connais mieux que tu ne te connais toi-même. Derrière le masque de la gentille petite fille se cache une réserve complexe de haine et de colère comme en avait autrefois cette fille qui était la victime aussi, cette fille que j'étais il y a si longtemps.

Mais, pour tout, il faut un catalyseur. Une petite chose suffit parfois, une pichenette, un rien. Certaines *piñatas* sont plus résistantes que d'autres mais chacune a sa faille, son point faible et, une fois le coffre éventré, il n'est plus possible de le refermer.

Mon point faible à moi a été un garçon : Scott McKenzie. Il avait dix-sept ans. Blond, sportif et bien sous tous rapports, il venait d'arriver à Saint-Michel-en-Pré. S'il n'avait pas été nouveau, il aurait *su* dès le début, et aurait évité la victime que j'étais pour s'intéresser à une candidate plus digne de son affection.

Mais c'est moi qu'il a choisie, pendant un certain temps du moins, et c'est ainsi que les choses ont commencé. Pas bien original comme début – bien que cela se soit terminé dans les flammes, comme ce devrait toujours être le cas. J'avais seize ans et, avec l'aide de mon Système, j'avais tiré le meilleur parti de mes talents naturels. J'étais peut-être un peu effacée, après avoir été la tête de turc pendant tant d'années, mais, même alors, j'avais déjà un certain potentiel. J'étais ambitieuse, rancunière, gentiment sournoise. Mes méthodes se basaient sur la pratique plutôt que sur les sciences occultes. Dans le domaine des herbes et des poisons, j'avais bien quelques connaissances. J'étais capable de faire subir à ceux qui m'avaient fait du mal de violents maux d'estomac et je n'avais pas tardé à me rendre compte qu'un soupçon de poudre à gratter dans la chaussette d'un élève ou une goutte d'huile de piment rouge dans un tube de mascara produisait une réaction plus brutale et plus spectaculaire que toutes les incantations du monde.

Quant à la conquête de Scott, cela a été très facile. Les adolescents – même les plus malins – possèdent un tiers d'intelligence et deux tiers de testostérone. Ma recette à moi – un mélange de flatterie, de charme, de sexualité, de *pulque* et de minuscules doses de poudre d'un certain champignon réservé seulement à quelques clients spéciaux de ma mère – en un rien de temps, avait fait de lui mon esclave.

Ne vous méprenez pas. Je n'ai jamais *aimé* Scott. *Presque* aimé, peut-être, mais pas vraiment aimé. Mais Anouk n'a pas besoin de le savoir, pas plus qu'elle n'a besoin de connaître les détails plus sordides de ce qui s'est passé à Saint-Michel-en-Pré. Je ne lui en ai donné qu'une version soigneusement expurgée. Je l'ai fait rire. Je lui ai décrit un Scott McKenzie qui aurait fait pâlir d'envie le David de Michel-Ange et je lui ai raconté le reste en des termes qu'elle comprend bien : les graffitis, les commérages, la malveillance et les médisances.

Les petites misères du début au moins : les vols de vêtements, les cahiers déchirés, mon vestiaire mis à sac, les rumeurs répandues. Bien sûr, j'avais l'habitude de ces petites méchancetés-là qui ne valaient même pas l'effort d'une vengeance. D'ailleurs, j'étais *presque* amoureuse. J'éprouvais un certain plaisir à la certitude que, pour la première fois, les autres m'enviaient, me regardaient, en se demandant ce qu'un garçon comme Scott McKenzie pouvait bien trouver à admirer chez cette fille dont elles avaient fait leur victime.

J'en ai fait une belle histoire à l'intention d'Anouk. J'ai dressé pour elle une liste de petites vengeances assez malicieuses pour faire de nous des égales, mais pas assez cruelles pour effaroucher son bon petit cœur. La vérité est moins séduisante mais, bien sûr, c'est souvent le cas.

J'ai dit à Anouk : « Elles l'avaient bien cherché. Tu n'as fait que ce qui leur pendait au nez – ce n'était pas toi la coupable. »

Elle était encore pâle. « Si Maman savait ça…

– Ne le lui dis pas ! D'ailleurs quel mal y a-t-il à ça ? Ce n'est pas comme si tu avais blessé quelqu'un. » Et j'ai ajouté d'un ton pensif : « Pourtant, à moins d'apprendre à utiliser les dons que tu as, tu pourrais bien, un jour, par mégarde…

– Maman dit que tout ça n'est qu'un jeu, que rien n'est vrai, que c'est mon imagination qui me joue des tours. »

Je l'ai dévisagée : « Et toi, qu'est-ce que tu en penses ? »

Évitant mon regard et les yeux fixés au niveau de mes chaussures, elle a marmonné quelque chose.

J'ai insisté : « Nanou !

– Maman ne raconte pas de mensonges.

– Tout le monde en raconte !

– Toi aussi ? »

Avec un grand sourire, j'ai répondu : « Mais je ne suis pas tout le monde, n'est-ce pas, Nanou ? » Et j'ai brusquement relevé le pied pour que, sous cet angle, la lumière fasse étinceler mon talon rouge comme un diamant. J'ai cru voir dans ses yeux leur reflet en miniature, en or et en rubis. « Ne te torture pas, Nanou. Je sais ce que tu ressens. Tu as besoin d'un Système, c'est tout !

– D'un Système ? »

Alors, elle s'est mise à parler, d'une voix hésitante d'abord, mais bientôt avec un enthousiasme grandissant qui m'a réchauffé le cœur. J'ai bien vu qu'autrefois elles avaient eu leur Système à elles : un ensemble bizarre de contes, de tours de passe-passe, de sortilèges, de sachets d'herbes destinés à éloigner les puissances maléfiques, de chansons pour apaiser le vent du nord et l'empêcher de les emporter.

« Mais pourquoi le vent vous emporterait-il ? »

Anouk a haussé les épaules. « Parce que c'est ce qu'il fait.

– Et quelle chanson lui chantiez-vous ? »

Alors elle m'a chanté une vieille chanson, une chanson d'amour, je crois, un tout petit peu triste et mélancolique. Vianne la chante encore. Je l'entends parfois lorsqu'elle parle à Rosette ou qu'elle est occupée dans la cuisine à tremper le chocolat.

V'là l'bon vent, v'là l'joli vent
V'là l'bon vent, ma mie m'appelle

J'ai dit : « Je comprends. Et maintenant, tu as peur de réveiller ce vent-là ? »

Lentement, elle a hoché la tête : « Je sais que c'est idiot. »

J'ai dit : « Mais non ! Depuis des siècles, les gens y croient. Le folklore anglais nous assure que les sorcières réveillaient le vent quand elles peignaient leur chevelure. Les aborigènes imaginent que Bara, le vent gentil, est retenu prisonnier, six mois de l'année, par Mamariga, le vent méchant, et qu'il faut qu'ils chantent pour qu'il retrouve sa liberté. Quant aux Aztèques… » Je lui ai souri. « Eux connaissaient la puissance de ce vent dont le souffle est capable de déplacer le soleil et de chasser la pluie. Il s'appelle Ehecatl. Les Aztèques lui apportaient du chocolat en offrande.

– N'offraient-ils pas aussi des êtres humains en sacrifice ?

– Et n'est-ce pas aussi, à notre façon, ce que nous faisons ? »

Sacrifice humain – quelle expression lourde d'émotion ! Et pourtant, n'est-ce pas précisément ce qu'a fait Vianne Rocher ? N'a-t-elle pas sacrifié ses enfants aux dieux du confort bourgeois ? Ce que l'on désire exige toujours un sacrifice. Les Aztèques le savaient, les Mayas aussi. Ils étaient conscients de l'appétit terrible de leurs dieux, de cet appétit insatiable pour le sang et la mort. On pourrait même dire que leur perception du monde était plus lucide que celle des fidèles du Sacré-Cœur, ce gros ballon blanc et vide qui s'élève au sommet de la Butte. Grattez un peu de l'ongle la croûte de sucre glace du gâteau et vous découvrirez dessous la même substance amère.

La fondation sur laquelle, pierre après pierre, a été construit le Sacré-Cœur, n'est-elle pas la peur de la mort ? Et les peintures du Christ, le cœur mis à nu, sont-elles si différentes de celles des victimes aztèques auxquelles on avait arraché le cœur ? Et le rituel de la Communion, au cours de laquelle les fidèles se partagent le sang et la chair du Crucifié, est-il moins macabre et cruel ?

Les yeux écarquillés, Anouk m'observait.

J'ai poursuivi : « C'est Ehecatl qui a donné à l'homme le pouvoir d'aimer. C'est lui qui a insufflé la vie au monde. Le vent, pour les Aztèques, avait une importance capitale, plus grande encore que la pluie, plus grande même que le soleil. Parce que le vent promet le changement et que, sans changement, le monde mourrait tout simplement. »

Elle a acquiescé d'un hochement de tête en bonne élève qu'elle était, et j'ai eu la surprise de ressentir pour elle un élan d'affection, quelque chose qui ressemblait à de la tendresse, quelque chose de dangereusement maternel.

Aucun risque que je perde la tête. Mais je dois reconnaître que j'éprouve du plaisir à être en sa compagnie, à entreprendre son éducation, à lui parler des vieilles croyances. Je me souviens de ma propre exaltation lors de cette première visite à Mexico devant les couleurs, le soleil, les masques et les chants scandés, de cette impression d'être enfin revenue parmi les miens.

« Tu as déjà entendu cette expression : *un souffle nouveau ?* »

Encore une fois, elle a hoché la tête.

« Eh bien, c'est ce que nous sommes nous, et les gens comme nous, celles qui sont capables de réveiller le vent.

– Mais n'est-ce pas mal de faire cela ?

– Pas toujours. Certains sont des vents sauveurs, d'autres sont destructeurs. À toi de faire ton choix, c'est tout. *Tu agiras comme tu voudras*, c'est aussi simple que cela. Tu peux être leur victime ou tu peux te rebiffer. Tu peux, comme l'aigle, choisir le vent comme monture, Nanou, ou tu peux décider de le laisser t'emporter. »

Elle est restée un long moment silencieuse, assise sans mot dire, perdue dans la contemplation de ma chaussure. Puis elle a relevé la tête.

Elle a demandé : « Comment sais-tu toutes ces choses-là ? »

J'ai souri : « Née dans une librairie et élevée par une magicienne !

– Et tu m'apprendras à dompter le vent ?

– Bien sûr ! Si c'est ce que tu veux. »

Elle a continué à contempler ma chaussure en silence. Une gouttelette de lumière tombant sur le talon a fait ricochet et s'est dispersée en prismes, escaladant le mur.

« Veux-tu les essayer ? »

Ma proposition lui a fait lever les yeux. « Tu crois qu'elles m'iraient ? »

J'ai réprimé mon sourire. « Essaie-les, tu verras bien !

– Oh ! Formidable. Elles sont *cool* ! »

Chancelant sur les hauts talons comme un girafon nouveau-né, les yeux pétillant d'excitation, les mains en avant comme dans un jeu de colin-maillard, elle souriait, inconsciente du signe de la Lune sanguine que j'avais dessiné au crayon sous la semelle.

« Tu aimes ? »

Les lèvres écartées dans un sourire et soudain intimidée, elle a hoché la tête. « Je les adore, ces chaussures à talons cerise. »

Les chaussures à talons cerise. J'ai souri de son expression. Il y avait d'ailleurs là une certaine justesse. «Alors, ce sont celles-là que tu préfères?»

Elle a de nouveau hoché la tête et ses yeux se sont emplis d'étoiles. «Eh bien, tu peux les garder si tu veux.

– Les garder? Pour de bon?

– Pourquoi pas?»

Pendant un instant, elle est restée muette. Elle a levé le pied avec une grâce maladroite et déchirante d'adolescente et elle m'a donné un si beau sourire que mon cœur en a presque cessé de battre.

Mais tout à coup son visage s'est assombri. «Maman n'acceptera jamais que je porte ces chaussures.»

Anouk contemplait toujours son pied et la lumière qui se reflétait sur les talons rouges, rebondissait en paillettes sur le plancher. Je crois que déjà à ce moment-là elle savait quel prix j'en attendais. Ces souliers-là avaient un attrait tel cependant qu'on n'y résistait pas. Des souliers qui pouvaient vous conduire n'importe où, des souliers qui pouvaient vous rendre amoureuse, des souliers qui feraient de vous quelqu'un d'autre.

Elle a demandé: «Et rien de mal ne va arriver?»

J'ai souri: «Mais, Nanou, ce ne sont que des souliers!»

9

Le Soleil noir

Jeudi 6 décembre

T hierry a travaillé dur cette semaine, si dur que je lui ai à peine parlé. Entre nos préparations dans le magasin et les travaux qu'il fait dans l'appartement, il semble qu'il n'y ait pas eu de temps du tout pour ça. Aujourd'hui, il m'a passé un coup de téléphone pour avoir mon opinion à propos du parquet (chêne clair ou chêne foncé? Lequel préférais-je?). Il m'avertit de ne pas aller voir, expliquant que c'est le chaos là-bas, qu'il y a du plâtre partout et qu'une moitié du plancher a été enlevée. D'ailleurs, il me dit qu'il veut que tout soit parfait avant que je le revoie.

Je n'ai pas osé poser de question à propos de Roux, bien sûr, bien que je sache, grâce à Zozie, qu'il est là-bas. Voilà maintenant cinq jours qu'il est arrivé ici à l'improviste et il n'a toujours pas réapparu. J'en suis un peu surprise – j'ai tort peut-être. Je me dis que cela vaut mieux d'ailleurs, que le revoir compliquerait encore les choses. Pourtant le mal est fait. J'ai revu son visage. Et, dehors, j'entends un carillon de clochettes comme le vent recommence à souffler…

J'ai dit de ce ton indifférent qui ne trompe personne: «Je devrais peut-être quand même passer le voir. Cela ne me semble pas très naturel de ne pas le faire du tout, et…»

Zozie a haussé les épaules: «Évidemment! Si vous voulez qu'il soit foutu à la porte.

– Foutu à la porte?

– Mais, bien sûr, enfin! a-t-elle répondu avec impatience. Je ne sais pas si vous avez remarqué, Yanne, mais, à mon avis, Thierry pourrait bien être déjà un petit peu jaloux de Roux, alors, si vous vous mettez à aller lui rendre visite, en passant, comme ça, vous aurez une scène et avant même que vous ne vous en rendiez compte... »

Son raisonnement était valable, comme toujours. Je pouvais compter sur Zozie pour me faire remarquer une chose comme ça. J'ai dû pourtant sembler déçue car, en souriant, elle a passé son bras autour de mes épaules. « Écoutez, si vous voulez, j'irai voir ce qui se passe, je dirai à Roux qu'il sera toujours le bienvenu ici chaque fois qu'il le voudra. Et, pendant que j'y serai, je pourrai même lui apporter des sandwichs si vous voulez. »

J'ai ri de son enthousiasme. « Je ne crois pas que cela soit nécessaire.

– Allons, ne vous en faites pas, les choses vont s'arranger. »

Je commence à croire qu'elles vont peut-être vraiment s'arranger.

Mme Luzeron est passée au magasin aujourd'hui. Elle était en route pour le cimetière avec la petite boule de poils beiges qu'est son chien. Elle a acheté, comme d'habitude, trois truffes au rhum. Ces jours-ci, elle paraît moins distante, plus prête à s'asseoir et à s'attarder un peu pour prendre une tasse de moka avec une tranche de mon gros gâteau aux trois chocolats. Elle reste là mais bavarde rarement, bien qu'elle se plaise à observer Rosette occupée à dessiner sous le comptoir ou à feuilleter ses livres d'histoires.

Aujourd'hui, elle contemplait la maison-calendrier de l'Avent, ouverte maintenant pour révéler l'intérieur. La scène du jour est le vestibule avec les invités à la porte et l'hôtesse, en robe de soirée, qui les accueille à l'entrée.

En approchant son visage poudré de la devanture, Mme Luzeron a déclaré : « Cet étalage-là est très original avec toutes les petites souris de chocolat et les petits personnages !

– C'est bien fait, n'est-ce pas ? C'est Annie qui a fait ceux-là ! »

Mme Luzeron a bu son chocolat à petites gorgées. Elle a fini par dire : « Elle a peut-être raison. Rien n'est plus triste qu'une grande maison vide. »

Tous les personnages sont faits de pinces à linge en bois, adroitement peints et habillés avec un soin minutieux. Beaucoup de temps et d'efforts ont été consacrés à leur fabrication. Je me reconnais dans le personnage de l'hôtesse. Enfin, c'est Vianne Rocher que je reconnais avec sa robe de soie rouge et ses longs cheveux noirs faits, à la demande d'Anouk, d'une mèche de mes cheveux qu'elle a coupée, collée au bois et attachée avec un gros nœud.

Plus tard, j'ai demandé à Anouk : « Où est ta figurine à toi ? – Oh, je ne l'ai pas encore finie mais ça va venir, a-t-elle répondu d'un ton si sérieux que j'en ai souri. Je vais en faire une pour chacun de nous. Elles seront terminées pour la veille de Noël et toutes les portes de la maison seront ouvertes. Il y aura une grande fête et tout le monde y viendra. »

J'ai pensé : *Ah ! Je vois où elle veut en venir.*

L'anniversaire de Rosette est le 20 décembre. Nous ne l'avons jamais célébré par une fête en son honneur. C'est le mauvais moment, à la fois trop proche de Noël et pas assez éloigné des Laveuses. Tous les ans, Anouk en parle mais Rosette, elle, y semble indifférente. Chaque jour apporte pour elle sa magie. Une poignée de boutons, un morceau de papier argenté tout froissé, peut être pour elle aussi merveilleux que le plus beau jouet du monde.

« Dis, Maman, on pourrait faire une petite fête, nous aussi ?

– Oh, Anouk, tu sais très bien que ce n'est pas possible !

– Et pourquoi pas ? a-t-elle interrogé, d'un air décidé.

– Tu le sais bien. Nous sommes débordées de travail. D'ailleurs, si nous déménageons pour aller rue de la Croix…

– Bien sûr ! a dit Anouk. Et c'est justement ça la raison. Nous ne devrions pas quitter le quartier sans même dire au revoir. Nous devrions organiser une fête pour la veille de Noël, pour l'anniversaire de Rosette, pour nos amis. Parce que, tu sais, dès que nous serons parties pour aller habiter chez Thierry, tout sera bien différent, nous serons obligées de tout faire à sa façon à lui.

– Anouk, ce n'est pas juste de dire ça.

– C'est pourtant vrai, n'est-ce pas ?

– Peut-être ! »

J'ai pensé : une fête, la veille de Noël. Comme si nous n'avions déjà pas assez à faire dans la chocolaterie à ce moment-là de l'année qui est celui où nous sommes le plus occupées.

Anouk a ajouté : « Je vous donnerai un coup de main, bien entendu. Je pourrais écrire les invitations, établir le menu, arranger les décorations. Je pourrais aussi faire un gâteau pour Rosette. tu sais que c'est le chocolat à l'orange qu'elle préfère. On pourrait lui en faire un en forme de singe. Ou bien ça pourrait être une fête costumée où tout le monde viendrait déguisé en animal. On boirait de la grenadine, du Coca et du chocolat, bien sûr. »

J'ai dû rire : « Tu y penses depuis longtemps, on dirait ! »

Elle a fait une grimace : « C'est vrai. »

J'ai poussé un soupir.

Pourquoi pas ? C'est peut-être justement le moment.
J'ai dit : « D'accord. Tu peux avoir ta petite fête. »
Anouk s'est tortillée de plaisir. « Chic ! Tu crois qu'il neigera ?
– Eh bien, peut-être !
– Les invités pourront arriver costumés ?
– S'ils le veulent.
– Et on pourra inviter qui on veut ?
– Bien sûr !
– Roux aussi ? »
J'aurais dû m'en douter. J'ai fait un effort pour sourire et j'ai dit :
« Pourquoi pas ? S'il est toujours ici. »
Je n'ai pas vraiment parlé de Roux à Anouk. Je ne lui ai pas dit qu'il travaillait pour Thierry à quelques rues d'ici. Mentir par omission n'est pas vraiment mentir. Je suis pourtant certaine que si elle savait…

Hier soir, j'ai de nouveau consulté les cartes. Je ne sais pas pourquoi. Je les ai sorties. Elles étaient encore tout empreintes du parfum de ma mère. Je le fais si rarement. J'y crois à peine d'ailleurs.

Pourtant je les bats avec une dextérité qui révèle des années d'entraînement, je les étale sur la table en formant cet arbre de vie, le favori de ma mère, en regardant les images passer sous mes yeux et disparaître.

À la porte, les clochettes sont immobiles. Je les entends pourtant. Leur tintement résonne dans ma tête douloureuse comme un diapason et fait se dresser les poils de mes bras.

Je retourne les cartes une à une.
Leurs images sont pour moi plus que familières.
La Mort. Les Amants. Le Pendu. L'Inconstant.
Le Fou. Le Mage. La Tour.
Je les bats de nouveau et les retourne encore une fois.
Les Amants. Le Pendu. L'Inconstant. La Mort.
Toujours les mêmes, dans un ordre différent pourtant, comme si ce qui me poursuivait avait subtilement changé.
Le Mage. La Tour. Le Fou.
Il a les cheveux roux, le Fou, et il joue de la flûte. Il me fait un peu penser au Joueur de flûte de Hamelin avec son chapeau à plumes et son manteau fait de pièces de toutes les couleurs. Il garde les yeux tournés vers le ciel, inconscient de l'abîme qui s'ouvre devant lui. Cet abîme à ses pieds, l'a-t-il creusé lui-même ? Est-ce un piège destiné à engouffrer ceux qui pourraient le suivre ? Ou va-t-il imprudemment trop s'en approcher et s'y engloutir ?

Après cela, je n'ai pratiquement pas dormi. Mes rêves et le vent ont conspiré à me tenir éveillée. Rosette, en plus, était agitée, moins prête à coopérer qu'à aucun moment des six derniers mois. J'ai mis trois heures à essayer de l'endormir. Rien n'y faisait, ni le chocolat chaud dans sa tasse à elle, ni aucun de ses jouets favoris, ni la petite veilleuse en forme de singe, ni sa si précieuse couverture – une vieille guenille, couleur de bouillie d'avoine, et dont elle raffole – ni même la berceuse que chantait ma mère.

Elle m'a paru plus énervée qu'angoissée. Elle ne se mettait à larmoyer et à hoqueter que lorsqu'elle me voyait prête à m'éloigner. Le reste du temps, elle paraissait tout à fait contente de voir que nous ne dormions ni l'une ni l'autre.

Elle a fait le signe pour *bébé*.

« Rosette, il fait nuit, il faut dormir. »

Elle a répété le signe *Veux voir bébé.*

« Impossible maintenant. Demain, peut-être ! »

Dehors une rafale de vent a ébranlé la fenêtre. À l'intérieur, une rangée entière de petits objets – un domino, un crayon, un morceau de craie, deux petits animaux de plastique – sont tombés de la cheminée et se sont éparpillés par terre.

« Rosette, je t'en prie, pas maintenant. Il faut dormir. Demain, nous verrons. »

Il était deux heures et demie du matin lorsque j'ai réussi à l'endormir. J'ai refermé la porte entre nous et je me suis allongée sur mon lit au vieux sommier creux. Pas tout à fait un lit pour deux personnes mais trop grand pour une seule. Ce sommier-là était déjà abîmé quand nous sommes arrivées et les protestations soudaines de ses ressorts cassés ont été la cause de bien des nuits blanches. La nuit dernière, on aurait dit un orchestre complet et, un peu après cinq heures, je me suis déclarée vaincue et suis descendue à la cuisine me faire du café.

Dehors, il pleuvait. Une grosse pluie généreuse qui jaillissait de la gouttière et coulait à flots le long de la ruelle. J'ai relevé une couverture abandonnée sur une marche de l'escalier et je l'ai emportée avec ma tasse de café dans le magasin. Je me suis assise dans l'un des fauteuils de Zozie (tellement plus confortables que ceux de là-haut) et là, pelotonnée dans la douce lumière jaune qui, de la cuisine, filtrait par la porte entrouverte, j'ai attendu l'arrivée du matin.

J'ai dû m'assoupir car un bruit m'a réveillée. C'était Anouk, pieds nus et en pyjama à carreaux bleus et rouges. Une silhouette floue chatoyait à ses talons. Ce ne pouvait être que Pantoufle. Ces dernières années, j'ai remarqué que, bien qu'il soit capable de demeurer invisible pendant des semaines, quelquefois pendant des mois, dans la journée, sa présence est plus évidente et plus persistante la nuit. C'est logique, bien sûr. Tous les enfants ont peur de l'obscurité. Anouk s'est approchée, elle s'est glissée sous la couverture et s'est pelotonnée contre moi, les cheveux dans mon visage et ses pieds glacés fourrés dans la douce chaleur du pli de mes genoux, comme elle le faisait quand elle était bien plus jeune, à l'époque où les choses étaient plus simples.

« Je ne pouvais pas dormir avec ce plafond qui coule. »

J'avais oublié ça. Il y a un trou quelque part dans la toiture et, jusque-là, personne n'a tout à fait réussi à régler le problème. C'est l'ennui de ces vieilles maisons ! Quelles que soient les réparations que l'on peut y faire, il y en a toujours de nouvelles à prévoir : l'encadrement d'une fenêtre dont le bois a pourri, une gouttière à remplacer, une poutre dont le bois est vermoulu, une tuile fissurée. Bien que Thierry se soit toujours montré très généreux, je n'aime pas lui demander trop souvent de l'aide. C'est idiot, je le sais, mais je n'aime pas demander.

Elle m'a dit : « Je réfléchissais à une chose. Est-ce que Thierry doit vraiment assister à notre petite fête ? Tu sais comment il est. Il gâchera tout. »

J'ai poussé un soupir. « Oh, pas maintenant, je t'en prie ! » Les débordements d'enthousiasme d'Anouk m'amusent d'habitude mais pas à six heures du matin.

« Si, Maman, écoute. On ne pourrait pas, pour une fois, ne pas l'inviter ? »

J'ai dit : « Tout ira bien, tu verras ! » Je me rendais compte que cela n'était pas une réponse. Anouk a changé de position et a caché sa tête sous la couverture. Un parfum de vanille et de lavande émanait d'elle et une vague odeur de bergerie s'échappait de ses cheveux embroussaillés qui ont épaissi au cours de ces quatre dernières années et forment une sorte de toison de laine brute non cardée.

Les cheveux de Rosette, eux, sont encore des cheveux de bébé. Ils sont fragiles comme des laiterons ou des soucis et encore plus fins derrière, là où sa tête appuie, la nuit, sur l'oreiller. Dans moins de deux semaines, elle aura quatre ans mais elle paraît toujours bien plus jeune avec ses petits bras et ses petites jambes maigres comme des allumettes et ses yeux trop grands pour son visage. Mon bébé chat, c'est comme cela que je l'appelais à l'époque où cela était encore une plaisanterie.

Mon bébé chat. L'enfant que m'ont laissée les fées.

Anouk a, de nouveau, remué sous la couverture. Elle a enfoncé son visage dans mon épaule et ses mains sous mes bras.

« Tu as froid. »

Elle a secoué la tête.

« Tu veux un chocolat chaud ? »

De nouveau, elle a secoué la tête mais plus violemment cette fois. Je suis restée émerveillée devant la façon dont ces petits êtres sont capables de vous déchirer le cœur – un baiser oublié, un jouet rejeté, une histoire non réclamée, cet air d'irritation là où, hier, on aurait obtenu un sourire.

Un jour, ma mère m'a dit : *Les enfants sont des lames aiguisées qui coupent sans l'avoir voulu.* Pourtant nous nous accrochons à eux, n'est-ce pas, nous les pressons contre notre poitrine jusqu'à ce que le sang se mette à couler. Ma fille de l'été qui s'éloigne de moi avec l'année qui passe. J'ai été soudain frappée du temps qui s'était écoulé depuis la dernière fois où elle m'avait laissée la garder ainsi contre moi. J'aurais souhaité pouvoir le faire encore plus longtemps mais la pendule sur le mur indiquait déjà six heures et quart.

« Nanou, va te coucher dans mon lit. Il y fait plus chaud et le plafond ne coule pas.

– Et à propos de Thierry, alors ?

– Nous en reparlerons plus tard, Nanou !

– Rosette ne veut pas de lui.

– Comment peux-tu bien le savoir ? »

Anouk a haussé les épaules. « Je le sais. C'est tout. »

J'ai poussé un soupir en lui déposant un baiser sur la tête et, de nouveau, j'ai respiré ce parfum de lavande et de vanille et un autre aussi, quelque chose de plus fort, de plus adulte que j'ai fini par identifier. De l'encens. Zozie en brûle dans sa chambre. Je sais qu'Anouk y passe beaucoup de temps à bavarder et à essayer ses vêtements. C'est une bonne chose qu'elle ait trouvé quelqu'un comme Zozie, une adulte, autre que moi, à qui elle puisse se confier.

« Nous devrions donner à Thierry une chance. Je sais bien qu'il n'est pas parfait mais il t'aime bien. »

Elle a dit : « Toi non plus, tu ne veux pas vraiment qu'il soit là. Il ne te manque pas quand il n'est pas là. Tu ne l'*aimes* pas vraiment. »

D'un ton exaspéré, j'ai dit : « Ah, ne commence pas à parler comme ça ! Il y a beaucoup de façons d'aimer. Je t'aime, toi, et j'aime Rosette aussi. Ce que je ressens pour Thierry n'est pas la même chose mais cela ne veut pas dire que je… »

Anouk n'écoutait pas. Elle s'est dégagée de mes bras et s'est extirpée de dessous la couverture. J'ai pensé : *Je sais très bien ce qui provoque ça.* Elle aimait assez Thierry avant l'arrivée de Roux, alors, quand Roux sera reparti…

« Je suis la mieux placée pour en juger. Ce que je fais, je le fais pour toi, Nanou. »

Anouk a haussé les épaules. Elle ressemble tant à Roux quand elle fait cela.

« Crois-moi. Tout ira bien.

– C'est comme tu veux ! » Et elle est montée.

10

Le Jaguar

Vendredi 7 décembre

Mon Dieu! Que c'est triste lorsque mère et fille ne se comprennent plus! C'est vrai surtout quand elles ont été aussi proches que ces deux-là. Vianne était fatiguée aujourd'hui. Je le voyais à son visage. Je ne crois pas qu'elle ait beaucoup dormi la nuit dernière. En tout cas, elle était trop lasse pour remarquer le ressentiment croissant dans le regard de sa fille ou dans sa façon de rechercher mon approbation.

Enfin, ce qui est perte pour Vianne peut devenir mon profit. Maintenant que je fais partie du tableau, si on peut dire, je vais pouvoir utiliser mon influence de cent façons nouvelles sans me faire remarquer. Commençons par ces talents que Vianne a si adroitement subvertis, ces merveilleux instruments de la volonté et du désir.

Je n'ai pas encore réussi à découvrir ce qui empêche Anouk de les utiliser, ce qui l'effraie. Quelque chose est arrivé, c'est évident, quelque chose dont elle se sent responsable. Mais ces instruments-là sont faits pour qu'on s'en serve, Nanou. Pour le bien comme pour le mal. Le choix est à toi.

Pour l'instant, elle manque encore de confiance. Je lui ai pourtant assuré qu'il n'y avait aucune possibilité qu'un ou deux malheureux petits tours de magie mènent à une catastrophe. Elle pourrait même s'en servir pour *aider* les autres. Cela fait mal au cœur, bien entendu, mais il sera toujours temps de la guérir plus tard de son altruisme.

À ce moment-là, ce ne sera plus une nouveauté et nous pourrons en arriver à l'essentiel.

Anouk, qu'est-ce que tu veux, dis-moi ?

Qu'est-ce que tu veux vraiment ?

Les choses que désirent tous les bons petits enfants, évidemment. Bien réussir à l'école, avoir beaucoup de copains, se venger des petites méchancetés de ses ennemis. Aucune difficulté à tout cela et nous pourrons passer au stade suivant : manipuler les autres.

Mme Luzeron, par exemple, dont le visage poudré et blême, les mouvements précis et saccadés rappellent ceux d'une poupée de porcelaine vieille et triste. Il faut qu'elle nous achète davantage de chocolats ; trois truffes au rhum par semaine n'est pas assez pour justifier notre attention.

Et puis, il y a Laurent qui passe au magasin tous les jours et reste là, devant sa tasse, pendant des heures. Il est plus embêtant qu'autre chose. Sa présence même est capable d'en décourager d'autres – Richard et Mathurin surtout qui, sans lui, viendraient tous les jours. D'autant plus qu'il chipe les morceaux de sucre dans le sucrier et s'en remplit les poches de l'air de celui qui compte bien en avoir pour son argent.

Le Gros Nico, aussi. Un excellent client, celui-là, qui nous achète jusqu'à six boîtes par semaine. Anouk, pourtant, s'inquiète pour sa santé. Elle a bien remarqué la façon dont il remonte la Butte et est affolée devant l'effort que représente pour lui le fait de gravir un escalier. Elle dit qu'il ne devrait pas être gros comme ça, qu'il y a peut-être un moyen de l'aider aussi.

Vous et moi, bien entendu, savons très bien qu'on ne va pas très loin à exaucer les vœux des uns et des autres. Mais, pour gagner son cœur, il faut accepter de faire des détours. D'ailleurs, si je ne me trompe, les bénéfices en vaudront bien la peine. En attendant, je lui permets de s'amuser comme un chaton peut se faire les griffes sur une pelote de laine avant de se lancer à attraper sa première souris.

Et c'est ainsi que notre programme d'éducation commence. Première leçon, magie compassionnelle.

Autrement dit, les effigies.

Pour les fabriquer, nous nous servons de pinces à linge en bois – c'est moins salissant que l'argile. Elle les emporte partout avec elle – deux dans chaque poche – en attendant l'occasion de les essayer.

La première est Mme Luzeron. Grande et raide, vêtue d'une robe faite d'un bout de taffetas perdu et d'un ruban de couleur rouille en guise de ceinture. Cheveux d'ouate. Petites chaussures noires et châle brun foncé. Visage dessiné à la pointe de feutre par Nanou qui fait une terrible grimace en se concentrant pour en saisir parfaitement l'expression. Pour représenter son petit chien poilu, il y a même une boule d'ouate reliée à la ceinture de Madame par un brin de cure-pipe. Cela fera l'affaire. Quelques cheveux, soigneusement prélevés sur le col de son manteau, compléteront, en un tour de main, la ressemblance.

La deuxième effigie est Anouk elle-même. Les figurines qu'elle crée sont étrangement ressemblantes. Celle-ci a les cheveux bouclés d'Anouk. Elle est vêtue de jaune. Et un Pantoufle de laine grise reste là, assis, sur son épaule.

La troisième est Thierry Le Tresset avec son portable.

La quatrième, vêtue d'une robe du soir d'un rouge flamboyant, au lieu du noir qui est sa couleur habituelle, est Vianne Rocher. Je ne l'ai vraiment vue qu'une seule fois porter du rouge. Pour Anouk, pourtant, c'est la couleur de sa mère, la couleur de la vie, de l'amour, de la magie. C'est intéressant, et ça pourrait me servir. Mais, plus tard peut-être, au moment venu.

J'ai autre chose à faire en attendant. Surtout dans la chocolaterie. Avec Noël qui approche à grands pas, nous n'avons que le temps d'élargir notre clientèle, de découvrir qui a été gourmand ou sage, de tenter, de séduire, de faire goûter nos stocks d'hiver – en y ajoutant peut-être quelques petits ingrédients secrets de notre recette à nous.

Dans bien des cas, le chocolat peut être le moyen de créer une atmosphère. Nos truffes – toujours les plus demandées – sont roulées sous la main dans un mélange de poudre de cacao, de sucre glace et tout un tas d'autres petites choses qui n'auraient sûrement pas reçu l'approbation de ma mère mais qui nous assurent que nos clients seront non seulement satisfaits mais reposés, stimulés, et qu'ils en voudront toujours plus. Aujourd'hui seulement, nous avons vendu trente-six boîtes de truffes et nous avons pris commande pour une douzaine encore. À cette vitesse-là, avant Noël, nous pourrions bien atteindre une centaine par jour.

Thierry est arrivé à cinq heures aujourd'hui pour parler des progrès des travaux dans l'appartement. Il a paru légèrement ahuri devant l'activité du magasin. Je dirais même qu'il n'en était pas particulièrement heureux.

«C'est une véritable usine ici!» a-t-il dit en indiquant d'un signe de tête la porte de la cuisine où Vianne confectionnait des mendiants du roi – d'épaisses tranches d'orange glacée qu'elle trempe dans du chocolat noir et qu'elle saupoudre d'or de chocolatier. Ils sont si jolis que cela semble un crime de les manger. Idéal pour les fêtes, évidemment! «Ne peut-elle pas s'accorder une minute de repos?»

J'ai souri. « Vous savez bien que c'est le coup de feu de Noël. »

Il a poussé un grognement. « C'est moi qui serai bien content quand tout sera fini. Je n'ai jamais été autant à court de temps pour terminer un chantier. Enfin, si je peux, cela en aura valu la peine ! »

J'ai bien vu le coup d'œil qu'Anouk, assise à la table, lui a décoché.

Il a dit : « Ne t'en fais pas. Une promesse est une promesse. Ce sera le plus beau Noël du monde. Nous ne serons que tous les quatre, rue de la Croix. Nous pourrons même aller à la messe de minuit au Sacré-Cœur. Ça sera formidable. Qu'en dis-tu ?

– On verra bien ! » La voix d'Anouk était sans expression. J'ai vu Thierry réprimer un soupir d'impatience. Anouk peut être difficile, parfois, et on sent sa résistance à Thierry. Roux en est sans doute la cause. Il n'est toujours pas revenu mais elle pense à lui constamment. Moi, bien sûr, je le vois régulièrement. Je l'ai rencontré une ou deux fois sur la Butte, une autre fois en traversant la place du Tertre et une fois encore alors qu'il s'apprêtait à descendre par le funiculaire. Il avançait à grands pas rapides. Il portait un bonnet de laine qui lui cachait les cheveux comme s'il avait eu peur qu'on le reconnût.

Je suis aussi allée le voir à ce foyer de travailleurs où il loge pour me rendre compte de ses progrès, lui raconter des histoires, encaisser ses chèques et m'assurer de son obéissance et de sa docilité. Il s'impatiente un peu maintenant. On comprend bien ça. Il se sent blessé à l'idée que Vianne n'ait pas encore posé de questions à son sujet. De plus, il travaille, bien sûr, toute la journée, pour Thierry, arrivant à huit heures du matin et ne finissant pas avant la tombée de la nuit. En quittant le boulot, rue de la Croix, il est parfois trop éreinté pour manger même. Il rejoint son hôtel où il dort comme un loir.

Quant à Vianne, je devine son inquiétude, son désappointement aussi. Elle n'est pas allée rue de la Croix. Anouk a aussi reçu de strictes instructions. Elle ne doit pas y mettre les pieds. Vianne dit que, si Roux a l'intention de les revoir, il viendra de lui-même. Sinon, ce sera son choix à lui.

Thierry paraissait plus impatient que jamais. Il est allé dans la cuisine où Vianne s'appliquait à aligner ses mendiants sur une tôle à gâteaux. J'ai pensé qu'il y avait un peu de furtivité dans la façon dont il a à demi refermé la porte. Ses couleurs étaient plus vives que d'habitude, je l'ai bien remarqué, et galonnées de vibrations rouges et violettes.

« Je t'ai à peine vue de la semaine. » Il a la voix qui porte. Je l'entendais clairement du magasin. Celle de Vianne est moins facile à saisir. Un murmure qui ressemble peut-être à une protestation. Le bruit de quelqu'un qui se débat. Le rire énorme de Thierry. « Allez, va ! Un seul baiser. Tu m'as manqué, Yanne ! »

Ce murmure encore et sa voix à elle qui s'élève : « Thierry, allons, fais attention, les chocolats ! »

J'ai réprimé un sourire. Le vieux satyre s'impatiente, hein ? Moi, ça ne me surprend pas du tout. Vianne se laisse peut-être prendre à son attitude chevaleresque mais les hommes sont prévisibles comme les chiens. Et Thierry l'est encore plus que d'autres. Sous son assurance apparente, il n'est pas vraiment sûr de lui. L'arrivée de Roux a encore aggravé la situation. Il est devenu jaloux de son territoire aussi bien rue de la Croix, où le fait d'avoir barre sur Roux lui communique un frisson étrange et inconnu, qu'ici, au Rocher de Montmartre.

J'entends vaguement la voix de Vianne à travers la porte. « Thierry, s'il te plaît, allons ! Ce n'est pas le moment ! »

Pendant ce temps, Anouk écoutait. Aucune émotion ne paraissait sur son visage mais ses couleurs étaient éclatantes. Je lui ai souri. Elle n'a pas répondu à mon sourire. Elle a simplement jeté un coup d'œil vers la porte et fait un petit geste en ramenant les doigts vers elle. Une autre que moi ne l'aurait pas remarqué. Elle-même n'en était peut-être même pas consciente. Au même moment, pourtant, un courant d'air s'est engouffré par la porte de la cuisine qui s'est ouverte brusquement en grand et a cogné contre le mur peint.

Bien mineure comme interruption, suffisante pourtant. J'ai surpris un éclair d'irritation chez Thierry et une sorte de soulagement chez Vianne. Cette impatience de Thierry est une découverte, bien sûr, pour elle. Elle a tellement pris l'habitude de voir en lui une sorte d'oncle gentil, sur lequel on peut compter, un peu terne mais ne présentant aucun danger. Ce désir de possession est nouveau pour elle et légèrement oppressant. Et, pour la première fois, elle prend conscience non pas d'un peu d'inquiétude mais de dégoût.

Elle en rend responsable la présence de Roux et se dit que ses doutes disparaîtront avec lui. Mais, pour le moment, cette incertitude la rend nerveuse, déraisonnable. Elle dépose un baiser sur la bouche de Thierry – le vert glauque, dans le langage des couleurs, indique un sentiment de culpabilité – et lui fait un sourire un peu trop lumineux.

« Je me rattraperai, tu verras ! » promet-elle.

De deux doigts de la main droite, Anouk fait un geste pour l'éloigner.

De l'autre côté, sur sa petite chaise, Rosette l'observe, les yeux illuminés – elle imite le signe *esprit méchant, va-t'en* et Thierry, du plat de

la main, se frappe la nuque comme s'il avait été piqué par un insecte.
À la porte, les clochettes se mettent à tinter.

« Il faut que je m'en aille ! »

Et il s'en va. Engoncé dans son grand pardessus, il trébuche presque
sur le pas de la porte. Anouk a la main dans sa poche maintenant,
dans celle qui contient l'effigie de Thierry. Elle la sort et se dirige vers
l'étalage où elle la place avec soin à la porte de la maison.

« Au r'voir, Thierry ! dit Anouk.

– Au r'voir ! » répète Rosette avec ses doigts.

Et la porte se referme en claquant. Les gamines sourient.

Décidément, aujourd'hui, c'est la journée des courants d'air.

II

Le Jaguar

Samedi 8 décembre

C'est quand même un début. L'équilibre des forces a changé. Nanou ne s'en rend peut-être pas compte mais, pour moi, c'est évident. De toutes petites choses, sans importance, d'abord, mais qui, en moins que rien, l'amèneront à me manger dans le creux de la main.

Elle a passé la journée au magasin à jouer avec Rosette, nous aider et attendre une autre occasion de se servir de ses nouvelles figurines. Et l'une s'est présentée en la personne de Mme Luzeron, entrée au milieu de la matinée – alors que ce n'est pas son jour habituel – avec sa petite boule de poils en laisse.

Je lui ai dit avec un sourire : « Vous voilà déjà de retour ! Nous devons faire quelque chose que vous appréciez, alors ? »

J'ai bien remarqué ses traits plutôt tirés et qu'elle portait le manteau qu'elle met d'habitude pour aller au cimetière – ce qui voulait dire qu'elle avait dû y retourner. J'ai pensé que c'était peut-être un jour spécial – un anniversaire ou une fête –, en tout cas, elle semblait fatiguée, presque fragile. Ses mains gantées tremblaient de froid.

« Asseyez-vous donc ! Je vais vous apporter un chocolat », ai-je suggéré.

Elle a eu un instant d'hésitation.

Elle a dit : « Je ne devrais pas ! »

Anouk m'a jeté un coup d'œil furtif. Je l'ai vue tirer de sa poche l'effigie de Mme Luzeron marquée du signe engageant de la Lune sanguine. Un peu d'argile pour la fixer au sol et, en un instant, Mme Luzeron – son double, devrais-je dire – est là, à l'intérieur de la maison-calendrier d'où elle contemple les patineurs sur le lac et les canards de chocolat.

Pendant un moment, elle n'a rien semblé remarquer. Son regard pourtant a été bizarrement attiré – peut-être par cette chose à la devanture qui luisait d'une lueur étrange.

Sa moue s'est un peu adoucie.

« J'avais une maison de poupée, vous savez, quand j'étais petite », a-t-elle dit, en jetant un regard vers la devanture.

J'ai adressé un sourire à Anouk – il est rare que Mme Luzeron se laisse à raconter sa vie –, et j'ai dit : « Vraiment ? »

Mme Luzeron a avalé une petite gorgée de son chocolat.

« Oui ! Elle appartenait à ma grand-mère et, bien qu'il ait été entendu qu'à sa mort j'en hériterais, on ne m'a jamais permis de jouer avec.

– Pourquoi pas ? a demandé Anouk, occupée à attacher avec soin la petite boule d'ouate à la ceinture de la robe de la poupée de bois.

– Elle était bien trop précieuse – un antiquaire, un jour, m'en a proposé cent mille francs ! D'ailleurs, c'était un trésor de famille, pas un jouet.

– Alors, comme ça, vous n'avez jamais pu jouer avec ? Ça n'est pas juste ! a dit Anouk essayant de placer une petite souris verte en sucre sous un arbre fait de papier de soie.

– J'étais petite. J'aurais pu l'abîmer. »

Elle s'est interrompue net. J'ai levé les yeux vers elle. Elle était immobile, comme figée.

Puis, elle a poursuivi : « C'est drôle. Cela fait des années que je n'y ai pas pensé. Et quand Robert a voulu jouer avec… »

Elle a reposé sa tasse d'un mouvement saccadé de poupée mécanique.

« Ce n'était *vraiment pas juste,* n'est-ce pas ?

– Vous ne vous sentez pas mal, madame ? » ai-je demandé. Son visage, de la couleur du glaçage de sucre d'un gâteau était sillonné de petites ridules finement ciselées.

« Non, non, ça va, je vous remercie, a-t-elle répondu d'une voix dénuée d'émotion.

– Vous prendrez peut-être une tranche de gâteau au chocolat ? » lui a demandé Anouk d'un air inquiet – la gamine est toujours prête à donner ! Mme Luzeron l'a regardée en prenant un air gourmand.

« Merci, ma petite. J'en mangerais une avec plaisir. » Alors, Anouk a coupé une belle tranche et a demandé : « Robert, c'était votre fils ? »

Mme Luzeron a fait un petit signe de tête rapide. « Et quel âge avait-il quand il est mort ?

– Treize ans. Un tout petit peu plus âgé que toi peut-être. Les docteurs n'ont jamais pu dire de quoi il souffrait. Il était en bonne santé. Je ne lui autorisais pas trop les sucreries. Et puis, tout d'un coup, comme ça, il est mort. C'est difficile à croire, n'est-ce pas ? »

Les yeux grands ouverts, Anouk a secoué la tête.

« C'est le jour de son anniversaire, aujourd'hui, a poursuivi Mme Luzeron. Le 8 décembre 1979. Bien avant que tu sois née. Dans ce temps-là, on pouvait encore obtenir un emplacement dans le grand cimetière – si l'on était prêt à payer. J'ai habité ici toute ma vie. Ma famille n'est pas sans argent. J'aurais pu le laisser jouer avec la maison de poupée s'il avait voulu. Et toi, as-tu jamais eu une maison de poupée ? »

Anouk a, de nouveau, secoué la tête.

« La mienne est toujours quelque part dans la mansarde. J'ai même encore les poupées et leur mobilier. Tous ces petits meubles faits à la main avec les matériaux de l'époque. Glaces vénitiennes, sur les murs. Fabriquées par des artisans avant la Révolution. Je me demande parfois si un enfant a jamais joué avec cette *satanée* maison ! »

Elle paraissait légèrement empourprée maintenant. Comme si le simple fait d'avoir utilisé un mot interdit avait rendu quelque chose qui ressemblait à la vie à ce visage exsangue.

« Tu aimerais peut-être jouer avec, toi ? »

Les yeux d'Anouk se sont soudain illuminés. « Ouais.

– Tu seras la bienvenue, ma chérie. » Elle a froncé les sourcils. « C'est incroyable, non : je ne sais même pas comment vous vous appelez, toutes les deux. Moi, je suis Isabelle. Ma petite chienne, c'est Salammbô. Tu peux la caresser, si tu veux. Elle ne mord pas. »

Anouk s'est baissée pour toucher la petite chienne qui a frétillé de plaisir et lui a léché les mains avec enthousiasme. « Elle est si mignonne. J'adore les chiens !

– J'ai du mal à croire que je viens ici depuis si longtemps et que je ne connais pas encore vos noms. »

Anouk a souri. « Je suis Anouk, a-t-elle dit. Et voici Zozie, une bonne copine à moi. » Et elle a continué à jouer avec la petite chienne. Elle était si absorbée qu'elle n'a pas même remarqué qu'elle avait donné à Mme Luzeron le mauvais nom, ni que l'éclat du signe de la Lune sanguine qui rayonnait dans la maison-calendrier était maintenant si puissant qu'il illuminait la pièce tout entière.

La Lune montante

Samedi 8 décembre

C e type de la météo, il a menti. Il a promis qu'on aurait de la neige, qu'il y aurait une période de temps très froid. Et jusqu'ici, nous n'avons eu que de la brume et de la pluie. Pour les habitants de la maison-calendrier, c'est beaucoup mieux. C'est un vrai Noël, au moins! À l'extérieur, c'est comme dans un conte, tout est glace et givre. Du toit pendent des glaçons de sucre. Une mince couche de neige de sucre glace recouvre la surface du lac. Là, des poupées font du patinage, emmitouflées dans leurs manteaux et leurs bonnets, et des enfants (ils sont censés *nous* représenter : Jean-Loup, Rosette et moi) construisent un igloo de morceaux de sucre pendant qu'un autre personnage (Nico) transporte l'arbre de Noël jusqu'à la maison sur un traîneau fait d'une boîte d'allumettes.

Cette semaine, j'ai fabriqué beaucoup de petites figurines avec des pinces en bois. Je les ai disposées autour de la maison là où tout le monde peut les voir sans vraiment savoir à quoi je les destine. C'est amusant à fabriquer, vous savez. On dessine leur visage à la pointe de feutre. Zozie m'a apporté toute une boîte pleine de bouts de tissu et de ruban pour leur faire des habits et les autres trucs. J'ai déjà Nico, Alice, Mme Luzeron, Rosette, Roux, Thierry, Jean-Loup, Maman et moi.

Certaines ne sont pas finies pourtant. C'est qu'il faut leur donner aussi quelque chose qui appartienne *vraiment* à ceux qu'elles repré-sentent : une mèche de cheveux, une rognure d'ongle, enfin n'importe quoi qu'ils aient porté ou touché. Ce n'est pas toujours simple de se procurer des choses comme ça. Et puis il faut encore leur trouver un nom, un signe et leur chuchoter à l'oreille un message secret.

Pour certains, cela ne pose aucun problème. Leurs secrets sont si faciles à découvrir. Mme Luzeron, par exemple, si triste à propos de son fils, même s'il est mort il y a très longtemps, ou Nico qui veut perdre du poids sans y réussir ou Alice qui réussit à en perdre mais ne le devrait pas.

Quant aux noms et aux symboles que nous utilisons – Zozie dit qu'ils sont mexicains –, nous pourrions choisir n'importe lesquels mais nous avons choisi ceux-là parce qu'ils sont intéressants et qu'il est facile de les retenir.

Il y en a beaucoup pourtant et les apprendre tous pourrait bien exiger un certain temps. De plus, je ne me souviens pas toujours des noms à utiliser – ils sont si longs et si compliqués et je ne connais pas la langue non plus, bien sûr! Zozie m'affirme que cela n'a aucune importance du moment que je me souviens du sens du symbole. L'Épi de Maïs, pour la chance, les Deux Lapins qui font du vin avec la sève de l'agave, Le Serpent à plumes, pour la force, les Sept Aras, pour la réussite, le Singe, le magicien habile, le Miroir fumant qui vous révèle ce que les gens ordinaires ne voient pas toujours, la Déesse à jupe émeraude qui abrite les mères et les enfants, le Jaguar, pour le courage et la protection contre le danger, et Le Lièvre de la Lune – mon signe à moi – pour l'amour.

Elle dit que nous avons tous un signe. Le sien est le Jaguar. Celui de Maman est Ehecatl, l'Indécis. J'imagine que c'est un peu comme les totems que nous avions autrefois, avant la naissance de Rosette. Zozie me dit que le signe de Rosette est Tezcatlipoca, le Singe, le rouge, un dieu espiègle mais puissant qui a le pouvoir de se métamorphoser en n'importe quel animal.

J'adore les vieilles histoires que raconte Zozie. Je ne peux pas pourtant m'empêcher de m'inquiéter parfois. Je sais qu'elle dit que nous ne faisons aucun mal mais… Et si elle se trompait? S'il y avait un *Accident*? Si je commettais une erreur, me trompais de signe et provoquais ainsi un malheur sans l'avoir voulu?

La rivière. Le vent. Les Bonnes Dames charitables.

Ils me reviennent sans cesse à l'esprit, ces mots-là. Tous semblent liés, d'une certaine manière, à la crèche de la place du Tertre – les anges, les animaux de la ferme et les rois mages – bien que je ne comprenne pas très bien ce qu'ils y font. Parfois, je suis presque certaine de les voir mais jamais de façon assez nette pour en être sûre. Un peu comme ces rêves si faciles à interpréter jusqu'à la seconde où vous vous éveillez et où ils s'évanouissent en fumée.

La rivière. Le vent. Les Bonnes Dames charitables.

Qu'est-ce que cela peut bien vouloir dire ? Des mots dans un rêve. J'en suis pourtant effrayée mais sans savoir pourquoi. De quoi puis-je avoir peur ? Les Bonnes Dames charitables sont peut-être comme les rois mages, des sages aux bras chargés d'offrandes. Ça se comprend assez ! Sans apaiser mes craintes pourtant, sans réussir à m'empêcher de croire qu'un malheur nous menace et que, d'une certaine manière, c'est moi qui en suis responsable.

Zozie me dit de ne pas m'inquiéter, que nous ne pouvons faire de mal à personne à moins d'en avoir l'intention. Et je ne veux faire de mal à personne, moi – pas même à Chantal ou à Suze !

L'autre soir, j'ai fabriqué l'effigie de Nico. Il a fallu la rembourrer pour qu'elle lui ressemble. Je lui ai fait des cheveux avec ce truc brun et raide dont est fait l'intérieur du vieux fauteuil de Zozie, celui qui est là-haut, dans sa chambre, avec les autres choses qu'elle possède. Et puis, il y avait un signe à lui donner – j'ai choisi le Jaguar, pour le courage – et j'ai murmuré à son oreille un conseil secret. J'ai dit : *Nico, tu devrais reprendre ta vie en main* – cela devrait suffire, n'est-ce pas ? Je vais le mettre derrière l'une des portes de la maison-calendrier en attendant qu'il passe.

Il y a Alice aussi. Elle est le contraire de Nico. J'ai été obligée de la faire moins maigre qu'elle ne l'est réellement. Même avec une pince en bois, il y a des limites ! J'ai bien essayé de l'évider de chaque côté et, au début, cela allait assez bien, d'ailleurs, jusqu'à ce que je m'entaille le doigt avec mon canif et que Zozie doive me mettre un pansement. Je lui ai fait une jolie petite robe avec un bout de vieille dentelle et j'ai murmuré à son oreille : *Alice, tu n'es pas laide mais tu dois manger davantage.* Et je lui ai donné le signe de Chantico, le poisson qui marque la fin du jeûne. Enfin, je l'ai déposée dans la maison, à côté de Nico.

Et puis, il y a Thierry, vêtu de flanelle grise. Son portable est un morceau de sucre enveloppé de papier. Je n'ai pas pu me procurer une mèche de ses cheveux alors j'ai pris un pétale d'une des roses qu'il a offertes à Maman, en espérant que cela allait faire l'affaire. Bien sûr, je ne veux pas qu'il lui arrive du mal, je veux seulement le garder à distance.

Je lui ai donné le signe du singe et je l'ai déposé à l'extérieur de la maison avec son pardessus et son cache-nez – faits de feutre marron – juste au cas où il ferait froid, là, dehors.

Enfin, il y a Roux, bien sûr. Je n'ai pas encore terminé son effigie à lui parce que j'ai besoin de quelque chose qui lui appartienne et je n'ai rien, pas même un bout de fil. Je crois pourtant que la ressemblance est assez réussie. Entièrement vêtu de noir, avec un petit bout de fourrure orange que j'ai collé pour ses cheveux. Je lui ai donné les signes du Lièvre de la Lune et de l'Indécis. Je lui ai dit à l'oreille : *Roux, ne t'en va pas !* Jusque-là, pourtant, nous ne l'avons pas revu du tout.

Aucune importance. Je sais où il est. Il travaille pour Thierry, rue de la Croix. Je ne sais pas pourquoi il n'est pas revenu, ni pourquoi Maman ne veut pas le voir, ni même pourquoi Thierry le déteste à ce point.

J'en ai parlé à Zozie aujourd'hui quand nous étions assises dans sa chambre, comme d'habitude. Rosette était là aussi. Nous avions joué à un jeu – très bête et très bruyant –, et Rosette était tout excitée et riait comme une petite folle. Zozie faisait la cavale sauvage et Rosette était sur son dos.

Tout à coup, comme ça, j'ai senti mes cheveux se dresser tout droits sur ma nuque, j'ai levé les yeux et j'ai vu un singe jaune, assis sur le rebord de la cheminée. Je l'ai vu aussi distinctement que je vois Pantoufle par moments.

J'ai dit : « Zozie ! »

Elle a levé les yeux. Elle n'a pas paru tellement surprise. Il se trouve que ce n'est pas la première fois qu'elle voit Bam. Elle a dit, en souriant à Rosette qui n'était plus sur son dos mais jouait avec les sequins d'un coussin : « Tu as une petite sœur vraiment douée. Vous ne vous ressemblez pas du tout mais l'aspect physique n'est pas tout. »

J'ai serré Rosette très fort dans mes bras et je lui ai donné une grosse bise. Elle me fait parfois penser à une poupée de chiffon ou à un de ces lapins à oreilles pendantes, elle est si douce. J'ai dit à Zozie : « Nous avons des pères différents. »

Zozie a souri : « Je l'avais deviné ! »

J'ai continué : « Mais ça ne fait rien. Comme Maman dit, on choisit sa famille !

– Elle dit ça ? »

D'un signe de tête, j'ai répondu oui. « Et c'est bien mieux. Comme ça, n'importe qui peut faire partie de notre famille. Ce n'est pas une question de naissance, dit Maman, c'est ce que l'on ressent pour quelqu'un d'autre.

– Alors, même moi, je pourrais en faire partie ? »

J'ai souri en disant : « Tu en fais déjà partie. »

Elle a ri de ma réponse. « Comment ? Cette tante dangereuse qui te corrompt avec ses chaussures et sa magie ? »

J'ai éclaté de rire. Rosette m'a imitée. Au-dessus de nos têtes, le singe jaune gambadait, entraînant dans sa danse tout ce qui se trouvait sur la cheminée – les chaussures de Zozie, alignées comme des ornements mais beaucoup plus cool que de petits ornements de porcelaine. J'ai pensé que cela semblait tellement naturel que nous soyons ainsi toutes les trois et j'en ai ressenti un peu de remords à l'idée que Maman était seule en bas, et qu'il était si facile d'oublier complètement même qu'elle existait.

Zozie m'a soudain regardée. Elle a dit : « Tu ne t'es jamais demandé qui était son père ? »

J'ai simplement haussé les épaules. Je n'en ai jamais éprouvé le besoin. Nous avons toujours vécu ensemble, bien entendu. Nous n'avons jamais désiré quelqu'un d'autre.

Zozie a dit : « Tu as dû le connaître, c'est sûr. Tu devais avoir six ou sept ans à l'époque. Je me demandais simplement si... » Absorbée dans la contemplation de son bracelet, elle jouait avec les portebonheur qui y étaient accrochés. J'ai eu la brusque impression qu'elle essayait de me dire quelque chose sans vouloir le dire vraiment.

« Si quoi ?

– Eh bien, regarde ses cheveux ! » Et elle a posé la main sur la tête de Rosette dont la chevelure douce et bouclée a la couleur de la chair de mangue.

« Regarde ses yeux ! Elle a des yeux de chat, d'un gris vert très pâle, et ronds comme des billes. Cela ne te rappelle-t-il pas quelqu'un ? »

J'ai passé un petit moment à réfléchir.

« Réfléchis bien, Nanou ! Cheveux roux. Yeux verts. Quelqu'un qui, parfois, peut être un peu enquiquinant... »

J'ai dit : « Ah ! Pas Roux ! » Et je me suis mise à rire. Pourtant, je me suis sentie un peu inquiète et j'ai fait un vœu pour qu'elle n'ajoute pas un mot de plus sur ce sujet-là.

« Mais, pourquoi pas ?

– Je le sais, c'est tout. »

Pour dire la vérité, je n'ai vraiment jamais beaucoup pensé au père de Rosette. Au fond, je crois que j'étais persuadée qu'elle n'en avait pas, que les fées nous l'avaient apportée, comme le disait la vieille dame. *Bébé des fées. Bébé singulier.*

Enfin, ce que les gens pensent, ce n'est pas juste, voilà ce que je veux dire – qu'elle est stupide, arriérée ou retardée. Nous disions qu'elle était *spéciale*. Spéciale, c'est-à-dire différente. Maman n'aime pas que nous soyons différentes. Rosette l'est pourtant. Et cela est-il une si mauvaise chose ?

Thierry parle de chercher un traitement pour elle. Une thérapie, des séances chez un orthophoniste et des visites chez toutes sortes de spécialistes – comme s'il était possible qu'il y ait au fait d'être différente un remède qu'un spécialiste serait sûr de connaître.

Non, il n'y a pas de traitement pour ceux qui sont différents. Zozie me l'a appris. D'ailleurs, comment Roux pourrait-il être le père de Rosette? Il ne l'avait jamais vue auparavant. Il ne savait même pas comment elle s'appelait.

J'ai dit : « Il ne peut pas être le père de Rosette. » Je n'en étais pourtant plus très sûre.

« Mais qui d'autre, alors?

– Je ne sais pas. Mais pas Roux, c'est tout.

– Pourquoi pas?

– Mais parce qu'il aurait fallu qu'il habite chez nous et il ne nous aurait pas laissées partir.

– Peut-être qu'il n'en savait rien. Peut-être que ta mère ne lui en a jamais parlé. Après tout, elle ne t'en a jamais parlé, à toi. »

Je me suis mise à pleurer. Idiot, je sais. Je déteste ça quand je me mets à pleurer mais je ne pouvais pas m'arrêter. C'était comme si quelque chose en moi avait explosé. Je ne savais même plus si je détestais Roux maintenant ou si je l'en aimais davantage.

« Chut! Nanou. » Zozie a passé ses bras autour de moi. « Ça ne fait rien! »

J'ai enfoui mon visage dans son épaule si fort – elle portait un pull-over de grosse laine – que les torsades du tricot se sont imprimées sur ma joue. Je voulais lui dire que si, *ça faisait* quelque chose. C'est toujours ce que disent les adultes quand ils ne veulent pas que les gosses apprennent la vérité et, la plupart du temps, Zozie, c'est un mensonge.

Les adultes semblent toujours mentir.

Un gros sanglot m'a secouée tout entière. Comment Roux peut-il être le père de Rosette? Elle ne le connaît même pas. Elle ne sait pas qu'il prend son chocolat très noir et très chaud, avec du rhum et de la cassonade. Elle ne l'a jamais vu faire une pêchette avec des brins d'osier, ni une flûte avec du bambou. Elle ne sait pas qu'il reconnaît le chant de tous les oiseaux le long de la rivière et qu'il les imite si bien que les oiseaux eux-mêmes s'y trompent.

Roux est son père et elle ne le sait même pas.

Ce n'est pas juste. Il aurait dû être le mien!

Mais, maintenant, je sentais autre chose revenir à ma mémoire. Un souvenir – un bruit familier – une odeur venue de très loin. Elle se rapprochait maintenant, petit à petit, comme l'étoile de la crèche de Noël. Et je pouvais presque me souvenir de ce que c'était main-tenant – sauf que je ne voulais pas vraiment m'en souvenir. J'ai fermé les yeux. Je pouvais à peine bouger. J'étais soudain certaine que si je bougeais, même un tout petit peu, le tout allait me sauter à l'esprit comme lorsque l'on secoue une bouteille contenant une boisson gazeuse qu'une fois ouverte on ne peut plus refermer.

J'ai commencé à trembler.

Zozie a demandé : « Qu'est-ce qui ne va pas ? »

J'étais incapable de bouger ou de parler.

« Nanou, qu'est-ce qui te fait peur ? »

J'entendais tinter les porte-bonheur de son bracelet. Leur tintement était presque celui des clochettes de notre porte.

À voix très basse, j'ai répondu : « Les Bonnes Dames charitables.

– Et qu'est-ce que ça veut dire : Les Bonnes Dames charitables ? »

Sa voix avait un accent pressant, j'en étais consciente. Elle a posé les mains sur mes épaules et j'ai senti à quel point elle *voulait* savoir. Elle était agitée d'un tremblement comme un éclair retenu prisonnier d'un bocal.

« N'aie pas peur, Nanou. Dis-moi seulement ce que cela veut dire. D'accord ? »

Les Bonnes Dames charitables.

Les mages.

Les mages aux bras chargés d'offrandes.

J'ai fait le genre de bruit que l'on fait lorsque l'on veut se réveiller d'un rêve sans toutefois y réussir. Trop de souvenirs m'inondaient, se bousculaient, voulant tous être reconnus à la fois.

Cette petite maison au bord de la Loire.

Elles semblaient si gentilles, si pleines de bonnes intentions.

Elles nous avaient même apporté des cadeaux.

J'ai ouvert les yeux, à ce moment-là, très vite et très grands. Ma peur avait disparu. Je me rappelais, enfin. Je comprenais. Je savais ce qui s'était passé, ce qui avait changé notre vie, ce qui avait précipité notre fuite, loin de Roux même, ce qui nous avait poussées à faire semblant d'être comme les gens ordinaires alors que nous savions, au fond, que nous ne le serions jamais.

« Qu'est-ce que c'est, Nanou ? a demandé Zozie. Peux-tu me le dire maintenant ? »

J'ai répondu : « Oui, je crois.

– Alors, raconte-moi », a-t-elle dit, et elle a souri. « Raconte-moi tout. »

SIXIÈME PARTIE

LES BONNES DAMES CHARITABLES

I

Le Soleil noir

Lundi 10 décembre

Le voilà enfin ce vent de décembre qui hurle en dégringolant les rues étroites et dépouille les arbres de leurs derniers haillons. *En décembre, méfie-t'en, désespoir apporte le vent*, comme disait toujours ma mère. Une fois de plus, comme l'année arrive à sa fin, il me semble qu'une page a été soudain tournée.

Une page – une carte – ou le vent peut-être. Et décembre, pour nous, a toujours été un mauvais moment. Le dernier mois, cette lie de l'année qui s'achemine vers Noël, le dos courbé et laisse traîner dans la boue sa jupe de faux lamé. L'année s'épuise languissante, les arbres aux trois quarts dénudés frissonnent, la lumière a pris cette couleur de papier journal roussi par la chaleur. C'est alors que mes fantômes, tous mes fantômes, apparaissent et jouent comme de tristes lucioles dans la grisaille spectrale du ciel.

Nous sommes arrivées, apportées par le vent du carnaval. Un vent nouveau, plein de promesses. Ce vent joyeux, cet enchanteur qui met la folie dans toutes les têtes, bouscule les rameaux fleuris, soulève les pans des manteaux, emporte les chapeaux et se rue vers l'été dans un accès frénétique d'exubérance.

Anouk est née de ce vent-là. Fille de l'été. Et son totem est le lapin aux yeux enthousiastes et espiègles.

Ma mère croyait aux totems. Un totem est bien plus qu'un simple compagnon invisible. Il révèle le cœur mystérieux, l'esprit, l'âme secrète. Le mien était un chat – c'est ce qu'elle me disait du moins, pensant peut-être à ce bracelet de bébé et à son petit porte-bonheur en argent. Les chats ont une nature secrète, une double personnalité. Un simple souffle de brise peut les faire fuir, effrayés, mais ils sont capables de voir un monde que nous ne voyons pas. Ils évoluent à la frontière de l'ombre et de la lumière.

Le vent a soufflé plus fort et nous avons fui devant lui. Rosette en était la vraie raison, bien entendu. J'ai su, dès le début, que j'attendais un enfant et, comme une chatte, j'ai vécu ma grossesse en secret, loin de Lansquenet.

Mais lorsque décembre est arrivé, le vent a tourné et la lumière a fait place à l'obscurité. Pour Anouk, ma grossesse s'était passée sans difficulté. Ma fille de l'été est née à quatre heures et quart du matin avec le soleil, un beau matin de juin. Dès l'instant où j'ai posé le regard sur elle, j'ai su qu'elle était mienne et seulement mienne.

Mais pour Rosette, dès le début, les choses ont été différentes. Un petit être agité, sans résistance, qui s'obstinait à ne pas téter et me regardait comme si j'avais été une étrangère. La maternité se trouvait dans la banlieue d'Angers. Comme j'étais là avec Rosette à côté de moi, un prêtre est entré pour me prodiguer ses conseils et m'exprimer sa surprise devant mon refus de faire ondoyer mon bébé pendant que nous étions à l'hôpital.

Il semblait placide et sympathique mais trop semblable à tant de ses confrères avec ses paroles de réconfort bien répétées et ses yeux ouverts tout grands sur le monde promis, mais fermés devant celui-ci. Je lui ai raconté l'histoire habituelle. J'étais Mme Rocher, une veuve, en chemin pour rejoindre sa famille. Évidemment, il n'en a pas cru un mot. Il a regardé Anouk d'un œil soupçonneux et Rosette avec de plus en plus d'inquiétude. D'un ton sérieux, il m'a déclaré qu'elle pourrait bien ne pas survivre. Il m'a demandé ce que je penserais si elle devait quitter ce monde sans avoir été baptisée.

J'avais confié Anouk à un foyer social pas loin de l'hôpital pendant que je me remettais lentement tout en m'occupant de Rosette. Le foyer était situé dans un tout petit village des bords de la Loire – Les Laveuses. C'est là que je me suis réfugiée pour échapper aux demandes répétées du bon vieux prêtre au fur et à mesure que les forces de Rosette semblaient diminuer.

Les bonnes intentions sont capables de tuer aussi sûrement que la cruauté. D'ailleurs, le prêtre – le père Leblanc, c'était son nom – avait commencé à mener son enquête de son côté pour retrouver des parents que je pourrais avoir dans la région – ceux à qui j'avais confié ma fille aînée, peut-être? – et découvrir à quelle école elle avait été inscrite et ce qui était arrivé à ce M. Rocher imaginaire. L'enquête allait finir, je n'en doutais pas, par l'amener à apprendre la vérité.

Voilà pourquoi, un beau matin, j'ai pris Rosette dans mes bras et suis partie, en taxi, pour Les Laveuses. Le foyer était impersonnel et à la portée de notre bourse : une chambre à une personne avec un radiateur à gaz et un grand lit dont le matelas touchait presque le sol. Rosette refusait toujours de téter et ses pleurs ressemblaient à un miaulement pitoyable et plaintif qui faisait écho, semblait-il, aux gémissements du vent. Pis encore, sa respiration s'arrêtait parfois pendant des périodes de cinq à dix secondes puis redémarrait avec un reniflement et un hoquet, comme si mon bébé avait momentanément décidé de rejoindre le monde des vivants.

Nous sommes restées dans ce foyer deux nuits encore. Le Nouvel An approchait. La neige était arrivée, poudrant de sucre amer les arbres noirs et les bancs de sable de la Loire. J'ai cherché un autre endroit où loger. On m'a proposé un appartement au-dessus d'une petite crêperie tenue par un vieux couple, Paul et Framboise.

« Ce n'est pas très grand mais vous y serez bien au chaud, nous a dit Framboise, une petite bonne femme aux yeux noirs comme des mûres et qui paraissait très déterminée. Vous me rendrez service en gardant l'œil sur la crêperie. Nous la fermons pendant l'hiver – il ne passe plus de touristes. Alors n'ayez aucune crainte, vous ne nous gênerez pas. » Elle m'a regardée d'un œil perçant et elle a dit : « Ce bébé-là pleure comme un petit chat. »

J'ai hoché la tête.

« Hum ! Si j'étais vous, j'y ferais quelque chose ! » a-t-elle déclaré avec un petit reniflement.

« Que veut-elle dire par là ? » ai-je demandé plus tard à Paul qui nous faisait visiter les deux pièces de notre petit appartement.

Paul, un vieux type très doux qui ne parle que rarement, m'a dévisagée puis a haussé les épaules. « Elle est superstitieuse, a-t-il fini par expliquer. Comme beaucoup de vieilles gens par ici. Ne prenez pas trop à cœur ce qu'elle a dit. C'est parti d'une bonne intention. »

J'étais trop lasse pour poser d'autres questions. Mais une fois installées, quand Rosette a commencé à téter un peu – tout en continuant à être agitée et à dormir à peine –, j'ai interrogé Framboise.

« On dit qu'un bébé chat est signe de malchance », a répondu Framboise, entrée nettoyer la petite cuisine déjà propre comme un sou neuf.

J'ai eu un sourire. Elle me rappelait tant Armande, cette vieille et chère amie de Lansquenet.

« Un bébé chat ?

– Hum ! a dit Framboise. Je savais qu'ils existaient mais je n'en avais jamais encore vu. Mon père me racontait que, parfois, la nuit, les fées entraient dans une maison où elles laissaient un chat à la place du vrai bébé. Mais le bébé chat refuse de boire. Le bébé chat pleure du matin au soir. Et si quelqu'un ose le contrarier, c'est son compte à lui que les fées viendront régler. »

Elle a fermé à demi les yeux, d'un air menaçant, et puis, aussi rapidement, elle a souri : « Bien sûr, c'est une histoire seulement, a-t-elle dit. Mais vous devriez quand même consulter un docteur. Ce bébé ne me paraît pas aller très bien. »

Et c'était vrai. Mais je n'ai jamais été à l'aise avec les docteurs et les prêtres et j'hésitais à suivre le conseil de la vieille dame. Trois jours encore ont passé pendant lesquels Rosette a continué à pousser de petits gémissements et à perdre la respiration. J'ai réussi alors à vaincre mon aversion et je suis allée voir un docteur à Angers qui était tout près.

Le docteur a bien ausculté Rosette. Il a dit qu'il allait falloir faire des examens mais que ces gémissements confirmaient, d'après lui, le diagnostic. Il s'agissait d'une maladie génétique connue généralement sous le nom de cri-du-chat, ainsi nommée à cause de ce gémissement étrange qui ressemble à un miaulement. Pas une maladie mortelle mais incurable et dont les conséquences, à ses débuts, étaient difficiles à prédire, d'après le docteur.

« Alors, elle est *vraiment* un bébé chat », a dit Anouk.

Elle semblait enchantée à l'idée que Rosette fût un être différent. Elle avait été enfant unique pendant si longtemps ! Maintenant, à l'âge de sept ans, elle paraissait parfois étrangement adulte quand elle s'occupait de Rosette, la cajolant pour lui faire prendre un biberon, lui chantant de petites chansons, la berçant dans le fauteuil à bascule que Paul avait apporté de leur vieille ferme.

« Bébé chat, dormira, chantait-elle en la berçant. Dormira peut-être. Bébé chat, dormira. Dormira pour moi », et Rosette semblait sensible à ses efforts. Les gémissements s'arrêtaient – au moins quelquefois. Elle prenait du poids. Elle dormait trois ou quatre heures la nuit. Anouk disait que l'air des Laveuses en était la cause. Elle déposait des soucoupes de lait sucré pour les fées au cas où elles reviendraient vérifier que leur bébé chat allait bien.

Je ne suis pas retournée à Angers voir le docteur. Des examens plus poussés n'auraient rien changé pour Rosette. Mais Anouk et moi, nous nous sommes occupées d'elle, nous lui avons donné des bains d'herbes calmantes, nous avons chanté pour elle, nous avons doucement massé ses petits membres maigres comme des allumettes avec de l'essence de lavande et du menthol, nous l'avons nourrie à la pipette quand elle ne voulait pas prendre la tétine.

Un *bébé fée,* disait Anouk – elle était certainement bien jolie, si délicate avec sa tête fine et bien dessinée, ses yeux largement écartés et son menton pointu.

Anouk disait : « Elle ressemble même à un chat. C'est Pantoufle qui le dit, n'est-ce pas, Pantoufle ? »

Ah, oui, Pantoufle ! J'ai cru, au début, que Pantoufle disparaîtrait dès qu'Anouk aurait une petite sœur dont il faudrait qu'elle s'occupe. Mais le vent continuait à souffler sur la Loire et, comme la Saint-Jean, la Saint-Sylvestre est une période de turbulence, un mauvais moment pour ceux qui voyagent.

L'arrivée de Rosette a plutôt pourtant semblé réaffirmer la présence de Pantoufle. Je me suis rendu compte que je l'apercevais maintenant encore plus distinctement à côté du berceau, assis, surveillant, de ses yeux noirs et brillants comme des boutons, Anouk qui berçait Rosette, lui parlait et chantait pour la calmer.

V'là l'bon vent, v'là l'joli vent

« Pauvre petite Rosette, elle n'a pas d'animal protecteur, a dit Anouk, un jour que nous étions assises au coin du feu. C'est sans doute pour cela qu'elle pleure tout le temps. Nous devrions en demander un qui la protège comme Pantoufle le fait pour moi. »

J'ai souri de son idée mais elle parlait tout à fait sérieusement. J'aurais dû savoir que si je ne m'occupais pas du problème, elle le ferait elle-même. Alors, j'ai promis que nous essaierions, que, pour une fois, j'entrerais dans le jeu. D'ailleurs, nous avions été si sages ces six derniers mois. Pas de cartes, pas de sortilèges, pas de petites cérémonies. Cela me manquait. Cela manquait à Anouk aussi. Quel mal pourrait-il y avoir à un jeu innocent ?

Nous habitions aux Laveuses depuis presque une semaine et les choses commençaient à s'arranger pour nous. Dans le village, nous nous étions fait des amis et je trouvais Paul et Framboise de plus en plus sympathiques. Nous étions bien dans l'appartement au-dessus de la crêperie. La naissance de Rosette nous avait plus ou moins fait rater Noël mais le 31 décembre approchait, plein de promesses de vie nouvelle. L'air était toujours froid mais le temps était clair et il gelait. Le bleu intense du ciel semblait vibrer. Rosette continuait à m'inquiéter mais nous nous faisions lentement à ses petites habitudes et, avec l'aide de la pipette, nous réussissions à lui faire prendre la nourriture dont elle avait besoin.

C'est alors que le père Leblanc a retrouvé notre trace. Il est arrivé, accompagné d'une femme, une infirmière, a-t-il dit, dont les questions qu'Anouk m'a répétées ensuite, m'ont laissée soupçonner qu'elle était sans doute une sorte d'assistante sociale. Je n'étais pas là lorsqu'ils sont passés – Paul m'avait conduite en voiture à Angers pour m'approvisionner en lait et en couches pour Rosette – mais Anouk était là, elle, et Rosette était à l'étage, dans son berceau. Ils avaient apporté un panier d'articles d'épicerie à notre intention et ont semblé prendre un tel intérêt à notre famille, ils se sont montrés si gentils – ils se sont inquiétés de ma santé en laissant entendre que nous étions amis – que ma petite Anouk sans méfiance, dans son innocence, leur a raconté bien plus de choses qu'elle n'aurait dû le faire.

Elle leur a parlé de Lansquenet-sous-Tannes et de nos voyages le long de la Garonne avec les gitans des rivières. Elle leur a parlé de la chocolaterie et du festival que nous avions organisé. Elle leur a parlé de notre façon de célébrer décembre, des Saturnales, du dieu Chêne et du dieu Houx et des deux vents puissants qui divisent l'année. Quand ils ont posé des questions à propos des sachets rouges porte-bonheur pendus au-dessus de la porte et des soucoupes de pain et de sel déposées sur la marche, elle leur a parlé des fées, de petits dieux, de totems, de rituels nocturnes à la bougie, de notre technique pour ramener la lune au bout de notre ligne, de nos chants pour calmer le vent, de cartes de tarot et de bébés chats.

Bébés chats?

«Mais oui! a répondu ma fille de l'été. Rosette est un bébé chat. C'est pour ça qu'elle aime le lait et miaule toute la nuit comme un chaton. Mais on n'a pas besoin de se faire du souci. Il lui manque seulement un totem. Il va arriver, nous l'attendons.»

Je ne peux qu'imaginer quelle conclusion ils ont tiré de tout cela. Des rites, des secrets, des nouveau-nés que l'on n'a pas fait ondoyer, des enfants confiés à la garde d'étrangers ou pire...

Il lui a proposé de venir avec eux. Il n'en avait aucun droit, bien entendu. Il l'a assurée qu'elle ne courrait aucun risque avec lui et qu'elle serait protégée pendant toute la durée de l'enquête. Il aurait sans doute réussi à l'emmener sans l'arrivée de Framboise, passée pour jeter un coup d'œil à Rosette, et qui les a trouvés tous les deux dans sa cuisine. Anouk était au bord des larmes. Le prêtre et la femme lui parlaient d'un ton sérieux, l'assurant qu'ils comprenaient bien qu'elle avait peur mais qu'elle n'était pas seule dans ce cas, que des centaines d'enfants étaient dans la même situation et qu'elle serait sauvée si elle leur accordait sa confiance.

Eh bien, cela n'a pas été long. Framboise, d'un coup de langue bien acérée, les a envoyés au diable, puis elle a préparé du thé pour Anouk et du lait pour Rosette. Elle était encore là lorsque Paul m'a ramenée. C'est elle qui m'a raconté la visite de la femme et du prêtre.

« Ces gens-là passent leur temps à se mêler des affaires des autres, a-t-elle dit avec mépris en buvant son thé. Ils voient toujours le mal partout. Pourtant ils n'ont qu'à regarder cette frimousse ! » Et, d'un signe de tête, elle a désigné Anouk qui jouait tranquillement avec Pantoufle. « Cette enfant-là, a-t-elle l'air d'être en danger ? Vous trouvez qu'elle a l'air d'avoir peur ? »

Je lui étais bien sûr reconnaissante de son intervention. Mais je savais, au fond, qu'ils reviendraient à la charge, munis de documents officiels cette fois, quelque mandat de perquisition peut-être, ou d'interrogatoire. Je savais que le père Leblanc n'en démordrait pas, que, s'il en avait l'occasion, cet homme-là, cet homme aimable, ce brave homme, cet homme dangereux – ou quelqu'un qui lui ressemblerait comme un frère – s'attacherait à ma trace et me poursuivrait jusqu'au bout du monde.

J'ai fini par dire : « Demain, nous partirons ! »

Anouk a poussé un gémissement de protestation : « Ah, non ! Encore !

– Mais, nous y sommes forcées, Nanou. Ces gens-là…

– Pourquoi nous ? Pourquoi cela doit-il être toujours nous ? Pourquoi le vent ne peut-il pas les emporter, *eux,* pour changer un peu ? »

J'ai regardé Rosette endormie dans son berceau. J'ai regardé Framboise avec son visage tout ridé de vieille pomme et j'ai regardé Paul qui avait tout écouté sans rien dire et dont le silence parlait toujours plus que les mots. Alors, une petite vibration a attiré mon regard, une illusion, peut-être, créée par la lumière, un effet d'électricité statique ou une étincelle jaillie du feu.

Paul a mis l'oreille contre la hotte de la cheminée. « Le vent s'est levé de nouveau. Ça ne m'étonnerait pas si c'était signe de tempête », a-t-il dit.

Et, maintenant, je l'entendais bien ce dernier assaut du vent de décembre. *En décembre, méfie-t'en, désespoir apporte le vent.* Tout au long de la nuit, j'ai entendu sa mélopée, ses gémissements, son ricanement aussi. Rosette était agitée. J'ai passé la nuit près de son berceau à dormir d'un sommeil capricieux sous les coups de bélier du vent qui ébranlait les ardoises du toit et faisait grelotter les vitres dans l'enca-drement des fenêtres.

À quatre heures, j'ai entendu quelqu'un bouger dans la chambre d'Anouk. Rosette s'était éveillée. Je suis allée voir. J'ai trouvé Anouk, assise au milieu d'un cercle maladroitement dessiné à la craie jaune sur le plancher. Une bougie était allumée près de son lit et une autre était placée au-dessus du berceau de Rosette. Dans la chaude lumière jaune, le visage d'Anouk semblait rose d'animation.

Les yeux brillants, elle m'a dit : « Ça y est. C'est fait. Nous ne devons plus partir. »

Alors, je me suis assise sur le plancher à côté d'elle. « Comment as-tu fait ?

– J'ai dit au vent que nous avions l'intention de rester et qu'il devait emmener quelqu'un d'autre à notre place.

– Ce n'est pas aussi facile que ça, hélas !

– Oh, si ! Et quelque chose d'autre est arrivé aussi. » Et le sourire qu'elle m'a alors adressé m'a fendu le cœur. « Tu le vois ? » Elle a indiqué du doigt le coin de la pièce.

J'ai froncé les yeux. Il n'y avait rien dans le coin. Enfin, *presque* rien. Un éclat fugitif. Un reflet de flamme tremblotante sur le mur. Une ombre. Des yeux. Une queue.

« Je ne vois rien, Nanou !

– Il appartient à Rosette. C'est le vent qui l'a apporté.

– Ah, je vois ! » J'ai souri. L'imagination d'Anouk est parfois si contagieuse qu'elle m'entraîne presque, qu'elle me fait voir, à moi aussi, des choses qui ne peuvent pas être là.

Rosette a tendu les bras et gémi.

« C'est un singe, a dit Anouk. Il s'appelle Bamboozle, le farceur. »

Je n'ai pu m'empêcher de rire. « Je ne sais pas où tu vas chercher ça ! » Je me sentais quand même déjà un peu mal à l'aise. « Tu sais très bien que ce n'est qu'un jeu, n'est-ce pas ?

– Mais non, il est là, en vrai, a dit Anouk avec un sourire. Regarde bien, Maman. Rosette le voit aussi. »

Le lendemain matin, le vent s'était calmé. Les gens du pays en par-laient comme d'un vent saccageur qui avait abattu des arbres et détruit des granges. Les journaux, eux, parlaient de tragédie, ils racontaient comment, la veille du Jour de l'An, en début de soirée, une branche d'arbre était tombée sur une voiture qui traversait le village causant la mort du conducteur – un prêtre d'Angers – et de sa passagère.

Les journaux parlaient de volonté divine.

Anouk et moi savions qu'il n'en était rien.

C'était un Accident purement et simplement, lui répétais-je, nuit après nuit, lorsqu'elle se réveillait en pleurs dans notre petit appartement, boulevard de la Chapelle. *Ces choses-là ne sont que des histoires, Anouk. Les Accidents arrivent parfois. C'est ce que c'était : un simple Accident.*

Peu à peu, elle a commencé à y croire et les cauchemars se sont arrêtés. Elle a paru heureuse de nouveau. Mais, dans son regard, il en restait quelque chose – mon enfant de l'été avait changé –, quelque chose de plus mûr, de plus sage, quelque chose que je ne reconnaissais pas. Maintenant, c'est Rosette – mon enfant de l'hiver – qui lui ressemble davantage, emprisonnée dans son petit monde à elle, refusant de grandir comme les autres, ne parlant pas encore, ne marchant qu'à peine mais observant le monde de ses yeux d'animal…

Étions-nous coupables ? La logique se refuse à l'accepter, mais la logique elle-même a ses limites, semble-t-il. Et, maintenant que ce vent-là s'est levé de nouveau, si nous n'obéissons pas à son appel, qui choisira-t-il d'emporter à notre place ?

Sur la Butte, il n'y a pas d'arbres. Cela me rassure, au moins. Le vent de décembre a pourtant toujours cette odeur funèbre, ce parfum sombre qui attire et séduit et que tout l'encens du monde ne suffirait pas à adoucir pour nous. Décembre a toujours été le mois de la nuit, des esprits sanctificateurs et des autres, mystificateurs, des feux que l'on allume en guise de défi à l'agonie de la lumière. Les dieux de décembre sont sévères et froids. Perséphone est prisonnière sous la terre. Le printemps n'est encore qu'un rêve d'une autre vie.

V'là l'bon vent, v'là l'joli vent !
V'là l'bon vent, ma mie m'appelle.

Les Bonnes Dames charitables continuent à parcourir en aveugle les rues désertes de Montmartre et leurs cris de rapaces s'élèvent comme un défi à cette saison de bonne volonté universelle.

2

Le Jaguar

Mardi 11 décembre

A près cela, il n'y a pas eu de difficulté. Elle m'a raconté leur petite histoire, la chocolaterie à Lansquenet, le scandale que cela avait déclenché, la femme qui était morte, puis Les Laveuses, la naissance de Rosette, les Bonnes Dames charitables qui avaient voulu l'emmener et n'avaient pas réussi.

C'est donc de cela qu'elle a peur. Pauvre gosse. Il ne faudrait pas penser que, parce que quelque chose tourne à mon avantage, je sois entièrement dépourvue de cœur. J'ai écouté son histoire un peu décousue, je l'ai prise dans mes bras lorsque l'émotion était trop forte, j'ai caressé ses cheveux et séché ses larmes – ce qui est plus qu'on ait jamais fait pour moi lorsque, à seize ans, mon univers s'est écroulé.

J'ai fait ce que j'ai pu pour la rassurer. Je lui ai dit que la magie était un instrument pour métamorphoser les choses, pour influencer les courants qui étaient comme la respiration du monde, que tout était lié inextricablement, qu'une méchanceté perpétrée à un bout de la planète était compensée par un acte de gentillesse à un autre, que, sans obscurité, il n'y avait pas de lumière, que, sans le mal, le bien n'existait pas, que, sans revanche, les blessures n'étaient pas de vraies blessures.

Quant à moi…

Je ne lui ai dit que ce qui était nécessaire. Assez quand même pour faire de nous des conspiratrices, liées par un sentiment de culpabilité et de remords, assez pour la libérer du monde de la lumière et l'attirer tout doucement dans celui des ténèbres.

Dans mon cas, je l'ai dit, c'est par un garçon que tout a commencé. C'est, d'ailleurs, aussi par un garçon que tout a fini. Car si, en enfer, il n'y a de pire tourment que la vengeance d'une femme que l'on a dédaignée, rien n'est plus à craindre, sur terre, qu'une ensorceleuse que l'on a trompée.

Pendant une semaine ou deux, tout s'est assez bien passé. J'étais reine parmi les autres filles, j'éprouvais du plaisir à ma nouvelle conquête et à la position qu'elle m'avait fait atteindre. Nous étions inséparables, Scott et moi. Mais Scott était faible de caractère et assez vaniteux – c'est précisément ce qui avait rendu si facile sa conquête – et, pour lui, très vite, la tentation de tout raconter à ses copains dans les vestiaires, de se vanter, de faire le jeune coq et enfin de se moquer est devenue irrésistible.

Ce renversement de situation, je l'ai tout de suite senti. Scott avait été trop bavard. Les rumeurs se succédaient et couraient d'un bout à l'autre de l'école comme des feuilles mortes poussées par le vent. Des graffitis sont apparus sur le mur des douches. Les autres se poussaient du coude à mon passage. La plus acharnée de mes ennemis était Jasmine, une fille populaire, une intrigante, l'air modeste, et jolie comme une œuvre d'art. C'est elle qui a été à l'origine de la première vague de rumeurs. Je les ai combattues à l'aide de tous les tours que je connaissais. Mais une fois victime, on le reste et, très vite, j'ai repris mon rôle habituel. Je me suis retrouvée la cible de tous les ragots et de toutes les plaisanteries. Et Scott McKenzie s'est joint aux autres. Après une série d'excuses de plus en plus tirées par les cheveux, il s'est ouvertement affiché en ville avec Jasmine et ses copains et, finalement, il s'est laissé manipuler, cajoler, humilier de telle sorte qu'il est passé lui-même à l'action. Une attaque a été programmée contre le magasin de ma mère – devenu depuis longtemps déjà la cible de leurs moqueries pour son étalage de cristaux magiques et de manuels de recettes aphrodisiaques.

Ils sont arrivés à la nuit tombée. Un petit gang. À moitié ivres, ils rigolaient et se poussaient les uns les autres en avant avec des *chut* sonores. Ce n'était pas encore le Soir des Bêtises mais déjà les magasins étaient remplis de feux d'artifice et les longs doigts décharnés des sorcières avec leur odeur de fumée nous faisaient signe. Ma chambre donnait sur la rue. Je les ai entendus approcher. Ils avaient du mal à contenir leur joie et leur excitation. J'ai entendu une voix dire : « Allez, vas-y ! » Puis quelqu'un marmonner une réponse, une autre voix pressante : « Allez ! allez ! Vas-y ! », suivie d'un inquiétant silence.

Le silence a duré presque une minute. J'ai vérifié. Puis, il y a eu un bruit d'explosion très proche et qui a résonné dans un espace réduit.

J'ai cru un instant qu'ils avaient lancé des pétards dans la poubelle puis j'ai perçu une odeur de fumée. J'ai jeté un coup d'œil par la fenêtre et je les ai vus tous les six s'enfuir comme des pigeons affolés – cinq garçons et une fille dont j'ai reconnu la démarche…

Celle de Scott aussi, bien sûr, qui courait devant les autres et dont les cheveux blonds étaient très pâles à la lumière des réverbères. Comme je l'observais, il s'est retourné et, pendant une fraction de seconde, nos regards auraient pu se croiser.

Mais la lumière éblouissante de la vitrine du magasin a dû rendre la chose impossible. Ce flamboiement orange qui s'intensifiait au fur et à mesure que se propageait l'incendie, ces flammes qui s'élançaient et retombaient, sauts périlleux d'un acrobate diabolique passant d'un étal de foulards de soie à un trapèze de capteurs à rêves pour, finalement, atterrir sur une pile de livres.

J'ai vu ses lèvres bouger, *Merde!* Il s'est figé. À côté de lui, la fille l'a tiré pour le faire avancer. Ses copains l'ont rejoint. Il a fait demi-tour et est parti en courant. Mais pas assez vite pour que je ne les aie pas tous reconnus, ces adolescents au visage lisse et stupide rendu tout rose par l'incendie et au sourire grimaçant dans la lumière orange.

Tout compte fait, le résultat n'a pas été bien terrible. Le feu était éteint avant l'arrivée des pompiers. Nous avons même réussi à sauver la plus grande partie du stock, mais le plafond était noir de suie et la puanteur de la fumée s'était répandue partout. Les pompiers ont dit qu'une fusée en avait été la cause, une fusée banale que quelqu'un avait fourrée dans la boîte à lettres et allumée. L'agent m'a interrogée pour savoir si j'avais aperçu quelqu'un. J'ai répondu non.

Le lendemain pourtant, j'ai commencé à élaborer ma revanche. J'ai fait semblant d'être malade et je suis restée à la maison où j'ai réfléchi et travaillé. À l'aide de pinces à linge en bois, j'ai fabriqué six petites effigies aussi ressemblantes qu'il m'était possible, j'ai cousu leurs vêtements à la main, j'ai soigneusement découpé leurs visages dans la photo de classe de cette année-là et je les ai collés sous leurs cheveux. J'ai donné à chacune un nom et, comme le *Día de los Muertos* était très proche, je me suis dépêchée pour qu'elles soient prêtes à temps.

J'ai prélevé des cheveux tombés sur les vestes et anoraks accrochés aux portemanteaux. J'ai chipé des vêtements dans les vestiaires. J'ai arraché des pages à des cahiers, des étiquettes à des cartables, j'ai récupéré des mouchoirs de papier utilisés et mis à la poubelle, subtilisé des capuchons de stylo-bille bien mâchonnés laissés sur des bureaux quand je n'étais pas observée. À la fin de la semaine, j'avais amassé deux fois plus d'éléments que nécessaire et, le 31 octobre, je leur ai réglé leurs comptes.

Une soirée disco était prévue au lycée pour la mi-trimestre. Personne ne m'en avait rien dit mais tous savaient que Scott s'y rendrait avec Jasmine et que, si j'y étais, les choses tourneraient mal. Je n'avais pas l'intention d'aller à cette disco mais il était sûr que mon intention était de leur créer des ennuis et que si Scott, ou n'importe qui d'autre, essayait de me mettre des bâtons dans les roues, ils le regretteraient, je pouvais le leur garantir.

Rappelez-vous que j'étais très jeune encore. Et naïve, aussi, de bien des façons – pas autant qu'Anouk, cependant, ni aussi prompte à culpabiliser. J'ai quand même réussi à élaborer une revanche à deux niveaux, en harmonie avec mon Système, solidement étayée par quelques connaissances de chimie pratique, destinées à soutenir mes expériences occultes.

À seize ans, mon savoir dans le domaine des poisons n'était pas aussi étendu qu'il aurait pu l'être. J'avais entendu parler des plus connus, bien sûr, mais je n'avais eu, jusque-là, que peu d'occasions de vérifier leurs effets dans la pratique. J'ai décidé d'y remédier. J'ai préparé un mélange des substances les plus nocives qui me sont tombées sous la main. Mandragore. Volubilis des jardins et baies d'if. On pouvait toutes les acheter dans le magasin de ma mère. Infusées ou macérées, mêlées à une certaine quantité de vodka, elles étaient difficiles à déceler. À l'épicerie du coin je me suis procuré une bouteille de vodka. J'en ai utilisé la moitié pour ma préparation, à laquelle j'ai ajouté quelques petits ingrédients de mon choix – dont le suc d'une agaricinée découverte dans une haie des terrains de jeux du lycée. J'ai passé ensuite la préparation dans une étamine avant de la reverser soigneusement dans la bouteille – marquée du signe d'Hurakan, le Destructeur –, que j'ai pris soin de laisser, en classe, en évidence dans mon sac ouvert, certaine que Karma ferait le reste.

Comme de bien entendu, à la récréation, la bouteille avait disparu et Scott et ses copains arboraient tous le même sourire satisfait en se lançant des coups d'œil entendus. Ce soir-là, je suis rentrée presque heureuse chez moi où j'ai mis la dernière main à mes six effigies en enfonçant dans le cœur de chacune une longue aiguille pointue et leur récitant ma petite litanie :

Jasmine – Adam – Luke – Danny – Michael – Scott

Bien entendu, je ne pouvais pas savoir, c'est certain, pas plus que je n'aurais pu deviner qu'au lieu de boire eux-mêmes la vodka, ils allaient la verser dans le punch aux fruits pour le corser un peu, distribuant ainsi, plus généreusement que prévu, les largesses du Karma.

D'après ce que j'ai entendu raconter, les réactions provoquées par ma préparation ont été spectaculaires. Violents vomissements, hallucinations, crampes d'estomac, paralysie, insuffisance rénale et incontinence ont affecté plus de quarante lycéens dont les six auteurs de l'acte criminel d'origine.

Et cela aurait pu être pire. Personne n'en est mort. Enfin, personne n'en est mort directement. Mais il est rare qu'un empoisonnement de cette envergure passe inaperçu. Une enquête a été menée. Quelqu'un a parlé. Les coupables ont fini par se dénoncer. Ils se sont accusés eux-mêmes – et moi, par la même occasion –, chacun s'efforçant de faire endosser la responsabilité par un autre. Ils ont avoué avoir déposé la fusée dans notre boîte à lettres. Ils ont avoué avoir pris la bouteille dans ma sacoche. Ils ont même avoué en avoir versé le contenu dans le punch, mais ils ont nié toute connaissance du contenu de ladite bouteille.

Comme on s'y serait attendu, les policiers nous ont rendu visite. Ils ont manifesté beaucoup d'intérêt pour le stock d'herbes de ma mère et m'ont assez minutieusement interrogée, mais sans succès. Dans l'art d'éluder les questions, j'étais déjà passée maître et rien, ni leur gentillesse ni leurs menaces, n'ont réussi à me faire modifier mon histoire.

J'ai dit que, oui, il y avait eu une bouteille de vodka et que, oui, c'était moi qui l'avais achetée, à contrecœur d'ailleurs, à l'instigation de Scott McKenzie. Scott avait de grands projets pour la disco, ce soir-là, et avait suggéré quelques *petits ingrédients supplémentaires* (c'étaient ses propres mots) pour *animer un peu la soirée*. J'étais persuadée qu'il s'agissait de drogue et d'alcool – ce pourquoi j'avais pris la décision de ne pas y aller sans lui avouer mon manque d'enthousiasme pour son plan.

J'ai reconnu que c'était mal et que j'aurais mieux fait d'en parler à ce moment-là mais, après cette histoire de fusée, j'avais eu peur et j'avais laissé se faire les choses par peur de représailles possibles.

En l'occurrence, quelque chose avait dû mal tourner. Scott n'était pas grand connaisseur en matière de drogues et il avait, sans doute, eu la main lourde. J'ai versé quelques larmes de crocodile à cette idée. J'ai écouté avec grand sérieux la leçon de morale de l'agent de police. J'ai manifesté un grand soulagement quand il a parlé de *la chance que j'avais eue* d'avoir échappé à l'empoisonnement. J'ai finalement juré mes grands dieux de ne jamais, jamais plus, me trouver mêlée à une histoire de ce genre.

Mon talent d'actrice a peut-être convaincu la police mais pas ma mère qui, elle, a gardé des soupçons. La découverte des effigies faites de pinces à linge en bois les a confirmés. Elle connaissait assez les propriétés des substances qu'elle vendait pour avoir une idée assez précise de celles dont on s'était servi et de qui était la vraie coupable.

J'ai tout nié, bien entendu, mais elle ne m'a évidemment pas crue. Elle répétait : « Des gens auraient pu en mourir ». Comme si cela n'eût pas été justement mon intention. Comme si cela m'eût gênée après ce qu'ils m'avaient fait subir. Elle a commencé alors à parler de *demander l'aide d'un spécialiste* – de conseillers, de traitements pour apprendre à gérer ma colère, de psy pour jeunes à problèmes.

Elle répétait : « Je n'aurais jamais dû t'emmener à Mexico, cette année-là. Avant, tu te comportais normalement, tu étais une gentille petite fille ! »

Folle à lier, c'est certain. Prête à croire à toutes les stupidités qu'elle découvrait. Maintenant, elle était de plus persuadée que la gentille petite fille obéissante qu'elle avait emmenée à Mexico pour le *Día de los Muertos* était possédée par quelque terrible génie malfaisant, par quelque puissance maléfique qui l'avait métamorphosée et rendue capable de ces actions terribles.

Elle répétait : « Cette *piñata* noire – qu'y avait-il à l'intérieur ? Mais qu'y avait-il donc ? »

Elle était devenue si hystérique que je comprenais à peine ce dont elle parlait.

Je ne me souvenais même pas de la *piñata* noire – il y avait si longtemps de cela et, d'ailleurs il y avait eu tant de *piñatas* dans ce carnaval ! Quant à ce qu'il y avait à l'intérieur ? Des bonbons, j'imagine, de petits jouets, des porte-bonheur, des crânes en sucre et tout ce que l'on trouve d'habitude dans une *piñata*, le jour des Morts.

Mais de là à suggérer qu'autre chose peut-être, quelque esprit ou quelque déité mineure (Santa Muerta elle-même, la vieille Mictecacihuatl jamais assouvie), s'était introduit en moi pendant cette visite à Mexico…

Enfin, si quelqu'un avait grand besoin des conseils d'un spécialiste, c'était bien celle qui avait inventé ce conte à dormir debout. Mais il a fallu qu'elle insiste, qu'elle ose dire que j'étais *instable,* qu'elle cite les principes de son Credo et qu'elle déclare que, si je n'avouais pas ce que j'avais fait, elle n'aurait plus d'autre choix que de…

C'est ce qui m'a finalement décidée. Ce soir-là, j'ai fait ma valise pour un voyage sans retour. J'ai pris mon passeport – et le sien –, des vêtements, de l'argent, ses cartes bancaires, un chéquier et les clefs du magasin. Vous direz peut-être que je suis une grande sentimentale, mais j'ai aussi emporté une de ses boucles d'oreilles – une petite paire de souliers – pour l'attacher à mon bracelet comme porte-bonheur. J'en ai ajouté bien d'autres depuis. Chacun est une sorte de trophée, le souvenir de toutes ces vies dont j'ai fait collection et que j'ai utilisées pour enrichir la mienne. Mais c'est là que tout a vraiment commencé. Avec cette seule paire de souliers d'argent.

Ensuite, tout doucement, je suis descendue. J'ai allumé un ou deux petits feux d'artifice que j'avais achetés ce jour-là et je les ai déposés parmi les piles de livres avant d'ouvrir la porte et de sortir sans faire de bruit.

Je n'ai pas une seule fois regardé en arrière. Ce n'était pas nécessaire. Ma mère a toujours dormi d'un sommeil de plomb, et d'ailleurs le mélange de valériane et de laitue sauvage que j'avais versé dans son thé aurait, à coup sûr, apporté l'apaisement au plus agité des dormeurs. Scott et ses copains seraient les premiers soupçonnés – du moins jusqu'à ce que ma disparition fût officielle –, et j'avais bien l'intention d'avoir déjà pris le large à ce moment-là.

Bien sûr, j'ai un peu arrondi les angles de cette histoire pour Anouk. J'ai omis de parler du bracelet, de la *piñata* noire et de la *chaleur* de mes adieux. J'ai fait de moi un portrait touchant : la pauvre petite fille, sans amis, seule et mal comprise, dans les rues de Paris, poursuivie par le remords, couchant à la belle étoile et vivant d'expédients et de magie.

« J'ai dû me montrer forte. Et courageuse ! C'est dur de se retrouver seule à seize ans. J'ai quand même réussi à me débrouiller. Avec le temps, j'ai appris que deux forces sont capables de nous donner de l'élan, deux vents, si vous préférez, soufflant dans des directions opposées. L'un vous pousse vers ce que vous désirez et l'autre vous éloigne de ce qui vous fait peur. Les gens comme nous doivent faire un choix. Ou bien ils enfourchent ce vent pour le diriger à leur guise, ou bien ils se laissent emporter par lui. »

Et maintenant enfin, à l'instant où la *piñata* éclate et répand généreusement son butin à l'intention des fidèles, voici le gros lot que j'en attendais, mon billet de transport, non pas pour une, mais pour deux vies…

« Lequel des deux choisiras-tu, Nanou ? ai-je demandé. Le désir ou la peur ? Hurakan ou Ehecatl ? Le vent de la destruction ou celui de la transformation ? »

Elle me contemple de son regard gris-bleu, de ce bleu cendré qui est la couleur que prend le nuage d'orage quelques instants avant qu'il n'éclate. Je vois, à travers le Miroir fumant, ses couleurs exploser en turbulentes jaspures de turquoise et d'indigo.

Et maintenant, je vois autre chose. Une image, une scène, qui s'impose plus clairement que ne pourrait se la représenter une gamine de onze ans. Elle m'apparaît moins d'un instant, cela suffit pourtant. C'est la crèche de la place du Tertre, avec la mère, le père et le berceau.

Mais dans cette version-ci de la Nativité, la mère porte une robe rouge et les cheveux du père sont de la même couleur.

Je commence enfin à y voir plus clair. Voilà pourquoi cette soirée lui tient tant à cœur, pourquoi elle met tant de soin à confectionner les figurines de la maison-calendrier, pourquoi elle les groupe, les dispose avec autant d'attention et d'application qu'elle le ferait si elles étaient de véritables personnes.

Regardez Thierry à la porte de la maison. Il n'a aucun rôle à jouer dans cette étrange reconstitution. Là, ce sont les visiteurs – les mages, les bergers, les anges. Nico, Alice, Mme Luzeron, Jean-Louis, Paupaul, Mme Pinot. Ils forment le chœur de ce théâtre grec. Ils sont là pour apporter soutien et encouragement. Et puis viennent les personnages principaux. Anouk, Rosette, Roux, Vianne.

Quelle est la première chose qu'elle m'ait dite ?

Qui est mort ? Vianne Rocher.

J'ai cru à une sorte de plaisanterie, une boutade d'enfant qui se veut provocatrice. Mais maintenant que je connais un peu mieux Anouk, je commence à deviner à quel point ces paroles, apparemment légères, pouvaient être sérieuses. Le vieux prêtre, la dame de l'assistance n'ont pas été les seules victimes de ce vent de décembre, il y a quatre ans. Vianne Rocher et sa fille Anouk, elles aussi, ont péri ce jour-là et maintenant l'enfant s'efforce de les rappeler à la vie.

Nous sommes si semblables, Nanou, toi et moi.

Tu vois, moi aussi, j'ai besoin d'une vie nouvelle. Françoise Lavery continue à me poursuivre. Deux photos d'elle, des photos floues de caméra de surveillance, paraissaient encore ce soir dans le journal local, qui cite maintenant le nom de Mercédès Desmoines et d'Emma Windsor parmi bien d'autres noms d'emprunt. Tu vois, Annie, moi aussi, j'ai des Dames Charitables à mes trousses. Leurs progrès sont peut-être lents mais leur résolution est inébranlable, et leur poursuite a cessé d'être simplement gênante pour devenir menaçante.

Comment ont-elles découvert Mercédès ? Comment sont-elles arrivées si rapidement à Françoise ? Et combien leur faudra-t-il de temps pour que Zozie elle-même tombe, victime de leur acharnement ?

Je me dis que le moment est peut-être venu. Peut-être ai-je épuisé les occasions que m'offrait Paris. Oublions la voie de la séduction. Peut-être le moment est-il venu pour moi de prendre une autre route. Mais pas sous le nom de Zozie. Non, plus maintenant.

Si quelqu'un vous offrait une nouvelle vie tout entière, ne l'accepteriez-vous pas avec enthousiasme ?

Bien sûr que vous l'accepteriez.

Et si cette vie pouvait vous garantir l'aventure, la richesse et un enfant – et pas n'importe quel enfant mais cette jolie gamine, pleine d'avenir et de talent, encore innocente et pure devant le Karma, cette gamine qui vous renvoie à la figure chacune de vos mauvaises pensées et chacune de vos actions douteuses avec une force décuplée –, si cette vie pouvait vous promettre quelque chose, quelque chose à jeter en pâture à ces Bonnes Dames charitables quand vous n'avez plus rien d'autre...

... vous ne l'accepteriez pas ?

Vous l'accepteriez, bien sûr.

3

La Lune montante

Mercredi 12 décembre

oilà un peu plus d'une semaine qu'elle me donne des cours et déjà elle voit en moi une différence, dit-elle. J'ai étudié à fond ces machins mexicains – les noms, les histoires, les symboles et les signes. Maintenant je sais comment faire se lever le vent avec Ehecatl, le Modificateur. Je sais invoquer Tlaloc pour obtenir la pluie et comment attirer le courroux d'Hurakan sur la tête de mes ennemis.

Ne croyez pas que je médite une vengeance. Chantal et ses satellites sont absentes depuis ce qui s'est passé à l'arrêt d'autobus. Il paraît qu'elles ont toutes attrapé la même chose, une sorte de teigne annulaire, d'après M. Gestin. En tout cas, elles sont condamnées à rester chez elles jusqu'à ce qu'elles soient guéries, pour éviter toute contagion. Vous seriez étonné de la différence que cela fait dans une classe de trente élèves quand les quatre plus méchantes ne sont pas là. Sans Suzanne, Chantal, Sandrine et Danielle, vous allez peut-être être surpris, mais être au lycée est vraiment un plaisir. Il n'y a plus de victime. Personne ne se moque de Mathilde à cause de son embonpoint, et Claude, en maths, à l'étonnement de tous, a répondu à une question sans bégayer.

Aujourd'hui, d'ailleurs, je me suis surtout appliquée à résoudre son problème. Quand on le connaît, il est vraiment sympa mais il bégaie tellement, la plupart du temps, qu'il ne parle presque jamais, à personne. J'ai réussi à lui glisser dans la poche un bout de papier marqué d'un symbole : un Jaguar pour le courage. D'accord, c'est peut-être tout simplement dû à l'absence des autres, mais je crois déjà apercevoir un changement chez lui.

Il est plus détendu. Il s'assied droit sur sa chaise au lieu de s'y vautrer et, si son bégaiement n'a pas vraiment disparu, aujourd'hui il ne paraissait pas aussi accentué. Quelquefois, ce bégaiement est si terrible que les mots restent accrochés dans sa gorge, alors il devient tout rouge et en pleure presque, et tout le monde est très gêné, même le prof, personne ne peut le regarder – sauf Chantal et ses satellites, bien entendu. Mais aujourd'hui il a parlé plus que d'habitude. Cela ne lui était pas arrivé jusque-là, pas une seule fois.

J'ai aussi bavardé avec Mathilde aujourd'hui. Elle est très timide et ne parle pas beaucoup. Elle porte toujours de grands pulls noirs pour déguiser sa silhouette, elle essaie de se rendre invisible pour que les autres la laissent tranquille. Elles ne le font pas pourtant. Elle se déplace toujours la tête basse comme si elle avait peur d'attirer l'attention. Cela la fait paraître boulotte, gauche et triste. Alors personne ne remarque la pureté de son teint – pas comme Chantal qui a toujours des boutons – ni ses beaux cheveux épais. Elle-même pourrait être belle si elle se redressait.

Je lui ai dit : « Essaie donc pour voir. Tu te surprendras toi-même.

– Essaie quoi ? » a demandé Mathilde d'un air de dire : *Mais pourquoi perds-tu ton temps avec moi ?*

Alors je lui ai répété ce que Zozie m'avait expliqué. Elle m'a si bien écoutée qu'elle en a oublié de contempler le bout de ses chaussures.

« Non, je ne pourrais pas le faire », a-t-elle fini par dire mais j'ai bien remarqué une lueur d'espoir dans ses yeux et, ce matin, à l'arrêt d'autobus, elle m'a paru changée. Elle se tenait plus droite, elle avait l'air plus sûre d'elle et, pour la première fois depuis que je la connais, elle portait autre chose que du noir. Ce n'était qu'un haut très ordinaire mais rouge sombre et pas trop grand. J'ai dit : « C'est joli, ça ! » Mathilde a semblé gênée mais heureuse et, pour la première fois, elle est partie à l'école le sourire aux lèvres.

Cela m'a fait tout drôle quand même d'être d'un coup peut-être pas tout à fait populaire mais quelque chose d'approchant, de voir les autres me regarder d'un œil différent, d'avoir changé leur jugement sur moi.

Comment Maman a-t-elle pu renoncer à ça ? Je voudrais le lui demander mais c'est impossible, je sais. Je devrais lui parler de Chantal et de ses satellites, des effigies de bois, de Claude et de Mathilde, de Roux et de Jean-Loup.

Il est revenu au lycée aujourd'hui, Jean-Loup. Il avait l'air un peu pâle mais assez heureux. En fin de compte, ce n'était qu'un rhume mais le truc qu'il a au cœur le rend vulnérable et, pour lui, un simple rhume peut se révéler grave. Enfin, aujourd'hui, il était de retour. Il prenait de nouveau des photos et contemplait le monde par l'ouverture de son objectif. Jean-Loup prend des photos de tout le monde, des profs, du concierge, des autres élèves, de moi aussi. Il les prend très rapidement de façon à ce que personne n'ait le temps de changer d'activité. Quelquefois, il s'attire des ennuis avec ça, surtout avec les filles qui veulent toujours retoucher leur coiffure et poser.

« Et rendre la photo complètement nulle, dit Jean-Loup.

– Pourquoi ?

– Mais parce que l'objectif est capable de voir beaucoup plus clairement que l'œil nu.

– Même les fantômes ?

– Les fantômes aussi ! »

Eh bien, ça paraît drôle mais il a entièrement raison. C'est comme le Miroir fumant, qui vous fait voir des choses qu'en temps normal vous seriez incapable de voir. Bien sûr, Jean-Loup ne sait pas ce que c'est, mais il prend des photos depuis si longtemps qu'il a sans doute appris le même truc que Zozie, l'art de concentrer son regard, de voir les choses telles qu'elles sont vraiment et non pas comme les gens voudraient qu'elles soient. C'est pour cela qu'il aime le cimetière. Là, il cherche les choses que l'œil ne voit pas, les effets de lumière spectrale, la vérité vraie, enfin quelque chose de ce genre.

« Alors, je ressemble à quoi, d'après toi ? »

Il a rapidement feuilleté sa collection et m'a montré une photo de moi, prise à la récréation, juste au moment où je sortais en courant dans la cour.

J'ai dit : « C'est un peu flou. » Mes bras et mes jambes partaient dans tous les sens mais mon visage n'était pas mal et je riais.

« C'est bien toi, a dit Jean-Loup. Et c'est formidable. »

Je n'étais pas très sûre. Se prenait-il pour un vrai pro ? Ou me faisait-il un compliment ? Alors, j'ai fait semblant de ne rien avoir entendu et j'ai regardé les autres photos.

Il y avait Mathilde, toujours grosse et triste, mais en fait assez jolie pourtant, et Claude en train de bavarder avec moi sans le moindre bégaiement, et M. Gestin, étonnamment drôle, comme s'il se forçait à paraître sévère alors qu'au fond, il se retenait de rire. Des photos de la chocolaterie que Jean-Loup n'avait pas encore fait tirer et qu'il a passées trop rapidement pour que je les voie.

« Attends une seconde ! C'est Maman, n'est-ce pas ? »

Oui, c'était bien elle, avec Rosette. J'ai trouvé qu'elle avait l'air vieille là-dessus. Rosette avait bougé, alors on ne pouvait pas bien voir son visage. Je voyais aussi Zozie à côté d'elle, la bouche tombante. Elle ne se ressemblait pas du tout et il y avait quelque chose, là, dans ses yeux…

«Allez, viens! Nous allons être en retard», a dit Jean-Loup.

Alors, nous avons couru prendre l'autobus et, comme d'habitude, nous sommes allés au cimetière donner à manger aux chats et errer tous les deux dans ces allées peuplées de fantômes où tombent les feuilles mortes.

Il commençait à faire noir quand nous sommes arrivés. Les tombes n'étaient plus que des silhouettes se découpant sur le fond du ciel. Pas terrible pour faire de la photo (à moins d'utiliser un flash, ce que Jean-Loup qualifie de *débile*), mais étrange et fantastique quand même avec, plus haut, sur la Butte, les illuminations de Noël tissant leur toile d'araignée parmi les étoiles.

La plupart des gens ne voient jamais tout ça.

Il prenait des tombes contre le gris et jaune du ciel, elles ressemblaient à des carcasses de navires dans un chantier naval abandonné.

Il a continué: «C'est pour ça que j'aime le cimetière à cette heure-ci, quand il fait presque nuit et que les visiteurs sont rentrés chez eux. Alors, on se rend compte que c'est bien un cimetière, pas un simple jardin public plein de gens célèbres!»

J'ai dit: «Ils vont bientôt fermer les portails!»

Ils les ferment pour empêcher les vagabonds de passer la nuit là. Ça ne les empêche pas, bien sûr, de le faire. Ils passent par-dessus le mur et se cachent dans des coins où le gardien ne les voit pas. Quand je l'ai aperçu, c'est d'abord ça que j'ai pensé. Que c'était un vagabond qui se préparait à faire son lit. Sombre silhouette qui se découpait derrière l'une des tombes, il portait un de ces gros pardessus et un bonnet de laine enfoncé sur ses cheveux. J'ai effleuré le bras de Jean-Loup qui m'a fait un signe de tête.

«Apprête-toi à filer.»

Je n'avais pas vraiment peur. Je ne peux pas croire qu'un sans-abri présente pour les autres un danger plus grand que celui qui possède une maison ordinaire. Mais personne ne savait où nous étions et il faisait nuit. Je savais que la mère de Jean-Loup piquerait une crise si elle apprenait où il allait presque tous les soirs, après l'école.

Elle croit qu'il reste au lycée, au club d'échecs.

Je ne pense pas qu'elle le connaisse vraiment.

Enfin. Nous étions là, tous les deux, prêts à nous enfuir à toutes jambes si l'homme faisait la moindre tentative pour s'approcher de nous. C'est alors qu'il s'est retourné et que j'ai vu son visage.

« *Roux ?* »

Avant que j'aie pu même crier son nom, il avait disparu, se glissant parmi les tombes avec la rapidité d'un chat de cimetière, silencieux comme un fantôme.

4

Le Soleil noir

Jeudi 13 décembre

Aujourd'hui, Mme Luzeron est venue apporter des décorations pour la devanture et la maison-calendrier. Des meubles miniatures provenant de sa vieille maison de poupée et soigneusement empaquetés dans des boîtes à chaussures garnies de papier de soie. Il y avait un lit à colonnes avec des tentures brodées, une table de salle à manger et six chaises. Il y avait des lampes, des tapis, un minuscule miroir doré et plusieurs petites poupées au visage de porcelaine.

«Je ne peux pas accepter de vous laisser vous en séparer, ai-je dit comme elle étalait ces objets sur le comptoir. Ce sont des objets de valeur!

– Des jouets seulement! Gardez-les le temps que vous voulez.»

Alors, je les ai mis dans la maison où une autre porte, aujourd'hui, s'est ouverte. Un charmant tableau montrant une petite fille aux cheveux roux (une des figurines de bois d'Anouk), debout, en train de contempler avec admiration une énorme pile de boîtes d'allumettes, toutes minutieusement enveloppées de papier de couleur et attachées avec le ruban le plus minuscule qui soit.

Bientôt, ce sera l'anniversaire de Rosette, bien sûr. La petite fête qu'Anouk a si méticuleusement préparée est destinée en partie à célébrer cet anniversaire et, en partie aussi, je le devine, à recréer une époque (imaginaire, peut-être) où il fallait un peu plus que des cheveux d'ange et des cadeaux pour célébrer Noël, une époque où la vie ressemblait davantage aux petites scènes d'intimité imaginaires de la maison-calendrier qu'au clinquant que nous montrent les rues de Paris.

Les enfants sont tellement sentimentaux. J'ai essayé pourtant de mettre un frein à ses espérances, de lui faire comprendre qu'une petite fête n'est jamais qu'une petite fête et que, même si on a mis tout son cœur à la préparer, elle ne peut pas faire revenir le passé, ni transformer le présent, ni même garantir la plus petite chute de neige.

Mes remarques n'ont pas eu le moindre effet sur Anouk qui, maintenant, discute tous les détails de la fête avec Zozie plutôt qu'avec moi. D'ailleurs, je me rends bien compte que, depuis que Zozie est venue habiter chez nous, Anouk passe le plus clair de son temps libre avec elle, dans sa chambre, à essayer ses chaussures (oui, j'ai entendu le claquement de hauts talons sur le plancher), à échanger des plaisanteries qu'elles seules comprennent, et à bavarder. (Elles parlent de quoi ? je me le demande.)

D'une certaine manière, c'est touchant. Il y a en moi pourtant un être ingrat et jaloux qui se sent tenu à l'écart. Bien sûr, la présence de Zozie est une chose merveilleuse. Elle m'a été si précieuse. Elle s'est occupée des petites. Elle nous a aidées à rendre son âme au magasin et nous a donné le moyen de gagner de quoi vivre enfin.

Ne croyez pas pourtant que je sois aveugle à ce qui se passe ici. Je n'ai qu'à regarder autour de moi et j'aperçois ce qui se cache derrière les choses – la délicate dorure du magasin, la grappe de clochettes à la fenêtre, le porte-bonheur (que j'avais d'abord pris pour une simple décoration de Noël) pendu au-dessus de l'entrée, les signes, les symboles, les figurines de la maison-calendrier, cette magie de tous les jours que j'avais cru abandonnée depuis si longtemps et qui renaît, ici, dans tous les coins.

Je me demande : *Quel mal peut-il y avoir à ça ?* Ce n'est pas vraiment de la magie, simplement quelques porte-bonheur, un ou deux petits signes pour attirer la chance, le genre de choses auxquelles ma mère n'aurait pas accordé plus d'un instant d'attention.

Je ne peux m'empêcher pourtant de me sentir mal à l'aise. On n'a jamais rien pour rien. Comme ce jeune garçon du conte qui avait vendu son ombre en échange d'une promesse, si je ferme les yeux pour ne pas voir les termes du contrat, si j'achète à crédit sans jamais compter, le moment de tout repayer viendra bientôt, je le sais.

Alors, Zozie, je te dois quoi exactement ?

Quel prix vas-tu exiger de moi ?

Je me suis sentie de plus en plus inquiète au fur et à mesure que passait l'après-midi. Il y avait peut-être quelque chose dans l'atmo-

sphère, quelque chose dans cette lumière hivernale ? Je me suis surprise à souhaiter une présence – laquelle ? Je n'aurais su le dire ! Ma
mère, peut-être, ou Armande, ou Framboise ? Quelqu'un de simple,
quelqu'un en qui j'aurais confiance.

Thierry a téléphoné deux fois mais j'ai bloqué ses appels. Lui aurait
été incapable de commencer même à comprendre. J'ai essayé de me
concentrer sur mon travail. Je ne sais pas pourquoi mais tout a mal
tourné. J'ai ou trop ou pas assez chauffé le chocolat, j'ai laissé bouillir le
lait, mis du poivre au lieu de la cannelle dans une fournée de tuiles aux
amandes. Dès le milieu de l'après-midi, je souffrais d'un mal de tête.
J'ai fini par confier le magasin à Zozie et je suis sortie prendre l'air.

Je me suis promenée, sans but, au hasard des rues. Je n'avais certainement pas l'intention d'aller rue de la Croix et pourtant, une vingtaine de minutes plus tard, c'est là que je me suis retrouvée. Le ciel
était d'un bleu fragile de porcelaine mais le soleil, trop bas, était sans
chaleur. J'étais contente d'avoir mon manteau – un manteau brun,
couleur de boue, comme mes bottes –, je l'ai fermé, bien serré autour
de mon corps, en atteignant la pénombre du bas de la Butte.

Ce n'était qu'une coïncidence, rien de plus. De toute la journée,
je n'avais pas accordé à Roux une seule pensée. Mais voilà qu'il était
là, devant l'immeuble, en brodequins et bleu de travail, les cheveux
couverts d'un bonnet de laine noire. Il me tournait le dos, mais je l'ai
reconnu immédiatement. Quelque chose dans ses gestes adroits sans
hâte excessive, dans le mouvement des muscles de son dos, durs et
fins, de ses bras aussi lorsqu'il lance ainsi les emballages et les caisses
des matériaux utilisés pour l'appartement dans la benne à ordures,
déposée au bord du trottoir.

Instinctivement, je me suis cachée derrière une camionnette garée
là. La soudaineté de cette rencontre avec Roux, ma surprise à me
découvrir là alors que Zozie m'avait recommandé de ne pas y aller,
tout conspirait à m'inviter à la prudence et c'est dissimulée derrière
la camionnette, rendue invisible par la couleur terne de mon manteau,
que je l'ai observé. Mon cœur cognait dans ma poitrine comme
un billard japonais. Je me suis interrogée : *Devais-je lui parler ?*
Voulais-je lui parler ? Et d'ailleurs que faisait-il ici ? Un type comme
lui qui déteste la grande ville, a horreur du bruit, méprise la richesse et
préfère, à un toit au-dessus de sa tête, la nuit à la belle étoile.

Thierry est sorti juste à ce moment-là. J'ai immédiatement deviné
la tension entre eux. Thierry semblait irrité, il était tout rouge. Il
s'est adressé à Roux d'une voix cassante et lui a intimé d'un signe de
rentrer.

Roux a fait celui qui n'avait pas entendu.

Thierry a dit : « Alors, t'es sourd ou simple d'esprit ? Il y a un putain de plan de travail avec des délais très serrés au cas où tu ne t'en souviendrais pas. Vérifie les niveaux avant de commencer. C'est du chêne ça, pas de foutues planches de sapin d'un centimètre et demi d'épaisseur !

– C'est sur ce ton-là que vous parlez à Vianne ? »

L'accent de Roux peut se renforcer ou disparaître complètement selon son humeur. Aujourd'hui, c'était presque une langue étrangère, une voix de gorge au roulement paresseux, que Thierry, avec sa voix nasillarde de Parisien, comprend à peine.

« Quoi ? »

Avec une lenteur délibérément insolente, Roux a répété : « Je vous demandais si vous parliez sur ce ton-là à Vianne ! »

J'ai vu le visage de Thierry s'assombrir un peu. « C'est précisément pour *Yanne* que je fais tout ça !

– Je comprends maintenant ce qu'elle peut voir en vous. »

Thierry a eu un ricanement mauvais. « Je vais lui en parler dès ce soir, d'accord ? Il se trouve que je dois la voir. J'ai justement l'intention de l'emmener au restaurant, quelque part où l'on ne sert pas de pizza à la tranche ! »

Et sur ces mots, il est parti, remontant la rue, le dos tourné à Roux qui a fait un geste obscène à son adresse. Je me suis rapidement baissée pour disparaître derrière la camionnette. Je me sentais un peu ridicule mais je ne voulais pas que l'un ou l'autre découvrît ma présence. Thierry est passé à moins de deux mètres de moi sans me voir. Son visage reflétait un mélange d'antipathie, de colère et de méchanceté satisfaite. Il paraissait plus vieux aussi, un étranger en quelque sorte, et, un instant, je me suis sentie comme l'enfant surprise à regarder par la porte d'une pièce interdite. Puis, il a disparu et Roux est resté seul.

Je l'ai observé pendant quelques minutes encore. Les gens ont tendance à révéler les aspects les plus inattendus de leur caractère quand ils ne se sentent pas observés. J'avais déjà pu le remarquer chez Thierry quand il était passé tout près de moi, en remontant la rue.

Roux, lui, s'est assis au bord du trottoir. Il est resté immobile, les yeux fixés au sol, l'air plutôt las, bien que, dans le cas de Roux, ce soit toujours difficile d'être sûr.

Je me suis dit que je ferais mieux de remonter au magasin. Anouk, dans moins d'une heure, serait rentrée. Rosette réclamerait son goûter et si Thierry passait…

Mais je suis sortie de ma cachette derrière la camionnette.

« Roux ! »

D'un bond, il s'est relevé. Pris au dépourvu, son visage s'est illuminé de ce sourire radieux qui est le sien. Mais son air méfiant est vite revenu. « Si c'est lui que tu voulais, Thierry n'est pas ici !

– Je sais ! »

Le sourire est revenu.

J'ai commencé : « Roux… » Mais il a ouvert les bras et, une fois encore, je m'y suis enfouie, la tête contre son épaule, et la tendre et douce odeur de son corps – tout autre que celle de la sciure de bois, de la cire ou de la sueur – a étendu sur nous son édredon douillet.

« Allez, entre ! Tu grelottes. »

Je suis entrée avec lui et nous sommes montés à l'appartement que j'ai à peine reconnu. Les meubles, recouverts de draps blancs, étaient empilés dans les coins, figés comme sous la neige. Le plancher était couvert de sciure odorante. Maintenant qu'il était libéré de l'entassement des meubles de Thierry, je me rendais compte de la taille véritable de cet appartement, des hauts plafonds avec leurs moulures de plâtre, de la largeur des portes intérieures, des balcons ornés qui donnaient sur la rue.

Roux a bien vu ma réaction. « Pas mal, si on aime les cages. Monsieur le Capitaliste n'est pas regardant à la dépense ! »

Je l'ai dévisagé. « Tu n'aimes pas Thierry ?

– Et toi, tu l'aimes ? »

J'ai fait semblant de ne pas avoir entendu sa raillerie. « Il n'est pas toujours aussi brusque. D'habitude, il est plutôt gentil, tu sais. Il doit avoir des soucis. À moins que ce ne soit toi qui prennes plaisir à l'agacer.

– À moins qu'il ne soit gentil qu'avec les gens importants et qu'il ne prenne pas de gants avec les autres. »

J'ai soupiré. « J'espérais que vous vous seriez entendus.

– Et pourquoi penses-tu que je n'ai pas foutu le camp ou envoyé déjà mon poing dans la gueule de ce salaud ? »

J'ai détourné les yeux sans répondre. La tension entre nous grandissait. J'avais très conscience de sa proximité, des traces de peinture sur son bleu de travail sous lequel il portait un tee-shirt. Autour du cou, il avait un cordonnet au bout duquel pendait un fragment de verre poli par la rivière.

Il a demandé : « Alors, qu'est-ce que tu fais ici ? Tu traînes avec les domestiques ? »

J'ai pensé : *Oh ! Roux.* Que puis-je dire ? Que c'est à cause de cet endroit secret juste au-dessus de ta clavicule, là où mon front trouve si parfaitement sa place ? Que c'est parce que je connais non pas simplement les choses que tu préfères mais chacun de tes gestes, chacune de tes réactions ? Que c'est parce que tu as un tatouage à l'épaule gauche, un rat, que j'ai toujours fait semblant de ne pas aimer ? Que tes cheveux sont de la couleur du paprika fraîchement moulu et des soucis ? Et que ces rapides petits dessins d'animaux que fait Rosette me rappellent tellement ce que tu façonnes dans le bois et la pierre que cela me fait souvent mal de la regarder et de penser qu'elle ne saura jamais ?

L'embrasser n'aurait fait qu'aggraver la situation. C'est pourtant justement ce que j'ai fait. J'ai couvert son visage de petits baisers, j'ai enlevé son bonnet et retiré mon manteau. Trouver sa bouche sous la mienne m'a apporté un soulagement.

Pendant quelques minutes, je n'ai rien vu, je n'ai pensé à rien. Seules existaient ma bouche et mes mains qui couraient sur sa peau. Le reste de mon corps n'était encore qu'imagination, fondant comme la neige sous ses mains à lui et prenant vie tout doucement, petit à petit. Étourdis, nous nous sommes enlacés dans un autre baiser, debout dans cette pièce vide qui fleurait bon la sciure et l'huile, où les draps blancs se dressaient comme les voiles d'un navire.

Quelque part dans ma tête flottait la vague idée que rien de ceci n'était prévu, que cela allait compliquer les choses au-delà de toute mesure. Mais arrêter était impossible. Cela faisait trop longtemps que j'attendais. Et maintenant…

Je me suis figée. J'ai pensé : *Quoi, maintenant ?* Maintenant que nous nous étions retrouvés ? Alors quoi ? Cela serait-il une bonne chose pour Anouk et Rosette ? Cela éloignerait-il à jamais les Bonnes Dames charitables ? Notre amour serait-il capable de mettre un seul repas sur notre table ou d'apaiser le vent même une seule journée ?

Il aurait mieux valu ne pas te réveiller, Vianne, a dit, dans ma tête, la voix de ma mère. *Surtout si tu l'aimes…*

« Ce n'est pas pour ça que je suis venue, Roux. » J'ai fait un effort pour le repousser. Il n'a pas tenté de me retenir, mais il m'a observée pendant que je remettais mon manteau et me recoiffais d'une main tremblante.

J'ai demandé d'un ton dur : « Pourquoi es-tu venu ? Pourquoi es-tu resté à Paris avec tout ce qui arrive ici ? »

Il a répondu : « Tu ne m'as pas demandé de partir. D'ailleurs, j'étais curieux d'en savoir plus sur Thierry. Je voulais être sûr que tout allait bien pour vous.

— Je n'ai pas besoin de ton aide. Je me débrouille. Tu l'as bien vu, à la chocolaterie. »

Roux a souri. « Alors, dis-moi pourquoi, toi, tu es ici ? »

J'avais appris à mentir au cours des années. J'avais menti à Anouk. J'avais menti à Thierry. Et maintenant, j'allais devoir mentir à Roux. Et si ce n'était pas pour sa protection, ce serait pour la mienne.

Je savais que, si cette autre partie de moi qui sommeillait encore se réveillait, alors les étreintes de Thierry ne seraient pas seulement désagréables, elles me seraient intolérables et tous les plans que j'écha-faudais depuis quatre ans seraient balayés par le vent comme des feuilles mortes.

Je l'ai regardé dans les yeux. « Je te le demande maintenant. Je veux que tu partes. Toute cette histoire est trop cruelle pour toi. Tu attends quelque chose qui ne peut pas se faire et je ne veux pas que tu en sois blessé davantage.

– Je n'ai pas besoin de ton aide. Je vais bien, a-t-il répondu en m'imitant.

– Roux, s'il te plaît.

– Tu as dit que tu l'aimais. Cela prouve que ce n'est pas vrai.

– Ce n'est pas aussi simple que ça.

– Pourquoi pas ? À cause du magasin ? Tu l'épouserais pour une chocolaterie ?

– À t'entendre, c'est ridicule ! Mais où étais-tu il y a quatre ans ? Qu'est-ce qui te fait croire que tu peux réapparaître comme ça et t'at-tendre à ce que rien n'ait changé ?

– Tu n'as pas tellement changé, Vianne. » Il a posé la main sur mon visage. L'élan qui nous avait collés l'un à l'autre avait disparu main-tenant, remplacé par une douleur vague et douce. « Et tu t'imagines que je vais te quitter maintenant ?

– Je dois penser à mes enfants, Roux ! Il ne s'agit pas seulement de moi. » Je lui ai saisi la main et je l'ai serrée très fort. « Si aujourd'hui prouve quelque chose, c'est bien ça. Je ne peux plus me permettre d'être seule avec toi. Je ne me fais pas confiance. Je ne me sens pas en sécurité.

– Te sentir en sécurité, cela est-il si important pour toi ?

– Si tu avais des enfants, tu saurais à quel point ça l'est. »

De tous les mensonges, celui-là était le plus gros. J'ai pourtant dû le dire. Il doit partir. Pour ma tranquillité d'esprit sinon pour la sienne, pour Anouk, et pour Rosette aussi.

Lorsque je suis rentrée, elles étaient toutes les deux là-haut. Anouk entrait déjà à toute vitesse dans la chambre de Zozie et lui racontait avec de grands éclats de voix quelque chose qui s'était passé à l'école. Pour une fois, j'étais heureuse d'être seule. Je suis montée une demi-heure dans ma propre chambre pour lire, encore une fois, les cartes de ma mère et retrouver le calme.

Le Mage – La Tour – Le Pendu – Le Fou
La Mort – Les Amants – L'Inconstant

L'Inconstant. L'image est celle d'une roue qui tourne et tourne impitoyablement. Pauvres et papes, gens du peuple et aristocrates s'accrochent désespérément à ses rais et je distingue l'expression de leur visage, primitivement dessiné, leur bouche ouverte, leur sourire satisfait faisant place à des gémissements de terreur comme la roue continue à tourner inexorablement.

Je regarde les Amants. Adam et Ève, debout et nus, main dans la main. Les cheveux d'Ève sont noirs, ceux d'Adam sont roux. Pas de bien grand mystère ici. Les cartes sont imprimées en trois couleurs seulement : jaune, rouge et noir, ce qui, avec le blanc du fond, vous donne les couleurs des quatre vents.

Pourquoi ai-je, une fois encore, tiré ces cartes ?

Quel message renferment-elles pour moi ?

À six heures, Thierry m'a téléphoné pour m'inviter à sortir avec lui. Je lui ai dit que j'avais la migraine. C'était presque la vérité à ce moment-là.

Une douleur me lancinait la tête comme un mal de dents, et la seule perspective de dîner l'aggravait encore. J'ai promis de le voir demain et j'ai essayé de chasser Roux de mon esprit. Mais chaque fois que j'essayais de m'endormir, je sentais ses lèvres sur mon visage et, lorsque Rosette s'est réveillée et a commencé à pleurer, j'entendais ses intonations dans ses gémissements et j'ai aperçu son ombre dans le vert glauque des yeux de l'enfant.

5

La Lune montante

Vendredi 14 décembre

Dix jours encore, et ce sera la veille de Noël. Dix seulement, et le grand jour sera arrivé. Pourtant ce que j'avais cru assez simple au début est devenu une sorte de casse-tête chinois. D'abord, il y a Thierry. Et puis, il y a Roux.

Bon Dieu, quel panier de crabes !

Depuis la conversation que j'ai eue dimanche avec Zozie, je me creuse la tête pour savoir quelle serait la meilleure chose à faire. Ma première réaction aurait été d'aller directement trouver Roux et de tout lui dire. Mais Zozie m'affirme que ce serait une erreur.

Dans un conte, ça ne poserait aucun problème. On apprendrait à Roux qu'il est père, on se débarrasserait de Thierry, et les choses redeviendraient ce qu'elles étaient. Et tout le monde serait bien content de célébrer la veille de Noël par une énorme fête. Fin de l'histoire ! Facile, quoi !

Dans la vie, hélas, ce n'est pas aussi facile. Dans la vie – c'est Zozie qui le dit –, il y a des hommes pour qui l'idée de la paternité est insupportable. Surtout quand il s'agit d'une gosse comme Rosette. Et si Roux ne pouvait pas accepter la situation ? Et s'il avait honte de Rosette ?

La nuit dernière, j'ai à peine pu dormir. Avoir aperçu Roux au cimetière m'a amenée à m'interroger. Et si Zozie avait raison ? S'il était possible que Roux ne veuille pas nous voir du tout ? Mais pourquoi continuer à travailler pour Thierry alors ? Sait-il ou ne sait-il pas ? J'ai tourné et retourné ces questions dans ma tête sans pouvoir y répondre.

Alors, aujourd'hui, j'ai pris ma décision et je suis allée le voir rue de la Croix.

Je suis arrivée à l'immeuble vers trois heures et demie. Je me sentais toute angoissée et glacée à l'intérieur. J'avais sauté mon dernier cours – c'était une étude ! Si quelqu'un me pose une question, je dirai simplement que j'étais à la bibliothèque. J'aurais dit la vérité à Jean-Loup s'il était venu au lycée, mais il était encore mal fichu aujourd'hui. Alors, munie du signe du Singe dessiné sur ma main, j'ai filé sans que quelqu'un s'en aperçoive.

J'ai pris un autobus jusqu'à la place de Clichy et, de là, je suis allée à pied rue de la Croix, une grande rue tranquille qui donne sur le cimetière avec, d'un côté, de grands et vieux immeubles à façade de stuc, tout le long, comme une rangée de gâteaux de mariage et, de l'autre, un haut mur de briques.

L'appartement de Thierry se trouve au dernier étage. Thierry, d'ailleurs, est propriétaire de l'immeuble tout entier, des deux étages et de l'appart du sous-sol. C'est le plus grand appart que j'aie jamais vu, bien que Thierry ne le trouve pas particulièrement grand et se plaigne de l'exiguïté des pièces.

L'endroit était désert quand je suis arrivée. Un côté de l'immeuble était flanqué d'un échafaudage et les portes étaient drapées de cellophane. À l'entrée, un type portant un casque d'ouvrier du bâtiment fumait une cigarette. J'ai vu tout de suite que ce n'était pas Roux.

Je suis entrée. J'ai monté l'escalier. Dès le premier étage, j'ai entendu un bruit de machine et j'ai reconnu l'odeur à la fois sucrée et animale du bois frais scié. J'ai entendu des voix aussi, enfin une voix, celle de Thierry, qui dominait le bruit. Et j'ai atteint les dernières marches toutes blanches de sciure et de copeaux de bois. J'ai écarté le rideau de cellophane qui tenait lieu de porte pour jeter un coup d'œil à l'intérieur.

Roux portait un masque et il préparait le parquet avec une ponceuse électrique. L'air était plein de l'odeur de bois mis à nu. Thierry se tenait debout au-dessus de lui en costume gris et casque jaune. Il avait cette expression qu'il a lorsque Rosette refuse de se servir d'une cuiller ou qu'elle recrache sa nourriture partout sur la table. Comme je les observais, Roux a éteint la ponceuse et retiré son masque protecteur. Il semblait fatigué et pas très content.

Thierry a jeté un coup d'œil au parquet et a dit : « Donne un coup d'aspirateur et débarrasse-toi de la poussière. Après, prends la brosse électrique. Il faut que tu aies terminé au moins la première couche de vernis avant de filer.

– Vous rigolez ? J'en ai pour jusqu'à minuit !

– J'm'en fous complètement. Je ne veux pas perdre une journée de plus. Tout doit être terminé avant le réveillon. »

Et il est sorti sans plus attendre, m'effleurant presque au passage pour descendre au premier étage. À son approche je me suis cachée derrière une housse de protection et il ne m'a pas vue. Moi, par contre, je l'ai bien vu. Et de près ! Et je n'ai pas aimé du tout l'air qu'il avait, cette expression du type content de lui. Et son sourire n'en était pas un non plus, il montrait trop les dents pour ça. Un peu comme si le Père Noël, au lieu de distribuer des cadeaux aux gosses, cette année, avait brusquement décidé de les garder tous pour lui. J'ai détesté Thierry à ce moment-là. Et pas simplement parce qu'il avait élevé la voix pour parler à Roux, mais parce qu'il se croyait supérieur à lui. Ça se voyait à la façon dont il le regardait, à la façon dont il se tenait debout au-dessus de lui, comme un riche qui fait cirer ses chaussures par un pauvre. Et il y avait aussi quelque chose dans ses couleurs, quelque chose qui pourrait bien être de l'envie ou pis encore.

Roux était assis par terre, en tailleur, le masque protecteur baissé suspendu à son cou et une bouteille d'eau à la main.

En me voyant, il a eu un grand sourire : « Anouk ! Est-ce que Vianne est ici ? »

J'ai fait non de la tête et son sourire s'est éteint.

« Pourquoi n'es-tu pas venu ? Tu avais dit que tu viendrais !

– J'ai eu beaucoup à faire, c'est tout. » Et, du menton, il a désigné la pièce où nous étions, où tout était enveloppé de cellophane comme un paquet cadeau. « Tu aimes ?

– Bof !

– Plus de déménagements. Une chambre à toi. Tout près du lycée et tout. »

Je me demande parfois pourquoi les adultes font tout un plat de l'éducation : cela saute pourtant aux yeux que les gosses sont bien plus au courant qu'eux des choses de la vie. Pourquoi faut-il qu'ils compliquent tout ? Pourquoi ne peuvent-ils pas se contenter de rester simples, pour une fois ?

« J'ai entendu ce que t'a dit Thierry. Il n'a pas le droit de te parler comme ça, tu sais ? Il se croit tellement supérieur. Pourquoi ne l'envoies-tu pas promener ? »

Roux a haussé les épaules. « Je gagne des sous ici. Et d'ailleurs, je vais peut-être bientôt lui rendre la monnaie de sa pièce. »

Je me suis assise, par terre, à côté de lui. Il sentait la sueur et la poussière de sciure dans laquelle il avait travaillé et dont ses bras et ses cheveux étaient couverts. Mais il y avait en lui quelque chose de différent et je ne réussissais pas à mettre le doigt dessus, un air un peu amusé, un air de bonheur, un air d'optimisme que je ne lui avais pas vu à la chocolaterie.

«Alors, que puis-je faire pour toi, Anouk?»

Apprendre à Roux qu'il avait un enfant. Ouais! Bon! D'accord! Comme beaucoup de choses, ça paraît tout simple à première vue mais quand il s'agit de le dire vraiment...

De mon doigt mouillé, j'ai dessiné le signe du Lièvre de la Lune dans la sciure du parquet. Zozie dit que c'est mon signe à moi. Un cercle avec un lièvre à l'intérieur. Il est censé représenter la lune montante, symbole d'amour et de nouvelle vie. Comme c'est mon signe à moi, je pensais qu'il allait peut-être être encore plus efficace pour Roux.

«Qu'est-ce que tu as? Le chat t'a mangé la langue?»

C'était peut-être le mot *chat*, ou peut-être le fait que je n'aie jamais été douée pour le mensonge – surtout pas quand c'est à des gens que j'aime –, en tout cas la question qui me brûlait les lèvres m'est sortie comme ça.

«Sais-tu que le père de Rosette, c'est toi?»

Il m'a dévisagée. «Tu dis quoi?» Il n'y avait pas à se tromper devant ce regard ahuri. Il n'avait vraiment jamais su. À le voir, pourtant, on ne pouvait pas dire non plus qu'il était heureux de ce qu'il venait d'apprendre.

J'ai baissé les yeux vers le Lièvre de la Lune et, dans la poussière d'une blancheur de farine, j'ai tracé aussi la croix brisée de Tezcatlipoca, le Singe rouge.

«Je sais ce que tu te dis. Tu te dis qu'elle est bien petite pour une gosse de quatre ans, qu'elle bave un peu, qu'elle se réveille la nuit. Et qu'elle a toujours été un peu lente pour apprendre à faire certaines choses comme parler et utiliser une cuiller, et pourtant, tu sais, elle est vraiment adorable et amusante. Alors, si tu voulais essayer...»

Son visage était couleur de sciure maintenant. Il a secoué la tête comme s'il s'agissait d'un mauvais rêve ou de quelque chose dont on pouvait se débarrasser d'un geste.

«Quatre ans?»

J'ai souri. «La semaine prochaine, ce sera son anniversaire. J'en étais sûre, que tu ne le savais pas. Je m'étais dit que tu ne nous aurais jamais laissées tomber comme ça. Pas si tu avais su l'existence de Rosette.» Alors, je lui ai parlé de l'époque où elle était née et de la petite crêperie des Laveuses, de sa santé fragile au début, et de la manière dont nous l'avions nourrie à la pipette, puis de notre arrivée à Paris et de tout ce qui s'était passé depuis.

« Attends une seconde. Dis-moi : Vianne sait que tu es ici ? Elle sait ce que tu es en train de me raconter ? »

Ma réponse l'a fait réfléchir un moment et lentement ses couleurs sont passées du vert et bleu tranquilles à des flammes rouges et orange. Les coins de sa bouche sont retombés et sont restés figés, comme ça. Il ne ressemblait plus au Roux que je connaissais du tout.

« Alors, comme ça, elle ne m'en a pas dit un mot ? J'avais une petite fille et je n'en savais rien ? » Quand il se fâche, son accent paraît toujours plus prononcé. À ce moment précis, il l'était tellement qu'on aurait dit qu'il parlait une langue complètement étrangère.

« Elle n'en a peut-être pas eu l'occasion. »

Il a eu un grognement de colère. « Elle me croit peut-être bien incapable d'être responsable d'un enfant. »

J'aurais voulu le serrer dans mes bras, le consoler, lui dire que nous l'aimions, que nous l'aimions toutes. Mais il était trop hors de lui pour en écouter davantage. Je pouvais bien le voir, et sans l'aide du Miroir fumant. Alors, j'ai soudain compris que j'avais peut-être fait une erreur en le lui apprenant comme ça et qu'il aurait mieux valu suivre le conseil de Zozie.

Et puis, brusquement, il s'est levé, comme s'il venait de prendre une décision, effaçant du pied le signe de Tezcatlipoca, le Singe rouge, dessiné dans la poussière.

« Eh bien, j'espère que la plaisanterie vous a bien amusées. Dommage que vous ne l'ayez pas fait durer un peu plus longtemps – au moins jusqu'à ce que les travaux soient terminés dans l'appartement. » Il a arraché de son cou le masque protecteur et l'a rageusement jeté contre le mur. « Tu peux aller dire à ta mère que je m'en lave les mains, qu'elle n'a rien à craindre, qu'elle a fait son choix et qu'elle peut s'y tenir. Et par la même occasion tu peux dire à Le Tresset qu'il pourra faire ses peintures lui-même à l'avenir. Je fous l'camp, moi ! »

J'ai demandé : « Où ?

– Chez moi !

– Qu'est-ce que tu veux dire ? Sur ton bateau ?

– Quel bateau ?

– Tu avais dit que tu avais un bateau.

– Ouais, enfin… » Il a contemplé ses mains.

« Tu dis que tu n'as pas de bateau alors ?

– Bien sûr que si, j'ai un bateau et il est formidable. » Il détournait les yeux et sa voix était sans timbre. Avec les doigts, j'ai fait le Miroir fumant, alors j'ai vu ses couleurs, un mélange de rouge rageur et de vert plein d'amertume et je me suis dit : *Oh, Roux, s'il te plaît, pour cette fois seulement.*

« Où est-il, ton bateau ?

– Au port de l'Arsenal.

– Et comment se fait-il qu'il soit là ?

– Je passais par là, alors… »

Je me suis dit que c'était bien un autre mensonge, ça. Car pour amener un bateau de la Tannes jusqu'ici, il en faut du temps. Des mois et des mois même. Et on ne *passe* pas tout simplement par Paris comme ça. Pour obtenir une place dans le port de plaisance, il faut une réservation. Il faut payer le mouillage aussi. Et d'ailleurs, s'il avait vraiment un bateau, je me demandais bien pourquoi Roux travaillait ici pour Thierry.

Mais s'il devait se mettre à dire des mensonges, comment pourrais-je lui raconter quoi que ce soit ? Tout mon plan (si c'en était vraiment un !) reposait en quelque sorte sur la certitude que Roux serait vraiment content de me voir et qu'il me dirait à quel point nous lui avions manqué, Maman et moi, à quel point il avait éprouvé du chagrin en apprenant qu'elle allait épouser Thierry. Alors, je lui aurais parlé de Rosette et il aurait bien compris qu'il n'était plus question de partir, il serait venu habiter avec nous à la chocolaterie et, comme ça, Maman n'aurait pas eu besoin de se marier avec Thierry et nous aurions pu former une vraie famille.

Mais quand j'y repense, ce scénario est un peu trop à l'eau de rose.

« Ben, et nous alors, Rosette et moi ? Nous donnons une petite fête la veille de Noël. » J'ai sorti de mon cartable la carte que j'avais faite à son intention et je la lui ai tendue. J'ai dit d'un ton désespéré : « Nous comptons sur toi, c'est tout simple. Tu as une invitation, tu vois, et tout… »

Il a ri d'un rire méchant. « Qui, moi ? Tu dois me prendre pour le père de quelqu'un d'autre. »

Je me suis dit : *Oh, bon Dieu, quel fiasco !* Il me semblait que plus j'essayais de lui parler, et plus il était en colère. Ce nouveau Système de mon invention qui avait déjà réussi à changer Nico et Mathilde et Mme Luzeron, n'avait aucun effet sur Roux.

Si seulement j'avais pu terminer son effigie.

Alors, il m'est venu une idée.

J'ai dit : « Attends un peu. Tu as de la poussière, là, dans les cheveux. » Et je me suis dressée sur la pointe des pieds pour les brosser de la main.

«Aïe!

– Oh, pardon!

– Dis-moi, s'il te plaît, est-ce que je pourrais te voir demain? Même si cela n'est que pour te dire adieu.»

Il a mis si longtemps à répondre que j'étais certaine qu'il allait refuser. Mais il a poussé un soupir. «Alors, à trois heures, dans le cimetière, près de la tombe de Dalida.»

Avec un petit sourire intérieur, j'ai dit: «D'accord!»

Roux a senti mon sourire: «Mais je ne vais pas rester.»

J'ai pensé: *Ça, c'est ce que tu crois, Roux?*

J'ai ouvert la main et, là, sur mes doigts, étaient trois de ses cheveux roux.

Parce que Roux, qui ne fait d'habitude que ce qu'il veut, pour changer un peu, va, cette fois, faire ce que je veux, moi. À mon tour de prendre les décisions! Quoi que je doive faire pour ça, il viendra à notre petite fête, la veille de Noël. Sans doute, ce n'est pas ce qu'il *veut* mais il viendra, même si je dois conjurer Hurakan pour le faire venir de force.

6

La Lune montante

Vendredi 14 décembre

Rituel pour appeler le vent.

D'abord, tu allumes tes bougies. Les rouges font bien l'affaire pour la chance et ce genre de chose ; les blanches, ça va aussi, bien sûr ; mais si tu veux vraiment tout faire comme il faut, il te faut des noires – le noir étant la couleur de la fin de l'année, de la lente obscurité entre le *Día de los Muertos* et la pleine lune de décembre, quand l'année amorce sa volte-face et renaît.

Ensuite, par terre, tu dessines un cercle à la craie jaune. Bien sûr, avant, tu déplaces le lit et le tapis bleu pour pouvoir utiliser le plancher nu – et tu les remets à leur place quand tu as fini pour que Maman ne remarque pas les traces que nous avons faites. Elle ne comprendrait pas, mais bien sûr…

Maman n'a aucun besoin de savoir ce que nous faisons.

Tu remarqueras que je porte mes chaussures rouges. Je ne sais pas pourquoi mais, quand je les porte, je sens que la chance, en quelque sorte, est de mon côté et que rien de mal ne peut arriver. Et tu te procures une poudre de couleur – du sable ou de la peinture en poudre. Moi, j'utilise des cristaux de sucre pour indiquer les quatre points du cercle. Du noir pour le nord, du blanc pour le sud, du jaune pour l'est et du rouge pour l'ouest. Tu éparpilles un peu de sable tout autour du cercle pour apaiser les petits dieux du vent.

Maintenant, pour le sacrifice, de l'encens et de la myrrhe. C'est ce que les mages apportaient, tu sais, pour le bébé Jésus dans sa mangeoire. Alors, je pense que ce qui était assez bon pour le bébé Jésus est sûrement assez bon pour nous. De l'or, aussi. Moi, j'ai des carrés de chocolat enveloppés de papier doré, ça devrait marcher, tu ne crois pas ? Zozie dit que les Aztèques faisaient toujours des offrandes de chocolat à leurs dieux. Ah ! Du sang, aussi. J'espère quand même qu'ils ne vont pas trop en demander ! Une petite piqûre d'épingle. Aïe ! Bon, ça suffit ! Tu allumes l'encens et voilà ! Nous sommes prêtes !

Maintenant, tu t'assieds en tailleur au milieu du cercle et tu tiens une effigie dans chaque main. Tu auras aussi besoin d'un sac de sucre rouge que tu répandras par terre pour y dessiner tes signes.

On commence par celui du Lièvre de la Lune. Pantoufle montera la garde, ici, tout au bord de notre cercle à la craie. Puis, on fait celui de Tezcatlipoca, l'Oiseau bleu, l'oiseau-mouche, pour représenter le ciel, à ma gauche. Ensuite, c'est l'autre Tezcatlipoca, le Singe rouge, pour représenter la terre, à ta gauche à toi. Bam montera la garde de ce côté-là, juste à côté du Singe rouge.

Et voilà ! Tout est prêt. Amusant, hein ? Nous avons déjà fait quelque chose de ce genre, tu t'en souviens ? Ce jour-là, ça n'avait pas marché mais ce ne sera pas le cas cette fois-ci. Cette fois, c'est le *bon* vent que nous allons invoquer. Pas Hurakan, mais l'Inconstant, le Modificateur, parce que nous avons quelque chose à modifier ici.

Ça va ? Maintenant, le rituel. Je sais bien que tu ne connais pas les paroles mais tu peux fredonner l'air, quand même, si tu veux. Allez, on y va !

V'là l'bon vent, v'là l'joli vent !

C'est ça, mais pas trop fort !

Bon. Et maintenant, les effigies. Celle-là, c'est Roux. Tu ne connais pas vraiment Roux mais ça viendra. Et celle-ci, c'est Maman, Maman avec sa jolie robe rouge. Son vrai nom est Vianne Rocher. C'est ce que je lui ai chuchoté à l'oreille. Et celle-là, qui c'est ? Avec des cheveux couleur de mangue et de grands yeux verts ? Mais c'est toi, Rosette ! Oui, c'est toi ! Nous allons les poser ici, ensemble, dans ce cercle, avec les bougies allumées et le signe d'Ehecatl au milieu. Tu vois, c'est leur destinée d'être ensemble, comme ceux de la crèche. Bientôt, ils seront ensemble et nous formerons une vraie famille.

Et cette effigie-là, à l'extérieur du cercle, c'est qui ? Mais oui, c'est Thierry avec son portable. On ne voudrait pas que le vent lui fasse du mal, mais il ne peut plus rester avec nous. Tu vois, Rosette, on ne peut avoir qu'un seul père et Thierry n'est pas le tien. Alors, il faut s'en débarrasser. Désolée, Thierry !

Tu entends ce vent dehors ? C'est le Modificateur qui se met en route. Zozie dit qu'il est possible de chevaucher le vent, qu'il est possible de l'enfourcher comme on le ferait d'une cavale sauvage que l'on peut apprivoiser et dresser à répondre à notre seule volonté. Alors on peut choisir d'être un cerf-volant ou un oiseau, on peut réaliser des souhaits, on peut trouver ce que l'on désire au plus secret de son cœur.

Si les désirs étaient des chevaux
Les mendiants monteraient sur leur dos.

Alors, viens, Rosette, montons sur le dos du vent.

7

Le Jaguar

Samedi 15 décembre

C'est étonnant, n'est-ce pas, à quel point un enfant peut être dissimulateur. Comme une chatte de salon qui passe toute la journée à ronronner sur le canapé et, la nuit, arpente les trottoirs en reine, en tueuse née et n'éprouve que mépris pour son autre vie diurne.

Anouk n'a rien d'une tueuse – pas encore du moins – mais elle possède tout de même cet instinct sauvage. Bien sûr, cela me ravit. Une chatte de salon ne présente aucun intérêt pour moi. Mais il va me falloir la tenir à l'œil, cette petite, si elle se met à prendre des initiatives sans me consulter.

Pour commencer, elle a conjuré Ehecatl sans moi. Je ne lui en veux pas. À la vérité, je serais plutôt fière d'elle. Cela témoigne d'imagination, d'ingéniosité, et il en faut pour inventer des rituels quand ceux qui existent ne conviennent pas. Un talent de vraie Chaoïste, quoi !

Mais ensuite – et ça, c'est beaucoup plus important –, hier elle est allée, en secret, voir Roux, malgré mes conseils. Heureusement, elle a tout raconté dans son journal que je lis régulièrement. C'est facile, d'ailleurs. Elle garde, comme sa mère, ses secrets dans une boîte à chaussures cachée au fond de son armoire. Simple à deviner et pratique. Je fouille régulièrement les deux boîtes depuis mon arrivée.

Et cela tombe bien, à ce qu'il paraît. Elle dit qu'elle doit le rencontrer aujourd'hui, au cimetière, à trois heures. Dans un certain sens, cela ne pourrait pas tomber mieux. En ce qui concerne Vianne, mon plan est presque terminé. J'en suis à la tranche suivante. D'accord, un vol d'identité est plus facile à décrire qu'à réaliser – quelques vieilles factures, un passeport ramassé dans un sac à main à l'aéroport, un nom même, sur une nouvelle tombe, et c'est pratiquement fait. Cette fois, pourtant, je veux plus qu'un simple nom, plus que des coordonnées bancaires, et beaucoup plus que de l'argent.

Bien entendu, c'est une question de stratégie. Et comme dans tout jeu de stratégie, il s'agit de disposer au mieux ses pièces sans laisser la possibilité à l'adversaire de deviner ce qu'on prépare, puis de choisir quelle pièce on va sacrifier pour remporter la victoire. Après ça, la bataille se limitera à Yanne et moi, une contre une. Je dois dire que je l'attends avec encore plus de plaisir que je ne l'aurais imaginé, cette confrontation.

C'est le genre de partie qui vaut la peine d'être engagée.

Résumons un peu les coups. En marge de mes autres occupations, j'ai fait des recherches poussées sur le contenu de la *piñata* de Yanne. Cela m'a permis de découvrir un certain nombre de choses.

D'abord, elle ne s'appelle pas Yanne Charbonneau.

D'accord, nous le savions déjà. Mais ce qui est encore plus intéressant, c'est qu'elle ne soit pas non plus Vianne Rocher – du moins, c'est ce que me laisse penser le contenu de sa boîte. Je savais bien qu'il y avait là un détail important qui m'avait échappé. Alors, l'autre jour, pendant qu'elle était sortie, j'ai fini par trouver ce que je cherchais.

À vrai dire, je l'avais déjà remarqué, mais j'avais négligé son importance, tant c'était Vianne Rocher qui m'occupait l'esprit. Il est là, dans la boîte, attaché à un bout de ruban rouge fané, ce porte-bonheur en argent qui aurait aussi bien pu provenir d'un bracelet bon marché que d'un diablotin de Noël. En forme de petit chat et terni par l'âge, il est là, dans la boîte à chaussures de Vianne, avec une des dents de bébé d'Anouk et un vieux jeu de tarot qui a connu des jours meilleurs.

Vianne, pas plus que moi, ne s'embarrasse de beaucoup de bagages. Alors, rien de ce qu'elle garde n'est sans importance. Chaque objet de la boîte a été conservé pour une raison précise, et surtout le porte-bonheur en argent. On en parle dans cet article découpé dans un journal et dont le papier est si fragile et jauni que je n'ose le déplier complètement. Il raconte la disparition de Sylviane Caillou, dix-huit mois, enlevée à la porte d'une pharmacie il y a plus de trente ans.

A-t-elle jamais tenté d'y retourner? Mon instinct me dit que non. Comme elle le dit, *on choisit sa famille*, alors cette fille et sa mère dont le nom ne paraît même pas dans l'article ne sont rien pour elle que son ADN. Enfin, c'est ce que je crois. Et cependant…

Vous allez peut-être m'accuser de curiosité mais j'ai fait quelques recherches sur Internet. Cela m'a pris un certain temps – tous les jours, des enfants disparaissent et c'est de l'histoire ancienne, l'enquête a cessé il y a bien longtemps, cela ne présente plus grand intérêt – mais je l'ai finalement trouvée. Et, avec elle, le nom de sa mère qui avait vingt et un ans lorsque le bébé a été enlevé. Elle en a quarante-neuf maintenant, d'après le site des Anciens Élèves de son école. Divorcée. Pas d'enfant. Elle vit toujours à Paris, près du Père-Lachaise, où elle est gérante d'un petit hôtel.

Le Stendhal, c'est le nom de l'hôtel qui se trouve au carrefour de l'avenue Gambetta et de la rue Matisse. Une douzaine de chambres, pas plus. Un sapin de Noël un peu déplumé malgré ses fausses aiguilles de papier d'aluminium. Un décor extravagant, aux ornements surfaits. Près de la cheminée, sur un petit guéridon, une poupée de porcelaine vêtue d'une robe de soie rose se tient debout, toute raide, sous un dôme de verre. Une autre poupée, habillée en mariée celle-là, monte la garde au pied de l'escalier. Et une troisième, aux yeux bleus et vêtue d'un manteau rouge bordé de fourrure et d'un bonnet assorti, est perchée sur le comptoir à la réception.

Là, assise au bureau, se tient Madame elle-même. Assez forte, elle a le visage tiré et les cheveux clairsemés des gens qui suivent constamment un régime. Elle a, dans les yeux, une vague ressemblance avec sa fille.

« Madame ?

– Que puis-je pour vous ?

– Je représente le Rocher de Montmartre. Nous faisons une campagne publicitaire pour faire connaître nos chocolats maison. Je me demande si je pourrais vous laisser ces quelques échantillons ? »

Le visage de Madame s'est soudain aigri. « Cela ne m'intéresse pas, merci, a-t-elle déclaré.

– C'est sans obligation aucune. Goûtez-les, c'est tout !

– Non, merci ! »

Ça, je m'y attendais. Les Parisiens sont extrêmement méfiants, et cela semblait un peu trop beau pour être vrai. J'ai quand même sorti une boîte de nos spécialités. Je l'ai déposée, ouverte, sur le comptoir. Douze truffes roulées dans la poudre de cacao, chacune nichée dans sa petite coupelle de papier doré flûté. Une rose jaune au coin de la boîte et le symbole de la Lune rousse dessiné, du bout de l'ongle, sur le côté du couvercle.

J'ai dit : « Notre carte est à l'intérieur. Si vous aimez, vous pourrez passer directement une commande et sinon… » J'ai haussé les épaules. « C'est un cadeau de la maison. Allez-y ! Goûtez-en une ! Vous verrez ! »

Madame a hésité. Je devinais sa méfiance instinctive. Elle luttait contre l'odeur irrésistible qui s'échappait de la boîte, cet arôme enfumé qui rappelle celui d'un expresso, ce soupçon de girofle, de cardamome et de vanille, cet éphémère bouquet d'armagnac, ce parfum de temps perdu, cette douceur mêlée d'amertume, d'enfance depuis longtemps écoulée.

« Alors, comme ça, vous en offrez dans tous les hôtels de Paris ? Eh bien, vous n'allez pas faire beaucoup de bénéfices à ce train-là. »

J'ai eu un sourire. « Il faut savoir perdre un peu pour gagner beaucoup, c'est ce que je dis toujours. »

Elle a pris une truffe dans son petit nid doré.

Elle en a croqué un bout.

« Hum ! Pas mal du tout ! »

Je devine que c'est plus que pas mal du tout. Ses yeux se ferment à moitié. La salive vient mouiller ses lèvres serrées.

« Vous aimez ? »

Elle doit l'aimer. Le symbole enchanteur de la Lune rousse illumine son visage d'un éclat rose. Je peux voir Vianne plus clairement en elle maintenant, mais une Vianne vieillie et sans enfant, une Vianne qui n'a pu déverser son amour que sur son hôtel et ses poupées de porcelaine.

« C'est très spécial, a dit Madame.

– La carte est à l'intérieur. Venez donc nous voir au magasin. »

Les yeux fermés, Madame acquiesce de la tête.

J'ai dit : « Et Joyeux Noël ! »

Madame n'a pas répondu.

À l'abri de son dôme de verre, la poupée aux yeux bleus, au manteau et bonnet bordés de fourrure, me sourit d'un air tranquille, comme un enfant préservé dans une bulle de glace.

8

La Lune montante

Samedi 15 décembre

Aujourd'hui j'ai eu bien du mal à attendre le moment de voir Roux. Pour savoir si les choses avaient changé, pour savoir si j'avais réussi à faire que le vent tourne. Je m'étais attendue à un signe quelconque. De la neige ou quelque chose comme ça. Une aurore boréale ou quelque perturbation étrange dans le temps, mais non. Ce matin, lorsque je me suis levée, c'était le même ciel jaunâtre au-dessus de la même rue mouillée. Quant à Maman (que j'ai bien observée), elle ne paraissait pas différente de celle qu'elle est d'habitude. Elle était occupée dans la cuisine comme à l'ordinaire, les cheveux sagement attachés en arrière et un tablier protégeant sa robe noire.

Enfin, il faut bien accorder à ces trucs-là le temps d'opérer. Les choses ne changent pas si vite et je devine qu'il n'était pas raisonnable de ma part de m'attendre à ce que tout change, comme ça, en une seule nuit – que Roux revienne nous voir, que Maman apprenne à reconnaître la vraie nature de Thierry et qu'il neige enfin. Alors, je suis restée calme, je suis sortie avec Jean-Loup tout en attendant avec impatience que trois heures arrive.

À trois heures, près de la tombe de Dalida. Y'a pas à se tromper. C'est une statue grandeur nature – même si je n'avais pas la moindre idée de qui était Dalida! Une actrice, sans doute! J'avais quelques minutes de retard. Roux m'attendait. À trois heures dix, il faisait déjà assez sombre. Comme je montais rapidement l'escalier qui mène à la tombe, je l'ai aperçu, assis sur une pierre tombale à côté. Il avait un peu l'air d'une statue lui-même, immobile, avec son long pardessus gris.

« J'ai bien cru que tu ne viendrais pas !

– Désolée d'être en retard ! » Je lui ai sauté au cou. « Mais, tu comprends, il a fallu que je me débarrasse de Jean-Loup. »

Ma façon de m'exprimer l'a fait sourire. « Cela me paraît bien sinistre. Qui est ce Jean-Loup ? »

Alors, je lui ai expliqué, un peu gênée de dire *un copain de lycée*. « Il adore le cimetière. Il aime y prendre des photos. Il croit qu'il verra un jour un fantôme.

– Eh bien, c'est le bon endroit pour ça, a dit Roux qui m'a regardée bien en face. Allez, dis-moi. Qu'est-ce qui ne va pas ? »

Bon Dieu ! Je ne savais même pas par où commencer. Tant de choses s'étaient passées ces dernières semaines.

« À vrai dire, nous nous sommes querellés. »

C'était vraiment stupide, je sais, et pourtant j'en avais les larmes aux yeux. Cela n'avait rien à voir avec Roux, bien entendu, et je n'avais jamais eu l'intention de lui en parler mais maintenant que c'était fait...

« À propos de quoi ?

– Quelque chose de complètement bête. À propos de rien, vraiment ! »

Roux m'a alors souri de ce sourire qu'on voit sur le visage de certaines statues dans les églises. Pas un sourire angélique, bien sûr, ni rien comme ça, mais un sourire patient, si vous comprenez ce que je veux dire, un sourire qui vous chuchote : *je-suis-capable-d'attendre-là-toute-la-journée-que-tu-te-décides-à-parler.*

« Il ne veut pas venir à la chocolaterie, ai-je expliqué un peu fâchée, prête à fondre en larmes, et surtout très agacée de lui avoir raconté ça. Il dit qu'il ne s'y sent pas à l'aise. »

Ce n'était pas la seule chose qu'il avait dite, d'ailleurs, mais le reste était si ridicule et si injuste que je n'avais pas le courage de le répéter. D'accord, je trouve Jean-Loup vraiment sympa, mais Zozie est ma meilleure copine – à part Maman et Roux, bien sûr – et cela me chagrine de le voir si injuste envers elle.

« Il n'aime pas Zozie ? » a demandé Roux.

J'ai haussé les épaules en disant : « Il ne la connaît pas réellement. Une fois, elle lui a parlé sèchement, c'est pour ça. Mais elle n'est pas du tout comme ça d'habitude. Elle déteste seulement qu'on la prenne en photo. »

Il n'y a pas que cela. Aujourd'hui, il m'a montré deux douzaines de photos qu'il avait imprimées sur son ordinateur et qu'il avait prises justement ce jour-là, dans la chocolaterie, des photos de la maison-calendrier, de Maman et de moi, de Rosette et, enfin, quatre de Zozie, toutes prises sous des angles bizarres comme s'il essayait de la prendre par surprise.

« Ce n'est pas chic. Elle t'avait demandé d'arrêter ! »

Jean-Loup a pris son air entêté. « Regarde-les quand même ! »

Je les ai regardées. Elles étaient franchement moches. Elles étaient toutes floues et ne lui ressemblaient pas du tout – un ovale livide à la place du visage, et une bouche tordue, hérissée de dents comme un fil barbelé. Toutes avaient la même tache, une sorte de bavure sombre autour de la tête avec une auréole jaunâtre.

« Tu as dû mettre les doigts sur les épreuves. »

Il a secoué la tête. « Non, elles sont sorties comme ça !

– Ça doit être un effet de lumière ou quelque chose comme ça !

– Peut-être. À moins que ce ne soit autre chose… »

Je l'ai regardé. « Qu'est-ce que tu veux dire ?

– Tu sais. Une lueur spectrale. »

Vous imaginez un peu ça. Une lueur spectrale ! Moi, je crois que voilà si longtemps que Jean-Loup veut être témoin de ce phénomène étrange qu'il en a, cette fois, perdu la raison. Enfin, vous imaginez un peu ? Zozie surtout ! On ne pourrait pas se mettre le doigt dans l'œil davantage.

Roux m'observait de cet air serein des sculptures d'église. Il a dit : « Parle-moi un peu de cette Zozie. Vous semblez bien vous entendre toutes les deux. »

Alors, je lui ai raconté l'enterrement, les souliers aux talons sucette, Halloween et la façon dont Zozie était arrivée dans notre vie comme un personnage de conte de fées et avait tout transformé en un monde fabuleux.

« Ta mère semble fatiguée. »

J'ai pensé : *Alors ça, tu peux parler, toi !* Il avait l'air éreinté. Son visage était plus pâle que d'habitude et il avait grand besoin d'un shampooing. Je me suis demandé s'il se nourrissait assez et si je n'aurais pas dû lui apporter quelque chose à manger.

« C'est que, pour nous, c'est le grand boum avec Noël et tout ça ! »

Je me suis dit : *Hé ! Attends une seconde !*

J'ai demandé : « Nous aurais-tu espionnées par hasard ? »

Roux a levé les épaules. « Je suis passé dans le coin.

– Pour quoi faire ? »

Il a de nouveau haussé les épaules : « Curiosité !

– Et c'est pour ça que tu es resté ? Parce que tu es curieux ?

– Oui, et aussi parce que je croyais que ta mère avait des problèmes.»

J'ai sauté sur l'occasion. «Elle en a justement. Nous en avons.» Et je lui ai encore une fois parlé de Thierry et de ses projets. Je lui ai dit que rien n'était plus comme avant et à quel point je regrettais l'époque où tout était simple.

Roux a souri : «Les choses n'ont jamais été simples.»

J'ai dit : «Nous savions au moins qui nous étions.»

Roux a simplement haussé les épaules sans répondre. J'ai cherché dans ma poche. Depuis hier soir, son effigie était là avec les trois cheveux roux, le secret que je lui avais chuchoté et la spirale d'Ehecatl, le Modificateur, dessinée sur son cœur à la pointe de feutre.

Je l'ai prise dans ma main et j'ai serré très fort comme si cela pouvait le forcer à rester.

Roux a frissonné. Il a refermé son manteau étroitement autour de son corps.

«Alors, comme ça, tu ne vas pas repartir?

– *J'allais* repartir. Je *devrais* peut-être repartir mais il y a quelque chose qui me tracasse, Anouk. As-tu jamais eu l'impression qu'il se trame quelque chose, que quelqu'un se sert de toi, te manipule en quelque sorte, que, si seulement tu savais pourquoi et comment, alors...»

Il m'a regardée. J'ai été soulagée de ne voir aucune colère dans ses couleurs, des bleus pensifs seulement. Il a continué à parler d'une voix calme. Je me suis dit que jamais je ne l'avais entendu en dire autant d'une traite. Roux n'est pas un phraseur.

«Hier, je me sentais furieux, si furieux à l'idée que Vianne ait pu me cacher une chose de cette importance que j'étais bien incapable de juger clairement la situation ou d'écouter, ou même de penser. Depuis j'ai réussi. Je me suis posé la question : comment la Vianne que je connaissais avait-elle pu se transformer en une femme si différente? D'abord, j'ai pensé que Thierry seul en était responsable. Je connais ce type de personnage. Je connais Vianne aussi. Je la sais forte. Elle n'est pas du genre à se laisser faire par un type comme lui, pas après les mauvaises passes qu'elle a connues dans sa vie.» Il a secoué la tête. «Non, si elle a des ennuis, les ennuis ne viennent pas de lui.

– De qui donc, alors?»

Il m'a regardée : «Il y a quelque chose chez ta copine Zozie, je n'arrive pas à mettre le doigt dessus. Je ne peux pas m'empêcher de ressentir en sa présence quelque chose de trop parfait, quelque chose qui ne colle pas, quelque chose de dangereux.

– Qu'est-ce que tu veux dire?»

Roux a haussé les épaules.

Cette histoire-là commençait à m'énerver. D'abord, c'était Jean-Loup et puis maintenant, Roux. J'ai essayé d'expliquer.

«Elle nous a beaucoup aidées, tu sais. Elle travaille au magasin, et s'occupe de Rosette. Elle m'enseigne certaines choses aussi.

– Quelles choses?»

Vous comprenez bien que, s'il avait déjà quelque chose contre Zozie, ce n'était pas moi qui allais lui parler de *ça*. J'ai remis la main dans ma poche. La poupée de bois était là, comme un petit os enveloppé de laine. «Tu ne la connais pas du tout. Tu devrais attendre un peu pour la juger.»

Roux avait pris son air entêté. Quand il pense quelque chose, il est difficile de le faire changer d'avis, mais c'est injuste quand même que mes deux meilleurs copains...

«Tu la trouverais sympa vraiment. Je le sais. Et elle s'occupe bien de nous.

– Si je pouvais y croire, je serais déjà reparti. Mais dans la situation actuelle...

– Alors, tu vas rester!»

J'en ai oublié mon agacement et je lui ai jeté les bras autour du cou.

«Tu viendras, dis, à notre petite fête, la veille de Noël?

– Eh bien..., a-t-il soupiré.

– Formidable! Et comme ça tu auras l'occasion de mieux connaître Zozie et de faire aussi vraiment la connaissance de Rosette. Oh, Roux. Je suis si heureuse que tu restes!

– Ouais, ouais. Moi aussi!»

Il ne semblait pas heureux pourtant mais plutôt inquiet, même très inquiet. Enfin, mon plan a marché et c'est ce qui compte. Rosette et moi, nous avons réussi à détourner le vent.

J'ai demandé: «Bon, as-tu assez d'argent?» J'ai cherché dans ma poche et j'ai dit: «J'ai seize euros et de la petite monnaie, si ça peut t'arranger. C'était pour acheter un cadeau pour l'anniversaire de Rosette mais...

– Non», a-t-il répondu. D'un ton un peu sec, ai-je pensé, mais comme il n'a jamais su accepter de l'argent, c'était sans doute la chose à ne pas lui proposer. «Ça va!» Il n'avait pas l'air du tout d'aller. Je le voyais bien. Et s'il n'était pas payé pour son travail? J'ai tracé le signe de l'Épi de Maïs dans la paume de ma main que j'ai pressée contre la sienne. C'est Zozie qui m'a appris ce signe-là. Ça porte chance. Ça donne richesse et fortune et plein de choses à manger et... Je ne sais pas exactement comment ça marche, mais ça marche. Zozie s'en est servie dans la chocolaterie pour qu'il y ait davantage de clients à acheter les truffes de Maman. D'accord, cela ne va pas servir à Roux mais j'espère que cela arrangera ses affaires d'une autre façon. Comme de lui procurer un nouvel emploi, ou de le faire gagner à la loterie, ou de lui faire trouver de l'argent dans la rue. Dans mon esprit, j'ai fait briller cet épi de maïs de façon à ce que, sur sa peau, il luise comme des paillettes de mica. Et je me suis dit : ça devrait marcher comme ça, ce ne sera pas de la charité, Roux !

« Vas-tu venir à la maison avant la veille de Noël ? »

Il a haussé les épaules : « Je ne sais pas. Il y a quelques petites bricoles dont il faut que je m'occupe avant.

– Mais tu seras là pour notre fête, tu promets ?

– Je promets !

– Sur la tête du Grand Rat des rivières !

– Sur la tête du Grand Rat des rivières ! »

9

Le Soleil noir

Dimanche 16 décembre

R oux n'est pas revenu travailler aujourd'hui. À vrai dire, il n'est pas revenu du tout ce week-end-ci. Il s'avère qu'il est parti tôt vendredi, qu'il a quitté le foyer de travailleurs où il logeait et que personne ne l'a revu depuis.

J'aurais dû m'y attendre ; après tout, je lui avais demandé de partir. Alors pourquoi est-ce que je me sens si triste ? Pourquoi est-ce que je regarde sans cesse par la fenêtre dans l'espoir de l'apercevoir ?

Thierry est cramoisi de colère. Dans le monde où il opère, quitter un emploi sur un chantier avant la fin du contrat est à la fois honteux et malhonnête, et il était évident qu'il n'admettrait aucune excuse. Il y a quelque chose aussi à propos d'un chèque que Roux a (ou n'a pas) encaissé.

Je n'ai pas beaucoup vu Thierry pendant le week-end. Des ennuis avec l'appartement, a-t-il dit en passant en coup de vent samedi soir. Il a évoqué rapidement l'absence de Roux et je n'ai pas osé demander trop de détails.

Il m'a raconté toute l'histoire aujourd'hui, quand il est venu en fin de journée. Zozie était occupée à fermer le magasin. Rosette jouait avec un puzzle – elle ne fait aucun effort pour emboîter les morceaux les uns dans les autres mais elle semble éprouver beaucoup de plaisir à les aligner en spirales compliquées sur le plancher. Moi, je m'apprêtais à faire mon dernier plateau de truffes à la cerise lorsqu'il est entré au magasin, évidemment hors de lui, le visage rouge et prêt à exploser.

«Je savais très bien que quelque chose clochait chez lui, a-t-il dit. Ces gens-là, ils sont bien tous pareils. Des tire-au-flanc. Des voleurs. Des *gitans*.» Il a donné à ce mot la plus vile inflexion comme s'il s'était agi d'un énorme juron dans une langue étrangère quelconque. «Je sais que c'est un ami à toi mais, même toi, tu ne peux refuser de voir ça. Rompre un contrat, sans la moindre explication. Bousiller complètement mes plans. Je vais le traîner en justice pour un coup comme ça. Ou peut-être foutre une bonne raclée à ce salaud de rouquin!»

Je lui ai versé une tasse de café. «Thierry, je t'en prie, essaie de te calmer!»

Mais quand il est question de Roux, la chose semble bien impossible pour Thierry. Ils sont si différents. Thierry si solide et si peu imaginatif qui n'a jamais vécu ailleurs qu'à Paris, qui désapprouve les mères célibataires, ceux qui ont choisi de mener une vie *différente* et la nourriture qui nous vient des pays étrangers, m'a toujours plutôt amusée – jusqu'à maintenant.

«Qu'est-il exactement pour toi? Comment est-il devenu un ami?»

Je me suis détournée: «Je te l'ai déjà expliqué.»

Thierry m'a jeté un regard furibond. Il a demandé: «Vous étiez amants? C'est ça? Tu as couché avec ce salaud?

– Thierry, s'il te plaît...»

Il a hurlé: «Je veux savoir la vérité. Tu as couché avec lui?»

Mes mains tremblaient. Une colère d'autant plus violente que j'essayais de la retenir m'a inondée.

D'un ton cassant, j'ai répliqué: «Et si j'avais couché avec lui?»

Des mots si simples. Des mots si dangereux.

Il m'a dévisagée, le visage soudain tout gris. Et j'ai compris que, malgré toute sa violence, cette accusation n'était encore qu'une gesticulation dramatique, prévisible et sans réelle signification. Il avait eu besoin d'un exutoire pour exprimer sa jalousie, son désir d'être le maître absolu, sa consternation secrète devant le succès rapide de notre boutique.

Il a repris d'une voix mal assurée: «Tu me dois la vérité, Yanne, a-t-il dit. J'ai laissé les choses courir trop longtemps! Pour l'amour de Dieu, je ne sais même pas *qui tu es*! Quand je vous ai *prises*, tes gamines et toi, je t'ai fait confiance, et m'as-tu jamais entendu me plaindre? Une gosse gâtée et une arriérée...»

Il s'est arrêté brusquement.

Je lui ai jeté un coup d'œil sans expression. Il avait franchi la limite.

Sur le plancher, Rosette a levé les yeux de son puzzle. Une lumière a vacillé au-dessus de nos têtes. Les moules de plastique dont je me sers pour faire des biscuits ont commencé à vibrer sur la table comme au passage d'un train rapide.

« Yanne, pardon ! Je m'excuse ! » Thierry essayait de se rattraper comme un vendeur au porte-à-porte qui s'accroche pour une commande qu'il sent lui échapper.

Mais le mal était fait. Il n'avait fallu qu'un mot pour que s'écroulât ce château de cartes érigé avec tant de patience. Et maintenant, je vois ce que je n'avais pas remarqué jusque-là. Pour la première fois, je *vois* Thierry. J'étais déjà consciente de son étroitesse d'esprit, de son plaisir méchant dans son comportement envers des subalternes, de son snobisme, de son arrogance. Je vois maintenant ses couleurs aussi, ses faiblesses secrètes, son masque d'assurance derrière le sourire, la tension dans ses épaules, cette raideur bizarre dans la façon dont il se tient chaque fois qu'il est forcé de regarder Rosette.

Ce terme si laid qu'il a utilisé.

Bien sûr, j'ai conscience du fait que Rosette provoque une gêne chez lui. Comme toujours, pour se racheter, il a tendance à en faire trop. Il se laisse aller à cette jovialité forcée de l'homme qui doit caresser un chien dangereux.

Mais je me rends compte qu'il n'y a pas simplement Rosette. Cet endroit lui-même le rend mal à l'aise, ce commerce que nous avons remonté sans son aide. Chaque plateau de chocolats, chaque friandise que nous vendons, chaque client que nous appelons par son nom, la chaise même où il est assis, tout lui rappelle que nous sommes indépendantes toutes les trois, que nous menons une vie dont il est exclu, que nous possédons un passé dans lequel Thierry Le Tresset n'a joué aucun rôle.

Mais Thierry, lui, a son passé aussi, quelque chose qui fait de lui l'homme qu'il est. Toutes ses angoisses y ont leurs racines. Ses angoisses, ses espoirs et ses secrets aussi.

Mes yeux se posent sur cette plaque de granit si familière dont je me sers pour le trempage de mes chocolats. Elle est vieille et patinée par l'âge. Quand je l'ai acquise, elle était déjà bien usée et montrait les cicatrices d'années et d'années de bons services. Dans la pierre, des parcelles de quartz reflètent la lumière de façon inattendue. Je les contemple en attendant que se refroidisse le chocolat qui sera chauffé de nouveau et trempé encore une fois.

Je me dis : *Je ne veux pas apprendre tes secrets.*

La plaque de granit, elle, a une tout autre idée. Ses paillettes de mica scintillent, miroitent sous la lumière, rencontrent mon regard qu'elles soutiennent. Je les vois presque distinctement, ces images qui se reflètent dans la pierre. Sous mes yeux, elles prennent forme. Ils commencent à avoir un sens, ces brefs aperçus d'une vie, d'un passé, qui font de Thierry l'homme qu'il est.

Voici Thierry à la maternité. Plus jeune d'une vingtaine d'années ou plus. Il attend devant une porte fermée. À la main, il tient deux boîtes, enrubannées l'une de rose, l'autre de bleu – il s'est préparé aux deux éventualités.

Maintenant, voici une autre salle d'attente. Aux murs, des personnages de dessins animés. Tout près, une femme assise avec un enfant dans les bras. Le garçonnet a peut-être six ans. Il contemple le plafond d'un air absent. Rien, ni Winnie l'Ourson, ni Tigrou, ni Mickey n'allument la plus petite étincelle dans son regard perdu.

Et voici un bâtiment, pas exactement un hôpital. Un garçon – non, un jeune homme – au bras d'une jolie infirmière. Il paraît avoir vingt-cinq ans environ. Épaules carrées comme son père, un peu voûté. Sa tête semble trop lourde pour son cou. Son sourire n'a pas plus d'expression qu'une fleur de tournesol.

Je comprends enfin à présent. Voilà le secret qu'il a essayé de cacher. Je comprends maintenant ce grand sourire lumineux, celui de l'adepte d'une religion qui colporte de porte en porte de fausses espérances, son habitude aussi de ne jamais parler de son fils, ce perfectionnisme poussé à l'extrême, cette façon qu'il a de regarder Rosette ou plutôt de *ne pas* la regarder.

J'ai poussé un soupir.

J'ai dit : « Thierry. N'aie pas peur. Tu n'as plus besoin de me mentir.

– De *te* mentir ?

– À propos de ton fils. »

Il s'est raidi. Même sans l'aide de la plaque de granit, j'ai vu croître son trouble. Il était pâle. Il a commencé à transpirer. La colère, que la peur avait un moment remplacée, est passée de nouveau sur lui comme une mauvaise bourrasque. Il s'est soudain dressé comme un ours, bousculant sa tasse de café, éparpillant sur la table les chocolats dans leurs écrins de couleur.

Et d'une voix bien trop forte pour la taille de la pièce, il a déclaré : « Mon fils n'a rien d'anormal. Alain est dans le bâtiment comme moi. Je ne le vois pas souvent, mais cela ne veut pas dire qu'il n'ait pas de respect pour moi, ni que je ne sois pas fier de lui. » Maintenant, il criait vraiment, et Rosette s'est mis les mains sur les oreilles. « Qui t'a dit le contraire ? Roux ? Ce salaud-là est venu fouiner par ici ? »

J'ai répondu : « Roux n'a rien à y voir. Mais si tu as honte de ton propre fils, comment peux-tu jamais penser aimer Rosette ?

– Yanne, s'il te plaît. Ce n'est pas ça. Je n'ai pas honte de lui. Mais c'était *mon* fils, Sarah ne pouvait plus avoir d'autres enfants. J'aurais voulu qu'il soit…

– *Parfait.* Je sais.»

Il m'a pris les mains. «Je peux l'accepter, Yanne. Je t'assure que j'en suis capable. Nous consulterons un spécialiste. Elle aura tout ce qu'elle pourrait désirer. Des nounous. Des jouets…»

J'ai pensé: *Encore d'autres jouets.* Comme si cela pouvait changer son attitude à lui. J'ai secoué la tête. On ne peut pas changer ce que l'on ressent. On peut se mentir, s'enivrer d'espoirs, d'illusions mais, en fin de compte, est-il jamais possible d'échapper à sa nature profonde?

Il a dû le voir à mon expression. Sa figure s'est allongée. Ses épaules se sont courbées.

«Mais j'ai tout arrangé!» a-t-il dit.

Pas *Je t'aime* mais *J'ai tout arrangé.*

Alors, malgré ce goût amer que j'avais dans la bouche, j'ai ressenti un élan soudain, une joie qui m'inondait comme si un morceau de pomme empoisonnée qui était resté coincé dans ma gorge venait de se déloger enfin.

Dehors, j'ai entendu les clochettes tinter sous la brise. Alors, une seule fois, et sans même y réfléchir, j'ai fait le signe fourchu qui éloigne le mauvais sort. Il est difficile de perdre de vieilles habitudes, bien sûr. Et il y avait si longtemps que je n'avais pas fait ce signe. Pourtant, je ne pouvais m'empêcher d'être mal à l'aise, comme si un tout petit geste était, à lui seul, capable de réveiller le vent. Après le départ de Thierry, lorsque je me suis retrouvée seule, j'ai cru entendre des voix dans ce vent, les voix des Bonnes Dames charitables, et des éclats de rire au loin.

10

La Lune montante

Lundi 17 décembre

Alors, ça y est. On n'en parle plus. C'est fini. Chic alors ! Je crois qu'ils se sont querellés à propos de Roux. J'étais drôlement impatiente d'aller le lui dire à la fin des cours mais je n'ai pas pu le trouver.

J'ai bien essayé le foyer de travailleurs, avenue de Clichy, où Thierry disait qu'il logeait mais personne ne m'a ouvert la porte quand j'ai frappé et un vieux bonhomme avec une bouteille de vin m'a engueulée parce que je faisais trop de bruit. Il n'était pas au cimetière non plus. Et, rue de la Croix, personne ne l'avait vu. Alors, à la fin, j'ai dû abandonner. J'ai tout de même laissé un message – marqué urgent – pour lui au foyer. Il le trouvera quand il y retournera. S'il y retourne, bien sûr. Parce que, à ce moment-là, la police était déjà venue chez nous et personne n'était plus libre d'aller et de venir.

J'ai d'abord cru que c'était moi qu'ils recherchaient. Il faisait nuit – presque sept heures. Rosette et moi prenions le repas du soir dans la cuisine. Zozie était sortie et Maman portait sa robe rouge. Nous n'étions que toutes les trois pour changer.

Et c'est à ce moment-là qu'ils sont entrés. Ma première pensée – stupide – a été que quelque chose d'affreux était arrivé à Thierry et que j'en étais en quelque sorte responsable à cause de ce que nous avions fait vendredi soir. Mais Thierry était avec eux. En bonne santé, semblait-il. Il parlait même d'une voix encore plus forte et plus enjouée, encore plus *salut, mon pote* que d'habitude. Pourtant, il y avait quelque chose dans ses couleurs qui m'a fait penser qu'il faisait peut-être seulement *semblant* d'être enjoué pour tromper les gens avec qui il était, et cela m'a de nouveau remplie d'inquiétude.

En fin de compte, c'était Roux qu'ils cherchaient. Ils sont restés une demi-heure environ dans le magasin. Maman m'a envoyée en haut avec Rosette. J'ai quand même pu entendre la plupart de ce qui se disait en bas mais je ne suis pas entièrement sûre des détails.

C'est d'un chèque qu'il s'agit, apparemment. Thierry dit l'avoir donné à Roux – il a même gardé le talon et tout ça. Roux a essayé d'en modifier le montant avant de l'encaisser, de façon à recevoir bien plus d'argent que le chèque ne le permettait.

Ils ont parlé de mille euros. Thierry dit que ça s'appelle *une opération frauduleuse*, que l'on peut faire de la prison pour ça, surtout si on ouvre un compte sous un faux nom, que l'on retire l'argent avant que quelqu'un ne s'aperçoive de rien et que l'on prend la poudre d'escampette sans laisser de trace ni même d'adresse pour faire suivre son courrier.

C'est ce qu'ils racontaient, en tout cas, à propos de Roux. Ce qui est complètement fou car tout le monde sait qu'il n'a pas de compte en banque et qu'il serait bien incapable de voler, même si Thierry devait en être la victime. Mais c'est vrai qu'il a disparu sans laisser de trace. Apparemment, personne au foyer ne l'a vu depuis vendredi et il est bien évident qu'il n'est pas allé au travail non plus. Cela veut dire que je pourrais bien être la dernière à l'avoir vu. Cela veut dire aussi qu'il ne peut pas remettre les pieds ici sous peine d'être arrêté. Quel idiot, ce Thierry! Je le déteste. Je ne serais pas étonné qu'il ait inventé toute cette histoire rien que pour se venger de Roux.

Maman et lui se sont querellés à ce propos après le départ des deux agents. De là-haut, j'entendais la voix de Thierry. Maman se montrait raisonnable, protestant qu'*il y avait sûrement une erreur*. J'entendais Thierry de plus en plus hors de lui qui disait : « Je ne comprends pas que tu puisses encore le défendre ». Il parlait de Roux comme d'un criminel et un *dégénéré* – ce qui veut dire un vaurien en qui on ne peut pas avoir confiance – et répétait : « Il n'est pas trop tard, Yanne ». Maman a fini par lui demander de sortir – ce qu'il a fait en laissant à la porte, derrière lui, comme une odeur fétide, un nuage de couleurs confuses.

Quand je suis descendue, Maman pleurait. Elle m'a affirmé qu'elle ne pleurait pas, mais je le voyais bien, moi. Ses couleurs étaient un mélange de tons sombres et, à part deux taches rouges sous les yeux, son visage était livide. Elle m'a dit de ne pas m'inquiéter, que tout irait bien. Je savais, moi, qu'elle mentait. Je le sais toujours quand elle ment.

C'est marrant quand même ce que les adultes peuvent raconter aux enfants. *Il n'est rien arrivé de mal. Tout ira bien. Ce n'est pas de ta faute. C'était un petit accident.* Pendant tout le temps que Thierry était là, je pensais au jour où j'avais rencontré Roux près de la tombe de Dalida, à l'air maussade qu'il avait, à l'épi de maïs que je lui avais donné pour lui apporter chance et richesse.

Et maintenant, je me demande ce que j'ai bien pu faire. Je peux l'imaginer, ce dernier chèque de Thierry. Je peux imaginer Roux se disant : *J'ai quelques petites choses à régler d'abord* et ajoutant simplement un zéro au montant du chèque.

Complètement stupide, bien sûr ! Roux n'est pas du genre à voler. Quelques patates en bordure d'un champ. Quelques pommes dans un verger. Un peu de maïs au bord de la route. Un poisson provenant d'une pêche gardée. Mais de l'argent ? Non, jamais ! Pas comme ça.

Je commence pourtant à m'interroger. Et si c'était une sorte de revanche ? Et s'il avait essayé de lui faire payer son arrogance ? Encore pis. Et si c'était pour Rosette et moi qu'il l'avait fait ?

C'est que mille euros est une somme colossale pour quelqu'un comme Roux. On peut peut-être acheter un bateau avec une telle somme, s'établir quelque part, ouvrir un compte en banque, mettre de l'argent de côté pour sa famille.

Mais je me suis souvenue de ce que Maman avait dit : *Roux n'en fait jamais qu'à sa tête. Il a toujours été comme ça. Il passe toute l'année sur la rivière. Il dort à la belle étoile. Il se sent prisonnier dans une maison. Nous ne pourrions pas mener une vie pareille.*

Alors, j'ai compris. C'est de ma faute. C'est moi qui ai fait de Roux un criminel avec mes effigies, mes souhaits, mes symboles et mes signes. Et si on allait l'arrêter ? Et si on le jetait en prison ?

Je me souviens d'une histoire que Maman me racontait, l'histoire de trois génies. Pic bleu, Pic rouge et Colégram. Pic bleu était chargé de la bonne marche du ciel, des étoiles, de la pluie, du soleil et des oiseaux. Pic rouge, de la terre et de tout ce qui y pousse, des plantes, des arbres et des animaux aussi. Et on avait demandé à Colégram, le plus jeune, de se charger du cœur des êtres humains. Colégram, hélas, faisait toujours des bêtises. Chaque fois qu'il tentait de réaliser le vœu secret de quelqu'un, les choses tournaient mal. Un jour, il essaie d'aider un pauvre vieillard et il transforme les feuilles d'automne en or. Le vieil homme est si heureux de voir toutes ces richesses qu'il essaie d'en fourrer trop dans sa besace et meurt écrasé par son poids. Je ne sais plus très bien comment finit l'histoire mais j'ai pitié de ce pauvre Colégram qui fait tant d'efforts et finit toujours par faire une bêtise. Je suis peut-être comme lui, incapable de m'occuper des cœurs humains.

Bon Dieu, quel gâchis! Tout allait pourtant si bien. Mais beaucoup de choses peuvent arriver en six jours et le vent n'a pas encore cessé de tourner. D'ailleurs, il est trop tard. Nous ne pouvons plus nous arrêter. Nous sommes allées trop loin pour faire demi-tour et nous enfuir. Un autre rituel ferait peut-être l'affaire? Un autre appel à l'aide du Modificateur? La dernière fois, nous avons peut-être loupé une couleur, une bougie, ou l'un des symboles tracés dans le sable. Mais cette fois, nous allons régler ce détail-là, Rosette et moi. Une fois pour toutes.

II

Le Soleil noir

Mardi 18 décembre

Thierry est arrivé très tôt ce matin pour poser des questions à propos de Roux. Il semble persuadé que cette affaire va arranger la situation entre nous et que jeter le discrédit sur Roux est la façon la plus sûre de regagner ma confiance.

Mais ce n'est pas aussi simple, bien entendu. J'ai essayé de lui faire comprendre que cela n'a rien à voir avec Roux, mais Thierry est inébranlable. Il a plusieurs copains à la police, et il a déjà usé de son influence pour attirer, sur ce cas de fraude plutôt mineur, plus d'attention que cela n'en valait la peine. Mais Roux a disparu, comme d'habitude, comme le Joueur de flûte, dans le flanc de la montagne.

Comme il sortait, Thierry m'a décoché une dernière flèche empoisonnée, un détail qu'il tient sans doute de son copain à la gendarmerie.

« Le compte qu'il a utilisé pour encaisser le chèque est au nom d'une femme, a-t-il dit avec un sourire hypocrite et triomphant. À ce qu'il paraît, il n'est pas seul, ton ami ! »

Aujourd'hui, je portais de nouveau ma robe rouge. Ce n'est pas mon habitude, mais la scène que j'avais eue avec Thierry, la disparition de Roux et ce temps toujours sombre qui annonce la neige m'avaient emplie du besoin de quelque chose de gai.

C'était peut-être la robe elle-même, ou quelque chose dans le vent qui me faisait perdre la tête mais, malgré mes soucis et en dépit de tout – ce que m'avait dit Thierry, la douleur sourde dans mon cœur quand je pensais à Roux, les nuits sans sommeil que j'avais passées et mes peurs –, je me suis surprise à chanter tout en travaillant.

C'était comme si quelqu'un avait tourné la page. Pour la première fois depuis des années, je me sentais libre, je crois. Libérée de Thierry. De Roux même. Libre d'être celle que je choisirais d'être. Mais qui ? Je ne le savais pas encore.

Zozie était sortie pour la matinée. Pour la première fois depuis des semaines, j'étais seule avec Rosette, absorbée par sa boîte de boutons et son album à dessiner. J'avais presque oublié ce que c'était d'être à la caisse d'une chocolaterie pleine de clients, de bavarder avec eux, de découvrir leurs préférences.

Dans un certain sens, c'était une surprise pour moi de voir tant de nos habitués. De la cuisine, à l'arrière du magasin, j'étais consciente, bien sûr, des allées et venues, mais je n'avais pas vraiment enregistré combien de gens fréquentaient désormais régulièrement notre boutique. Mme Luzeron – bien que ce ne soit pas son jour. Jean-Louis et Paupaul, attirés par la perspective d'un endroit où faire leurs esquisses à l'abri du froid, sans parler de leur goût croissant pour mon gros moka au café. Nico – qui est au régime mais dont le régime lui permet étonnamment de manger de grandes quantités de macarons. Alice, les bras chargés de houx pour le magasin, et qui commande un fondant au chocolat, son favori. Mme Pinot, qui s'inquiète de l'absence de Zozie. Et elle n'est pas la seule, d'ailleurs. Tous nos habitués ont voulu avoir de ses nouvelles. Laurent Pinson, bien peigné et pommadé, qui m'a saluée d'une profonde courbette, a semblé perdre contenance lorsqu'il a vu qui j'étais comme si la robe rouge l'avait trompé quant à l'identité de la caissière.

« Il paraît que vous allez faire la fête », a-t-il dit. J'ai souri. « Une très petite fête seulement, la veille de Noël ! » Il a eu ce sourire servile qu'il a toujours en présence de Zozie. Elle m'a dit qu'il vit tout seul – pas de famille, pas d'enfant, une veille de Noël ! Bien que je ne trouve pas l'homme particulièrement sympathique, je ne peux m'empêcher d'avoir pitié de lui avec son col empesé tout jaune et son sourire de chien affamé.

Je lui ai dit : « Vous seriez le bienvenu, bien sûr, si vous le vouliez. À moins que vous n'ayez autre chose à faire, le soir de Noël. »

Il a légèrement froncé le sourcil comme s'il essayait de récapituler tous les détails de son agenda très chargé.

« Je pourrais peut-être m'arranger, a-t-il dit. J'ai beaucoup à faire mais… »

J'ai caché mon sourire derrière ma main. Laurent est du genre à avoir besoin de croire qu'il vous fait une gentillesse énorme en en acceptant une lui-même.

«Nous serions enchantées de vous voir, monsieur Pinson.»

Il a haussé les épaules d'un geste magnanime. «Eh bien, si vous insistez...»

J'ai souri. «Oh! Ce serait sympa!

– Et vous portez une bien jolie robe, madame Charbonneau, si je peux me permettre ce compliment.

– Appelez-moi Yanne, je vous en prie.»

Il m'a fait une autre révérence et j'ai perçu son parfum d'huile pour les cheveux mêlé à l'odeur de transpiration. Je me suis interrogée. C'est donc cela que Zozie fait tous les jours pendant que je confectionne mes chocolats? C'est la raison pour laquelle nous avons tant de clients?

Une dame en manteau vert émeraude fait ses achats pour Noël. Les bouchées au caramel sont ses préférées. Je le lui dis sans hésitation. Son mari, lui, sera conquis par mes cœurs à l'abricot et leur fille craquera pour mes carrés d'or au piment rouge.

Que s'est-il donc passé? Quelle est la cause de cette transformation en moi?

Je semble sous l'emprise d'une insouciance nouvelle, pleine d'espoir et d'assurance aussi. Je ne suis plus tout à fait moi mais plus proche de Vianne Rocher, de cette jeune femme arrivée à Lansquenet, poussée par le vent du carnaval.

Dehors, à la porte, les clochettes sont entièrement immobiles. Le ciel est lourd de neige encore retenue. Disparue cette douceur inhabituelle du début de la semaine. Il fait assez froid pour mettre des panaches de vapeur devant notre bouche. Sur la place, les silhouettes des passants qui passent s'estompent et disparaissent dans la grisaille. Au coin de la rue, j'entends un saxophoniste jouer *Petite Fleur*. La mélodie qui coule de son instrument a l'accent languissant d'une voix humaine.

Et je pense: *Il doit grelotter de froid.*

Réflexion bien étrange pour Yanne Charbonneau. Les vrais Parisiens ne peuvent pas se permettre de penser en ces termes. Il y a tant de pauvres dans la grande capitale, tant de sans-abri, tant de vieillards entassés comme autant de colis de l'Armée du Salut sous les porches et dans les cours arrière des magasins. Tous souffrent du froid et de la faim. Les vrais Parisiens n'y font guère attention. Je ne veux pas en être.

Mais le musicien continue à jouer et cela me rappelle un autre endroit, une autre époque. J'étais une autre, alors, moi aussi. Les péniches, flanc à flanc sur la Tannes, étaient si proches les unes des autres qu'elles faisaient *un joli pont sur l'onde* qui aurait permis de traverser la rivière. Et il y avait de la musique aussi, des tambours et des violons, des flûtes et des pipeaux. Les gitans de la rivière vivaient de musique et d'eau fraîche, semblait-il. Au village, on les accusait de vivre de mendicité. Je ne les ai jamais vus mendier pourtant. À cette époque-là, je n'aurais même pas hésité.

Ma mère me répétait : *Tu as un don et un don est fait pour donner.*

Alors, je prépare du chocolat chaud. J'en verse une tasse et la porte au musicien avec une tranche de gâteau sur une soucoupe. À mon étonnement, le musicien est un jeune homme, pas plus de dix-huit ans. Cette gentillesse-là, Vianne Rocher l'aurait eue sans même y penser.

« Avec les compliments de la maison ! »

Son visage s'éclaire : « Ah ! Merci ! Vous devez venir de la chocolaterie. J'ai entendu parler de vous. Si je ne me trompe, vous êtes Zozie ? »

Je me mets à rire, d'un rire un peu fou, et la douce amertume de ce rire me semble aussi bizarre que tout le reste de cette étrange journée. Le musicien, lui, ne semble rien remarquer.

Il me demande : « Je peux jouer quelque chose rien que pour vous. Votre choix sera le mien et avec les compliments de la maison ! ajoute-t-il avec un grand sourire.

– Je... » J'ai un moment d'hésitation. « Est-ce que vous connaissez *V'là l'bon vent ?*

– Ouais, bien sûr ! » Il reprend son saxo et dit : « C'est pour vous, Zozie ! »

Comme il recommence à jouer, un frisson m'agite (dont le froid n'est pas seul responsable) et je retourne au magasin où Rosette s'amuse toujours tranquillement, parmi des centaines et des centaines de boutons éparpillés autour d'elle, sur le plancher.

Le Soleil noir

Mardi 18 décembre

Le reste de la journée, j'ai travaillé dans la cuisine. Zozie s'occupait des clients. Nous en avons plus que jamais maintenant, plus que je ne peux en servir seule. Alors, c'est une chance qu'elle veuille bien nous aider car, à l'approche de Noël, il semble que la moitié de Paris se soit découvert une fringale soudaine pour nos chocolats maison.

Le stock de chocolat de couverture que j'avais cru capable de me suffire jusqu'au Nouvel An s'est trouvé épuisé au bout de deux semaines. Nous en recevons une livraison tous les dix jours maintenant et nous satisfaisons tout juste la demande. Nos bénéfices atteignent un chiffre bien supérieur à tout ce que j'aurais osé espérer et Zozie ne sait que dire : « Je savais bien que les affaires allaient remonter avant Noël ! » comme si des miracles comme celui-là se produisaient tous les jours.

Je m'émerveille, une fois encore, de la vitesse à laquelle les choses ont changé. Il y a trois mois, nous étions encore des étrangères ici, naufragées sur cet îlot rocheux qu'est Montmartre. Ces jours-ci, nous faisons partie du décor au même titre que Chez Eugène ou Le P'tit Pinson, et les gens du coin qui n'auraient jamais même imaginé mettre les pieds dans un magasin pour touristes passent ici une ou deux fois par semaine (et certains presque tous les jours !) pour un café, un gâteau ou un chocolat.

Qu'est-ce qui nous a changées ? Le chocolat bien sûr. Je sais que mes truffes maison sont supérieures à n'importe quelles truffes fabriquées en usine. Le décor aussi. Il est plus accueillant, et, avec l'aide que Zozie nous apporte, nous trouvons le temps de nous asseoir et de bavarder un peu.

Montmartre est un village à l'intérieur d'une grande ville – et il reste profondément nostalgique (même si c'est de façon un peu équivoque) avec ses rues étroites, ses vieux cafés, ses maisonnettes dont les murs sont reblanchis à la chaux l'été, avec leurs volets décoratifs et leurs pots de géraniums éclatants de couleur. Pour les habitants, isolés au-dessus d'un Paris qui change comme une moire, Montmartre prend vraiment parfois un air de *dernier* village, la matérialisation d'un moment éphémère, d'une époque où la vie était plus douce, plus simple, où les gens avaient l'habitude de laisser leur porte ouverte et où tous les maux pouvaient être soulagés par un carré de chocolat…

Le tout est une illusion, j'en ai bien peur. Pour la plupart des individus, cette époque-là n'a jamais existé. Ils vivent dans un monde d'opérette où le passé est enterré si profondément sous des regrets et des désirs pris pour la réalité qu'ils en arrivent presque à croire à ce monde qu'ils ont inventé.

Prenez Laurent qui parle avec tant d'amertume des immigrés mais dont le père, juif et originaire de Pologne, s'est réfugié à Paris pendant la guerre, a changé son nom, épousé une fille du coin et est devenu Gustave Jean-Marie Pinson, plus français que les Français et de racines aussi pures que celles du Sacré-Cœur.

Bien sûr, il n'en dit rien. Mais Zozie le sait. Il a dû lui en parler. Et Mme Pinot, avec sa petite croix d'argent, son sourire pincé de désapprobation et la devanture de sa boutique pleine de statues de saints… Elle n'a jamais été Mme qui que ce soit. Dans sa jeunesse (c'est Laurent qui le dit et il sait ces choses-là), elle était danseuse au Moulin Rouge. Elle s'exhibait en talons très hauts, vêtue d'une guimpe de religieuse et d'un corset de satin noir si serré que cela vous faisait venir les larmes aux yeux – pas tout à fait ce à quoi l'on se serait attendu d'une marchande respectable d'articles religieux! Et pourtant…

Nos beaux gars eux-mêmes, Jean-Louis et Paupaul, qui opèrent place du Tertre avec une telle maîtrise et embobinent toutes les dames avec leurs compliments de mousquetaires et leurs sous-entendus vulgaires, jusqu'à ce qu'elles soient prêtes à leur ouvrir leur porte-monnaie… On pourrait croire qu'au moins eux sont bien les types qu'ils affichent être. Ni l'un ni l'autre pourtant n'a jamais mis le pied dans une galerie d'exposition ni suivi de cours aux Beaux-Arts. Malgré tous leurs succès auprès des femmes, ils sont discrètement, mais sincèrement, homosexuels, et ils se promettent une cérémonie civile – à

San Francisco, peut-être, où les engagements de ce genre sont monnaie courante et acceptés sans aucun jugement critique.

C'est Zozie qui m'a dit ça, et elle semble tout savoir. Anouk aussi en sait plus long qu'elle ne le dit. Je me surprends à être de plus en plus inquiète à son propos. Autrefois, elle me racontait tout. Récemment, elle est devenue butée et cachottière. Elle disparaît pendant des heures dans sa chambre. Elle passe la plupart du week-end avec Jean-Loup au cimetière et ses soirées avec Zozie.

Bien sûr, il est normal pour une enfant de son âge de vouloir un peu plus d'indépendance qu'elle n'en avait. Mais il y a une sorte de méfiance chez Anouk – une froideur dont elle n'a peut-être même pas conscience – qui me rend mal à l'aise. Comme si, entre nous, un coin s'était enfoncé, comme si quelque implacable mécanisme avait lentement commencé à nous séparer. Elle me racontait tout. Maintenant ce qu'elle dit me paraît étrangement circonspect et ses sourires sont trop lumineux, trop forcés pour qu'ils m'apportent un réconfort.

Jean-Loup Rimbault en est-il la cause? Vous imaginez peut-être que je n'ai pas remarqué la façon dont elle n'en parle plus qu'à peine, ni son regard soupçonneux lorsque j'en parle, moi, ni le soin qu'elle apporte à s'habiller pour le lycée alors qu'autrefois elle prenait à peine le temps de se brosser les cheveux?

Ou bien s'agit-il de Thierry? Elle s'inquiète peut-être à cause de Roux?

J'ai essayé de la questionner franchement pour savoir si quelque chose clochait – au lycée peut-être –, quelque chose dont je ne savais rien. Elle répond toujours *Non, Maman* de cette voix nette de bonne petite fille puis remonte rapidement à sa chambre faire ses devoirs.

De la cuisine pourtant, le même soir, j'entends des rires s'échapper de la chambre de Zozie. Sur la pointe des pieds, je grimpe jusque dans le haut de l'escalier et, de là, j'entends, comme un souvenir, la voix d'Anouk. Si j'ouvre la porte pour demander, par exemple, si elle veut quelque chose à boire, je sais que les rires s'arrêteront net, que son regard évitera le mien et que celle que j'entendais de loin, mon Anouk à moi, aura disparu comme dans un conte de fées.

Zozie était en train de réarranger la maison-calendrier à la devanture. Aujourd'hui, une nouvelle porte s'est ouverte. Dans le vestibule se dresse un arbre de Noël, adroitement fait de petites branches de sapin. La mère, qui se tient debout à la porte, regarde le jardin où un groupe de petits chanteurs (pour cela, elle a utilisé des souris de sucre candi) assemblés en demi-cercle regardent, eux, à l'intérieur.

Comme par hasard, nous avons justement mis notre arbre de Noël aujourd'hui. Un petit, acheté chez le fleuriste du bas de la rue, mais qui répand sa délicieuse odeur d'aiguilles et de sève comme un conte à propos d'enfants perdus dans la forêt. Nous avons des étoiles argentées pour pendre à ses branches et des lumières blanches à mettre tout autour. Anouk aime pendre les décorations elle-même. J'ai donc laissé l'arbre nu de façon à ce que nous le fassions ensemble à son retour du lycée.

« Et dites-moi donc ce qui se passe chez ma petite Anouk, ces jours-ci ? » La légèreté avec laquelle j'ai posé la question était évidemment forcée. « Il semble qu'elle soit toujours prête à courir quelque part. »

Zozie a souri : « Les gosses sont toujours excités à l'approche de Noël.

– Elle ne vous a rien dit ? Ce n'est pas cette histoire entre Thierry et moi qui la préoccupe ?

– Pas que je sache, a répondu Zozie. Au contraire, elle me paraît plutôt soulagée.

– Alors, rien ne la travaille ?

– La petite fête seulement. »

La petite fête. Oui. Je ne comprends toujours pas ce qu'elle en attend. Depuis la première fois où elle en a parlé, ma petite Anouk s'est montrée étrangement déterminée. Elle a échafaudé des plans, suggéré un menu, voulant inviter tout le monde sans s'inquiéter des problèmes d'espace et de chaises où asseoir les invités.

« Peut-on inviter Mme Luzeron ?

– Bien sûr, Nanou, si tu crois qu'elle viendra !

– Et Nico ?

– D'accord !

– Et Alice, bien entendu ? Et Jean-Louis et Paupaul aussi ?

– Mais Nanou, ces gens-là ont leur propre maison, leur propre famille, alors qu'est-ce qui te fait penser que…

– Ils viendront, a-t-elle répondu du ton de quelqu'un qui a personnellement arrangé la chose.

– Comment le sais-tu ?

– Je le sais, tout simplement. »

Elle le sait peut-être, après tout. Elle semble savoir tant de choses. Et il y a autre chose dans son regard – une sorte de secret – la suggestion de quelque chose dont on me tient à l'écart.

Je contemple le magasin où il fait bon et chaud. Il donne presque une impression d'intimité. Des bougies sont allumées sur les tables. La devanture est illuminée de lumière rose. Un parfum d'orange et de girofle émane de la pomme d'ambre suspendue au-dessus de la porte et se mêle à l'odeur de pin de l'arbre, à celle du vin chaud que nous servons aussi bien maintenant que notre chocolat chaud, à celle du pain d'épices aussi, tout frais sorti du four. Et cela les attire – trois ou quatre à la fois –, habitués, étrangers et touristes, tous succombent. Ils s'attardent devant l'étalage. Là, l'odeur leur chatouille agréablement les narines et ils entrent, un peu étourdis peut-être par tous ces arômes, désorientés par toutes ces couleurs et leurs friandises préférées dans leurs petits écrins de verre – craquelins à l'orange amère, mendiants du roi, tuiles au piment rouge, truffes à la liqueur de pêche, séraphins en chemise, paillettes à la lavande – et chacune leur murmure en secret :

Laisse-toi tenter ! Laisse-toi séduire ! Savoure-moi !

Et Zozie est au centre de tout ça. Même au plus fort des heures de pointe, riant, souriant, taquinant, distribuant à tous des échantillons gratuits, faisant un brin de causette avec Rosette, illuminant tout de sa seule présence.

On dirait que c'est moi-même que j'observe, cette Vianne que j'étais il y a longtemps, dans une autre vie.

Mais qui suis-je maintenant à rôder derrière la porte de la cuisine, incapable de détourner les yeux du magasin ? Souvenir d'une époque révolue. Un homme se tient à l'entrée d'un magasin très semblable. Il jette un coup d'œil soupçonneux à l'intérieur. C'est le visage de Reynaud, son regard affamé, son air haineux, l'expression hantée de celui qui, à moitié dégoûté par ce qu'il voit, doit quand même continuer à regarder.

Se pourrait-il que je sois devenue ça ? Une nouvelle version de l'Homme noir ? Un autre Reynaud, tenté par le plaisir mais incapable d'accepter celui des autres, écartelé entre l'envie et le remords ?

Complètement ridicule. Comment pourrais-je envier Zozie ?

Pis encore. Comment puis-je avoir peur ?

À quatre heures et demie, Anouk sort en coup de vent du brouillard de la rue, les yeux brillants. Une sorte de feu follet révélateur lui colle aux talons. Si Pantoufle existait vraiment, cela pourrait être lui. Elle saute au cou de Zozie avec un entrain exubérant. Rosette s'y met aussi. Elles la font pirouetter en criant *bam-bam-bam !* Cela devient un jeu, une sorte de danse primitive qui se termine par une chute d'elles trois hors d'haleine sur les coussins de fourrure rose et des éclats de fou rire.

Une pensée soudaine me traverse l'esprit pendant que je les observe de la porte de la cuisine. Il est évident qu'il y a trop de fantômes ici.

Des fantômes menaçants. Des fantômes moqueurs qui remontent d'un passé que l'on ne peut pas se permettre de laisser renaître. Étrange comme ils paraissent étonnamment vivants, ces fantômes-là ! Comme si la morte, c'était peut-être moi, Vianne Rocher, et que ce petit trio-là, dans le magasin, représentait la réalité, la vie, le nombre magique, le cercle dans lequel on ne peut pas pénétrer.

Ridicule, bien sûr. Je sais que je suis vivante, que Vianne Rocher est seulement un nom que j'ai utilisé, même pas mon vrai nom. Vianne Rocher n'a pas d'autre raison d'être. Elle ne peut pas, en dehors de moi, avoir d'avenir.

Je ne peux toujours pas cesser de penser à elle comme à un manteau, beaucoup aimé, à une paire de chaussures donnée sur un coup de tête à quelque œuvre de charité pour qu'une autre les porte et les chérisse à son tour.

Mais je ne peux m'empêcher maintenant de m'interroger.

Combien ai-je déjà donné de moi-même ?

Et si je ne suis plus elle, qui donc est Vianne Rocher maintenant ?

SEPTIÈME PARTIE

LA TOUR

I

Le Jaguar

Mercredi 19 décembre

Ah! Bonjour, madame! Vos préférées? Voyons – truffes au chocolat de ma recette à moi, marquées du signe de la Lune sanguine et roulées dans une substance qui vous taquine la langue. Une douzaine? Allons, plutôt deux! Dans une boîte tapissée de papier de soie noir et fermée par un ruban du rouge le plus lumineux.

J'en étais sûre, qu'elle finirait par venir. Mes chocolats ont tendance à avoir cet effet-là. Elle est entrée juste avant la fermeture. Anouk faisait ses devoirs là-haut. Vianne, une fois de plus, préparait dans la cuisine ce que nous devions vendre demain.

Je l'observe d'abord humer l'air. Un mélange complexe d'odeurs – celle du sapin de Noël, dans le coin du magasin, le relent moisi de vieille maison, le parfum d'orange et de girofle, de café aussi, fraîchement moulu, de lait chaud, de patchouli, de cannelle et, bien sûr, de chocolat, de ce chocolat somptueux, riche comme Crésus et sombre comme la mort.

Elle inspecte les lieux, aperçoit ce qui est pendu au mur, les tableaux, les clochettes, les ornements, la maison de poupée à la devanture, les tapis – le tout jaune de chrome, rose fuchsia, vert, rouge et or. Elle pense : *On dirait une fumerie d'opium*, et s'émerveille de son imagination. La vérité est qu'elle n'a jamais vu de fumerie d'opium – à moins que ce ne fût dans les illustrations des *Contes des Mille et Une Nuits* – mais elle voit ici quelque chose de presque *magique*.

Dehors, la pâleur gris-jaune du ciel est comme une promesse de neige. La météo l'annonce depuis plusieurs jours. Pourtant, au grand regret d'Anouk, la température est encore trop douce pour autre chose que cette pluie mêlée de flocons et cette brume qui s'éternise.

« Quel sale temps ! » dit la dame. Bien sûr, c'est le genre de commentaire auquel on s'attendrait de sa part ! Aveugle à l'enchantement des nuages, elle ne voit que la pollution. Elle ne voit pas d'étoiles, seulement toutes ces ampoules des décorations de Noël. Pas de réconfort pour elle, pas de joie, seulement le défilé interminable et monotone de gens qui se croisent coude à coude, sans chaleur humaine, à la recherche de cadeaux de dernière minute qui seront reçus sans plaisir, ou se précipitant vers un dîner qu'ils n'apprécieront pas, avec des gens qu'ils n'ont pas vus depuis un an et qu'ils choisiraient de ne pas voir du tout s'ils pouvaient l'éviter.

Dans le Miroir fumant, j'ai observé son visage. Un visage dur à bien des aspects, celui d'une femme dont le conte de fées particulier n'a pas eu la moindre chance de finir bien. Elle a perdu parents, mari et enfant. Elle s'en est sortie en s'étourdissant de travail. Voilà bien des années qu'elle a versé sa dernière larme. Il ne lui reste plus de pitié pour les autres, ni pour elle-même. Elle déteste Noël et méprise le Nouvel An.

Je vois tout cela à travers l'œil de Tezcatlipoca, la Noire. J'arrive même maintenant à apercevoir ce qui se cache derrière le Miroir fumant – une grosse femme assise devant la télévision, en train de dévorer des choux à la crème à même la boîte blanche du pâtissier pendant que son mari, pour le troisième soir de suite, est retenu tard au travail, l'étalage d'un magasin d'antiquités avec une poupée de porcelaine sous un dôme de verre, puis la pharmacie où, autrefois, elle s'arrêtait pour acheter des couches et du lait en poudre pour son bébé, et le visage de sa mère, large et dur, qui n'a marqué aucune surprise lorsqu'elle est venue lui apprendre la terrible nouvelle.

Mais, depuis, elle a bien fait son chemin. Vraiment. Et pourtant, il y a toujours en elle ce vide énorme qui ne demande qu'à être comblé.

« Nous avions dit douze truffes ? Mettez-m'en vingt », dit-elle. Comme si des truffes allaient y changer quelque chose ! Mais elle pense que ces truffes-là sont *différentes,* que la femme au comptoir avec ses longs cheveux noirs tressés de perles de cristal et ses chaussures vert émeraude à talons compensés vernis – des chaussures faites pour danser toute la nuit, s'élancer et survoler la foule mais pas pour marcher, non, pas pour marcher –, elle aussi, a l'air *différente*. Elle ne ressemble à personne du coin mais paraît tellement plus vivante, plus réelle.

Un peu de poudre noire de cacao est tombée des truffes et s'est éparpillée sur le verre du comptoir. Du bout des doigts, il est facile d'y dessiner le signe du Jaguar – la forme féline de Tezcatlipoca, la Noire. La dame, à demi fascinée par l'odeur et par les couleurs, ne quitte pas le signe des yeux pendant que je prépare la boîte en prenant tout mon temps avec le papier et les rubans pour le paquet cadeau.

Anouk entre justement, au bon moment, les cheveux ébouriffés et riant encore de quelque chose que Rosette a fait. La dame lève les yeux et son visage se détend soudain.

Elle reconnaît quelque chose peut-être ? Se pourrait-il que la veine si riche de talent que l'on voit chez Vianne et Anouk ait laissé une trace ici, à la source ? Anouk sourit à la dame qui sourit à son tour, en hésitant d'abord, mais sous l'effet de la Lune sanguine et du Lièvre de la Lune s'alliant à celui du Jaguar, le visage terreux devient presque beau tant il exprime de désir.

« Et comment s'appelle cette petite fille ? demande-t-elle.

– C'est ma petite Nanou ! »

Je n'ai besoin de rien ajouter. La dame découvre-t-elle quelque chose qui lui semble familier chez l'enfant ? Ou est-ce simplement le charme d'Anouk elle-même, avec son visage de poupée hollandaise et sa chevelure byzantine, qui la captive ? Je ne saurais le dire. Mais son regard s'illumine soudain et lorsque je suggère qu'elle pourrait rester prendre une tasse de chocolat, accompagnée d'une de mes truffes peut-être, elle n'oppose aucune résistance. Elle s'assied à l'une des tables décorées d'empreintes de mains et suit, d'un regard dont l'intensité dépasse le simple désir, les allées et venues d'Anouk entre le magasin et la cuisine, elle l'observe saluer Nico dès qu'il passe la porte et l'inviter à prendre une tasse de thé, jouer avec Rosette et sa boîte de boutons, parler de l'anniversaire de demain, se précipiter dehors pour voir s'il neige, rentrer en courant, inspecter les changements apportés à la maison-calendrier, modifier la position d'un ou deux des personnages importants, ressortir pour vérifier s'il ne neige pas encore – elle viendra cette neige, elle doit tomber, au moins la veille de Noël, car Rosette aime la neige presque plus que tout.

L'heure de fermer le magasin est arrivée. À la vérité elle est déjà passée depuis vingt minutes lorsque la dame semble sortir de sa fascination.

« Vous avez là une bien gentille petite fille », dit-elle. Et elle se lève, balaie de la main les miettes de chocolat tombées sur ses genoux et lance un petit regard triste vers la porte de la cuisine où Anouk a disparu emmenant Rosette avec elle. « Elle joue avec l'autre comme une vraie petite sœur. »

Je souris sans la détromper.

Je demande : « Et vous avez des enfants ? »

Elle paraît hésiter puis elle fait un signe de la tête en disant : « Oui, une fille !

– Vous irez la voir à Noël ? »

Oh ! L'angoisse qu'une telle question lancée en l'air peut causer sans le vouloir. Je le vois à ses couleurs. Un éclair de blanc intense qui jaillit parmi le reste.

Elle secoue la tête, incapable de faire confiance à la parole. Même maintenant, après toutes ces années, sa réaction a encore le pouvoir de la surprendre par son intensité soudaine. Va-t-il finir par s'émousser, ce chagrin, comme tant de gens le lui ont promis ? Il ne l'a pas encore fait, ce chagrin qui dépasse tous les autres, dus à la mort d'un mari, d'un amant, d'une mère, d'une amie, et plongés dans l'insignifiance devant le vide, le gouffre désert qui s'ouvre à la mort d'un enfant.

« Je l'ai perdue ! dit-elle dans un murmure.

– Oh, je suis désolée ! » Je pose la main sur son bras. Je suis en manches courtes et les porte-bonheur de mon bracelet tintent lourdement autour de mon poignet. Un éclair d'argent frappe son regard.

Le petit chat est devenu tout noir avec les années. Il ressemble plus au Jaguar de Tezcatlipoca, la Noire, qu'au petit ornement sans valeur qu'il était à l'origine.

Elle le remarque pourtant et se raidit. Presque immédiatement, elle pense que c'est complètement stupide, que les coïncidences de ce genre n'existent pas, que ce n'est qu'un bracelet de pacotille et qu'il ne pourrait avoir aucun lien avec le bracelet du bébé perdu, il y a si longtemps, et son petit chat d'argent.

Pourtant, si seulement c'était possible, pense-t-elle. On entend quelquefois raconter des histoires comme celle-là et pas seulement dans les films, parfois dans la réalité aussi.

« C'est un b- b- bracelet bien original. » Sa voix tremble tant qu'elle peut à peine articuler.

« Merci, je l'ai depuis des années !

– Vraiment ? »

Je fais oui d'un signe de tête. « Chacun de ces porte-bonheur me rappelle quelque chose. Pour celui-ci, il s'agit de la mort de ma mère. » J'indique le petit cercueil. « À vrai dire, il vient de Mexico. J'ai dû l'avoir d'une *piñata* ou de quelque chose de ce genre. Il y a une petite croix sur le cercueil.

– Votre mère ?

– Oui, enfin, je l'appelais comme ça, mais je n'ai jamais connu mes vrais parents. Cette clef-là, je l'ai eue pour mon vingt et unième anniversaire. Mais le chat est le plus vieux de tous mes porte-bonheur, celui qui m'apporte le plus de chance. Je l'ai depuis toujours, je crois, bien avant d'avoir été adoptée. »

Elle me dévisage d'un regard fixe de paralysée. Non, une chose comme ça n'est pas possible, et elle le sait – pourtant, quelque chose en elle de moins rationnel lui affirme que les miracles arrivent, que la magie existe. C'est la voix de la femme qu'elle était autrefois, celle qui, à l'âge de dix-sept ans, s'était amourachée d'un homme de trente-deux ans qui lui avait dit qu'il l'aimait et qu'elle avait cru.

Et cette petite fille alors ? A-t-elle reconnu quelque chose en elle ? Quelque chose qui la tire par le bout du cœur et la déchire comme un chaton martyrisant une pelote de ficelle ?

Certaines personnes – et j'en suis – sont nées cyniques. Celles qui ont la foi, par contre, ne la perdent jamais. Je devine que la dame fait partie de celles-là. Je le sais en fait depuis l'instant où j'ai vu ces poupées de porcelaine dans le vestibule du Stendhal.

Cette dame est une romantique qui vieillit, une endurcie, déçue par la vie, donc d'autant plus vulnérable. Un seul mot de moi et sa *piñata* s'ouvrira comme une fleur.

Un mot. C'est un nom que je veux dire, bien sûr.

« Je dois fermer le magasin, madame. » Et je la pousse gentiment vers la porte. « Mais nous donnons une petite fête, le soir de Noël : alors, si vous n'avez rien d'autre à faire, venez donc passer une heure avec nous. »

Ses yeux scintillent comme des étoiles quand elle me regarde.

Elle murmure : « Oh, merci ! Je viendrai. »

2

Le Soleil noir

Mercredi 19 décembre

C e matin encore, Anouk est partie au lycée sans me dire au revoir. Je ne devrais pas trop m'en étonner, elle l'a fait tous les jours cette semaine, arrivant en catastrophe au petit déjeuner, disant *Salut tout le monde*, piquant un croissant sur la table avant de sortir à la hâte, dans l'obscurité.

Anouk, qui me léchait le visage avec enthousiasme et me criait : « Je t'aime » d'un bout à l'autre de la rue pleine de passants, est maintenant si silencieuse et si tournée vers elle-même que cela me remplit de détresse et me glace le cœur. L'inquiétude dont je souffre depuis sa naissance grandit maintenant de semaine en semaine.

Anouk grandit aussi, bien entendu. Certaines choses la préoccupent : copains de lycée, travail scolaire, profs, un petit ami (Jean-Loup Rimbault) ou le délicieux délire du premier amour. Et il y a bien autre chose, peut-être, des secrets murmurés à l'oreille, de grands projets, des choses qu'elle raconte sans doute aux copines mais qui feraient frémir de gêne sa mère si elle les apprenait.

Je me dis qu'il n'y a rien de plus normal et pourtant, cette impression d'être exclue est presque impossible à supporter pour moi. Je me dis qu'Anouk et moi ne sommes pas comme les autres, que nous sommes différentes. Et, quelles qu'en puissent être les conséquences, je ne peux plus faire semblant de ne pas le savoir.

Parfaitement lucide, je prends conscience de mon changement. Je deviens hargneuse et critique à la moindre occasion. Comment mon enfant de l'été pourrait-elle savoir que ce n'est pas la colère mais la peur qui met cette intonation dans ma voix?

Ma mère à moi, a-t-elle ressenti la même chose? A-t-elle éprouvé ce sentiment de perte atroce, de peur plus effrayante que la mort alors qu'elle s'efforçait – comme le font toutes les mères – de figer l'inexorable passage du temps? M'a-t-elle suivie, comme je suis Anouk, relevant les indices le long du chemin? Jouets délaissés, vêtements oubliés, histoires qu'on ne raconte plus, tout ce dont cette enfant s'est délestée dans son sillage, cette enfant qui vogue toutes voiles déployées vers l'avenir pendant que, derrière elle, disparaissent son enfance et sa mère.

La mienne me racontait souvent une histoire. Celle d'une femme stérile qui, rêvant d'avoir un enfant, par un beau jour d'hiver, fit un bébé de neige. Elle avait mis tant de soins à le créer, à l'habiller, elle l'aimait tant et lui chantait de si jolies chansons que la Reine de l'Hiver eut pitié de la pauvre femme et donna vie à ce bébé de neige.

La femme – la mère –, débordant de gratitude, remercia la Reine de l'Hiver en versant des larmes de joie et promit que la petite fille ne manquerait jamais de rien et, de sa vie, ne connaîtrait jamais le chagrin.

«Femme, sois prudente! avertit la Reine. L'amour attire l'amour, le changement attire le changement, et le monde tourne pour le bien comme pour le mal. Crains le soleil pour ton enfant, apprends-lui l'obéissance tant que cela te sera possible. Car l'enfant du désir n'est jamais satisfait, pas même de l'amour que lui porte sa mère.»

La femme l'écouta à peine. Elle emmena l'enfant chez elle, l'aima, la protégea comme elle l'avait promis à la Reine. Les années passèrent. La petite grandit plus vite qu'on n'aurait pu l'imaginer, blanche comme la neige, brune comme la prunelle et belle comme une radieuse journée d'hiver.

Le printemps approchait. La neige commençait à fondre. L'enfant devenait de plus en plus exigeante. Elle voulait sortir jouer avec les autres, disait-elle. La mère, d'abord, refusa, bien sûr, mais la petite restait inconsolable. Elle pleura, perdit ses couleurs et refusa de prendre toute nourriture. À contrecœur, la mère, alors, céda.

Mais elle avertit l'enfant: «Reste bien à l'abri du soleil et ne retire jamais ton manteau, ni ton bonnet.

– Non, Maman», promit l'enfant qui s'éloigna en gambadant.

Toute la journée, la petite fille joua. Elle n'avait jamais encore rencontré d'autres enfants, c'était la première fois. Elle joua à cache-cache pour la première fois aussi. Elle apprit de petites comptines, des jeux où l'on frappait dans ses mains et courait. Elle était anormalement épuisée lorsqu'elle rentra chez elle mais plus heureuse que sa mère ne l'avait jamais encore vue.

« Pourrais-je retourner demain ? »

Le cœur bien gros, la mère accorda la permission, à condition qu'elle gardât son manteau et son bonnet. Et l'enfant, une fois de plus, passa toute la journée dehors. Elle se lia d'amitiés secrètes, fit des promesses solennelles, s'égratigna les genoux pour la première fois et rentra à la maison le regard tout brillant en demandant de sortir de nouveau le lendemain.

La mère protesta – l'enfant était épuisée – mais finit, encore une fois, par lui accorder sa permission. Le troisième jour, l'enfant découvrit l'ivresse de la désobéissance. Pour la première fois de sa courte vie, elle manqua à sa promesse, brisa un carreau, embrassa un garçon et, au soleil, retira son manteau et son bonnet.

Les heures passèrent. Quand tomba la nuit, l'enfant n'était pas encore rentrée. La mère partit à sa recherche. Elle ramassa son manteau et son bonnet mais de l'enfant elle-même, elle ne trouva aucune trace, jamais plus. Seule restait une grande flaque d'eau silencieuse là où il n'y avait jamais eu d'eau auparavant.

Eh bien, moi, je n'ai jamais aimé cette histoire-là ! De toutes celles que me racontait ma mère, c'est celle qui m'effrayait le plus. Ce n'était pas tellement l'histoire elle-même que l'expression de son visage à elle, le tremblement de sa voix et sa façon de me serrer contre elle pendant que le vent soufflait en rafales au cœur de la nuit d'hiver.

Je n'avais, bien entendu, à l'époque, aucune idée de ce qui l'effrayait tant. Je le sais maintenant. Le plus grand cauchemar de l'enfant, dit-on, c'est celui d'être abandonné par ses parents. Tant de contes ont été écrits sur ce sujet : Hansel et Gretel, Le Petit Poucet, Blanche-Neige poursuivie par la vilaine reine…

Mais maintenant, c'est moi la maman qui suis perdue dans les bois. En dépit de la chaleur qui s'élève de la cuisinière, j'ai des frissons et je ramène frileusement mon gros pull de laine autour de mes épaules. Oui, ces jours-ci, je ressens le froid. Zozie, par contre, se contente de vêtements d'été, de sa jupe bariolée, de ses ballerines et d'un ruban jaune pour retenir ses cheveux.

« Je vais sortir une heure. Ça va ?

– Bien sûr que ça va ! »

Comment puis-je refuser alors qu'elle n'accepte toujours pas un vrai salaire ?

Et une fois encore, je m'interroge.

Quel prix veux-tu vraiment ?

Que vas-tu exiger de moi ?

La bise de décembre ne s'arrête pas mais la bise ne peut rien contre Zozie que j'observe éteindre les lumières du magasin et fredonner tout en fermant les volets de la devanture où les petits personnages de la maison de stuc sont assemblés pour célébrer l'anniversaire, pendant qu'à l'extérieur une chorale de souris en chocolat avec de minuscules partitions épinglées à leurs pattes de devant chante un chant de Noël silencieux au milieu d'un paysage de neige fait de cristaux de sucre.

3

Le Soleil noir

Jeudi 20 décembre

Aujourd'hui, Thierry est revenu. C'est Zozie qui s'est occupée de lui. Comment exactement ? Je n'en suis pas certaine ! Je lui dois tant. Et c'est ce qui me préoccupe surtout. Je n'ai pas oublié ce que j'ai observé, l'autre jour, dans la chocolaterie, ni cette impression désagréable que j'ai eue, de m'observer moi-même – la Vianne Rocher que j'étais – réincarnée en la personne de Zozie de l'Alba, de la voir utiliser mes méthodes, employer ma façon de m'adresser aux clients, et oser me défier.

Je l'ai observée en secret toute la journée, comme hier et avant-hier. Rosette jouait tranquillement. Un mélange de parfums de clou de girofle, de pâte de guimauve, de cannelle et de rhum montait avec la chaleur de la cuisine. J'avais les mains poudrées de sucre glace et de cacao. Les cuivres luisaient. La bouilloire gazouillait sur la cuisinière. Tout m'était si familier. Je me sentais tellement à l'aise au milieu de tout ça, et pourtant quelque chose en moi m'empêchait de trouver la tranquillité. Chaque fois que tintaient les clochettes de l'entrée, je jetais un coup d'œil dans le magasin pour *voir*.

Nico est venu avec Alice. Tous les deux semblent absurdement heureux. Nico m'apprend qu'il a perdu du poids malgré sa fringale pour les macarons à la noix de coco. Un observateur distrait pourrait bien ne pas voir de différence car il semble aussi rond et jovial que jamais, mais Alice assure qu'il a perdu cinq kilos et a été obligé de resserrer sa ceinture de trois trous.

« C'est ce que ça fait d'être amoureux, a-t-il confié à Zozie. C'est un truc qui doit vous faire brûler des calories ou quelque chose comme ça ! Beau sapin ! Sacrément beau sapin ! Tu en voudrais un comme celui-là, Alice ? »

Pour saisir ce que dit Alice, c'est plus difficile. Mais elle parle et c'est l'important. Son petit visage pointu semble avoir pris un peu de couleur. Près de Nico, on dirait toujours une petite fille, mais une petite fille heureuse. Elle n'est plus perdue et ne le quitte pas de vue.

J'ai pensé aux petites mains jointes des deux figurines de la maison-calendrier devant le sapin de Noël.

Et puis, Mme Luzeron arrive. Elle a commencé à passer plus fréquemment au magasin. Pendant qu'elle boit son chocolat, elle joue avec Rosette. Elle aussi semble plus détendue. Aujourd'hui, sous son manteau d'hiver tout noir, elle porte un twin-set rouge. Elle se met même à genoux sur le carrelage pour promener avec Rosette un petit chien à roulettes d'un air très solennel.

Jean-Louis et Paupaul se mêlent au jeu et Richard et Mathurin, en chemin pour leur partie de pétanque, s'y mêlent aussi. Puis, c'est Mme Pinot qui, il y a six mois, ne serait jamais entrée chez nous, mais que Zozie appelle maintenant par son prénom – Hermine – et qui réclame *son* chocolat, comme d'habitude.

Au fur et à mesure que passait rapidement l'après-midi, j'ai remarqué avec émotion le nombre de clients qui apportaient un cadeau pour Rosette. J'avais oublié qu'ils la voyaient tous les jours avec Zozie tandis que je confectionnais les bouchées au chocolat dans la cuisine. Cela a été, tout de même, une surprise pour moi et m'a rappelé tous les amis que nous nous sommes faits depuis l'arrivée de Zozie, il y a un mois maintenant.

Le chien en bois apporté par Mme Luzeron. Un coquetier peint en vert donné par Alice. Un lapin en peluche choisi par Nico. Un puzzle offert par Richard et Mathurin. Un tableau représentant un singe, de la part de Jean-Louis et Paupaul. La propriétaire du magasin du coin, Mme Pinot, est arrivée à son tour avec un bandeau jaune pour les cheveux de Rosette et aussi pour commander une boîte de bouchées à la violette qu'elle déguste avec un enthousiasme proche de la gourmandise. Puis, Laurent Pinson est entré, comme d'habitude, pour chiper du sucre et m'annoncer d'un ton de désespoir satisfait que le commerce battait de l'aile un peu partout et qu'il venait de rencontrer, rue des Trois-Frères, une musulmane complètement voilée. En partant, il a laissé sur la table un petit paquet qui, une fois ouvert, a révélé un bracelet de plastique rose, trouvé sans doute dans un magazine pour adolescentes, mais que Rosette, sans esprit critique, adore et refuse de retirer même pour prendre son bain.

Puis, juste au moment de la fermeture, l'étrange femme qui était déjà ici hier est arrivée. Elle a acheté une autre boîte de truffes et laissé, elle aussi, un cadeau pour Rosette. Cela m'a d'abord surprise. Ce n'est pas une de nos habituées – Zozie elle-même ne connaît pas son nom – mais, une fois retiré le papier, notre surprise a redoublé. À l'intérieur se trouvait une poupée, pas très grande mais à coup sûr très vieille, au corps mou et au visage de porcelaine, encadré d'un bonnet de fourrure. Rosette l'aime beaucoup, bien sûr, mais je ne pouvais pas accepter un cadeau de cette valeur d'une étrangère. J'ai donc remis la poupée dans sa boîte avec l'intention de la redonner à la femme quand elle reviendrait, si elle revient.

« Pourquoi vous faire du souci à ce propos ? a dit Zozie. Elle appartenait sans doute à l'un de ses enfants ou quelque chose comme ça ! Pensez à Mme Luzeron et à son mobilier de poupée ! »

Je lui ai fait remarquer : « Oui, mais il s'agit là d'objets prêtés.

– Allons, Yanne ! a dit Zozie. Vous devez cesser d'être sur vos gardes à propos de tout. Il faut faire un peu confiance aux gens ! »

Rosette a indiqué la boîte du doigt et a fait le signe pour *bébé*.

« Bon, d'accord, mais ce soir seulement ! »

Rosette a silencieusement montré sa joie.

Zozie a souri : « Vous voyez que ce n'est pas si difficile ! »

Malgré tout, je ne peux m'empêcher de me sentir mal à l'aise. Il est rare que l'on obtienne quelque chose pour rien. Il n'y a pas de cadeau, ni de gentillesse qui ne doivent être repayés en fin de compte. La vie m'a au moins appris cela. Voilà pourquoi, de nos jours, je suis prudente. Voilà pourquoi j'ai un carillon de clochettes à la porte pour m'avertir de l'arrivée des Dames Charitables, de ces messagères des dettes à payer.

Ce soir, Anouk est rentrée du lycée comme d'habitude. Sans sa galopade dans l'escalier en montant à sa chambre, je n'aurais pas deviné sa présence. J'ai fait un effort pour me souvenir de la dernière fois où elle s'était jetée dans mes bras en rentrant, m'embrassant et me mitraillant des potins de son lycée. Je me répète que je suis trop sensible. Pourtant, à une époque, elle n'aurait pas plus oublié de venir m'embrasser qu'elle n'aurait oublié Pantoufle.

En ce moment, oui, je me contenterais même de Pantoufle. L'apercevoir, ne serait-ce qu'un instant. Un simple mot. La preuve que l'enfant de l'été que je connaissais n'a pas entièrement disparu. Mais voilà des jours que je n'ai pas vu Pantoufle. Anouk ne m'a qu'à peine parlé. Elle ne m'a rien dit de Jean-Loup Rimbault, de ses copines du lycée, ni de Roux, ni de Thierry, pas même de cette soirée qu'elle prépare pourtant avec beaucoup de soins et pour laquelle elle écrit elle-même les invitations sur des cartons qu'elle décore individuellement d'un brin de houx et d'une silhouette de singe, pour laquelle elle copie le menu et prépare des jeux.

Maintenant, quand elle est en face de moi à table, je me surprends à l'observer, à m'étonner de la voir soudain presque adulte, de la beauté troublante de ses cheveux noirs, de ses yeux couleur d'un ciel d'orage, du début de hautes pommettes dans ce visage si éveillé.

Je me surprends à l'observer avec Rosette, à remarquer la façon gracieuse qu'elle a d'incliner la tête sous l'effort quand elle se penche au-dessus du gâteau glacé de sucre jaune, la petitesse attendrissante des mains de Rosette dans celles plus grandes de sa sœur. Elle dit : « Vas-y. Souffle les bougies, Rosette ! Non, ne fais pas de bulles ! Souffle. Comme ceci ! »

Je me surprends à l'observer avec Zozie.

Oh, Anouk ! Elle se fait si rapidement, cette bascule soudaine de la lumière vers l'ombre. Il est si court ce passage entre occuper, pour un être, le centre du monde et devenir pour lui, soudain, un simple détail dans sa marge, une vague silhouette dans les ténèbres, une silhouette rarement étudiée, rarement regardée…

Hier soir, à mon retour à la cuisine, j'ai mis ses vêtements d'école dans la machine à laver. Un instant, j'y ai enfoui mon visage dans l'espoir qu'ils aient gardé quelque chose d'elle que j'avais perdu. J'y ai respiré le monde extérieur, la fumée d'encens de la chambre de Zozie, l'odeur de malt de sa sueur qui rappelle certains biscuits. Comme une femme cherchant à découvrir sur les vêtements de son amant quelques indices de trahison.

Dans la poche de son blue-jean, je trouve quelque chose qu'elle y a oublié. Une figurine de bois, le même genre de figurines qu'elle a fabriquées pour la devanture. Je l'inspecte de plus près et je reconnais celui qu'elle représente. Je vois les marques qu'elle a faites à la pointe de feutre et les trois cheveux roux en guise de ceinture. En plissant un peu les yeux, j'aperçois cet éclat qui l'entoure, à la fois si faible et pourtant si familier que j'aurais bien pu ne pas y prêter attention.

Alors, je me dirige de nouveau vers la maison-calendrier où la scène de demain est déjà prête. La porte de la salle à manger est ouverte. Les invités sont assemblés autour de la table où trône un gâteau qui attend d'être coupé. Sur la table, il y a de minuscules bougies, des assiettes, des verres… Maintenant, que je regarde bien, je reconnais presque

tout le monde : le gros Nico, Zozie, la petite Alice avec ses gros brodequins, Mme Pinot avec son crucifix, Mme Luzeron et son manteau de
deuil, Rosette, moi-même, Laurent aussi – et Thierry que l'on n'a pas
invité et qui se tient, là-bas, sous les arbres couverts de neige.

Tous les invités baignent dans cette lumière dorée.

Un détail si petit.

Mais un indice de poids.

Je me répète qu'un tel jeu ne représente aucun danger, que c'est la
façon des enfants de s'expliquer ce qui se passe autour d'eux, que les
contes, même les plus lugubres, sont une façon pour eux d'apprendre
à accepter la perte, la cruauté, la mort.

Ce petit tableau, pourtant, contient plus que cela. Cette scène
autour de la table avec famille et amis, les bougies, l'arbre, la bûche au
chocolat, tout est *à l'intérieur* de la maison. *À l'extérieur,* la scène est
bien différente. Une neige épaisse a recouvert la terre et les arbres. Le
lac aux canards est maintenant gelé. Les petites souris qui chantaient
avec leurs partitions sont rentrées chez elles. De longs glaçons faits de
sucre et pourtant pointus comme des échardes de verre pendent dangereusement aux branches.

Thierry se tient juste au-dessous. Un bonhomme de neige en
chocolat, de la taille d'un ours, le guette d'un air menaçant, à l'orée
du bois.

Je regarde alors avec plus d'attention la petite figurine. Étrange
comme elle peut ressembler à Thierry. Ce sont ses vêtements, ses
cheveux, son portable, même l'expression de son visage indiquée par
une vague ligne pour la bouche et deux points pour les yeux.

Mais il y a quelque chose de plus. Cette spirale, dessinée dans la
neige du bout d'un tout petit doigt. Je l'ai déjà vue, dans la chambre
d'Anouk, à la craie sur son tableau d'affichage, au crayon sur son
pense-bête, composée des centaines de fois sur le parquet avec des
boutons ou les morceaux d'un puzzle et maintenant, là, brillant avec
un charme indéniable.

Je commence alors à comprendre. Ces signes sur le comptoir. Ces
sachets au-dessus de la porte. La foule inhabituelle de clients. Les
nouveaux amis. Tous ces changements des dernières semaines. Cela
va bien au-delà d'un simple jeu d'enfant. C'est une campagne secrète
pour s'assurer d'un territoire que je ne savais même pas être un objet
de dispute.

Et quel général a pu établir le plan de campagne ?

Est-il nécessaire de le nommer ?

4

La Lune montante

Solstice d'hiver
Vendredi 21 décembre

Le dernier jour du trimestre, il y a toujours de la folie dans l'air. Les cours sont remplacés par des jeux et du rangement en grand. Chaque classe a sa petite fête à elle avec gâteaux et cartes de Noël. Vous voyez des profs qui n'ont pas eu un seul sourire de l'année et qui, soudain, se promènent avec des boules de sapin en guise de boucles d'oreilles, avec des capuches de Père Noël et qui vous distribuent même des bonbons.

Chantal et ses copines se tiennent à distance. Depuis leur retour, la semaine dernière, elles ont vu leur popularité chuter au moins de moitié. Une conséquence de la teigne, sans doute. Les cheveux de Suze commencent à repousser mais elle garde quand même tout le temps son bonnet sur la tête. Pour Chantal, je crois que ça va. Mais Danielle, qui avait eu des paroles méchantes pour Rosette, a perdu presque tous ses cheveux et ses sourcils aussi ! Elles n'ont aucune chance de savoir, bien sûr, que c'est moi qui suis responsable de ça, mais elles se tiennent quand même à l'écart comme des moutons évitent une clôture électrique. Plus de jeux où je sois *l'Ennemie*. Plus de méchants tours dont je sois victime. Plus de plaisanteries à propos de mes cheveux ni de descentes à la chocolaterie. Mathilde a entendu Chantal dire à Suze que je lui *donnais la chair de poule*. Jean-Loup et moi avons rigolé à nous en tenir les côtes ! Moi, *lui donner la chair de poule*, elle est complètement débile ou quoi ?

Mais il n'y a plus que trois jours et Roux n'a toujours pas réapparu. Je l'ai cherché toute la semaine. Personne ne l'a vu. Je suis même allée aujourd'hui au foyer de travailleurs mais il n'était pas là. Et la rue de Clichy n'est pas un endroit où s'éterniser, surtout pas quand la nuit tombe, comme maintenant, avec les trottoirs couverts de vomissures et les alcoolos endormis en tas sous les porches, derrière les rideaux de sécurité.

J'avais cru qu'il serait venu, au moins, hier soir, pour l'anniversaire de Rosette, même si ce n'était que pour cela, mais il n'est pas venu, bien entendu. Il me manque tellement. Je ne peux m'empêcher de penser qu'il y a quelque chose qui cloche. Est-ce qu'il a menti lorsqu'il a parlé d'un bateau? Le chèque, l'a-t-il vraiment falsifié? Nous a-t-il quittées pour de bon? Thierry dit qu'il vaudrait mieux pour lui qu'il soit reparti s'il tient à sa peau. Zozie pense qu'il est peut-être encore par ici, qu'il se cache peut-être tout près. Maman, elle, ne dit rien.

J'ai tout raconté à Jean-Loup, l'histoire de Roux, de Rosette, toute cette affaire-là. Je lui ai dit que Roux était mon meilleur copain et que maintenant je croyais vraiment qu'il était parti pour toujours. Alors, il m'a embrassée et m'a dit que *lui* était mon copain. C'était juste un baiser, rien de gênant. Depuis, pourtant, je ressens de petits frissons et j'ai des fourmis un peu comme si quelqu'un tapait sur un triangle dans mon estomac, ou quelque chose comme ça et je crois que peut-être…

Bon Dieu!

Il dit que je devrais en parler avec Maman pour essayer d'arranger les choses, mais elle semble toujours avoir tellement à faire ces jours-ci et, à table, elle est tellement silencieuse lorsqu'elle prend cet air triste et déçu pour me regarder comme si j'avais oublié de faire quelque chose que je ne sais que dire pour éclaircir l'atmosphère.

C'est pour cela, sans doute, que j'ai fait une blague, ce soir. Je pensais à Roux encore une fois et à la veille de Noël. Je me demandais si je pouvais vraiment croire à sa promesse d'être là du tout. Parce que ne pas être venu pour l'anniversaire de Rosette est une chose mais ne pas venir non plus le soir de Noël en serait une autre. Sans lui, rien ne marchera comme nous l'avons prévu. Un peu comme si, pour la préparation d'un plat, il nous manquait un ingrédient spécial et secret sans lequel tout serait raté. Et si les choses ne se déroulent pas comme prévu, elles ne pourront jamais redevenir comme elles étaient avant et comme elles doivent redevenir. Il le faut, surtout maintenant…

Zozie a dû sortir ce soir. Maman, une fois encore, travaillait tard. Elle reçoit tant de commandes en ce moment qu'elle peut à peine y satisfaire. Alors, j'ai préparé des spaghettis pour le repas du soir et j'ai monté mon assiette dans ma chambre de façon à ne pas embarrasser la table où travaillait Maman.

Je me suis couchée à dix heures. Mais je n'ai pas pu m'endormir, même à cette heure-là. Alors je suis descendue à la cuisine prendre un verre de lait. Zozie n'était toujours pas rentrée. Maman faisait des truffes. L'odeur de chocolat était partout – sur la robe de Maman, dans ses cheveux, sur Rosette en train de jouer par terre avec une boule de pâte et des moules à biscuits.

Tout semblait si douillet, si familier. J'aurais bien dû savoir que c'était une erreur! Maman semblait fatiguée, stressée en quelque sorte. Elle pétrissait le mélange pour les truffes avec une énergie telle qu'on aurait cru qu'il s'agissait de pâte à pain. Elle m'a à peine jeté un coup d'œil quand je suis descendue prendre mon verre de lait.

«Dépêche-toi, Anouk! Je n'aime pas que tu te couches trop tard!» a-t-elle dit.

Moi, j'ai pensé que Rosette n'avait que quatre ans et qu'*elle* avait la permission de veiller!

«Mais je suis en vacances!

– Je ne voudrais pas que tu tombes malade!»

Rosette a tiré la jambe de mon pyjama pour me montrer ses gâteaux.

«Bravo, Rosette! C'est bien. On va les cuire, maintenant?»

Rosette a souri et s'est frotté l'estomac pour dire *ce sera bon*.

J'ai pensé: *Bonne petite Rosette! Toujours souriante. Toujours heureuse. Pas comme certaines personnes par ici. Moi, quand je serai grande, j'habiterai avec Rosette. Nous vivrons sur la rivière, comme Roux. Nous mangerons des saucisses à même la boîte. Nous ferons des feux de joie sur la berge et Jean-Loup, peut-être, habitera tout près…*

J'ai allumé le four et j'ai sorti une tôle. Les gâteaux de Rosette étaient un peu poussiéreux mais, bah! cela ne ferait rien quand ils seraient cuits. J'ai dit: «Nous allons les cuire deux fois comme pour les vrais biscuits et nous les pendrons dans l'arbre de Noël.»

Rosette a ri et poussé des ululements tout en surveillant ses gâteaux par la porte vitrée du four et en leur faisant des signes pour qu'ils cuisent vite. Cela m'a fait rire à mon tour et, pendant une minute, je me suis sentie bien. Le nuage au-dessus de ma tête s'était éloigné. Alors, Maman a commencé à parler et le nuage est revenu.

«Tiens, j'ai trouvé quelque chose qui t'appartient», a-t-elle dit, en continuant à travailler sa pâte. Je me suis demandé ce qu'elle avait bien trouvé et où. Dans ma chambre? Peut-être dans mes poches? Je crois qu'elle m'espionne quelquefois. Je sais toujours quand elle a fouillé dans mes affaires. Des livres pas remis en place. Des papiers déplacés. Des jouets rangés. Je ne suis pas sûre de ce qu'elle cherche mais jusqu'ici elle n'a pas découvert l'endroit secret où je cache *mes* choses : un carton à chaussures, dissimulé tout en bas de mon armoire, qui contient mon journal, des photos et des trucs que je ne veux pas que tout le monde voie.

« Ça, c'est bien à toi ? » Elle a ouvert un tiroir de la cuisine et en a sorti l'effigie de Roux que j'avais oubliée dans la poche de mon blue-jean. « C'est bien toi qui as fabriqué ça ? »

J'ai fait oui de la tête.

« Pourquoi ? »

Un instant, je n'ai rien répondu. Que pouvais-je répondre ? Je ne pense pas que j'aurais pu le lui faire comprendre, même si je l'avais voulu. Pour que tout retrouve sa place, pour que Roux revienne et pas seulement Roux…

« Tu l'as revu, n'est-ce pas ? »

Je n'ai pas répondu. Elle le savait déjà.

« Pourquoi ne me l'as-tu pas dit, Anouk ?

– Et pourquoi ne m'as-tu pas dit que le père de Rosette, c'était lui ? »

En entendant cela, Maman s'est soudain figée. « Qui t'a dit cela ?

– Personne !

– C'est Zozie qui te l'a dit ? »

J'ai secoué la tête.

« Qui alors ?

– Personne. J'ai deviné, tout simplement. »

Elle a alors posé la cuiller au bord du bol et s'est assise très lentement sur la chaise. Là, elle est restée sans rien dire pendant si longtemps que j'ai senti que les gâteaux de Rosette commençaient à brûler. Rosette, elle, continuait à jouer avec les moules qu'elle entassait les uns sur les autres. Six moules de plastique de couleurs différentes. Un chat violet, une étoile jaune, un cœur rouge, une lune bleue, un singe orange et un losange vert. Quand j'étais petite, moi aussi, je jouais avec eux. Je faisais des biscuits au chocolat et au gingembre que je décorais de sucre glace jaune ou blanc avec une poche à douille.

« Maman… ça va ? »

D'abord, elle n'a rien répondu. Elle m'a dévisagée d'un regard qui ne semblait jamais vouloir cesser d'être noir.

« Tu le lui as dit ? » a-t-elle fini par demander.

Je n'ai pas répondu. Je n'en avais pas besoin. Cela se voyait à mes couleurs comme je pouvais lire dans les siennes. J'aurais voulu l'assurer que ça ne faisait rien, qu'elle n'avait pas à me mentir, que je savais maintenant toutes sortes de choses et que je pourrais lui venir en aide.

« Eh bien, maintenant, nous savons pourquoi il est parti.

– Tu penses qu'il est parti, toi ? »

Elle s'est contentée de hausser les épaules.

« Il ne serait pas parti simplement pour ça ! »

Alors, elle m'a souri d'un sourire tout triste et m'a tendu la figurine toute rayonnante du signe de l'Inconstant.

« Tu sais, Maman, ce n'est qu'une effigie !

– Nanou, je croyais que tu me faisais confiance ? »

Je voyais clairement ses couleurs – des gris tristes et des jaunes inquiets, comme de vieux journaux rangés quelque part dans un grenier et dont quelqu'un veut se débarrasser. Je voyais ce qu'elle pensait maintenant aussi – des éclairs, au moins, qui passaient rapidement comme lorsque l'on feuillette un album à toute vitesse. Une photo de moi, à six ans, assise à côté d'elle sur un comptoir chromé. Toutes deux souriantes. Entre nous, un grand verre de chocolat chaud et deux petites cuillers. Un livre d'histoires, avec des illustrations, abandonné, ouvert sur une chaise. Un dessin à moi montrant deux personnages dessinés d'une main peu assurée – Maman et moi, sans doute – avec des sourires grands comme des pastèques, debout sous un arbre à sucettes. Encore une photo de moi, sur la péniche de Roux, avec une canne à pêche. Et moi encore, en pleine foulée, courant avec Pantoufle vers quelque chose d'inaccessible.

Et quelque chose comme une ombre, une ombre qui nous recouvre.

Cela me fait peur de la sentir si effrayée. Je voulais tant lui faire confiance, l'assurer que tout irait bien, que rien n'était irrévocablement perdu parce que Zozie et moi allions tout pouvoir ramener.

« Ramener quoi ?

– Ne te fais pas de soucis, Maman. Je sais ce que je fais. Et il n'y aura pas d'Accident, cette fois-ci ! »

Ses couleurs ont jailli comme des flammes ; pourtant son visage est resté calme. Elle m'a souri et a commencé à parler très lentement, d'un ton patient, comme si elle s'adressait à Rosette. « Écoute, Nanou, il est très important que tu me dises tout. »

J'ai hésité. J'avais promis à Zozie.

« Anouk, crois-moi, il est important que je sache. »

Alors j'ai essayé de lui expliquer le Système de Zozie, les couleurs, les noms, les symboles mexicains, l'Inconstant et les leçons que Zozie me donnait dans sa chambre, de lui expliquer aussi comment j'avais réussi à aider Mathilde et Claude, comment nous avions fait monter les ventes de la chocolaterie, et Roux et les effigies – je lui ai dit que Zozie avait affirmé que les Accidents n'existaient pas, que seuls existaient les gens comme nous et les autres, les gens ordinaires.

« Toi, tu disais que ce n'était pas de la vraie magie, mais Zozie dit que les talents que l'on a doivent être utilisés, que nous ne devrions pas faire semblant d'être quelqu'un d'autre, que nous ne devrions plus avoir à nous cacher.

– Mais parfois la seule solution est de se cacher.

– Non, on peut se défendre !

– Se défendre ? »

Je lui ai raconté ce que j'avais fait au lycée, comment Zozie m'avait parlé de harnacher le vent, de l'utiliser à nos fins, et m'avait assurée que nous ne devrions pas en avoir peur. Et puis j'ai fini par lui dire ce que nous avions fait, Rosette et moi, comment nous avions invoqué l'Inconstant pour qu'il ramène Roux vers nous et que nous formions une vraie famille enfin.

Elle a tressailli en entendant cela comme si elle s'était brûlée.

« Et Thierry alors ? »

Eh bien, c'est sûr que Thierry devait être sacrifié. Elle devait bien comprendre ça. J'ai demandé : « Rien de mal ne lui est arrivé ? » Enfin, à part ça…

Je me suis dit : *Peut-être que quelque chose lui est arrivé.* S'il est vrai que Roux a falsifié le chèque, c'était peut-être ça l'Accident. Maman a peut-être raison de dire que l'on n'a jamais rien pour rien, que la magie elle-même doit entraîner quelque part une réaction opposée et égale, comme M. Gestin nous l'apprend, en physique, au lycée.

Maman s'est retournée vers la cuisinière. « Je fais du chocolat. Tu en veux ? »

J'ai secoué la tête.

Mais elle en a fait quand même en râpant le chocolat dans le lait chaud et en y ajoutant la muscade, la vanille et un grain de cardamome. Il se faisait tard – il était presque onze heures – et Rosette s'était pratiquement endormie par terre.

Un moment, j'ai été persuadée que tout allait bien maintenant. J'étais contente d'avoir tout expliqué. Je déteste avoir à cacher à Maman quoi que ce soit. Je croyais que, maintenant qu'elle connaissait la vérité, elle n'allait peut-être plus avoir peur, qu'elle allait pouvoir redevenir Vianne Rocher et faire en sorte que tout s'arrange pour nous tous.

Mais elle s'est retournée vers moi et j'ai bien vu que je m'étais trompée.

« Nanou, s'il te plaît, emmène Rosette au lit. Nous reparlerons de tout ça demain. »

Je l'ai regardée. « Tu n'es pas fâchée, dis, hein ? »

Elle a secoué la tête mais j'ai bien vu qu'elle ne disait pas la vérité. Elle était toute blanche et immobile. Ses couleurs étaient un embrouillamini de rouges et d'orange furieux rayés de gris et de noirs affolés.

« Ce n'est pas la faute de Zozie ! »

J'ai su à l'expression de son visage qu'elle pensait autrement.

« Tu ne vas pas lui en parler, dis ?

– Monte te coucher, Nou ! »

Et c'est ce que j'ai fait. Mais je suis restée longtemps éveillée à écouter la pluie et le vent sur le toit, à regarder passer les nuages, à contempler les étoiles et les lumières blanches de Noël à travers les carreaux mouillés, si bien qu'au bout de quelque temps, elles étaient si mélangées que j'étais bien incapable de dire lesquelles étaient les vraies étoiles et lesquelles étaient les fausses.

5

Le Soleil noir

Vendredi 21 décembre

Voilà bien longtemps que je n'ai pas interrogé les signes. Un tout petit coup d'œil parfois, une étincelle jaillie au contact de la main d'un inconnu mais rien de plus spécifique. Je sais deviner les préférences des autres, c'est tout. Et quels que soient leurs secrets, je ne veux pas les connaître.

Ce soir, pourtant, je dois essayer de nouveau. Ce que m'a appris Anouk, bien qu'elle ne m'ait pas tout dit, est suffisant pour que je m'en rende compte. J'ai réussi à garder le calme jusqu'à ce qu'elle sorte, à maintenir l'illusion que j'étais toujours maîtresse de la situation. Mais je l'entends maintenant souffler, ce vent de décembre, et les Bonnes Dames charitables sont à notre porte…

Mes cartes de tarot ne me sont d'aucune utilité. J'ai beau les battre et les rebattre, elles ne font que me répéter la même chose, me montrer les mêmes images dans un ordre différent.

Le Fou. Les Amants. Le Mage. L'Inconstant.

La Mort. Le Pendu. La Tour.

Alors, cette fois, j'utilise le chocolat – une méthode dont je ne me suis pas servie depuis des années. Mais, ce soir, j'ai besoin d'avoir les mains occupées et la préparation des truffes est si simple que je pourrais la faire les yeux fermés, au simple toucher, avec seuls l'odeur et le bruit du chocolat de couverture fondu pour jauger leur température.

C'est une sorte de magie, vous savez! Ma mère la traitait avec mépris, l'accusant d'être superficielle, de représenter du temps perdu, mais c'est *la mienne* et mes méthodes ont toujours été plus efficaces pour moi que les siennes. Toute magie, bien sûr, a des conséquences, mais nous sommes déjà allées trop loin pour que cela m'inquiète beaucoup. C'était une erreur de mentir à Anouk, une erreur encore plus grande de me mentir à moi-même.

Je travaille très lentement, les yeux mi-clos. L'eau chauffe, et devant moi, monte une odeur de cuivre chaud, de métal qui témoigne d'années d'utilisation. Je me sers de ces casseroles-là depuis si long-temps. Je connais leur contour, les bosselures que le temps y a accu-mulées. À certains endroits, elles gardent une empreinte plus brillante, polie par mes mains sur leur patine sombre.

Autour de moi, tout semble avoir acquis une définition plus précise. J'ai l'esprit clair. Le vent s'est levé. Encore quelques jours et la lune du solstice aura atteint sa plénitude. Elle flotte dans le ciel, au-dessus des nuages, comme une bouée sur une mer déchaînée.

L'eau frémit. Elle ne doit pas bouillir. Je râpe maintenant le cho-colat de couverture dans la petite casserole de céramique. Presque instantanément s'élève le lourd et sombre arôme du chocolat noir. À cette concentration, il met du temps à fondre. Il ne contient que très peu de graisse et il va me falloir y ajouter beurre et crème pour lui donner la consistance nécessaire pour les truffes. Mais maintenant s'élève une odeur d'époques lointaines, des forêts et des montagnes de l'Amérique du Sud, d'arbres abattus, de sève répandue, de fumée de feu de bois. D'encens aussi, de patchouli, de l'or noir des Mayas et du rouge des Aztèques, de roc et de poussière et d'une jeune fille aux cheveux ornés de fleurs. Elle tient une coupe de *pulque* dans sa main.

L'odeur est enivrante. En fondant, le chocolat devient luisant, la vapeur s'élève de la casserole de cuivre. Le parfum s'enrichit de can-nelle, de poivre de Jamaïque et de muscade. Il développe de sombres harmonies d'anis et de café et des notes plus lumineuses de vanille et de gingembre. Tout est presque fondu à présent. Une vapeur légère monte de la casserole. Ce que nous avons ici, maintenant, est le *Theo-broma* à l'état pur, l'élixir des dieux sous sa forme volatile. Et, dans cette vapeur, je peux presque apercevoir…

Une très jeune fille danse avec la lune. Un lapin court à ses talons. Derrière elle, une femme se tient, son visage est dans l'ombre. On dirait, un instant, qu'elle regarde dans trois directions à la fois.

Mais la vapeur devient trop épaisse. La température ne doit pas dépasser plus de quarante-six degrés. Plus, et le chocolat sera roussi et strié de veines plus pâles. Moins, et il prendra une couleur blanche et terne, fanée. Je n'ai nul besoin d'un thermomètre de cuisine après toutes ces années, l'odeur et l'épaisseur de la vapeur suffisent à m'avertir que nous approchons de la limite. Je retire la casserole de cuivre du feu et mets celle de céramique dans l'eau froide pour faire baisser la température.

En refroidissant, la préparation révèle un parfum de fleurs, de violette et de papier poudré à la lavande. Celui de ma grand-mère aussi (si j'en avais une), de robes de mariées soigneusement rangées dans une malle au grenier, de bouquets conservés sous un dôme de verre. Je le vois d'ailleurs presque ce dôme, en forme de cloche, sous lequel se tient une poupée à cheveux noirs, vêtue d'un manteau rouge bordé de fourrure qui me rappelle beaucoup quelqu'un que je connais…

Une femme aux traits tirés de fatigue regarde avec envie la poupée aux cheveux d'ébène. Je me dis que je l'ai déjà rencontrée quelque part. Derrière elle se tient une autre femme encore dont la tête est à demi cachée par le dôme de verre. Il me semble vaguement la connaître aussi mais, avec son visage déformé par le verre, elle pourrait être n'importe qui.

Je replonge la casserole dans l'eau frémissante. La préparation doit maintenant atteindre trente et un degrés. Voici ma dernière chance de comprendre. Comme je me penche en avant pour consulter le chocolat fondu, je sens mes mains qui tremblent. L'odeur que je reconnais maintenant est celle de mes enfants, de Rosette avec son gâteau d'anniversaire, d'Anouk, à six ans, assise dans le magasin, Anouk en train de bavarder, de rire, de faire des projets. Des projets pour quoi ?

Un Festival. Le Grand Festival du Chocolat avec des œufs de Pâques, des poules en chocolat et le pape, lui-même, en chocolat blanc.

Merveilleux souvenir. Nous avons défié l'Homme noir, cette année-là, et nous l'avons vaincu. Nous avons chevauché le vent. Au moins quelque temps…

Ce n'est pas le moment, pourtant, de me laisser aller à la nostalgie. De la main, je chasse la vapeur de la sombre surface et, une fois encore, j'essaie.

Maintenant, nous sommes au Rocher de Montmartre. La table est mise. Tous nos amis sont là. C'est un autre genre de célébration. Roux, une couronne de houx posée sur ses cheveux, est assis à la table. Il rit et sourit. Il tient Rosette dans ses bras et boit une coupe de champagne.

C'est prendre mes désirs pour la réalité, bien sûr. Il est fréquent que nous voyions ce que nous souhaitons vraiment voir. Un instant, j'en suis tout émue, au bord des larmes.

Ma main, une fois de plus, écarte la vapeur.

C'est une fête très différente celle-là. Avec des pétards et des fanfares, des gens déguisés en squelettes – c'est le jour des Morts –, et des enfants qui dansent dans la rue, des lanternes chinoises, décorées de visages de démons, des sucettes, en forme de crânes, et Santa Muerte que l'on promène le long des rues, Santa Muerte dont les trois visages lui permettent de voir dans toutes les directions.

Mais qu'est-ce que cela a à voir avec moi ? Nous ne sommes jamais allées aussi loin que l'Amérique du Sud, bien que c'eût été le rêve de ma mère. Nous ne sommes même jamais allées en Floride.

J'avance la main pour écarter la vapeur et c'est alors que je la vois. Elle peut avoir huit ou neuf ans, les cheveux châtains, elle avance parmi la foule, la main dans celle de sa mère. Je devine, à leur teint et à leurs cheveux, qu'elles ne sont pas du pays. Un peu perdues et émerveillées, elles regardent autour d'elles, les danseurs, les démons, les *piñatas* peintes, au bout de leurs longs bâtons pointus, et les pétards attachés à leur queue.

Une fois encore, je passe la main au-dessus du chocolat d'où s'élèvent de petites vrilles de vapeur. Maintenant, je sens l'odeur de poudre, une odeur menaçante de troubles, de fumée et d'incendie...

Je vois de nouveau la fille. Elle joue dans une petite rue avec un groupe d'enfants, devant un magasin au rideau baissé. Au-dessus de la porte, pend une *piñata*, une *piñata* magnifique en forme de tigre, rayée de rouge, de jaune et de noir. Les autres gosses lui crient : « Vas-y ! Vas-y ! Frappe ! » en jetant des bâtons et des cailloux dans sa direction. Mais la petite fille hésite. Quelque chose l'attire à l'intérieur du magasin. Quelque chose de plus fascinant que la *piñata*.

Qui est cette fille ? Je ne le sais pas. J'ai envie de la suivre à l'intérieur pourtant. Un rideau de rubans de plastique multicolores ferme l'entrée. La fillette avance la main. Elle porte au poignet un mince bracelet d'argent. Elle jette un coup d'œil en arrière vers les enfants qui essaient toujours d'abattre la *piñata*-tigre. Puis, elle se baisse, passe sous le rideau et entre dans le magasin.

« Eh bien, tu n'aimes pas ma *piñata* ? »

La voix qui s'élève vient d'un coin du magasin. C'est celle d'une vieille femme, d'une grand-mère – non, d'une arrière-grand-mère. Elle est si vieille que la petite fille lui donnerait bien cent, mille ans, peut-être ? Une sorcière de conte de fées, ridée comme une pomme, avec de petits yeux perçants et des mains toutes crochues. Elle tient, dans une tasse, un breuvage qui chatouille les narines de la petite fille, quelque chose d'enivrant qui lui monte à la tête.

Autour d'elle, il y a des étagères chargées de bouteilles, de bocaux, de pots et de gourdes. Au plafond pendent des racines qui sèchent et donnent à la pièce une odeur de cave. Des bougies allumées projettent des ombres qui grimacent et qui dansent.

D'une haute étagère, un crâne regarde la petite fille.

D'abord, l'enfant pense qu'il s'agit d'un crâne en sucre, comme ceux du carnaval, mais maintenant elle n'en est plus si sûre. Quelque chose de noir, long d'une soixantaine de centimètres, est là, devant elle, sur le comptoir. La taille d'un cercueil de bébé, peut-être ?

On dirait une boîte de papier mâché, d'un noir uniforme et terne, à part le signe peint en rouge sur le couvercle et qui ressemble un peu à une croix sans en être tout à fait une.

L'enfant pense que ce doit être une sorte de *piñata*.

L'arrière-grand-mère lui sourit et lui tend un couteau. C'est un couteau très vieux et un peu émoussé. On dirait un couteau de pierre. L'enfant le regarde avec curiosité puis, de nouveau, regarde la vieille femme et son étrange *piñata*.

« Eh bien, ouvre ! Mais ouvre donc ! Tout est pour toi ! » dit l'arrière-grand-mère pour l'encourager.

L'odeur du chocolat se fait de plus en plus puissante. La bonne température est atteinte. Ces trente et un degrés au-delà desquels il ne faut plus chauffer. La vapeur s'épaissit, les images deviennent floues. Je retire la casserole du feu et j'essaie de me souvenir de ce que j'ai vu.

Mais ouvre donc.

Toujours cette odeur d'époques lointaines. De l'intérieur, quelque chose lui fait signe. Pas exactement une voix et pourtant quelque chose qui cajole et promet…

Tout est pour toi !

Mais quoi exactement ?

Au premier coup, la *piñata* résonne (un peu faux), comme la grille d'une crypte ou un tonneau vide, ou comme quelque chose de bien plus vaste que cette petite boîte noire.

Au deuxième coup, la boîte se fêle et une fissure court sur toute sa longueur. L'enfant sourit et croit déjà apercevoir à l'intérieur un trésor de papiers d'argent, de petits ornements et de friandises.

Ça y est presque ! Encore un petit coup.

Mais la mère de l'enfant arrive enfin. De la main, elle repousse le rideau de plastique et écarquille les yeux pour regarder à l'intérieur. Elle appelle l'enfant. Sa voix est stridente. La petite, absorbée par la *piñata* noire qui n'attend que le dernier coup pour révéler ses secrets, ne lève pas les yeux.

La mère appelle de nouveau. Trop tard. L'enfant est trop fascinée par sa tâche. Impatiente, la grand-mère se penche en avant. Elle en a déjà l'eau à la bouche. Elle goûte déjà ce riche mélange de sang et de chocolat.

Le couteau de pierre tombe avec un bruit sourd. La fissure devient béante.

Elle pense : *Ça y est !*

Et la vapeur maintenant a disparu. Le chocolat va durcir comme il le faut avec une belle surface luisante et se cassera avec ce bruit sec si agréable. Maintenant, je sais où je l'ai vue, cette petite fille qui tient son couteau à la main.

Je la connais depuis toujours, je pense. Pendant des années, ma mère et moi avons fui de ville en ville comme des gitanes. C'est dans les contes de fées que nous l'avons rencontrée. La méchante fée de la Maison de pain d'épices, le Joueur de flûte, la Reine des neiges. Nous l'avons même connue, à une époque, sous les traits de l'Homme noir. Les Bonnes Dames charitables ont tellement de tours dans leur sac. Leur gentillesse vous envahit à la vitesse d'une traînée de poudre. Ce sont elles qui donnent la note, qui improvisent des variations, qui vous invitent à quitter la ville de Hamelin, à jeter vos soucis par-dessus les moulins et à suivre le chemin où vous conduisent ces chaussures si séduisantes, ces chaussures rouges comme le sang.

Et je vois enfin son visage, son vrai visage. Celui qu'elle cache sous une vie entière de déguisements et de sortilèges, ce visage, changeant comme celui de la lune, ce visage d'affamée, d'*affamée*…

Elle entre justement, perchée sur ses talons pointus comme des poignards, et me regarde avec un sourire radieux.

6

Le Jaguar

Vendredi 21 décembre

Elle m'attendait quand je suis entrée. Je ne peux pas dire que j'en aie été vraiment étonnée. Depuis quelques jours, je guettais une réaction de sa part et, à la vérité, elle tardait un peu.

Le moment est enfin venu de tirer les choses au clair. Voilà trop longtemps que je joue au bon petit chat domestique, il est temps de montrer mes griffes de fauve et d'affronter mon adversaire sur son propre terrain.

Elle était dans la cuisine, enveloppée d'un châle, une tasse de chocolat, refroidi depuis longtemps, devant elle. Il était minuit passé. Il pleuvait toujours et une odeur de brûlé traînait dans l'atmosphère.

« Bonjour, Vianne !

– Bonjour, Zozie ! »

Elle me regarde.

Une fois de plus, les remparts sont franchis.

S'il y a une chose que je regrette à propos des vies que j'ai faites miennes, c'est bien celle-ci : que tout ait été fait en secret, que mes adversaires n'aient jamais su ou n'aient jamais été en mesure d'apprécier la poésie de leur sort final.

Ma mère – qui n'est pas un génie – a pu, une fois ou deux, approcher de la vérité, mais qu'elle y ait jamais cru, je ne le pense pas. Malgré un intérêt réel pour l'occulte, elle n'avait vraiment pas assez d'imagination, elle préférait des rituels dépourvus de signification à quelque chose de plus essentiel, de plus fondamental.

Françoise Lavery, avec toute son éducation, a dû à la fin en avoir une petite idée, tout en restant incapable d'apprécier avec quelle élégance j'avais repris et recyclé sa vie. Elle avait toujours été un peu instable. Une petite souris, comme ma mère l'était – une proie naturelle pour l'animal prédateur que je suis. Elle était prof d'histoire ancienne et habitait un appartement près de la place de la Sorbonne. Elle s'était immédiatement prise d'amitié pour moi (comme la plupart des gens) le jour où nous avions fait connaissance (pas tout à fait par hasard) à une conférence, à l'Institut catholique.

Elle avait trente ans, de l'embonpoint et, sans aucun ami à Paris, elle était au bord de la dépression. De plus, ayant rompu avec son copain, elle était à la recherche d'une fille pour partager son loyer en ville.

L'occasion était parfaite. Elle m'a choisie. Et sous le nom de Mercédès Desmoines, je suis devenue sa protectrice, sa confidente. J'ai partagé son engouement pour Sylvia Plath. J'ai approuvé ses conclusions quant à la stupidité des hommes en général et je me suis même intéressée à la thèse (très ennuyeuse) qu'elle préparait sur le rôle de la femme à l'époque du mysticisme préchrétien. Après tout, ces petites choses-là sont mon domaine. J'ai, peu à peu, appris ses secrets, encouragé sa tendance à la mélancolie et, le moment venu, j'ai fait mienne sa vie.

Bien entendu, rien de difficile à ça! Il en existe un demi-million comme elle, de filles au visage blême, aux cheveux queue-de-vache, à l'écriture bien moulée, sans le moindre goût dans le choix de leurs vêtements, qui cachent leurs espoirs déçus sous un vernis de connaissances académiques et de bon sens élémentaire. Je lui ai même rendu service, si on peut dire. Quand je l'ai jugée prête, je lui ai fait prendre une dose d'une potion assez indolore pour l'*aider* un peu.

Après cela, il n'a plus été question que d'organiser les détails – une lettre expliquant son suicide, les papiers d'identité, la crémation – enfin ce genre de petites trivialités-là – avant de pouvoir me débarrasser de Mercédès, de rassembler les *restes* de Françoise – coordonnées de banque, passeport, acte de naissance – et de l'expédier à l'étranger, en l'un de ces voyages qu'elle projetait toujours de faire sans jamais se décider à réserver une place tandis qu'ici, à Paris, les gens auraient pu se demander comment une femme pouvait ainsi disparaître si complètement, sans laisser de trace, sans laisser de famille, de documents personnels, ni même de tombe.

Plus tard, elle réapparaîtrait comme prof d'anglais au lycée Rousseau. À ce moment-là, bien sûr, on l'aurait, en grande partie, complètement oubliée, enterrée sous une montagne de papiers. La vérité est que la plupart des gens s'en moquent. La vie continue à un tel train qu'il est plus pratique d'oublier les morts.

C'est ce que j'ai essayé de lui faire comprendre à la fin. La ciguë est une substance très utile. On s'en procure si facilement, l'été. Et la victime est tellement docile. Quelques minutes seulement et c'est la paralysie. Après, plus de problème. On a tout le temps de discuter, d'échanger des points de vue – dans ce cas, il n'y a pas eu vraiment d'*échange* car Françoise paraissait incapable de parler.

J'ai été franchement déçue. J'attendais, depuis longtemps, de voir sa réaction quand je lui apprendrais la vérité. D'accord, je n'espérais pas une ovation mais quand même un petit quelque chose d'une femme de son éducation.

L'incrédulité totale, c'est tout ce que j'en ai obtenu, et ce rictus terrible sur son visage hébété – un visage, d'ailleurs, qui n'avait jamais été joli, même aux plus beaux jours de sa jeunesse. Si j'avais été du genre impressionnable, ce visage aurait pu à jamais hanter mes cauchemars. Et ce râle d'étranglée qu'elle avait alors qu'elle se débattait encore contre ce breuvage qui avait eu raison de Socrate lui-même.

Je me suis dit qu'il y avait un certain flair dans un détail comme celui-là. La pauvre Françoise qui, malheureusement, avait découvert son goût pour la vie quelques minutes avant de la perdre, n'a pas pu l'apprécier. Alors, une fois encore, je suis restée là, un peu déçue. Tout avait été trop facile. Françoise n'avait posé aucun problème. Une petite souris d'argent, un porte-bonheur à ajouter à mon bracelet. Une proie banale pour quelqu'un comme moi.

Ce qui me ramène à Vianne Rocher...

Un adversaire de valeur cette fois – une enchanteresse, pas moins que cela, et une enchanteresse puissante aussi, malgré ses scrupules stupides et son complexe de culpabilité. Le seul adversaire de valeur que j'aie, peut-être, rencontré jusqu'ici. Et elle est là, elle m'attend. Et, dans son regard tranquille, je vois qu'elle sait. Je suis sûre qu'elle me *voit* enfin très clairement, qu'elle voit mes *vraies* couleurs. Je ne connais pas de plaisir plus subtil que cette première et totale intimité.

« Bonsoir, Vianne !

– Bonsoir, Zozie ! »

Je prends un siège, en face d'elle, à la table. Emmitouflée dans son informe tricot sombre, elle semble frigorifiée. Ses lèvres blêmes se pincent sur des paroles qu'elle n'a pas encore prononcées. Je lui souris et ses couleurs flamboient. C'est incroyable à quel point elle m'est sympathique maintenant que les couteaux sont enfin tirés.

Dehors, le vent souffle en vainqueur. Un vent destructeur, chargé de neige. Des clochards vont mourir, ce soir, sous les porches. Des chiens hurleront. Des portes claqueront. De jeunes amants, les yeux dans les yeux, s'interrogeront pour la première fois sur la valeur des promesses qu'ils se sont faites. C'est si long l'éternité! Ici, en cette fin d'année, la Mort semble soudain si proche.

N'est-ce pas là, bien sûr, la raison du festival des lumières en plein hiver? Vous l'appelez Noël, soit! Mais, entre nous, vous et moi savons très bien que ce festival remonte à une époque bien plus ancienne, que, sous tout ce faux brillant, ces chants, ces bons vœux et ces cadeaux, se cache une vérité plus sombre et plus viscérale.

C'est le moment où ce qui faisait la vie est perdu, où les innocents sont sacrifiés, un moment d'effroi primordial, de ténèbres, de stérilité et de mort. Les Aztèques et les Mayas aussi en étaient conscients. Ils savaient que, loin de vouloir sauver le monde, les dieux en désiraient la destruction, et que seul le sang du sacrifice avait une chance de les apaiser, pendant quelque temps au moins…

Nous étions assises là, en silence, comme de vieilles amies. Mes doigts jouaient avec les porte-bonheur de mon bracelet. Elle regardait fixement sa tasse de chocolat. Elle a fini par lever les yeux vers moi.

«Zozie, dites-moi, que faites-vous vraiment ici?»

Pas très original, mais il faut bien commencer quelque part, je suppose!

J'ai souri et répondu: «Je suis un agent de… recouvrement.

— Ah! C'est comme ça que vous appelez ça!

— Oui, faute de mieux!

— Et que recouvrez-vous exactement?

— Les dettes non remboursées, les promesses non tenues.»

À ces mots, elle a tressailli. Je m'en doutais un peu.

«Et qu'est-ce que je vous dois, à vous?»

J'ai souri en disant: «Voyons un peu! Pour divers rituels, sortilèges, porte-bonheur, tours et protection…, pour avoir transformé la paille en or, chassé la malchance, écarté les rats de la ville de Hamelin… en un mot, pour vous avoir redonné vie…» J'ai bien vu qu'elle commençait à élever des protestations mais j'ai continué: «Nous étions d'accord, si je me souviens bien, que vous me paieriez en nature?»

Elle a répété: «En nature? Je ne comprends pas.»

Mais elle m'avait parfaitement comprise. Ce thème-là est vieux comme le monde. Elle le connaît bien. Le prix de ce que vous désirez au plus profond de votre cœur est votre cœur lui-même. Une vie en échange d'une vie. Pour l'équilibre du monde. Tirez assez fort sur un élastique et il vous reviendra en pleine gueule, c'est sûr.

Appelez cela karma, physique, théorie du chaos, aucune importance ! Mais, sans cela, l'axe des pôles s'incline, la terre glisse, les oiseaux tombent du ciel, l'eau des océans devient rouge comme du sang et, avant que vous n'ayez eu le temps de vous retourner, la fin du monde est arrivée.

De droit, je pourrais exiger votre vie, vous savez ? Aujourd'hui, pourtant, je me sens généreuse. Vianne Rocher a deux vies. Je me contenterai d'une seule. Mais les vies sont interchangeables et, dans ce monde-ci, on peut les distribuer comme des cartes. Je coupe, je recoupe et on redistribue. C'est tout ce que je vous demande. Le jeu que vous tenez dans votre main. Car vous me devez bien quelque chose. Vous me l'avez dit vous-même !

Vianne Rocher a alors demandé : « C'est quoi alors, votre vrai nom ? »

Mon *vrai* nom ?

Grands dieux ! Cela fait si longtemps que je l'ai presque oublié. D'ailleurs, qu'est-ce que c'est un nom ? Quelque chose que l'on porte comme un manteau, que l'on retourne, que l'on brûle, que l'on jette pour en voler un autre. Le nom n'a aucune importance. Seule la dette en a. Je veux être payée. Ici et tout de suite.

Il ne reste qu'une difficulté. Elle s'appelle Françoise Lavery. J'ai dû clairement faire une erreur quelque part dans mes calculs, oublier quelque chose peut-être dans le dernier grand coup de balai parce que son fantôme me poursuit. Semaine après semaine, on parle d'elle dans les journaux – pas en première page, heureusement, mais je pourrais quand même bien me passer de la publicité ! – et, pour la première fois, cette semaine, l'article suggère une perfidie en plus de banales manœuvres frauduleuses. Il y a aussi des affiches sur tous les panneaux et réverbères de la ville. D'accord, je ne lui ressemble en rien de nos jours mais une combinaison de photos de caméras de sécurité et de banque pourrait les amener bien près de la vérité. Il ne manque pas grand-chose à ajouter à ce qu'ils ont déjà découvert pour que les plans que j'avais si bien préparés s'écroulent d'un coup.

Je dois disparaître – et très bientôt –, et c'est là que vous faites votre entrée en scène, Vianne. Car la meilleure façon de disparaître est de quitter Paris pour de bon.

Et c'est là qu'est le problème, bien sûr. Vous comprenez, Vianne, moi je me plais bien ici. Je n'aurais jamais imaginé quel amusement, quels bénéfices, je pourrais tirer d'une simple chocolaterie. J'aime ce qu'est devenue la boutique et j'en vois le potentiel comme *vous* ne l'avez jamais vu.

Pour vous, c'est un endroit où vous dissimuler. Pour moi, c'est l'épicentre, le calme dans la tempête – de là, nous pouvons déchaîner Hurakan –, nous pouvons causer de vrais ravages, changer le cours de vies, exercer les pleins pouvoirs – ce qui est vraiment le but du jeu, si vous y pensez bien –, et faire de l'argent par-dessus le marché, ce qui, dans notre monde d'aujourd'hui, si vénal, est quand même un atout.

Enfin, quand je dis *nous*...

Je veux dire *moi*, bien sûr.

« Mais pourquoi Anouk ? » Et sa voix s'est durcie. « Pourquoi impliquer ma fille dans toute cette histoire ?

– Elle m'est sympathique ! »

Elle m'a jeté un regard méprisant : « Elle vous est sympathique. Mais vous vous êtes servie d'elle. Vous lui avez fait perdre son innocence. Vous lui avez laissé croire que vous étiez son amie !

– J'ai été, au moins, franche avec elle, moi !

– Et pas moi ? Mais je suis *sa mère* ! »

J'ai souri : « On *choisit* sa famille, n'est-ce pas ? Vous devriez bien faire attention que ce ne soit pas moi, à la fin, qu'elle choisisse ! »

Pendant un certain temps, elle a réfléchi. Elle paraissait assez calme mais je voyais son agitation à ses couleurs, la détresse, le désarroi. Quelque chose d'autre aussi, une sorte de certitude qui ne m'a pas plu du tout.

Elle a fini par dire : « Je pourrais vous demander de partir. »

J'ai souri : « Et pourquoi pas ? Vous pourriez aussi appeler la police ou, encore mieux, les services sociaux ? Je suis certaine qu'ils vous offriraient toutes sortes d'aides. Votre dossier doit être encore sur leurs bureaux à Angers, à moins qu'il ne soit aux Laveuses ? »

Elle m'a brusquement interrompue : « Que voulez-vous au juste ? »

Alors, je lui en ai dit autant qu'il était nécessaire. Le temps presse pour moi, mais elle ne peut pas le savoir. Elle ne peut rien savoir non plus de la pauvre Françoise, prête à se réincarner dans une autre peau. Elle sait seulement que l'Ennemie, c'est moi, maintenant. Elle a le regard brillant et froid de celle qui m'a percée à jour. Elle a eu un rire méprisant – un peu hystérique – lorsque je lui ai lancé mon ultimatum.

Elle a demandé : « Vous êtes en train de suggérer que *je* devrais partir ? »

D'un ton très raisonnable, je lui ai fait remarquer : « Croyez-vous que Montmartre soit assez grand pour deux enchanteresses ? »

Son rire a éclaté comme du verre. À l'extérieur, le vent portait à la perfection les harmonies étranges de sa mélancolique mélopée. « Si vous croyez vraiment que je vais faire mes valises et fuir parce que vous avez fait, derrière mon dos, quelques petits tours hypocrites, vous allez être bien déçue. Vous n'êtes pas la première à avoir essayé ce truc-là, vous savez. Déjà, ce prêtre...

– Je sais !

– Et alors ? »

Bien ! J'aime ce ton de défi-là. C'est exactement ce que j'espérais. Il est si facile de voler une identité. J'en ai volé tant dans ma vie ! Mais de me trouver face à face avec une autre enchanteresse, et sur son propre territoire, avec des armes de choix, pour lui voler sa vie et l'ajouter à mon bracelet, à côté du cercueil noir et des souliers d'argent...

Cette chance-là, combien de fois peut-on s'attendre à la rencontrer ?

Je m'accorde trois jours, trois jours seulement, pour gagner ou perdre la partie. Après ça, ce sera au revoir et adieu, et je filerai vers de nouveaux horizons. Vive la liberté et tout ça ! Là où le vent m'emportera. Il est grand, le monde, et ce ne sont pas les occasions qui manquent. Je suis certaine de découvrir en route quelque chose qui me permettra d'exercer mes talents.

Pour l'instant, pourtant...

« Écoutez, Vianne. Je vous accorde trois jours. Jusqu'au soir du réveillon. Que vos valises soient prêtes, emportez ce qui vous plaira. Je ne ferai pas un geste pour vous en empêcher. Mais si vous restez ici, je ne pourrai répondre de ce qui arrivera.

– Pourquoi ? Que pouvez-vous me faire ?

– Je peux tout vous prendre. Une chose après l'autre. Votre vie ici, vos amis, vos enfants. »

Elle s'est raidie. Les enfants, c'est là qu'est son point vulnérable, surtout cette petite Anouk, si douée déjà.

« Mais je n'ai l'intention d'aller nulle part. »

Bien ! Voilà la réponse à laquelle je m'attendais. Qui accepterait de livrer sa vie comme ça ? Même cette petite souris de Françoise avait fini par se défendre. Et de vous, Vianne, je m'attends à bien plus. Vous avez trois jours pour vous préparer. Trois jours pour apaiser Hurakan. Trois jours pour devenir Vianne Rocher.

À moins, bien sûr que je n'y réussisse la première.

7

Le Soleil noir

Samedi 22 décembre

Après la fête. Qu'est-ce qu'elle a bien voulu dire ? Il ne peut sûrement plus y avoir de fête maintenant avec cette étrange menace qui pèse sur nos têtes. Cela a été ma première réaction lorsque Zozie est montée se coucher, me laissant seule, dans la cuisine glacée, à réfléchir à mon plan de défense.

Tous mes instincts me conseillent de la mettre à la porte. Je sais que c'est une possibilité mais la seule perspective de la réaction de mes clients à cette nouvelle – sans parler de celle d'Anouk – rend la chose tout à fait impossible.

Quant à la fête – ça alors ! Je ne suis pas sans avoir conscience que, ces dernières semaines, elle a pris une importance bien plus grande que nous n'aurions pu le croire au début. Pour Anouk, c'est la célébration de qui nous sommes, l'expression de son espoir (et là, nous partageons peut-être encore le même rêve éternel) que Roux revienne et que tout soit de nouveau miraculeusement transformé.

Quant à nos clients – non, nos *amis*…

Ils sont si nombreux à avoir participé aux préparatifs, ces derniers jours, apportant nourriture et boisson, décorations pour la maison-calendrier, le sapin lui-même offert par le fleuriste pour qui travaille Alice, le champagne donné par Mme Luzeron, la vaisselle et les verres prêtés par le restaurant de Nico, la viande bio apportée par Jean-Louis et Paupaul qui l'ont payée, j'imagine, à grands renforts de compliments flatteurs et d'un portrait de la femme du fournisseur.

Même Laurent a apporté quelque chose (je dois dire qu'il s'agit surtout de morceaux de sucre). Mais c'est si bon de se sentir de nouveau au sein d'une communauté, d'être incluses, de faire partie de quelque chose de plus grand que l'étroit cercle autour du feu de camp que nous faisons flamber pour nous-mêmes. J'avais toujours pensé à Montmartre comme à un endroit si froid, peuplé de gens si grossiers et si méprisants avec leur snobisme de vieux Parisiens et leur méfiance envers tout nouvel arrivé. Je reconnais maintenant qu'un cœur bat sous ces pavés. Zozie m'a, au moins, permis de le découvrir, elle qui joue mon rôle aussi bien que je le faisais moi-même.

Ma mère me racontait souvent une histoire. Comme dans toutes ses histoires, il s'agissait d'elle-même. C'est quelque chose que je n'ai commencé à comprendre que trop tard, quand les doutes qui avaient commencé à m'assaillir au cours des longs mois qui ont mené à sa mort ont été trop puissants pour que je continue à les ignorer et que je me suis mise à la recherche de Sylviane Caillou.

Ce que j'ai alors découvert n'a fait que confirmer ce que ma mère m'avait confié dans le délire de ses derniers jours. *On choisit sa famille,* disait-elle. Elle m'avait choisie, à l'âge de dix-huit mois, pour me faire sienne, comme un paquet livré à la mauvaise adresse et qu'elle avait tout à fait le droit d'aller réclamer.

Elle avait dit : *Elle ne t'aurait pas aimée comme moi. Elle n'avait aucun sens du danger. Elle t'a laissée t'éloigner d'elle.*

Mais le remords de son action l'a suivie de continent en continent. Un remords qui avait fini par devenir de la peur. Sa vraie faiblesse a été cette peur-là, cette peur qui, toute sa vie, l'a poussée à fuir. Peur que quelqu'un ne me prenne à elle. Peur que je ne découvre la vérité. Peur de s'être trompée, il y a si longtemps, d'avoir triché avec cette étrangère dont elle avait gâché la vie. Peur d'avoir, finalement, à payer sa faute.

L'histoire est celle-ci…

Une veuve avait une fille qu'elle adorait. Ensemble, elles habitaient une chaumière dans la forêt. Bien qu'elles fussent toutes deux très pauvres, elles étaient heureuses, plus heureuses que deux êtres ne l'avaient jamais été auparavant.

Elles étaient, en fait, si heureuses que la Reine de Cœur qui habitait tout près entendit parler d'elles, en fut jalouse et décida d'aller ravir le cœur de la fillette. Elle avait pourtant déjà un million d'amoureux et plus de cent mille esclaves. Mais ce n'était jamais assez pour elle. Elle savait qu'elle ne connaîtrait pas de paix tant qu'existerait un seul cœur qui ne lui eût été offert.

Alors, sans faire de bruit, la Reine de Cœur se rendit à la chaumière de la veuve. Là, cachée parmi les arbres, elle vit l'enfant jouer seule. La chaumière était très éloignée de tout village, même du plus proche, et l'enfant n'avait personne avec qui partager ses jeux.

La Reine (qui n'en était pas une du tout, mais une sorcière très puissante) se changea en un petit chat noir qui sortit, la queue haute, du couvert des arbres.

Toute la journée, l'enfant joua avec le chat qui fit des cabrioles, s'amusa avec des bouts de ficelle, grimpa aux arbres, répondit à son appel, mangea dans sa main et fut, à coup sûr, le plus joli, le plus espiègle, le plus parfaitement adorable de tous les chatons qu'un enfant eût jamais vus.

Mais le chat eut beau ronronner, il eut beau lisser sa jolie fourrure, il ne réussit pas à voler le cœur de l'enfant qui, lorsque vint la nuit, rentra chez elle où sa mère avait préparé la table pour le repas du soir. La Reine de Cœur miaula toute la nuit de mécontentement. Elle déchira de ses griffes le cœur de bien des petits animaux nocturnes sans réussir à satisfaire son appétit. Elle désirait, avec encore plus de passion, celui de la petite fille…

Alors, le deuxième jour, elle prit la forme d'un beau jeune homme et guetta dans le bois le passage de la fille de la veuve à la recherche de son petit chat. La fillette n'avait jamais vu de jeune homme, sauf de très loin, les jours de marché. Celui-là était paré de tous les attraits – cheveux sombres, yeux bleus, un teint frais de jeune fille, mais très viril ! La fillette en oublia le chaton. Toute la journée, ils se promenèrent dans la forêt, bavardèrent, riant et courant comme de jeunes daims à la saison des amours.

Quand vint la nuit et qu'il osa lui voler un baiser, le cœur de la petite fille appartenait pourtant toujours à sa mère. Cette nuit-là, la Reine partit chasser les daims, leur arracha le cœur avec son poignard et les mangea tout crus. Elle ne réussit cependant pas à assouvir son appétit et rêva de l'enfant avec encore plus de désir.

Alors, au matin du troisième jour, la sorcière ne se métamorphosa pas. Elle se cacha tout près de la chaumière et guetta la fillette, qui sortit bientôt à la recherche de son ami de la veille, mais ne le trouva pas. La Reine de Cœur observa la mère faire la lessive à la rivière et elle se dit qu'*elle* aurait pu mieux faire. Elle observa la mère faire le ménage dans la chaumière et elle se dit qu'*elle* aurait pu mieux faire. Et à la nuit tombante, elle prit la forme de la mère elle-même. Elle en prit le visage souriant et les mains douces. Et lorsque la fillette rentra, elle trouva deux mères pour l'accueillir à la maison.

Qu'aurait bien pu faire la vraie mère? La Reine de Cœur l'avait si bien observée, savait si bien imiter chacun de ses gestes et chacune de ses petites habitudes qu'il était impossible qu'elle fût démasquée. Chaque fois qu'elle faisait quelque chose, la sorcière pouvait le faire encore mieux, plus vite, plus parfaitement qu'elle.

La mère mit alors la table pour un convive de plus.

«C'est moi qui vais préparer le dîner, dit la Reine. Je connais vos plats préférés.»

La mère dit alors: «Nous préparerons toutes les deux le dîner et nous laisserons ma fille en décider.

– *Ma* fille à moi! dit la sorcière. Et je suis bien certaine de connaître le chemin de son cœur.»

La mère était bonne cuisinière. Elle n'avait jamais préparé un repas avec plus de soin, pas même pour Pâques ou pour Noël. Mais la sorcière avait pour elle la magie et ses sortilèges étaient très puissants. La mère connaissait peut-être les plats que préférait sa fille mais la Reine, elle, connaissait ceux qu'elle n'avait pas encore découverts. Elle les présenta, un à un, pendant tout le repas, sans que cela lui demandât le moindre effort.

Le repas commença par une bonne soupe, cuite lentement dans un chaudron de cuivre, avec l'os du jarret du repas de dimanche.

La sorcière, elle, apporta un bouillon léger préparé avec de petites échalotes, parfumé au gingembre et à la citronnelle, et servi avec des croûtons si croustillants qu'ils semblaient fondre dans la bouche de l'enfant.

La mère apporta le deuxième plat: des saucisses et de la purée, servies avec une compote d'oignons caramélisés – un plat que l'enfant avait toujours adoré.

Mais la sorcière, elle, apporta des cailles rôties, gorgées de figues mûres, avec une farce de châtaignes, de foie gras, et servies avec un coulis de grenade.

La mère, proche du désespoir, apporta le dessert, une grosse tarte aux pommes, une recette qu'elle tenait de sa propre mère.

Mais la sorcière posa sur la table une pièce montée – un rêve de sucre, couleur rose pastel, à la pâte d'amandes et aux fruits rouges, avec de petits choux légers comme des pets-de-nonne et parfumés à la crème de rose et à la guimauve et servis avec un verre de château d'Yquem.

La mère s'inclina. «Vous avez gagné, c'est vrai!» Et son cœur se brisa net en deux morceaux avec un bruit de pop-corn qui éclate dans la poêle. La sorcière, avec un sourire, tendit alors la main vers sa proie.

Mais la fillette la repoussa et tomba à genoux par terre.

« Maman, ne meurs pas. Je sais que ma mère, c'est toi ! »

La Reine de Cœur poussa un hurlement de rage en découvrant que, même à ce moment-là, à l'instant même où elle triomphait, le cœur de la fillette ne lui appartenait toujours pas. Elle hurla si fort et tempêta avec tant de fureur que sa tête explosa comme un ballon de foire et que la Reine de Cœur, dans son dernier moment de courroux, devint la Reine de rien du tout !

Et la fin de l'histoire ?...

Cela dépendait beaucoup de l'humeur de ma mère. Il y en a une version où la mère survit et où sa fille et elle vivent seules et heureuses à jamais dans leur chaumière dans la forêt. Et une autre, celle des jours plus sombres, où la mère meurt, laissant sa fille toute seule avec son chagrin. Il y en a une troisième aussi où la sorcière, dans un tour inattendu du récit, devine que le cœur de la mère va se briser. Alors, elle disparaît en fumée devant l'enfant qui, prise de pitié pour elle, lui promet un amour éternel, et la vraie mère reste là, muette, à regarder la scène, rejetée, impuissante, pendant que la sorcière commence à dévorer le cœur de l'enfant.

Je n'ai jamais raconté cette histoire à Anouk. Elle m'effraie maintenant autant qu'elle m'effrayait alors. C'est dans les contes que nous découvrons la vérité et, bien que l'on n'ait jamais vu personne mourir d'un cœur brisé ailleurs que dans les contes, la Reine de Cœur existe vraiment. Même si on ne la connaît pas toujours sous ce nom-là.

Mais nous l'avons déjà rencontrée, Anouk et moi. Elle est le vent qui souffle à la fin de l'année, le bruit de l'unique main capable d'applaudir. Elle est la tumeur au sein de votre mère et le regard distrait de votre fille. Elle est le cri-du-chat. Elle rôde dans le confessionnal et se cache dans la *piñata* noire. Mais, par-dessus tout, elle est tout simplement la Mort, la vieille Mictecacihuatl elle-même, la gourmande, Santa Muerte, la dévoreuse de cœurs, la plus terrible de toutes les Bonnes Dames charitables.

Et voilà, de nouveau, le moment de la combattre, de choisir mes armes – pour ce qu'elles sont –, de me dresser, prête à défendre cette vie que nous nous sommes créée. Mais pour cela, il faut que je redevienne Vianne Rocher, s'il m'est possible de jamais la retrouver. Vianne Rocher qui a confronté l'Homme noir au grand Festival du Chocolat. Vianne Rocher qui connaît ce que le monde entier préfère.

La marchande de bonheur, de rêves, de tentations inoffensives, de friandises et de bibelots, de tours de prestidigitation, de menus plaisirs et de cette magie de tous les jours.

Mais suis-je capable de la retrouver à temps ?

8

La Lune montante

Samedi 22 décembre

Il a neigé cette nuit. Pour le moment, il n'y en a encore qu'une mince couche qui, presque tout de suite, se transforme en boue grise. Enfin, c'est un début. Il va bientôt en tomber d'autre. On voit ça aux nuages si lourds et si noirs au-dessus de la Butte qu'ils touchent pratiquement les flèches de l'église. Jean-Loup dit que c'est une illusion de penser que les nuages sont plus légers que l'air alors que l'eau contenue dans un seul d'entre eux représente un poids de millions de tonnes – celui d'un garage à plusieurs étages et plein de voitures qui n'attendrait que de tomber, aujourd'hui ou demain, sous forme de minuscules flocons de neige.

Sur la Butte, c'est le plein boum de Noël. Il y a un gros Père Noël à la terrasse de Chez Eugène. Il y est assis, il prend un café crème et remplit de frayeur les petits enfants. Les artistes sont aussi là, en force. Il y a même un petit groupe de musiciens – des étudiants – qui jouent des hymnes et des chants de Noël à la porte de l'église. J'avais donné rendez-vous à Jean-Loup ce matin, mais Rosette a voulu aller voir la crèche (encore une fois!), alors je lui ai fait faire une petite promenade pendant que Maman était occupée et que Zozie était partie faire des courses.

Ni l'une ni l'autre n'ont parlé de ce qui s'était passé hier soir mais, comme elles semblent très bien toutes les deux, ce matin, je me dis que Zozie a dû arranger l'histoire. Maman portait sa robe rouge, celle qu'elle met pour se donner bon moral, et elle discutait de recettes. Tout semblait si parfait, si cool.

Jean-Loup m'attendait place du Tertre lorsque j'ai fini par y apparaître avec Rosette – c'est qu'avec elle, les choses prennent un certain temps : anorak, bottes, bonnet et gants – et quand nous l'avons rejoint, il était presque onze heures déjà. Il avait apporté son appareil – le gros avec l'objectif spécial – et il prenait des photos des passants : touristes étrangers, gosses devant la crèche, gros Père Noël en train de fumer un cigare.

« Hé, vous, *ma* demoiselle ! » C'était Jean-Louis avec son bloc à croquer en train de débiter son boniment à une jeune touriste. Il les classe en différentes catégories d'après leur sac à main, vous savez, et ses tarifs varient suivant le sac. Il est toujours capable de dire si c'est une fausse marque. Il affirme que les femmes dont le sac est une contrefaçon ne sont jamais prêtes à ouvrir leur porte-monnaie. « Mais qu'elles me laissent apercevoir un beau Louis Vuitton et je suis leur homme ! »

Quand j'ai répété cela à Jean-Loup, il a bien ri. Rosette en a fait autant, pourtant je ne crois pas qu'elle ait vraiment compris. Elle aime beaucoup Jean-Loup et son appareil. Du plus loin qu'elle l'aperçoit maintenant, elle fait le signe pour *photo*. Elle veut dire appareil numérique, bien sûr. Elle aime poser pour qu'il prenne sa photo et qu'elle la voie immédiatement sur le petit écran.

Ensuite, Jean-Loup a proposé que l'on aille se balader au cimetière pour voir ce qu'il restait de la neige de cette nuit. Alors, nous sommes descendus par le funiculaire et nous avons pris la rue Caulaincourt.

Comme nous étions sur le pont de métal et que nous regardions au-dessous de nous vers le cimetière, j'ai dit : « Tu vois les chats, Rosette ? » Quelqu'un avait dû leur apporter à manger car il y en avait bien deux douzaines assis, à l'entrée de la partie la plus basse, celle qui mène à un grand parterre circulaire d'où les avenues, entre les tombes, s'épanouissent comme les rayons d'une rose des vents.

Nous avons descendu l'escalier vers l'avenue Rachel. Le pont qui la surplombe et les lourds nuages au-dessus la rendent très sombre. Jean-Loup avait dit qu'il y resterait plus de neige et il avait raison. Chaque tombe était coiffée d'un petit béret blanc. Bien entendu, c'était de la neige mouillée et piquetée de trous. On voyait bien qu'elle n'allait pas tenir longtemps. Mais Rosette adore la neige. Elle en prenait constamment entre ses doigts et riait silencieusement de la voir disparaître.

C'est à ce moment-là que je l'ai aperçu. Il nous attendait. Je n'en ai pas été vraiment surprise. Il était assis, parfaitement immobile, tout près de la tombe de Dalida, comme une statue grise. Seul le petit nuage de vapeur livide de son haleine indiquait que la statue était vivante.

J'ai crié : « Roux ! »

Il m'a souri.

« Qu'est-ce que tu fous ici ?

– Merci bien pour ces mots de bienvenue ! » Il a fait un sourire à Rosette en sortant quelque chose de sa poche. « Bon anniversaire, Rosette ! » a-t-il dit.

C'était un sifflet de bois, creusé dans un seul morceau, poli et luisant comme de la soie.

Rosette l'a pris et l'a mis dans sa bouche.

« Non, pas comme ça ! Comme ceci ! » Et il lui a montré comment s'y prendre pour souffler dans le trou. Le bruit aigu était bien plus fort qu'on aurait pu s'y attendre et le visage de Rosette s'est éclairé d'un grand sourire heureux. « Elle l'aime ! a dit Roux qui s'est tourné vers Jean-Loup. Et vous devez être le photographe ! »

J'ai demandé : « Mais, où étais-tu pendant tout ce temps ? On t'a cherché partout ! »

Il a dit : « Je sais. C'est pour ça que je suis parti ! » Il a pris Rosette dans ses bras et l'a chatouillée. Elle a tendu la main pour lui toucher les cheveux.

J'ai dit en fronçant les sourcils : « Allons, sois sérieux, Roux. La police est venue et tout ça. Ils ont dit que tu avais falsifié un chèque. Moi, je leur ai dit qu'il devait y avoir erreur, que tu ne ferais jamais un coup comme ça ! »

Je ne sais pas si c'était la luminosité ou quoi, mais j'ai été incapable de voir sa réaction – cette lumière de décembre quand les réverbères s'allument très tôt, et les traces de neige sur la pierre contribuaient à faire paraître le reste encore plus sombre. En tout cas, je n'ai pas pu distinguer son expression. Ses couleurs étaient à leur plus bas. Je n'aurais pas su dire s'il était inquiet, furieux ou même simplement surpris.

« Et c'est ce que pense Vianne, ça ?

– Je ne sais pas.

– Elle n'a pas bien grande opinion de moi ! » Il a secoué la tête d'un air sombre mais je voyais bien qu'il souriait. « Enfin, le mariage n'aura pas lieu, paraît-il, et je ne peux pas dire que je le regrette beaucoup. »

J'ai dit : « Tu aurais fait un bon espion. Comment t'es-tu débrouillé pour le savoir si vite ? »

Il a haussé les épaules. « Les gens causent et moi, j'écoute, a-t-il répondu.

– Et tu loges où maintenant ? »

Je savais déjà que ce n'était pas au foyer des travailleurs. Il semblait encore plus mal en point que la dernière fois où nous nous étions rencontrés (si c'était possible!). Pâle, pas rasé, il paraissait très fatigué. Mais je l'avais retrouvé.

Il y a des gens qui dorment dans ce cimetière. Le gardien est prêt à fermer les yeux à condition qu'ils ne fassent pas de dégâts. Quelquefois, on y découvre des couvertures cachées ou une vieille bouilloire ou une poubelle de métal remplie de carburant pour allumer le feu pour la nuit, ou une réserve de boîtes de conserve bien alignées dans une petite chapelle privée que personne n'utilise plus. Jean-Loup dit que, parfois, la nuit, on aperçoit une demi-douzaine de feux qui brûlent dans différents endroits, à l'intérieur des murs du cimetière.

J'ai demandé : « C'est ici que tu dors ? »

Roux a répondu : « Je dors sur mon bateau. »

Il mentait bien sûr. Je l'ai su tout de suite. Je ne crois pas non plus qu'il ait de bateau. S'il en avait un, il ne serait pas ici, il n'aurait pas pris une chambre rue de Clichy. Mais Roux ne disait rien. Il continuait à jouer avec Rosette, la chatouillant pour la faire rire. Rosette faisait des bruits stridents avec son sifflet et riait silencieusement, comme elle le fait, la bouche grande ouverte comme celle d'une grenouille.

« Et qu'est-ce que tu vas faire maintenant ?

– Eh bien, pour commencer, je suis invité à une petite fête le soir de Noël, tu l'as oublié ? » Il a fait une grimace à Rosette qui a ri et s'est caché le visage dans les mains.

Je commençais à croire que Roux ne prenait pas vraiment les choses assez au sérieux. « Et tu vas venir ? Tu crois que c'est bien prudent ?

– J'ai donné ma parole, n'est-ce pas ? D'ailleurs, j'ai une surprise pour toi.

– Un cadeau ? »

Il a souri. « Il faut attendre ! »

J'étais bien impatiente de dire à Maman que j'avais vu Roux. Mais, après la scène d'hier soir, je devais me montrer prudente. Il y a des choses dont je n'ose pas tout à fait lui parler maintenant au cas où elle se fâcherait ou ne comprendrait pas.

Avec Zozie, bien sûr, ce n'est pas la même chose. Nous parlons tellement. Dans sa chambre, je porte mes souliers cerise et nous nous asseyons sur son lit et nous mettons la couverture de fourrure sur nos genoux et elle me raconte des histoires à propos de Quetzalcoatl, à propos de Jésus et d'Osiris, de Mithra et des Sept Aras – le même genre d'histoires que Maman me racontait avant mais pour lesquelles elle ne semble plus avoir de temps. Je devine que Maman me pense trop grande maintenant pour les histoires. Elle me dit toujours qu'il faut me comporter en adulte.

D'après Zozie, on exagère beaucoup l'importance de se comporter en adulte, elle dit qu'elle ne veut jamais *se ranger*, qu'il y a trop d'endroits dans le monde qu'elle n'a pas encore vus et dont elle ne se privera pour personne.

Ce soir, je lui ai demandé : « Pas même pour moi ? »

Elle a souri mais je me suis dit que ça l'avait rendue triste : « Non, pas même pour toi, ma petite Nanou !

– Mais tu ne vas pas t'en aller ? »

Elle a haussé les épaules. « Ça dépendra !

– Ça dépendra de quoi ?

– De ta mère pour commencer !

– Qu'est-ce que tu veux dire ? »

Elle a soupiré : « Je n'avais pas l'intention de t'en parler mais ta mère et moi… avons discuté et nous en sommes arrivées à la conclusion – enfin, *elle* en est arrivée à la conclusion – que le temps était venu pour moi de vous quitter.

– De nous quitter ?

– Parfois, les vents changent de direction. »

Ce qu'elle avait dit était si proche de ce que Maman m'aurait dit que cela m'a fait repenser aux Laveuses, à ce vent et aux Dames Charitables. Mais, cette fois, ce n'était pas pour rappeler mes souvenirs. Je pensai à Ehecatl, à l'Inconstant. Je *voyais* comment seraient les choses si Zozie nous quittait – sa chambre déserte, la poussière sur le plancher, tout redeviendrait ordinaire et terne comme avant, notre magasin redeviendrait une chocolaterie sans plus rien de spécial.

Je me suis exclamée : « Mais tu ne peux pas faire ça ! Nous avons besoin de toi, ici ! »

Elle a secoué la tête : « Vous *aviez* besoin de moi mais, maintenant, regarde ! Les affaires marchent bien. Vous avez des tas d'amis. Vous pouvez très bien vous passer de mon aide. Et moi, je dois changer d'air et enfourcher ce vent pour voir où il me conduira. »

J'ai eu une pensée horrible. « C'est à cause de moi, n'est-ce pas ? À cause de ce que nous avons fait ici, à cause de nos leçons, des effigies et de tout ça. Elle a peur que, si tu restes, il y ait un autre Accident ! »

Zozie a haussé les épaules. « Je ne vais pas te mentir. Je n'aurais pas cru qu'elle puisse être si jalouse.

– Maman ? Jalouse ? Elle ?

– Mais, bien sûr. Souviens-toi ! Autrefois, elle était comme nous, libre d'aller où bon lui semblait. Maintenant, elle a d'autres responsabilités. Elle ne peut plus se permettre de faire tout ce qu'elle veut. Chaque fois qu'elle te regarde, Nanou, cela lui rappelle trop tout ce qu'elle a dû sacrifier.

– Mais ça n'est pas juste!»

Zozie a souri. «Personne n'a dit que c'était juste. C'est une question d'autorité. Tu grandis. Tu te sers de tes propres talents. Il y a certaines choses qu'elle ne peut plus t'imposer. Cela l'inquiète, l'effraie même. Elle se dit que je vais te prendre à elle, te donner ce qu'elle ne peut pas te donner. C'est pour cela que je dois partir, Nanou. Avant que cela n'arrive et que nous le regrettions toutes deux.

– Et notre petite fête, alors?

– Si tu veux, je resterai jusqu'après la fête.» Elle a passé ses bras autour de ma taille et m'a serrée très fort. «Écoute, Nanou. Je sais que c'est dur mais je veux que tu aies ce que je n'ai jamais eu – une famille, une maison, un chez-toi. Et si ce vent a besoin d'une victime, eh bien, que ce soit moi. Je n'ai rien à perdre. Et d'ailleurs...» Elle a eu un petit soupir. «Je ne veux pas *me ranger*. Je ne veux pas passer ma vie à me demander ce qu'il y a de l'autre côté de la colline d'en face. Un jour ou l'autre, je serai partie. Alors, maintenant n'est peut-être pas un si mauvais moment.»

Elle a tiré la couverture au-dessus de nos têtes. J'ai fermé les yeux très fort. Je ne voulais pas me mettre à pleurer. J'avais pourtant une boule dans la gorge comme si j'avais avalé une pomme tout entière.

«Mais, Zozie, je t'aime!»

Je ne pouvais pas voir son visage. Mes yeux étaient toujours fermés. J'ai bien senti son long et profond soupir quand même, comme de l'air emprisonné depuis longtemps dans une boîte étanche ou sous terre.

«Je t'aime, moi aussi, Nanou!»

Et nous sommes restées comme ça pendant longtemps, assises dans le lit, enveloppées dans la couverture. À l'extérieur, le vent soufflait de nouveau. J'étais bien contente qu'il n'y ait pas d'arbres sur la Butte car, de la façon dont je me sentais à ce moment-là, je crois bien que, s'il avait été en mon pouvoir de convaincre Zozie de rester, je les aurais laissés tomber et se fracasser et faire en sorte que le vent emportât quelqu'un d'autre à sa place.

9

Le Jaguar

Dimanche 23 décembre

Du vrai cinéma ! Je vous l'avais dit. Dans une autre vie, j'aurais pu faire fortune sur le grand écran. Pour Anouk, j'ai certainement été convaincante – les grains de soupçon que j'ai semés en elle sont en train de germer gentiment –, ce qui me sera bien utile la veille de Noël.

Je ne pense pas qu'elle ait parlé à Vianne de notre petite conversation. C'est qu'elle est secrète, ma petite Nanou, elle ne révèle pas si facilement sa pensée. D'ailleurs, sa mère l'a déçue. Elle lui a raconté des histoires et voilà que, pour couronner le tout, elle met sa copine à la porte.

Anouk aussi sait dissimuler quand c'est nécessaire. Elle semble un peu réservée aujourd'hui, cela m'étonnerait pourtant que Vianne le remarque. Elle est bien trop occupée à préparer la fête de demain pour se poser des questions à propos du manque d'enthousiasme soudain de sa fille ou pour se demander où elle a passé la journée pendant que les gâteaux cuisaient et que les épices et le vin frémissaient dans le chaudron.

Moi aussi, j'ai mes préparatifs à faire. Mais les miens ne sont pas culinaires. La magie qu'utilise Vianne – si on peut vraiment parler de magie ? – relève trop de l'art ménager, à mon goût. Vous ne croyez pas que je sois aveugle à ce que vous faites, Vianne ? La maison déborde de menues tentations, de friandises parfumées à la rose, de petits miracles et de macarons. Et Vianne elle-même, vêtue de cette robe rouge, une fleur de soie de même couleur dans les cheveux...

Qui donc croyez-vous impressionner, Vianne? Pourquoi vous donner cette peine-là alors que je peux faire tellement mieux? Je me suis absentée toute la journée. Des gens à voir. Des choses à faire. Aujourd'hui, je me suis justement débarrassée de tout ce qui restait des identités dont je me servais encore: Mercédès Desmoines, Emma Windsor et même Noëlle Marcellin. Je dois avouer que cela m'a fait un petit coup au cœur. Mais trop de bagages ralentit votre voyage. D'ailleurs, je n'en aurai plus besoin.

Après, cela a été l'heure d'aller faire quelques petites visites: la dame du Stendhal, avec laquelle je fais de bons progrès, Thierry Le Tresset, qui est resté tout près pour surveiller le magasin dans le vain espoir d'apercevoir Roux, et Roux, lui-même, qui a quitté sa chambre tout près du cimetière pour s'installer dans le cimetière lui-même où une petite chapelle privée lui sert à présent de logis.

C'est sans doute assez confortable. Ces tombeaux-là ont été construits à une époque où les morts riches jouissaient d'un luxe dont les vivants pauvres n'auraient pas même rêvé. Avec des doses régulières de faux renseignements, de rumeurs, de paroles compatissantes ou flatteuses – sans oublier de petites sommes d'argent et un ravitaillement continuel en chocolat (mes spéciaux) –, je me suis assurée, sinon de sa confiance et de son affection, au moins de sa présence à la petite fête du soir de Noël.

Il était tout au fond du cimetière lorsque je l'ai trouvé, près du mur qui le sépare de la rue Joseph de Maistre, aussi loin qu'il soit possible de l'être de la conciergerie, dans un endroit où il y a des pierres tombales brisées et abandonnées parmi des décharges et des bacs à terreau et où les vagabonds se retrouvent autour d'un feu qui brûle dans une boîte de métal.

Aujourd'hui, il y en avait une demi-douzaine, vêtus de manteaux trop grands pour eux et chaussés de brodequins aussi craquelés et couverts de cicatrices que leurs mains. C'était tous des vieux pour la plupart. Les jeunes trouvent toujours de quoi gagner leur vie à Pigalle où la jeunesse est toujours très appréciée. L'un d'eux, toutes les minutes ou à peu près, était secoué d'une quinte de toux caverneuse qui montait en saccades violentes de ses poumons jusqu'à sa gorge.

Ils m'ont suivie des yeux, sans curiosité, pendant que je me frayais un passage, en regardant où je posais les pieds, à travers les tombes abandonnées, dans la direction de leur petit groupe. Roux m'a accueillie avec son manque d'enthousiasme habituel.

«Vous, encore!

– Ça me fait plaisir de savoir que vous êtes content de me voir!» Et je lui ai remis un colis de nourriture – café, sucre, fromage, quelques saucisses du boucher du coin et quelques galettes dans lesquelles les envelopper. « Et n'en donnez pas aux chats, cette fois !

– Merci !» Il a enfin daigné sourire. « Comment se porte Vianne ?

– Bien. Elle dit que vous lui manquez. » Une petite flatterie comme celle-ci réussit toujours.

« Et le gros richard ?

– Il commence à se calmer. »

J'ai réussi à convaincre Roux que cette histoire d'appeler la police n'était qu'un stratagème de Thierry pour attirer Vianne de son côté. Je ne lui ai rien appris des détails de ce dont on l'accusait mais je l'ai laissé penser qu'ils avaient laissé tomber l'affaire faute de preuves. Je lui ai dit que la seule chose à craindre serait que, dans un moment de dépit, Thierry ne jette Vianne à la porte de son logement au-dessus de la chocolaterie si elle le quittait trop rapidement pour venir le rejoindre. Il devait alors patienter encore un peu, attendre que la situation se calme et s'en remettre à moi pour ramener Thierry à la raison.

En attendant, je fais semblant de croire à son bateau, mouillé, dit-il, au port de l'Arsenal. Le fait de s'en dire propriétaire (même si cela n'est que pure invention) lui donne une certaine importance, lui permet de garder un peu d'orgueil, de penser que, loin d'accepter de moi la charité sous forme de colis de nourriture et de quelques pièces de monnaie, c'est lui qui nous rend service en restant dans le coin pour veiller sur Vianne.

« Vous êtes allé jeter un coup d'œil à votre bateau, aujourd'hui ? »

Il a secoué la tête. « Plus tard peut-être ! »

C'est une autre histoire que je fais semblant de croire celle-là – qu'il aille tous les jours jusqu'au port de l'Arsenal simplement pour jeter un coup d'œil à son bateau ! Ce n'est pas vrai, bien sûr. J'aime pourtant bien observer sa gêne. Alors je lui ai dit : « Et si Thierry ne se rend pas à la raison, c'est quand même une consolation de savoir que Vianne et les gosses pourraient vivre avec vous, sur votre bateau, en attendant de trouver un autre logement – ce qui n'est pas facile en ce moment-ci de l'année !»

Il m'a lancé un regard furieux : « Mais ce n'est pas ce que je souhaite !»

De ma voix la plus caressante, je lui ai dit : « Bien sûr que non ! Mais c'est quand même rassurant de savoir que c'est une possibilité, c'est tout. À propos, pour demain, vous êtes prêt ? Pas besoin de faire un peu de lessive ? »

Encore une fois, il a secoué la tête et je me suis demandé comment, jusque-là, il avait pu se débrouiller. Il y a une petite laverie au coin de la rue et des douches municipales derrière la rue Ganneron. Je me suis dit que c'était sans doute là qu'il allait. Il doit me prendre pour une imbécile.

Enfin, j'ai encore besoin de lui un peu plus longtemps. Passé demain, cela n'aura plus d'importance et il pourra bien aller se faire pendre où il voudra.

« Pourquoi faites-vous ça, Zozie ? » Il m'a déjà posé cette question-là et, maintenant, il recommence avec un air soupçonneux qui s'accentue à chacun de mes efforts pour le séduire. Il y a des types comme ça, je crois, qui sont tout simplement imperméables à mon genre de charme. Cela m'enrage quand même. Après tout ce qu'il me doit ! Et la plupart du temps, pas même un petit merci de sa part.

J'ai répondu, avec un léger reproche dans la voix : « Mais vous savez bien pourquoi, Roux ! C'est pour Vianne et les petites. Pour Rosette qui mérite bien d'avoir un père. Pour Vianne qui ne s'est jamais remise de vous avoir perdu. Pour moi aussi, je dois bien l'avouer, car si Vianne est mise à la porte, j'y suis aussi, et j'ai commencé à me plaire ici, à la chocolaterie, et je ne vois pas pourquoi je devrais la quitter. »

Cet argument-là l'a convaincu. Je le devine. Un type soupçonneux, comme l'est Roux, se méfie de tout ce qui ressemble à de l'altruisme. Je n'en suis pas étonnée. Roux qui ne pense jamais qu'à son propre intérêt, qui ne consent maintenant à rester par ici que parce qu'il voit ce qu'il y a à gagner, qu'il veut sa part des bénéfices du commerce de Vianne, peut-être, maintenant qu'il sait qu'il est le père de Rosette…

Quand je suis revenue au magasin, il était trois heures et la nuit tombait déjà. Vianne servait une cliente. Elle m'a jeté un coup d'œil sévère mais le bonjour avec lequel elle m'a accueillie était assez aimable.

Je sais très bien ce qu'elle se dit. Zozie est populaire, *elle*. Montrer ouvertement aux autres son hostilité envers moi ne servirait à faire de mal qu'à Vianne elle-même. Déjà, elle se demande si mes menaces de l'autre soir n'étaient pas simplement destinées à lui faire révéler trop tôt ses couleurs, et lui faire ainsi perdre son avantage.

Elle se dit que c'est demain que la bataille commencera. Des canapés et des friandises à tenter un saint. Voilà les armes qu'elle a choisies pour elle. Elle est bien naïve si elle s'imagine que ce seront les miennes. C'est si ennuyeux, ce genre de magie-là. Vous n'avez qu'à interroger n'importe quel enfant et vous découvrirez qu'ils préfèrent les méchants plutôt que les héros des livres qu'ils lisent, les vilaines sorcières et les grands méchants loups aux princes et aux princesses sans grande saveur.

Anouk ne fait pas exception à cette règle, je le parierais. Enfin, il faut encore attendre. Allez-y, Vianne, à vos casseroles! Vous verrez bien ce que vaut votre petite magie insipide. Moi, je vais me pencher sur mes recettes à moi.

Le chemin du cœur passe par l'estomac, dit-on.

Personnellement, je préfère les chemins plus directs.

HUITIÈME PARTIE

NOËL

La Lune montante

Lundi 24 décembre
Veille de Noël – 11 heures 30

Il neige enfin. Il neige depuis ce matin. À gros flocons de conte de fées qui tourbillonnent dans le ciel d'hiver. *Tout est transfiguré par la neige,* c'est ce que dit Zozie, et déjà la métamorphose opère sa magie. Magasins, maisons, compteurs de stationnement se dressent comme de douces sentinelles blanches sous la neige grise qui tombe du ciel lumineux. Et Paris, petit à petit, s'estompe. Chaque parcelle de suie, chaque vieille bouteille, chaque paquet de chips vide, chaque crotte de chien et chaque papier de bonbon sont recyclés, nettoyés par la neige.

Ce n'est qu'une illusion, bien sûr, mais ça a l'air vrai tout de même comme si, ce soir, les choses allaient pouvoir vraiment changer, comme si tout allait être remis à neuf au lieu d'être simplement recouvert d'un glaçage de gâteau bon marché.

La dernière porte de la maison-calendrier s'est ouverte aujourd'hui sur une scène familiale, avec la mère, le père et le bébé dans son berceau – enfin ce n'est plus un bébé maintenant mais une petite fille souriante, assise dans son lit, avec un singe jaune à côté d'elle. Rosette adore cette scène. Moi aussi. Je ne peux pourtant pas m'empêcher de me sentir un peu triste. Mon effigie à moi est *à l'extérieur* de cette pièce où se réjouissent les trois autres…

C'est idiot, je sais. Je ne devrais pas me sentir comme ça. Maman dit que l'on choisit sa famille, que cela n'a aucune importance que

408 LE ROCHER DE MONTMARTRE

Roux ne soit pas mon vrai père, que Rosette ne soit que ma demi-sœur – ou, peut-être, même pas ma sœur du tout!

Aujourd'hui, j'ai préparé mon costume pour la fête. Je serai le Petit Chaperon rouge. Comme ça, je n'ai besoin que d'une cape rouge – avec une capuche, bien sûr! Zozie m'a aidée à la terminer avec un coupon de tissu trouvé dans un magasin d'œuvres de charité et la vieille machine à coudre de Mme Poussin. Pour une cape faite par nous, elle n'est pas mal du tout, avec mon panier décoré aussi de rubans rouges. Rosette, elle, se déguise en singe avec sa salopette marron à laquelle nous avons cousu une queue.

Pour la centième fois, j'ai demandé à Zozie en quoi elle allait se déguiser.

Elle a souri et répondu: «Attends et tu verras! Je ne voudrais pas que tu gâches la surprise!»

Le Soleil noir

Le calme qui précède la tempête. C'est l'impression que j'ai avec Rosette qui fait sa sieste, là-haut, maintenant, et cette neige, dehors, qui dévore tout silencieusement. Elle est si inlassable dans sa destruction, étouffant tous les bruits, dispersant les odeurs, dépouillant complètement le ciel de sa lumière.

Pourtant, sur la Butte, elle tient maintenant. Bien sûr, il n'y a pas de voitures pour la freiner. Les gens passent, emmitouflés dans leurs manteaux et leurs foulards tout incrustés de neige poussée par le vent. Le tintement, assourdi et lointain, des cloches de l'église Saint-Pierre de Montmartre nous arrive comme un sortilège maléfique.

J'ai à peine aperçu Zozie de toute la journée. Totalement absorbée par les préparatifs pour la fête de ce soir – cuisine, costumes et clients –, je n'ai pas eu beaucoup de temps pour observer mon adversaire qui reste dans sa chambre et ne révèle rien. Je me demande à quel moment elle poussera son attaque.

D'après la voix de ma mère, la grande raconteuse d'histoires, ce sera au dîner de ce soir, comme dans le conte de la fille de la veuve. Ce qui me préoccupe surtout, c'est que, jusqu'ici, je ne l'ai pas vue faire le moindre préparatif, pas même un gâteau. Me serais-je trompée, par hasard? Est-ce du bluff? Essaierait-elle de me forcer à faire quelque chose qui compromettrait ma situation ici? Son intention serait-elle de ne rien faire du tout et de me laisser attirer, sans le savoir, sur ma tête, l'attention des Bonnes Dames charitables ?

Depuis vendredi soir, il n'y a pas de conflit apparent entre nous. Pourtant, j'ai conscience de son regard moqueur et des clins d'œil hypocrites qu'elle m'adresse sans que personne d'autre ne le remarque. Et toujours aussi gaie, toujours aussi belle, toujours à se pavaner du haut de ses chaussures extravagantes. Pour moi, pourtant, elle ressemble à une parodie d'elle-même, un peu trop experte derrière son étalage de charme, prenant au jeu un intérêt un peu blasé, comme une vieille prostituée dans un costume de religieuse. C'est peut-être ce plaisir-là qui m'irrite le plus – cette façon qu'elle a de jouer son rôle pour un public d'une seule personne. Elle n'a, bien sûr, rien à y perdre. Mais c'est ma vie à moi qui est en jeu.

Une dernière fois, je consulte les cartes.

Le Fou. Les Amants. Le Mage. L'Inconstant.

Le Pendu. La Tour...

Elle s'écroule, cette tour. Des pierres se détachent de ses créneaux comme elle s'affaisse dans l'obscurité. De minuscules personnages se précipitent en gesticulant du parapet dans le vide. L'un de ces personnages porte une robe rouge – ou une cape avec une petite capuche.

Pas besoin de regarder la dernière carte. Je l'ai déjà vue trop souvent. Toujours optimiste, ma mère en donnait bien des interprétations. Pour moi, cette carte n'a pourtant qu'un sens possible.

La Mort. Cette affamée qui, sur la gravure de bois, montre les dents, jalouse, dans un sourire sans joie, les yeux creux... La mort insatiable, implacable. Cette dette que nous réclament les dieux. Dehors, la neige se fait plus épaisse et, bien que la lumière ait commencé à pâlir, la terre semble étrangement lumineuse, comme si ciel et terre avaient changé de place. C'est loin d'être aussi joli que la neige parfaite de la maison-calendrier mais Anouk l'adore et se découvre à chaque moment des excuses pour aller jeter un coup d'œil dans la rue. Elle y est encore. De ma fenêtre, j'aperçois sa silhouette joyeuse dans tout ce blanc sinistre. D'où je suis, elle semble si fragile, comme une petite fille perdue dans les bois. C'est idiot, bien sûr, il n'y a pas de bois ici. C'est d'ailleurs la raison pour laquelle j'ai choisi de m'y installer ici. Mais tout est transfiguré par la neige. La magie s'installe de nouveau. Et les loups de l'hiver envahissent furtivement les ruelles et les allées de la Butte.

3

La Lune montante

Lundi 24 décembre
Veille de Noël – 16 heures 30

Jean-Loup est venu cet après-midi. Il avait téléphoné ce matin pour dire qu'il m'apporterait certaines des photos de l'autre jour. Il en développe lui-même, vous savez – du moins celles en blanc et noir –, et il en a des centaines chez lui, bien classées, dans tout un assortiment de dossiers étiquetés. Il paraissait excité et haletant comme s'il avait quelque chose d'extraordinaire à me montrer.

Je me suis dit qu'il était sans doute retourné au cimetière et avait réussi à saisir une de ces lumières spectrales dont il parle toujours.

Mais les photos qu'il a apportées n'étaient pas du cimetière, ni de la Butte, ni de la crèche et des illuminations de Noël, ni du Père Noël en train de mâchonner son cigare. Elles étaient toutes de Zozie – celles qu'il avait prises avec son appareil numérique, dans la chocolaterie, et d'autres en noir et blanc, et d'autres encore, prises de l'extérieur du magasin, de Zozie traversant la place parmi la foule pour prendre le funiculaire ou de Zozie en train de faire la queue à la porte de la boulangerie des Trois Frères.

J'ai dit : «Mais enfin, qu'est-ce que tu fais? Tu sais bien qu'elle n'aime pas cela!»

Il a dit : «Annie, regarde-les donc!»

Au début, je n'ai pas voulu. La seule querelle que nous ayons eue a eu lieu à propos de ses stupides photos. Je ne voulais pas que cela recommence. Mais pourquoi, d'abord, les avait-il prises ? Je me suis dit qu'il devait bien avoir une raison.

« S'il te plaît, a dit Jean-Loup. Regarde-les. Et ensuite, si tu es certaine que tu n'y vois vraiment rien d'étrange, je te promets que je m'en débarrasserai. »

Les regarder seulement – il y en avait peut-être une trentaine – m'a remplie de gêne. L'idée que Jean-Loup avait espionné Zozie, l'avait suivie, m'était déjà assez désagréable, mais il y avait quelque chose de plus dans ces photos-là, quelque chose qui me mettait mal à l'aise.

On voit bien que c'est Zozie. On la reconnaît aux clochettes de l'ourlet de sa jupe, à ses bottes amusantes aux semelles énormes. À ses cheveux aussi, à ses bijoux et au cabas de raphia dans lequel elle met ses provisions.

Mais son visage...

J'ai dit en les repoussant vers Jean-Loup : « Tu les as truquées ! »

– Je te jure que non, Annie ! Et le reste de la pellicule était tout à fait normal. C'est elle ! C'est elle qui, d'une manière ou d'une autre, produit cet effet-là. Comment l'expliquer sinon ? »

Je n'en étais pas sûre moi-même. Il y a des gens qui sont toujours très bien en photo. On dit qu'ils sont *photogéniques.* Ce n'est sûrement pas le cas de Zozie. D'autres sont simplement... normaux. Je ne sais pas comment on les appelle, ceux-là, mais ce n'est pas non plus le cas de Zozie. Elles étaient toutes affreuses, ses photos. Sa bouche était un peu tordue. Et son regard ! Et, autour de sa tête, il y avait comme une bavure de flash, une sorte de halo un peu raté.

« D'accord, elle n'est pas photogénique. Et alors ? Ce n'est pas donné à tout le monde ! »

– Mais il y a autre chose ! a dit Jean-Loup. Jette un coup d'œil à ça ! »

Et il a sorti un bout de papier plié, la coupure d'un journal parisien avec la photo floue d'un visage de femme. On donnait son nom : Françoise Lavery. Mais la photo était exactement comme celles de Zozie – petits yeux, bouche tordue et même cette bavure étrange.

J'ai dit : « Et qu'est-ce que c'est censé prouver ? » C'était une simple photo – un agrandissement sans doute –, granuleuse, comme la plupart de celles que l'on voit dans le journal, d'une femme sans âge, les cheveux coupés à la Jeanne d'Arc, et portant des lunettes sous une longue frange. Elle ne ressemblait en rien à Zozie. À part cette bavure et la forme de sa bouche.

J'ai haussé les épaules. « Ça pourrait être n'importe qui !

– Je te dis que c'est elle, a dit Jean-Loup. Je sais que ça semble impossible mais c'est pourtant elle. »

Vraiment, cela devenait parfaitement ridicule. Et l'article n'était pas plus révélateur. Il parlait d'un prof qui avait disparu à Paris à un moment quelconque, l'année dernière. Mais Zozie n'a jamais été prof, n'est-ce pas? Voulait-il, par hasard, me faire croire que c'était un fantôme?

Jean-Loup lui-même n'en était pas certain. Il a remis soigneusement l'article dans l'enveloppe et il a dit: «On lit parfois des histoires comme celle-ci. Des spectres-figurants, je crois que c'est comme cela qu'on les appelle.

– Si tu insistes, moi je veux bien!

– Tu peux te foutre de moi mais il y a quand même quelque chose d'anormal ici. Je le ressens en sa présence. J'apporterai mon appareil ce soir. Je veux prendre des gros plans, avoir une preuve quelconque...

– Toi et tes fantômes, alors!» Toute cette histoire commençait à m'agacer. Il n'a qu'un an de plus que moi, pour qui se prend-il, enfin? S'il avait seulement la moitié de mes connaissances à propos d'Ehecatl, du Jaguar et d'Hurakan, il aurait sûrement une attaque ou quelque chose! S'il apprenait l'existence de Pantoufle ou s'il savait que Rosette et moi avions invoqué l'Inconstant ou s'il avait vent de ce qui s'était passé aux Laveuses, il deviendrait sans doute fou!

Alors, j'ai fait quelque chose que je n'aurais sans doute pas dû faire. Mais pour éviter une autre querelle seulement! Car j'étais bien sûre que, s'il continuait à parler comme ça, nous en aurions une autre. Hypocritement, j'ai dessiné des doigts le signe du Singe, le farceur, et de derrière mon dos, je le lui ai envoyé d'une pichenette.

Jean-Loup a froncé les sourcils et a porté la main à sa tête.

J'ai dit: «Qu'est-ce que tu as?

– Sais pas, a dit Jean-Loup. J'ai simplement senti une sorte d'étourdissement. De quoi étions-nous en train de parler déjà?»

Je sais que je le trouve sympa, vraiment, et je ne voudrais pas qu'il lui arrive quelque chose de mal, mais il fait partie des gens *normaux*, comme Zozie les appelle, par contraste avec *les gens comme nous*. Les gens normaux observent les règles qui existent, les gens comme nous s'en inventent d'autres. Il y a tant de choses que je ne peux pas dire à Jean-Loup, tant de choses qu'il serait incapable de comprendre. À Zozie, par contre, je peux raconter n'importe quoi. Elle me connaît mieux que n'importe qui.

Dès le départ de Jean-Loup, j'ai brûlé, dans la cheminée de ma chambre, l'article et les photos que Jean-Loup avait oubliés et j'ai regardé les flocons de cendre blanchir et retomber en neige sur la grille du foyer.

Ça y est. Il n'y en a plus! Je me sens mieux maintenant. Je n'ai jamais eu de soupçon à propos de Zozie mais son visage, avec cette bouche tordue et ces petits yeux méchants, me mettait mal à l'aise. Je ne pouvais pas l'avoir vue auparavant, n'est-ce pas? Au magasin, ou dans la rue, ou dans l'autobus? Et puis ce nom-là, Françoise Lavery, je ne l'avais pas entendu quelque part? Après tout, c'est un nom bien banal. Mais pourquoi me fait-il penser à…

… une souris?

4

Le Jaguar

Lundi 24 décembre
Veille de Noël – 17 heures 20

C e garçon-là, je m'en suis toujours méfiée ! Un outil bien pratique, voilà ce qu'il était, pour l'arracher à l'influence de sa mère et la préparer à être plus réceptive à la mienne. Mais, cette fois, il a dépassé les bornes, il a osé essayer de me saborder et j'ai bien peur d'être obligée de m'en débarrasser complètement.

Je l'ai vu à ses couleurs comme il se préparait à partir. Il avait passé du temps, là-haut, avec Anouk. Ils avaient écouté de la musique, joué et fait je ne sais quoi qui les occupe tous les deux, ces jours-ci. Il m'a saluée d'un ton assez poli quand il a pris son anorak, pendu au portemanteau derrière la porte.

Certains ont des couleurs plus faciles à lire que d'autres et Jean-Loup Rimbault, malgré sa ruse, n'est qu'un gamin de douze ans, après tout. Il y avait, dans son sourire, quelque chose de trop honnête. Une chose que j'ai déjà remarquée, une fois, au cours de ma vie de prof, sous le nom de Françoise. Le sourire du garçon qui en sait un peu trop et pense qu'il peut s'en tirer comme ça. D'ailleurs, qu'y avait-il dans cette chemise de carton qu'il a laissée dans la chambre d'Anouk tout à l'heure ?

Des photos, peut-être ?

« Tu viendras ce soir ? »

Il fait oui de la tête : « Sûr ! Le magasin a l'air formidable. »

Il est vrai que Vianne a travaillé dur aujourd'hui. Des grappes d'étoiles d'argent pendent du plafond et, aux branches de l'arbre, des bougies n'attendent plus que le moment d'être allumées. Il n'y a pas de table de salle à manger, alors elle a poussé les petites tables les unes à côté des autres pour en faire une longue et elle y a posé les trois nappes habituelles : une verte, une blanche, une rouge. Il y a une couronne de houx au-dessus de l'entrée. Et une odeur de bois de cèdre et de sapin fraîchement coupé remplit l'air d'un parfum de forêt.

Tout autour de la salle, les treize desserts traditionnels de Noël s'entassent sur des plats de verre où ils luisent et chatoient de topaze et d'or comme un trésor de pirates. Du nougat noir pour le diable, du blanc pour les anges, des clémentines, du raisin, des figues, des amandes, des dattes et du miel, des pommes, des poires, de la gelée de coings, des mendiants émaillés de raisins secs et d'écorce d'orange glacée. Une fougasse à l'huile d'olive, divisée en douze parts comme une roue.

Et puis, bien sûr, le chocolat. La bûche de Noël refroidit dans la cuisine. Les nougatines. Les célestines. Les truffes empilées sur le comptoir saupoudré d'une odorante poudre de cacao.

Je les lui tends en disant : « Vas-y ! Prends-en une. Ce sont tes préférées. »

D'un air rêveur, il prend la truffe au lourd parfum de terroir, comme ces champignons que l'on cueille à la pleine lune. Parlant de champignon, il se pourrait que mes truffes en contiennent – il y a de bien mystérieuses choses dans mes spéciales – mais la poudre de cacao a, cette fois, été habilement *préparée* pour régler le sort des jeunes importuns. D'ailleurs, ce signe que j'ai tracé dans la poudre de cacao, sur le comptoir, le signe d'Hurakan, sera bien suffisant.

Il dit : « Eh bien, à ce soir ! »

Moi, entre nous, je ne le crois pas. Bien entendu tu manqueras à ma petite Nanou, mais pas pour longtemps, je crois. Dans très peu de temps, l'Hurakan va s'abattre sur le Rocher de Montmartre et ensuite...

Eh bien, qui sait ? Savoir ce qui se passera pourrait bien vous gâcher la surprise ?

La Lune montante

Lundi 24 décembre
Veille de Noël – 18 heures

On a enfin fermé la chocolaterie, et rien ne laisserait penser que quelque chose va se passer ici, à part l'affiche à la porte, qui annonce, sur un fond de singes et d'étoiles :

Soirée de Noël à 19 h 30
Costumes bienvenus

À propos de costume, je n'ai toujours pas vu celui de Zozie. Je devine que ce sera quelque chose de fabuleux, mais elle ne m'en a rien dit. Alors, après avoir contemplé la neige pendant presque une heure, je n'ai pas pu tenir plus longtemps : je suis montée à sa chambre pour voir ce qu'elle pouvait bien y fabriquer.

À mon entrée, quel choc ! Ce n'était plus la chambre de Zozie. Plus de tentures sur les murs, plus de peignoir chinois derrière la porte, plus d'ornements pendus à l'abat-jour. Ses chaussures même avaient disparu du dessus de la cheminée. C'est alors seulement que j'ai vraiment compris.

Quand j'ai remarqué l'absence de ces merveilleuses chaussures.

Une petite valise de cuir était posée sur le lit. Elle avait l'air d'en avoir couvert des kilomètres, cette valise que Zozie était justement en train de fermer. À mon entrée, elle a levé les yeux vers moi et j'ai immédiatement su ce qu'elle allait me dire sans avoir à lui poser de question.

«Chérie! J'allais t'en parler, vraiment. Mais je ne voulais pas gâcher ton plaisir, ce soir. »

Je ne pouvais pas y croire : «Tu pars ce soir ?

– Il fallait bien que je parte à un moment ou à un autre! a-t-elle répondu d'une voix raisonnable. Et après ce soir, cela n'aura plus tellement d'importance.

– Pourquoi ? »

Elle a haussé les épaules. «N'avez-vous pas invoqué l'Inconstant ? Ne voulez-vous pas être une famille toi, Roux, Yanne et Rosette ?

– Mais cela ne veut pas dire que tu doives partir. »

Elle a récupéré la chaussure qu'elle cherchait et l'a lancée dans la valise. «Tu sais très bien que cela ne se passe pas comme ça, qu'il faut payer un jour. C'est obligé !

– Mais, toi aussi, tu fais partie de notre famille ! »

Elle a secoué la tête. «Non, ça ne marcherait pas. Pas avec Yanne. Elle désapprouve trop ce que je fais. Et elle n'a peut-être pas tort. Les choses ne vont pas toujours comme sur des roulettes quand je suis dans l'coin !

– Mais ce n'est pas juste. Et où iras-tu ? »

Elle a regardé ses bagages et a répondu en souriant.

«Mais là où le vent m'emportera. »

6

Le Soleil noir

Lundi 24 décembre
Veille de Noël – 19 heures

L a mère de Jean-Loup vient de téléphoner pour me prévenir que son fils est tombé brusquement malade et qu'il ne viendra pas. Anouk est déçue, et ça se comprend. Elle est aussi un peu inquiète à propos de son copain, mais son excitation, à la perspective de la soirée, est trop forte pour qu'elle reste longtemps attristée.

Avec sa cape rouge et son capuchon, elle ressemble encore davantage à une boule de Noël quand elle gambade, ici et là, dans une frénésie d'activité. « Est-ce qu'ils arrivent ? demande-t-elle à tout moment bien qu'elle sache parfaitement que les invitations étaient pour 19 h 30 et que la cloche de l'église vienne à peine de sonner l'heure. Tu vois quelqu'un dehors ? »

À la vérité, la neige est devenue si épaisse maintenant que j'aperçois à peine le réverbère de l'autre côté de la place. Anouk écrase pourtant son visage contre la vitre où une image spectrale apparaît.

Elle crie : « Zozie, es-tu bientôt prête ? »

De Zozie, j'entends une réponse étouffée. Elle est là-haut depuis deux heures maintenant.

« Je peux monter, dis ?

– Non, pas encore, je t'ai dit que c'était une surprise ! »

Il y a quelque chose de la folie d'une illuminée chez Anouk, ce soir, dans cette effervescence faite d'un tiers de joie et de deux tiers d'exaltation. Un instant, elle paraît ne pas avoir plus de neuf ans ; l'instant d'après, elle est presque adulte, troublante de charme sous sa cape rouge avec ses cheveux qui auréolent son visage de nuages d'orage.

«Mais calme-toi un peu. Tu vas être épuisée!»

Soudain, elle me serre dans ses bras avec impétuosité comme lorsqu'elle était petite. Mais, avant que j'aie eu le temps de répondre à son étreinte, elle est déjà partie, allant sans cesse de plat en plat, de verre en verre, comme un papillon, réarrangeant ici les serviettes avec leur lien de ficelle rouge et les coussins multicolores sur les chaises, là un grand saladier de cristal de Bohême trouvé dans un dépôt-vente, et maintenant plein à ras bord d'un liquide rouge grenat additionné de cannelle, de muscade, de citron, d'une larme de cognac et d'une grosse orange garnie de clous de girofle qui baigne au fond du punch d'hiver tout cramoisi.

Rosette, elle, contrairement à son habitude, est calme. Emmitouflée dans son costume de singe, elle ouvre de grands yeux sur tout ce qui l'entoure mais semble surtout fascinée par la maison-calendrier, avec sa crèche à elle, que la neige qui tombe entoure d'un halo de lumière, et par une troupe de singes, à côté, au lieu du bœuf et de l'âne traditionnels. (Il faut dire que, pour Rosette, le singe est l'un des animaux de Noël.)

«Tu crois qu'il viendra?»

C'est de Roux qu'elle parle, bien sûr. Elle m'a maintenant tant de fois posé la question que l'idée de sa déception s'il ne vient pas me remplit de chagrin. Mais pourquoi viendrait-il après tout? Pourquoi même croire qu'il soit toujours à Paris? Anouk en semble si sûre pourtant. Je me demande si ce ne serait pas parce qu'elle l'a vu. Cette idée seule m'enivre, comme si la façon de penser d'Anouk était contagieuse, comme si la neige, le soir de Noël, pouvait être autre chose qu'un simple accident météorologique, une chose magique, capable, d'une rafale, d'effacer le passé.

«Mais toi, n'as-tu pas envie qu'il vienne?»

Je pense alors à son visage, à son odeur de patchouli et d'huile de moteur, à la façon dont il penche la tête lorsqu'il travaille à quelque chose, au tatouage de rat qu'il porte, à son lent sourire. Voilà si longtemps que je désire sa présence. J'ai si longtemps lutté contre sa méfiance, son mépris des conventions, son entêtement à refuser de s'y conformer...

Et je réfléchis à toutes ces années pendant lesquelles nous avons fui de Lansquenet aux Laveuses puis à Paris, boulevard de la Chapelle, avec son enseigne au néon et sa mosquée toute proche, puis place des Faux-Monnayeurs, à la chocolaterie, essayant toujours et partout de nous intégrer, de changer, de nous noyer dans la foule des gens normaux.

Alors, je me pose une question. Au cours de tous ces voyages, dans toutes ces chambres d'hôtel, ces pensions de famille, ces villes et ces villages, pendant toutes ces années de peur et de désir...

Qui ai-je vraiment fui ? l'Homme noir ? les Bonnes Dames charitables ? ma mère ? ou moi-même ?

« Oui, Nanou, j'ai vraiment envie qu'il vienne ! » Quel soulagement de le dire, de l'admettre enfin, à l'encontre de tout argument logique ! Après avoir essayé, sans réussir, de trouver avec Thierry, sinon l'amour, au moins un certain contentement, quel soulagement de pouvoir m'avouer qu'il est inutile de raisonner certains sentiments, que l'amour n'est pas une question de choix, qu'il nous est parfois impossible de nous protéger du vent !

Bien sûr, il n'a jamais cru que j'étais capable de m'établir ici. Il a toujours dit que je me nourrissais d'illusions. Avec sa tranquille arrogance, il savait qu'un jour j'accepterais la défaite. Oui, j'ai envie qu'il vienne. Pourtant je ne m'enfuirais pas pour autant, même si Zozie faisait s'écrouler le ciel sur ma tête. Cette fois, j'y suis, j'y reste. Nous ne céderons pas. Quelles que puissent en être les conséquences.

« Y'a quelqu'un ! » J'entends le carillon de l'entrée mais l'énormité de la silhouette à la porte, avec sa perruque bouclée, me dit que ce ne peut pas être Roux.

« Messieurs et mesdames, attention ! Un poids lourd arrive ! »

Elle jette un cri : « Nico ! » Et elle se précipite vers lui. Pourpoint orné de brandebourgs, bottes montantes, des bijoux à en rendre jaloux un roi, bras chargés de cadeaux qu'il dépose sous le sapin de Noël. La pièce n'est pas bien grande mais il semble la remplir de sa bonne humeur de géant.

« Et tu es censé être qui ?

– Mais Henri IV, bien sûr ! » déclare Nico d'un geste théâtral. « Le champion de la cuisine française, hé ! » Il s'arrête un instant et dresse la narine. « Y'a quelque chose qui sent bon – oui, drôlement bon – ici. Qu'est-ce que c'est ? Dis-moi, Anouk !

– Oh ! Nous avons des tas de choses ! »

Derrière lui, Alice est arrivée en costume de fée avec tutu et petites ailes toutes scintillantes. D'accord, les fées ordinaires ne portent pas souvent de brodequins de cette taille-là ! Son visage est encore bien maigre mais moins angulaire. Animé, il déborde de joie maintenant. Elle est plus jolie, moins fragile.

Nico demande : « Et où est notre Dame aux chaussures ?

– En train de se préparer! dit Anouk en tirant la main de Nico pour le faire s'asseoir à sa place à la table. Viens boire un verre! Il y a de tout!» Et elle plonge une louche dans le bol à punch. «Mais ne te remplis pas le ventre de macarons. Il y a assez de nourriture, ici, pour une armée entière!»

C'est Mme Luzeron qui arrive ensuite. Elle est bien trop grande dame pour venir en costume mais son twin-set bleu ciel lui donne un air de fête. Elle aussi dépose ses cadeaux sous le sapin. Elle accepte un verre de punch des mains d'Anouk et sourit à Rosette qui joue par terre avec le chien de bois à roulettes.

Le carillon de la porte sonne et c'est Laurent Pinson, rasé de frais et les souliers bien cirés, puis Richard et Mathurin, Jean-Louis et Paupaul. Jean-Louis porte un petit gilet du jaune le plus jaune que j'aie jamais vu. Puis, c'est Mme Pinot en habit de religieuse et enfin cette dame à l'air inquiet qui a donné la poupée à Rosette (c'est Zozie, je crois, qui l'a invitée), et soudain c'est une avalanche d'invités, de boissons et de canapés, de rires et de friandises. Je les contemple, tout en gardant l'œil sur la cuisine, pendant qu'Anouk me remplace comme hôtesse, qu'Alice grignote un mendiant, que Laurent Pinson prend une poignée d'amandes (qu'il met ensuite dans sa poche pour plus tard) et que Nico appelle Zozie à grands cris.

Je me demande bien quand elle va faire son entrée.

Mais *tac! tac! tac! tac!* J'entends un claquement de chaussures. Elle descend l'escalier.

«Désolée du retard», dit-elle et elle sourit. Le bruit décroît. C'est le silence lorsqu'elle entre toute fraîche et rayonnante avec sa robe rouge. Nous voyons alors tous que ses cheveux sont coupés à mi-longueur, exactement comme les miens, qu'elle les a ramenés derrière ses oreilles, comme je le fais, qu'elle a ma frange raide et cette petite touffe de cheveux qui rebiquent là, en arrière, et que rien ne semble pouvoir dompter.

La dame serre Zozie dans ses bras. Je me dis qu'il faut absolument que je découvre comment elle s'appelle. Pour l'instant, cependant, je ne peux pas détacher les yeux de Zozie qui avance au milieu de la pièce parmi les rires et les applaudissements des invités.

Anouk lui demande: «Et tu es déguisée en quoi?»

Mais c'est à moi que s'adresse la réponse de Zozie, accompagnée de ce sourire plein de sous-entendus dont j'ai seule conscience.

«Eh bien, Yanne, n'est-ce pas amusant? Vous voyez, c'est en *vous* que je me suis déguisée!»

7

Le Jaguar

Lundi 24 décembre
Veille de Noël – 20 heures 30

V ous le savez, n'est-ce pas? Il y a des gens qui ne sont jamais
        contents. Mais ça valait le coup. Rien que pour voir sa figure,
        cette pâleur soudaine, cette expression blessée, cet air accablé,
le tremblement dont son corps est agité alors qu'elle *se* voit descendre
l'escalier.

Je dois admettre que c'est une réussite. La robe, les cheveux, les
bijoux, tout, sauf les chaussures, copié avec une précision dans le
détail à faire frémir, et couronné de ce vague sourire qui est le sien.

«Hé, on vous prendrait pour des jumelles!» s'exclame d'un ton
de joie puérile le Gros Nico en reprenant des macarons. Laurent est
soudain pris de petits tics nerveux comme si on l'avait surpris en train
de se laisser aller à quelques fantasmes secrets. Bien sûr, il est possible
de nous distinguer l'une de l'autre – si on peut faire beaucoup avec des
sortilèges, la perfection dans la ressemblance est un truc de conte de
fées! – mais c'est étrange, quand même, la facilité avec laquelle j'ai pu
me glisser dans sa peau.

L'ironie de la situation n'a pas échappé à Anouk dont l'excitation
a maintenant presque atteint la démence. Elle entre et sort continuellement du magasin – pour voir la neige, dit-elle. Elle et moi savons
pertinemment bien que c'est Roux qu'elle attend. Les éclairs irides-
cents qui sillonnent ses couleurs sont dus non à la joie, je pense, mais
à une onde magnétique dont l'énergie est si puissante qu'à moins

d'être utilisée immédiatement, elle risque de la faire flamber comme une lanterne de papier.

Roux n'est pas arrivé. Pas encore, du moins. Et le moment est venu pour Vianne de servir le dîner.

Elle commence, un peu à contrecœur. Mais il est encore tôt et il peut toujours venir. Il y a une place pour lui au bout de la table. Si quelqu'un pose des questions, elle dira que c'est la place que l'on réservait autrefois pour honorer le souvenir des parents disparus – cette vieille tradition qui rappelle le Día de los Muertos ne pourrait pas être mieux choisie.

Le repas commence par une soupe à l'oignon avec son odorant parfum de feuilles mortes, servie avec des croûtons, du gruyère râpé et une pincée de paprika. Vianne sert tout le monde sans me quitter des yeux, s'attendant peut-être à ce que je fasse tomber du ciel je ne sais quel plat si merveilleux qu'il jetterait une ombre sur ses efforts à elle.

Mais, non! Je mange, je bavarde, je fais des sourires, je complimente la cuisinière. Et le bruit des assiettes résonne dans sa tête, elle se sent un peu étourdie, pas tout à fait elle-même. Le *pulque* est un philtre bien mystérieux, et le punch en a été généreusement corsé. Par les bons soins de Votre Servante, bien sûr, en l'honneur d'une si heureuse occasion! Elle en sert de nouveau justement, pour se consoler peut-être. Son odeur de clous de girofle lui fait imaginer qu'on l'a enterrée vivante. Les piments rouges en font un breuvage de feu. Et elle se demande: *Cela finira-t-il jamais?*

Le deuxième plat est un foie gras exquis, servi sur une fine tranche de pain grillé, avec des figues et de la gelée de coings. Le petit bruit sec du pain qui craque sous la dent donne à cette façon de le servir son charme particulier, comme le bruit sec d'un chocolat trempé à la perfection. Alors, le foie gras fond lentement dans la bouche, comme une truffe molle à la praline, avec un verre de sauternes servi très frais. Anouk le refuse, mais Rosette en boit quelques gorgées dans un verre minuscule pas plus grand qu'un dé à coudre, et, avec un de ses rares et larges sourires, d'un signe impatient, elle indique: *Encore! encore!*

Le troisième plat est un saumon tout entier, cuit en papillote et servi avec une béarnaise. Alice proteste que son estomac est déjà presque plein mais Nico partage avec elle son assiette et lui en donne de petites becquées en riant de son appétit d'oiseau.

Puis c'est la pièce de résistance, l'oie, rôtie pendant des heures au four chaud de façon à ce que la graisse en fondant rende la peau croustillante et presque caramélisée et que la chair en soit si tendre qu'elle se détache de l'os avec la facilité d'un bas de soie glissant d'une jambe de femme. Tout autour, des marrons et des pommes de terre croquantes ont été rôtis dans cette graisse dorée.

Nico laisse échapper une petite exclamation, moitié rire, moitié désir, et dit en attaquant la cuisse d'oie avec délice : « Dites-moi que je viens de mourir et que je suis monté au Paradis de la Gourmandise ! Vous savez que je n'ai rien goûté d'aussi bon depuis que Maman est morte ? Mes compliments à la cuisinière ! Si je n'étais pas déjà amoureux fou de mon petit insecte tout maigre ici, je serais prêt à vous épouser ! » Il agite sa fourchette avec un si joyeux panache que, dans son enthousiasme, il en éborgne presque Mme Luzeron qui détourne juste à temps le visage.

Vianne sourit. Le punch doit faire son effet. Elle est toute rouge de son succès. Elle se lève et dit : « Je suis si heureuse de vous voir tous réunis ici, ce soir, et de pouvoir vous remercier de l'aide précieuse que vous nous avez apportée… »

Je me dis que, là, elle exagère un peu. Après tout, qu'ont-ils fait exactement, je me le demande ?

Elle continue : « De votre soutien et votre clientèle fidèle, de votre amitié aussi à un moment où nous en avions bien besoin. » Elle sourit de nouveau, peut-être vaguement consciente des philtres étranges qui courent maintenant dans ses veines et la rendent soudain bavarde, soudain imprudente et téméraire, comme cette Vianne, bien plus jeune, qu'elle était à cette époque lointaine et à demi oubliée.

« Quand j'étais enfant, ma vie manquait terriblement de stabilité. Je n'ai jamais pu établir de racines, c'est ce que je veux dire. Partout, je me suis sentie l'étrangère mais je vis ici maintenant depuis quatre ans et c'est à des gens comme vous que je le dois. »

Je bâille ! C'est le moment des discours !

Je me verse un verre de punch et je réussis à attirer le regard de ma petite Anouk. Elle semble un peu agitée. À cause de l'absence de Jean-Loup, peut-être ? Le pauvre, il doit être très malade. On pense que c'est dû à quelque chose qu'il a mangé. C'est que, pour lui, avec ses problèmes de cœur, le moindre malaise peut être dangereux. Un rhume, un refroidissement, un sortilège même…

Se pourrait-il qu'elle se sente coupable de quelque chose ?

Anouk, s'il te plaît, n'y pense même pas ! Comment pourrais-tu en être responsable ? Comme si tu n'étais pas déjà trop consciente de tout ce qui ne va pas ? Mais je vois tes couleurs, ma chérie, et la façon dont tu contemples la petite scène que j'ai préparée, le cercle magique de cette famille de trois, sous les étoiles artificielles.

D'ailleurs, un des personnages manque encore. Il est en retard, je m'y attendais, mais il approche rapidement maintenant, il se faufile le long des petites rues de la Butte, rusé et furtif comme un renard qui s'approche d'un poulailler. Sa place l'attend toujours ici, au bout de la table, où assiettes et verres n'ont pas été touchés.

Vianne se dit qu'elle s'est peut-être totalement trompée. Anouk elle-même commence à se demander si elle a bâti tous ces projets et s'est livrée à ces invocations pour rien, si la neige, elle-même, est incapable de rien changer et si, ici, pour elle il ne reste plus rien.

Mais il y a encore le temps, comme le repas touche à sa fin, pour des vins rouges du Gers avec de petits fromages de chèvre roulés dans la cendre de bois, pour des fromages non pasteurisés, ces fromages de montagne longuement affinés, servis avec un vieux buzet, de la gelée de coings, des noix, des amandes fraîches et du miel.

Et maintenant, Vianne apporte les treize desserts de Noël et la bûche, grosse comme le bras d'un Hercule de foire et protégée par une épaisse armure de chocolat. Alors, tous ceux qui pensaient, peut-être, ne plus avoir d'appétit – même Alice – découvrent soudain qu'ils ont, après tout, encore un tout petit peu de place pour en accepter une tranche (ou deux, ou trois, dans le cas de Nico). Le punch est enfin terminé. Vianne ouvre une bouteille de champagne et nous portons un toast.

Aux absents !

8

La Lune montante

Lundi 24 décembre
Veille de Noël – 22 heures 30

Rosette commence à avoir sommeil maintenant. Elle a été si sage pendant tout le repas. Elle a mangé assez proprement avec ses doigts, sans trop baver, elle a beaucoup bavardé – enfin, avec les mains – avec Alice, assise à côté de sa petite chaise d'enfant.

Elle aime beaucoup les ailes de fée d'Alice. Ça tombe bien car Alice en a apporté pour elle, enveloppées dans un papier qu'elle a déposé sous l'arbre de Noël. Rosette est trop petite pour veiller jusqu'à minuit – elle devrait vraiment être déjà au lit – alors, nous avons décidé que cela ne faisait rien si elle ouvrait ses cadeaux tout de suite. Elle s'est arrêtée au premier, à ses ailes de fée, violettes et argent, et plutôt cool – j'espère d'ailleurs qu'Alice en a aussi apporté pour moi, ce qui est tout à fait possible vu la forme du paquet. Et Rosette s'est transformée en un singe volant (elle trouve ça très rigolo). Elle se promène partout à quatre pattes avec ses ailes violettes et son costume de singe et, un biscuit à la main, elle rit de Nico par-dessous la table.

Il se fait tard maintenant et je me sens fatiguée. Où donc est passé Roux ? Pourquoi n'est-il pas arrivé ? Je ne peux penser à rien d'autre. Ni à la nourriture ni même aux cadeaux. Je suis trop excitée. Mon cœur est comme un jouet que l'on aurait remonté et qui tournerait inlassablement en rond sans qu'on puisse l'arrêter. Je ferme les yeux un instant. Une odeur de café s'élève maintenant, mêlée à celle du chocolat chaud que boit Maman. J'entends le bruit des assiettes pendant que l'on débarrasse la table.

Je me dis : *Il va venir. Il doit venir.*

Mais il est si tard déjà, et il n'est pas là. Ai-je vraiment fait tout comme il le fallait ? Les bougies ? Le sucre ? Le cercle ? Le sang ? L'or et l'encens ? La neige ?

Alors pourquoi n'est-il pas déjà là ?

Je ne vais quand même pas me mettre à pleurer. Le soir du Réveillon ! Les choses n'étaient pas censées se passer comme ça. Est-ce de cela que parlait Zozie quand elle m'a rappelé qu'il fallait bien payer un jour ? Se débarrasser de Thierry, mais à quel prix ?

À ce moment, j'entends le carillon et j'ouvre les yeux. Quelqu'un est à la porte. Un instant, je le vois très clairement, vêtu de noir avec ses cheveux roux flottant sur ses épaules.

Mais je regarde de nouveau. Ce n'est pas Roux. C'est Jean-Loup, à la porte, et je devine que cette femme à cheveux roux qui l'accompagne doit être sa mère. Elle a l'air revêche et gênée. Jean-Loup semble aller mieux, lui. Un peu pâle, peut-être, mais il paraît toujours pâle.

D'un bond, je me dresse. « Tu es venu quand même. Chic ! Tu te sens bien ? »

Il répond avec un sourire : « Je ne me suis jamais senti mieux. Cela m'aurait vraiment fait mal au cœur de louper ta petite fête, après tout le mal que tu t'es donné ! »

La mère de Jean-Loup essaie de sourire : « Je ne veux pas vous déranger mais Jean-Loup a insisté ! »

Je lui ai dit : « Vous êtes la bienvenue, madame ! »

Pendant que Maman et moi nous nous précipitons dans la cuisine pour en sortir deux autres chaises, Jean-Loup met la main dans sa poche et en retire quelque chose. On dirait un cadeau enveloppé de papier doré. C'est tout petit, de la taille d'une praline.

Il le remet à Zozie en disant : « Je crois que ce ne sont pas mes préférées après tout. »

Comme elle me tourne le dos, je n'aperçois pas son visage, ni ce que contient le petit paquet. Il doit avoir fini par accorder à Zozie les bénéfices du doute. J'en suis si soulagée que j'en pleurerais presque. Maintenant les choses se déroulent comme il faut. Il n'y a plus qu'à attendre l'arrivée de Roux et la décision de Zozie de ne pas partir.

Mais Zozie se retourne et j'aperçois son visage. Pendant une seconde, ce n'est pas du tout le sien. Je me dis qu'un effet de la lumière en est la cause. Elle paraît en colère. Non, pas simplement en colère mais vraiment furieuse. Ses yeux s'amincissent pour n'être plus que d'étroites fentes, elle montre les dents, sa main serre si fort le paquet à moitié ouvert que le chocolat en coule, épais comme du sang.

Comme je l'ai dit, il se fait tard. Mes yeux doivent me jouer des tours parce que, l'instant d'après, elle est redevenue elle-même, toute souriante, ravissante avec sa robe rouge et ses souliers de velours cerise. Je m'apprête à demander à Jean-Loup ce que contient le petit paquet quand j'entends encore une fois le carillon de la porte et qu'une haute silhouette apparaît, toute vêtue de rouge et de blanc avec une capuche bordée de fourrure et une grosse barbe.

Je hurle « Roux ! » et je me précipite vers lui.

Roux retire sa fausse barbe et sourit.

Rosette est presque à ses pieds. Il la soulève dans ses bras et la fait tournoyer en l'air. « Un singe ! Mon animal favori, dit-il. Et encore mieux, c'est un singe qui vole ! »

Je le serre dans mes bras et je dis : « Je croyais que tu n'allais pas venir !

– Eh bien, je suis là ! »

Le silence se fait. Il est debout, là, avec Rosette qui s'accroche à son bras. La pièce est pleine de gens qui pourraient tout aussi bien ne pas être là ! Bien qu'il paraisse être tout à fait à l'aise, à la façon dont il regarde Maman, je vois que…

Je l'observe, elle, dans le Miroir fumant. Elle joue bien celle qui garde tout son calme mais ses couleurs flamboient. Elle fait un pas en avant.

« Nous t'avons gardé une place ! »

Il la regarde. « Tu es bien sûre ? »

Elle répond oui d'un signe de tête.

Et tout le monde l'observe maintenant. Pendant un instant, je me dis qu'il va, peut-être, dire quelque chose, car Roux déteste être un objet de curiosité. En vérité, il n'est jamais à son aise parmi les gens.

Mais elle fait un autre pas en avant et lui dépose un léger baiser sur la bouche. Elle prend Rosette qu'elle pose par terre puis ouvre les bras.

Inutile de l'observer dans le Miroir fumant maintenant pour savoir. Personne ne pourrait se méprendre sur cet élan de leurs deux corps qui s'emboîtent comme les morceaux d'un puzzle, ni sur cette lumière qui éclaire son regard lorsqu'elle le prend par la main et se retourne vers les autres avec un sourire…

Je l'encourage mentalement. *Allez, vas-y ! Dis-leur ! Dis-le, dis-le maintenant !*

Un instant, elle me jette un coup d'œil. Je sais qu'elle m'a entendue. Elle parcourt du regard le cercle d'amis groupés autour d'elle et la mère de Jean-Loup qui reste là, comme un citron que l'on a sucé, et je comprends son hésitation. Devant tous ces gens qui l'observent, je sais ce qu'elle pense. Elle s'attend à ce *Regard*, celui dont nous avons été tant de fois l'objet, celui qui dit :

Vous, vous n'êtes pas d'ici. Vous ne faites pas partie de notre communauté. Vous n'êtes pas comme nous...

Mais, autour de la table, personne ne dit mot. Tous la regardent en silence avec ce visage rose de gens qui ont l'estomac agréablement plein – sauf Jean-Loup, et sa mère, bien sûr, qui nous dévisage de l'air de celle qui s'aperçoit qu'elle est entrée dans un repaire de loups. Le Gros Nico et Alice avec ses ailes de fée qui se tiennent par la main. Mme Luzeron, à l'élégance un peu incongrue, avec son twin-set et ses perles. Mme Pinot dans son habit de religieuse et qui a rajeuni de vingt ans avec ses cheveux défaits. Et Laurent, avec cette lueur dans les yeux. Richard et Mathurin. Jean-Louis et Paupaul qui partagent une cigarette. Mais pas un, pas un seul, n'a ce *Regard*.

Alors, c'est son visage à elle qui change et s'adoucit un peu. Comme si un poids lui avait été ôté du cœur. Pour la première fois depuis la naissance de Rosette, elle ressemble vraiment à Vianne Rocher, cette Vianne qui, un jour, est arrivée à Lansquenet, poussée par une rafale, et qui se moquait bien de ce que les gens pouvaient raconter.

Zozie lui adresse un petit sourire.

Jean-Loup saisit la main de sa mère pour la forcer à s'asseoir.

La bouche de Laurent s'ouvre d'un cran.

Mme Pinot devient rose comme une fraise.

Et Maman dit : « Mesdames et messieurs, j'aimerais vous présenter quelqu'un. Voici Roux, le papa de Rosette. »

Le Soleil noir

Lundi 24 décembre
Veille de Noël – 22 heures 40

Un soupir s'échappe de toutes les bouches. Cela aurait pu être de la désapprobation, si les circonstances avaient été autres, mais, ici, après toute cette bonne chère, dans l'attendrissement de la saison des vœux et l'enchantement causé par cette neige inhabituelle, ce soupir-là ressemble plus à un «Ahh!» d'admiration après un feu d'artifice particulièrement réussi.

Roux paraît d'abord intimidé puis, avec un sourire, il accepte la coupe de champagne que Mme Luzeron lui tend, et porte un toast à toute l'assemblée.

Il m'a suivie dans la cuisine pendant que reprenaient les conversations. Rosette, toujours à quatre pattes, dans son costume de singe, est entrée avec lui. Je me souviens maintenant de la fascination qu'elle avait montrée pour lui, le premier jour où il avait franchi la porte du magasin, un peu comme si elle l'avait reconnu.

Roux s'est penché pour lui caresser les cheveux. Leur ressemblance est douce et poignante, comme un souvenir du temps perdu. Il a raté tant de moments importants : la première fois où Rosette a été capable de soutenir sa tête, son premier sourire, ses dessins d'animaux, la danse de la cuiller (qui avait tant fâché Thierry!). À l'expression de son visage, je sais déjà pourtant qu'il ne lui fera jamais le reproche d'être différente, il ne se sentira jamais gêné par sa présence, ne la comparera jamais à quelqu'un d'autre et ne lui demandera jamais d'être ce qu'elle n'est pas.

« Pourquoi ne me l'as-tu jamais dit ? »

J'ai hésité. Laquelle des vraies raisons devrais-je lui donner ? Que j'étais trop effrayée, trop fière, trop entêtée pour changer ? Que, comme Thierry, j'étais énamourée d'un bonheur tout doré qui, une fois à portée de moi, s'était révélé non pas de l'or mais de simples fétus de paille ?

« Je voulais établir pour nous de vraies racines ! Je voulais que nous devenions *comme les autres* !

– Comme les autres ? »

Alors, je lui ai raconté le reste, je lui ai décrit notre fuite de ville en ville, la fausse alliance que j'avais achetée, le faux nom que j'avais pris, la fin de toute magie, Thierry aussi, et mes efforts pour faire en sorte que nous fussions acceptées, quel qu'en fût le prix, mon ombre ou mon âme même !

Roux, pendant un moment, est resté silencieux, puis un léger rire est monté de sa gorge. « Tout ça pour une chocolaterie ? »

J'ai secoué la tête : « Non, plus maintenant ! »

Il disait toujours que j'en faisais trop. Que je donnais trop d'importance aux choses. Maintenant, je me rends compte que je ne m'attachais pas assez à celles qui étaient vraiment importantes pour moi. Après tout, une chocolaterie n'est que sable et verre, ciment et pierre. Une chocolaterie n'a pas de cœur, pas de vie à elle, à part celle qu'elle nous prend. Et lorsque nous avons donné ça…

Roux a pris Rosette dans ses bras. Elle ne s'est pas tortillée pour lui échapper, comme elle le fait d'habitude avec un inconnu. Elle a silencieusement ouvert la bouche de plaisir et, des deux mains, elle a fait un signe.

« Que dit-elle ? »

J'ai répondu en riant : « Que tu ressembles à un singe. Et ça, de la part de Rosette, c'est un compliment ! »

Il a souri en entendant cela et nous a, toutes deux, entourées de ses bras. Un moment, nous sommes restés enlacés, avec Rosette qui s'accrochait à son bras, le doux bruit des rires dans la pièce voisine et cette odeur de chocolat dont l'air était rempli.

Mais un autre silence se fait, on entend le carillon de la porte qui s'ouvre brusquement en grand et j'aperçois une autre silhouette, toute rouge, avec une capuche mais, cette fois, plus grande, plus carrée. Elle m'est si familière, sous sa fausse barbe, que je n'ai nul besoin de voir le cigare qu'il tient dans sa main…

Thierry entre, au milieu du silence. Il titube un peu. On voit qu'il a bu.

Il fixe Roux d'un regard mauvais et jette : « Qui est-elle ?

– Qui ? »

En trois enjambées, Thierry traverse la pièce, cogne en passant les branches du sapin et fait tomber les cadeaux qui s'éparpillent sur le plancher. Il pousse sa fausse barbe blanche sous le visage de Roux.

« Tu le sais très bien ! Ta complice ! Celle qui t'a aidé à encaisser mon chèque ! Celle que les caméras de surveillance de la banque ont filmée et qui, d'après ce qu'ils disent, a roulé plus d'un pauvre couillon, cette année, à Paris ! »

Roux dit : « Je n'ai pas de complice. Je n'ai pas encaissé votre maudit... »

J'aperçois maintenant quelque chose sur son visage, un début de compréhension du moins, mais il est trop tard.

Thierry le saisit par le bras. Ils sont si proches l'un de l'autre, comme des reflets dans un miroir déformant. Thierry, l'œil furieux. Roux, très pâle.

« La police connaît toute son histoire mais ils n'ont jamais été si près de la coincer. C'est qu'elle change toujours de nom, tu vois ? Elle opère toute seule d'habitude. Cette fois, elle a fait la grossière erreur de s'acoquiner avec une lopette de ton genre. Alors, hein, qui est-elle ? » Il est en train de hurler maintenant et son visage est cramoisi, comme celui du vrai Père Noël. Il décoche à Roux un regard d'ivrogne furieux.

« Mais, bon Dieu, dis-le donc, qui est Vianne Rocher ? »

Le Jaguar

Lundi 24 décembre
Veille de Noël – 22 heures 55

Ça alors, n'est-ce pas la question du gros lot?

Thierry est éméché. Ça se voit au premier coup d'œil. Il pue la bière et le cigare dont la fumée imprègne son costume de Père Noël et cette barbe de coton ridicule. Dessous, ses couleurs sont menaçantes et sombres mais je vois bien qu'il n'est pas en forme.

En face de lui, Vianne, pâle comme une statue de glace, la bouche à demi ouverte, les yeux pleins d'éclairs, secoue la tête en signe de vaine dénégation. Elle sait que Roux ne la trahira pas. Anouk est incapable de dire un mot, deux fois blessée, une première fois par la gentille petite scène de famille qu'elle a surprise derrière la porte de la cuisine, une seconde fois par l'arrivée brutale de cet intrus au moment où, justement, tout semblait enfin si parfait.

«Vianne Rocher? dit-elle d'une voix blanche.

– C'est ça! dit Thierry. Aussi connue sous le nom de Françoise Lavery, de Mercédès Desmoines, d'Emma Windsor, sans parler de tous les autres…»

Derrière Vianne, je vois Anouk reculer un peu. Un des noms ne lui est pas inconnu. Cela a-t-il de l'importance? Je ne le crois pas. Je suis d'ailleurs sûre d'avoir gagné la partie.

Thierry toise Vianne du regard. «Il t'appelle Vianne!» C'est de Roux qu'il parle, bien sûr.

Elle secoue la tête sans rien répondre.

« Tu me dis que tu n'as jamais entendu ce nom-là ? »

Une deuxième fois, elle secoue la tête et *Oh !*

Oh ! Son expression quand elle aperçoit le piège, quand elle se rend compte de la facilité avec laquelle elle s'est laissé prendre, quand elle comprend que son seul espoir est de se renier une troisième fois...

Derrière eux, personne ne prête attention à la dame qui est restée assez silencieuse pendant tout le repas, n'adressant la parole qu'à Anouk. Maintenant, elle observe Thierry avec une expression d'horreur pure et simple. Oh, je l'ai bien préparée ! Avec de petites allusions, un charme subtil et de la bonne vieille magie, je l'ai amenée à cette révélation. Elle n'a plus besoin que d'un nom et la *piñata* éclatera comme une châtaigne sur le feu.

Vianne Rocher.

Voilà le nom que j'attendais. Alors, souriante, je me lève, non sans avoir le temps de prendre une rapide gorgée de ce champagne de fête avant que tous les yeux ne se tournent vers moi, pleins d'espoir ou d'effroi, adorateurs ou furieux. Et maintenant, finalement, je peux réclamer mon prix.

Avec un sourire, je lance : « Vianne Rocher. Cela doit être moi ! »

II

Le Soleil noir

Lundi 24 décembre
Veille de Noël – 23 heures

C'est certain. Elle a dû découvrir les documents cachés dans le coffret de ma mère. Après tout, ce n'est pas bien difficile d'ouvrir un compte à mon nom, de faire une demande pour un nouveau passeport ou pour un permis de conduire, tout ce dont elle a besoin pour devenir Vianne Rocher. Elle me ressemble même, maintenant. Facile aussi, pour elle, de se servir de Roux comme appât, d'utiliser mon identité de façon telle qu'à un moment, nous serions incriminés tous deux…

Je vois le piège, maintenant. Mais, comme toujours dans ce genre d'histoires, trop tard ! Je comprends enfin ce qu'elle veut. Me forcer à me dévoiler, m'expédier d'un coup de balai comme une feuille que le vent emportera, avec une nouvelle armée de Furies à mes trousses.

Mais, un nom, qu'est-ce que c'est après tout ? Je peux toujours en prendre un autre, en changer comme je l'ai fait tant de fois déjà ? Relever son défi et la forcer à partir ?

Thierry la dévisage avec étonnement. « Vous ? »

Elle hausse les épaules. « Surpris ? »

Les autres la contemplent, stupéfaits.

« Vous ? Vous avez volé cet argent ? Vous avez encaissé les chèques ? »

Derrière, Anouk semble très pâle.

Nico proteste : « Il doit y avoir erreur ! »

Mme Luzeron secoue la tête.

«Mais Zozie est notre amie, dit la petite Alice, tout empourprée à l'idée de prononcer un discours, même si court. Nous lui devons tant!»

Jean-Louis interrompt: «Moi, du premier coup d'œil, je sais reconnaître un faux et Zozie n'en est pas un, je vous l'jure!»

C'est alors Jean-Loup qui prend la parole. «C'est vrai! J'ai vu une photo d'elle dans le journal. Elle est très forte quand il s'agit de changer de visage mais je l'ai reconnue tout de même. Mes photos...»

Zozie lui décoche un sourire meurtrier. «Bien sûr que c'est vrai! Tout est vrai! J'ai adopté plus de noms que je ne pourrais en compter. J'ai vécu toute ma vie au jour le jour. Jamais je n'ai eu de maison, ni de famille, ni de commerce, ni rien de ce que Yanne a ici.»

Le sourire qu'elle m'adresse brille comme une étoile filante. Je me sens incapable de dire quoi que ce soit ou de bouger. Comme les autres, je suis captivée. La fascination qu'elle exerce est si intense que je pourrais croire qu'elle m'a droguée. Ma tête bourdonne comme une ruche. Les couleurs changeantes tournent autour de la pièce comme des lumières de manège.

Roux avance un bras pour me soutenir. Il semble seul à ne pas partager la consternation générale. J'ai très vaguement conscience du regard avec lequel Mme Rimbault, la mère de Jean-Loup, le visage pincé sous les cheveux teints, exprime sa désapprobation. Elle veut très évidemment se retirer mais, elle aussi, est hypnotisée, captivée par le récit de Zozie...

Qui sourit et continue: «On pourrait me traiter d'aventurière! Toute ma vie, j'ai vécu de mes talents au jeu, j'ai aussi volé, mendié et détourné des fonds. Je n'ai jamais rien connu d'autre. Aucun ami. Nulle part où j'aie vraiment eu envie de m'établir...»

Elle s'interrompt et je sens le sortilège dans l'atmosphère, l'encens, la poussière d'or. Elle est très capable de les retourner tous, de les entortiller d'un geste de son petit doigt.

«Ici, au contraire, je me suis découvert un foyer. J'ai trouvé des amis, des gens qui m'acceptent comme je suis. J'ai alors pensé que je pouvais me refaire une vie. Hélas, il est difficile de perdre de vieilles habitudes. Je vous demande pardon, Thierry, je vous rembourserai.»

Comme les voix commencent à s'élever, pleine d'angoisse et de détresse, hésitante, la dame silencieuse se dresse alors devant Thierry – cette dame dont j'ignore même le nom –, si pâle maintenant qu'elle a du mal à parler et dont les yeux sont des agates au milieu de ce visage dur.

« Monsieur, combien vous doit-elle ? Je suis prête à vous rembourser moi-même, y compris les intérêts. »

Il la regarde, ébahi. « Mais pourquoi ? »

La dame se redresse alors de toute sa taille – qui n'est pas bien haute. À côté de Thierry, on dirait une petite caille affrontant un grizzly.

« Je suis certaine que vous êtes parfaitement en droit de vous plaindre, dit-elle de cette voix nasale de Parisienne. Mais, moi, j'ai de bonnes raisons de croire que le sort de Vianne Rocher m'intéresse davantage qu'il ne vous intéresse, vous.

– Et comment ça ?

– Parce que je suis sa mère ! »

12

Le Jaguar

Lundi 24 décembre
Veille de Noël – 23 heures 05

M aintenant, le cocon glacé de silence qui la protégeait se déchire dans un éclat de voix brisée. Vianne n'est plus pâle. Elle est devenue cramoisie de confusion et sous l'influence du *pulque*. Elle s'avance pour faire face à la dame dans le petit demi-cercle qui s'est formé autour d'elle.

Une branche de gui pend juste au-dessus de leurs têtes. Je me sens saisie d'une impulsion soudaine et brutale, du désir de courir vers elle et de l'embrasser, là, sur la bouche. Il est si facile pour moi de manipuler cette femme – de les manipuler tous, d'ailleurs! Et j'ai maintenant le goût du succès sur les lèvres, je le sens courir dans mes veines, je l'entends comme le bruit des vagues sur une plage lointaine. Le succès a si bon goût. On dirait du chocolat.

Le signe du Jaguar a bien des pouvoirs. Celui de vous rendre totalement invisible n'existe pas, bien sûr, en dehors des contes de fées, mais l'œil et le cerveau peuvent être trompés alors que… l'œil de la caméra ou la pellicule d'un appareil photo ne peuvent l'être. Aucune difficulté pour moi de me retirer sans bruit – même si ce n'est pas tout à fait sans être remarquée – pour prendre la valise que j'ai si soigneusement préparée pendant que leur attention se porte sur la dame.

Comme je m'y attendais, Anouk m'a suivie. «Pourquoi tu as dit ça? Pourquoi dire que tu étais Vianne Rocher?»

J'ai haussé les épaules. «Et qu'avais-je à y perdre? Je peux changer de nom comme de chemise, Anouk ! Je ne m'éternise nulle part bien longtemps. Voilà la différence entre nous. Jamais je ne pourrais me contenter de cette vie-là, moi, de devenir respectable ! Je me fiche complètement de ce qu'ils pensent tous – mais ta mère, par contre, elle, a tout à perdre. Roux et Rosette, et la chocolaterie, bien sûr !

– Mais, et la dame ? »

Alors, je lui ai donné les détails de cette triste histoire, de l'enfant très jeune sur le siège de la voiture et du petit chat porte-bonheur. Vianne ne lui en avait jamais parlé, d'après ce que je vois. Je n'en suis pas vraiment surprise.

« Mais si elle savait qui elle était vraiment, ne pouvait-elle pas partir à la recherche de sa vraie mère ?

– Elle avait peut-être peur. Elle se sentait peut-être plus proche de sa mère adoptive. On choisit sa famille, Nanou. Elle disait toujours ça, n'est-ce pas ! Et peut-être… » J'ai alors feint d'hésiter.

« Peut-être quoi ? »

J'ai souri : « Peut-être que les gens comme nous sont vraiment différents, que nous devons nous soutenir les uns les autres, Nanou ? Nous devons choisir notre famille. Après tout… » J'ai ajouté avec un sourire rusé : « Si elle est capable de mentir à propos de quelque chose comme ça, peux-tu être sûre de ne pas être, toi aussi, une enfant volée ? »

Je l'ai laissée réfléchir à cela un moment. Dans l'autre pièce, la dame parle toujours. Sa voix s'élève et s'adoucit au rythme de celle d'une conteuse née. C'est quelque chose qu'elles ont en commun, elle et sa fille. Mais ce n'est plus le moment de perdre du temps. J'ai ma valise, mon manteau, mes papiers. J'emporte peu de chose, comme d'habitude. De ma poche, je sors le cadeau d'Anouk, un tout petit paquet, dans un papier rouge.

« Zozie, je ne veux pas que tu t'en ailles !

– Mais, Nanou, je n'ai pas vraiment le choix ! »

Le cadeau brille dans les plis de son papier de soie. C'est un bracelet, un mince bracelet d'argent tout neuf et luisant. Le petit porte-bonheur, lui, par contre, est terni par l'âge – un minuscule petit chat noir.

Elle comprend ce que cela veut dire. Un sanglot lui échappe.

« Zozie, non !…

– Je suis désolée, Anouk. »

Je traverse rapidement la cuisine déserte où sont empilés les assiettes, les verres et les restes du repas de fête. Une grande casserole pleine de chocolat chauffe sur la cuisinière. La vapeur qui s'en échappe est le seul signe de vie.

Elle implore. *Laisse-toi tenter. Savoure-moi.*

Un bien petit sortilège celui-là, une magie de tous les jours. Anouk y résiste depuis quatre ans. Mais mieux vaut être prudente. J'éteins le gaz sous la casserole en me dirigeant vers la porte de derrière.

D'une main, je tiens ma valise. De l'autre, je dessine en l'air le signe de Mictecacihuatl, une poignée de toiles d'araignée. La Mort et un cadeau. L'essence même de la séduction. Bien plus puissant que le chocolat.

Et maintenant, je me retourne vers elle. Bientôt l'obscurité du dehors va m'engloutir tout entière. Le vent de la nuit flirte avec ma robe rouge. Mes chaussures cerise mettent sur la neige deux taches de sang.

Je dis : « Nanou, chacune de nous a la possibilité de faire un choix. Yanne ou Vianne. Anouk ou Annie. L'Inconstant ou Hurakan. Il n'est pas toujours facile de vivre comme nous. Si c'est une vie facile que tu désires, tu ferais mieux de rester ici, mais si ton rêve est de chevaucher ce vent, alors… »

Un instant, elle semble hésiter, mais je sais déjà que j'ai gagné. J'ai gagné à partir du moment où j'ai pris ton nom, Vianne, et où, avec lui, j'ai répondu à l'appel de l'Inconstant. Vous comprenez, je n'ai jamais désiré m'établir ici. Je n'ai jamais voulu posséder votre chocolaterie. Je n'ai jamais envié la moindre miette de cette malheureuse petite vie que vous vous êtes créée.

Mais Anouk, avec tous ses dons, n'a pas de prix, elle. Si jeune et pourtant si pleine de talents, et si facile à manipuler surtout ! Demain, nous pourrons être à New York, toutes les deux, Nanou, ou à Londres, à Moscou, à Venise, ou même dans cette bonne vieille ville de Mexico. Là, mille conquêtes n'attendent que Vianne Rocher et sa fille, Anouk. Ne serons-nous pas *super* toutes les deux ? Ne pourrons-nous pas passer sur eux tous comme une tornade de décembre ?

Anouk me regarde, fascinée. Tout lui semble si clair maintenant qu'elle se demande pourquoi elle ne l'a pas compris plus vite. Troc pour troc. C'est juste. Une vie en échange d'une autre.

Ne suis-je pas ta mère maintenant ? C'est tellement mieux et tellement plus amusant ? Pourquoi aurais-tu besoin de Yanne Charbonneau ? Pourquoi aurais-tu besoin de qui que ce soit ?

Elle émet une protestation : « Mais Rosette alors ?

– Rosette a maintenant une famille. »

Elle y réfléchit un moment. Oui, Rosette aura une famille. Rosette n'a aucun besoin de choisir. Roux a Yanne. Rosette a Roux…

Un autre sanglot s'échappe de sa poitrine. « *S'il te plaît !*

– Allez, Nanou, viens ! C'est ce que tu désires. La magie. L'aventure. Le risque. »

Elle avance d'un pas et hésite : « Tu promets de ne jamais me mentir ?

– Je ne t'ai jamais menti. Je ne te mentirai jamais. »

Je m'interromps de nouveau. L'odeur persistante du chocolat chaud de Vianne m'attire, me susurre d'une voix agonisante et plaintive : *Laisse-toi tenter. Laisse-toi séduire. Savoure-moi.*

Est-ce vraiment tout ce que vous êtes capable de faire, Vianne ?

Mais Anouk semble encore hésiter.

Elle regarde mon bracelet, les porte-bonheur qui y sont attachés : le cercueil, les chaussures, l'épi de maïs, l'oiseau-mouche, le serpent, le crâne, le singe, la souris…

Elle fronce le sourcil comme si elle faisait un effort pour se souvenir de quelque chose qui lui échappe encore. Ses yeux se remplissent de larmes lorsqu'elle voit la casserole de cuivre refroidir sur la cuisinière.

Laisse-toi tenter ! Savoure-moi ! Un dernier parfum triste, un spectre de l'enfance perdue, flotte dans l'air.

Laisse-toi tenter ! Savoure-moi ! Un genou égratigné. Une petite paume moite où la poudre de cacao dessine la ligne de vie et la ligne de cœur.

Laisse-toi tenter ! Savoure-moi ! Le souvenir d'elles, au lit, avec un livre d'histoires, entre elles, sur la couverture. Anouk riant aux éclats de quelque chose qu'elle a dit.

Encore une fois, je dessine en l'air le signe de Mictecacihuatl, la Mort, cette vieille dame, la Dévoreuse de Cœurs qui éclatent à sa suite comme autant de feux d'artifice noirs. Il se fait tard. Le conte de la dame va bientôt tirer à sa fin. Elle va s'apercevoir alors de notre absence.

Anouk semble hébétée. Elle contemple, d'un air à moitié endormi, la cuisinière. J'en aperçois la cause dans le Miroir fumant : cette petite silhouette grise assise près de la casserole, cette petite touffe floue qui pourrait bien être des moustaches et une queue.

Je demande : « Eh bien, tu viens ou pas ? »

13

Le Soleil noir

Lundi 24 décembre
Veille de Noël – 23 heures 05

« J'habitais à deux pas de Jeanne Rocher, dans le même couloir. » Sa voix a les voyelles sèches et courtes typiques de celle qui est née à Paris. Elles scandent ses paroles à un rythme de hauts talons. « Elle était un peu plus âgée que moi. Elle gagnait sa vie en lisant les cartes et en aidant ceux qui voulaient s'arrêter de fumer. Je suis allée une fois chez elle, quelques semaines avant l'enlèvement de ma fille. Elle m'a dit alors que j'avais pensé la faire adopter. Je lui ai dit que c'était un mensonge. Pourtant, c'était vrai. »

Le visage morne, elle poursuit son histoire. « C'était un petit studio dans un immeuble à Neuilly-Plaisance. À une demi-heure du centre de Paris. J'avais une vieille 2 CV et vivais de deux boulots comme fille de salle dans les cafés du coin et des contributions charitables (mais irrégulières) du père de Sylviane. J'avais déjà compris, à cette époque-là, qu'il ne quitterait jamais sa femme. J'avais vingt et un ans. Ma vie était foutue. Ce que je devais donner à la nounou bouffait la plus grande partie de ce que je gagnais. Je ne voyais pas que faire d'autre. Mais ce n'était pas comme si je ne l'aimais pas, ma petite fille. »

Soudain, l'image du petit chat m'est revenue à l'esprit. Il y avait quelque chose de touchant dans ce porte-bonheur d'argent avec son ruban rouge, pour la chance. Zozie l'a-t-elle volé aussi ? Peut-être ! C'est cela qui lui a permis de tromper Mme Caillou dont le visage s'adoucit maintenant à l'idée de son enfant perdue.

« C'est deux semaines plus tard qu'elle a disparu. Je l'ai laissée seule deux minutes, c'est tout. Jeanne Rocher avait dû m'épier et attendre l'occasion. Quand j'ai pensé à la chercher, elle avait déjà fait ses valises et était partie. Je n'avais aucune preuve. Je me suis pourtant toujours interrogée à son propos. » Elle s'est alors tournée vers moi le visage illuminé. « Et lorsque j'ai rencontré votre amie Zozie et sa petite fille, alors j'ai su. *J'ai su !* »

J'ai regardé l'inconnue qui me faisait face. Une femme ordinaire, d'une cinquantaine d'années, qui en paraissait plus peut-être, une femme aux hanches alourdies et aux sourcils faits. J'aurais pu la rencontrer mille fois dans la rue sans penser une seconde qu'il pût y avoir la moindre parenté entre nous. Et elle se tenait là, maintenant, le visage illuminé de cet espoir terrible. Voilà où se cache le piège, je le sais. Mon nom n'est pas mon âme, je le sais aussi.

Mais je ne suis pas capable de la laisser croire… Non, je n'en suis pas capable.

Alors, avec un sourire, j'ai dit : « S'il vous plaît, madame, écoutez. Quelqu'un vous a joué un tour bien cruel. Zozie n'est pas votre fille, malgré ce qu'elle a pu vous raconter. Elle n'est pas votre fille. Quant à Vianne Rocher… »

Je me suis interrompue. Le visage de Roux était sans expression, mais sa main a trouvé la mienne et l'a serrée. Le regard de Thierry aussi s'était arrêté sur moi. À cet instant-là, j'ai su que je n'avais pas le choix. Un homme qui a perdu son ombre n'est pas vraiment un homme, je sais, mais une femme qui renie son nom…

« Je me souviens d'un éléphant rouge en peluche. D'une couverture aussi, avec des fleurs. Je crois bien qu'elle était rose. D'un nounours dont les yeux étaient de petits boutons noirs. D'un porte-bonheur en argent en forme de petit chat, avec son ruban rouge. »

La dame me regardait maintenant et ses yeux étaient brillants sous ses sourcils dessinés au crayon noir.

« Je les ai traînés partout avec moi, pendant des années, au cours de mes voyages. L'éléphant était devenu rose. Il était usé jusqu'au crin dont il était bourré mais je refusais de le jeter. C'étaient les seuls jouets que j'aie jamais eus. Je les portais dans mon sac à dos avec leurs têtes qui dépassaient pour qu'ils puissent respirer. »

Elle ne disait rien. J'entendais la respiration monter comme un râle dans sa gorge.

« Elle m'a appris à lire les lignes de la main, les cartes de tarot, les feuilles de thé et les runes. Les cartes sont toujours là-haut, dans une boîte. Je ne m'en sers pas souvent. Cela ne prouve pas grand-chose, je sais, mais c'est la seule chose qui me reste d'elle. »

Elle me dévisage maintenant, les lèvres un peu écartées, les coins de la bouche fixés par une émotion bien trop compliquée pour être interprétée.

« Elle me répétait que vous n'auriez pas pu me garder, que vous n'auriez pas su que faire. Mais elle avait conservé le petit porte-bonheur, avec ses cartes et les coupures de journaux. Avant de mourir, je suis certaine qu'elle avait l'intention de me dire tout ça, mais, à ce moment-là, je ne voulais pas y croire. Non je ne le *voulais* pas.

– Je chantais toujours une petite chanson pour endormir ma fille. Vous en souvenez-vous ? »

J'ai réfléchi un instant. Je n'avais que dix-huit mois à l'époque. Comment pourrais-je m'en souvenir ?

Alors, soudain, j'ai compris. La chansonnette pour détourner le vent méchant, celle qui apaisait les Bonnes Dames charitables.

V'là l'bon vent, v'là l'joli vent !
V'là l'bon vent, ma mie m'appelle.
V'là l'bon vent, v'là l'joli vent !
V'là l'bon vent, ma mie m'attend.

Alors elle ouvre la bouche et pousse un gémissement, un long cri d'espoir qui retentit comme un battement d'ailes. « Oui, c'était ça ! C'était ça ! » Sa voix tremble et elle bascule vers moi, les bras ouverts, comme un enfant qui se noie.

Pour l'empêcher de tomber, j'ouvre les bras aussi pour l'attraper. Elle a une odeur de violettes fanées et de vêtements que l'on ne porte plus depuis longtemps, de boules à mites, de dentifrice, de poudre et de poussière. Une odeur tellement différente du parfum de bois de santal de ma mère que j'ai bien de la peine à retenir mes larmes.

« Vianne ! dit-elle. Ma Vianne ! »

Et je la presse contre moi comme j'ai pressé ma mère pendant les jours et les semaines qui ont précédé sa mort, je prononce des paroles réconfortantes qu'elle n'entend pas mais qui la calment un peu. À la fin, elle commence à pleurer avec les longs sanglots épuisés de celle qui a vu plus de malheur que ses pauvres yeux ne peuvent en supporter et qui a ressenti plus d'émotion que son cœur ne peut en endurer.

J'ai attendu patiemment qu'ils s'arrêtent. Et bientôt, les bruits déchirants qui s'échappaient de sa poitrine n'ont plus été que des vagues de tremblements profonds. Elle a tourné un visage ravagé de larmes vers les gens qui l'entouraient. Pendant un long moment, personne n'a fait un geste. Certaines choses sont tout simplement trop étonnantes pour être acceptées comme cela. Cette femme avait mis son chagrin à nu devant eux, les avait transformés en enfants reculant devant l'animal féroce qui agonise dans la rue.

Personne ne lui a offert de mouchoir.

Personne ne l'a regardée en face.

Personne n'a parlé.

C'est alors qu'à ma surprise, Mme Luzeron s'est levée et a déclaré d'une voix claire comme du cristal : « Ma pauvre petite dame. Je vous comprends si bien !

– Vous comprenez ? » Les yeux de la dame étaient une mosaïque de larmes.

« J'ai perdu mon fils, vous savez. » Elle a posé la main sur l'épaule de la dame et l'a conduite au fauteuil tout proche. « Vous avez subi un choc ! Buvez donc un peu de champagne ! Mon défunt mari disait toujours que le champagne était très bon, que c'était un vrai remontant. »

La dame a eu un petit sourire hésitant : « Vous êtes bien bonne, madame !

– Héloïse, je vous en prie ! Et vous ?

– Michèle ! »

Alors, ma mère s'appelait donc Michèle ?

Et j'ai pensé : *Au moins je peux toujours être Vianne !* Et je me suis mise à trembler si violemment que j'ai presque failli m'écrouler sur ma chaise.

Nico, inquiet, m'a demandé : « Ça va ? »

J'ai hoché la tête en essayant de sourire.

« Vous me paraissez avoir besoin d'un remontant, aussi ! » a-t-il dit en me passant un verre de cognac. Il avait l'air si sérieux et si incongru avec sa perruque à la Henri IV et son pourpoint de soie à brandebourgs que je me suis mise à pleurer – je sais que c'était complètement idiot – et, pendant un instant, j'ai totalement oublié la petite scène interrompue par l'histoire de Michèle.

Mais Thierry, lui, ne l'avait pas oubliée. Il était peut-être bien éméché mais pas assez ivre pour avoir oublié pourquoi il avait suivi Roux jusqu'ici. Il était venu pour trouver Vianne Rocher et il l'avait trouvée. Elle n'était peut-être pas tout à fait ce qu'il avait imaginé mais elle était ici et avec l'Ennemi…

« Alors, Vianne Rocher, c'est toi ? » Sa voix était sans timbre. Ses yeux ne semblaient pas plus gros que des piqûres d'épingle dans une boule de pâte rouge.

J'ai hoché la tête. «Oui, mais je ne suis pas celle qui a encaissé les chèques…»

Il ne m'a pas laissée finir. «Je me fous des chèques! Mais je ne me fous pas de tes mensonges. Car tu as menti. Tu *m*'as menti!» Il a secoué la tête d'un air furieux. Il y avait quelque chose de pitoyable dans ce geste-là, comme s'il était incapable de croire qu'une nouvelle fois la vie l'avait trahi en ne lui offrant pas la perfection qu'il en attendait.

«J'étais prêt à t'épouser.» Il n'articulait même plus, tellement il était plein de pitié pour lui-même. «Je vous aurais offert un toit, à tes gamines et à toi. Des gamines qui étaient celles d'un autre. Mais regardez un peu celle-ci.» Il a jeté un regard dans la direction de Rosette avec son costume de singe, et son visage a pris son rictus habituel. «C'est pratiquement un animal. Elle marche à quatre pattes. Même pas capable de prononcer un mot. Mais je m'en serais occupé. J'aurais consulté les meilleurs spécialistes d'Europe. Pour toi, Yanne. Parce que je t'aimais!

– Vous l'aimiez?» s'est exclamé Roux.

Tous se sont retournés.

Il était appuyé à la porte de la cuisine, les mains dans les poches, les yeux brillants. Il avait défait la fermeture Éclair de son costume de Père Noël. En dessous, il était vêtu de noir. Ces couleurs me rappelaient tant celles du Joueur de flûte des cartes de tarot que, soudain, j'ai été incapable de respirer. Roux parlait maintenant de cette voix dure et féroce. Roux qui déteste la foule, évite les scènes chaque fois qu'il le peut et ne fait jamais, jamais de discours.

«Vous l'*aimiez*? s'est-il exclamé. Mais vous ne la connaissez même pas. Ses chocolats préférés sont les mendiants. Sa couleur préférée est le rouge vif – le parfum qu'elle préfère est le mimosa. Elle nage comme un poisson. Elle déteste les souliers noirs. Elle est amoureuse de la mer. Sur la hanche gauche, elle a une cicatrice qui remonte au jour où elle est tombée d'un train de marchandises en Pologne. Elle n'aime pas avoir les cheveux ondulés même si, moi, je les trouve magnifiques. Elle aime les Beatles mais pas les Stones. Elle avait l'habitude de chiper les menus des restaurants où elle ne pouvait se permettre de manger. Elle est la meilleure mère que j'aie jamais rencontrée.» Il s'est arrêté. «Et elle n'a pas besoin de votre charité! Quant à Rosette…» Et il l'a prise dans ses bras et l'a tenue tout près de lui, leurs deux visages se touchant presque. «Elle n'est pas un cas médical. Elle est parfaite comme elle est!»

Thierry a paru étonné un instant. Et puis, il a commencé à comprendre. Son visage s'est assombri. Son regard est allé de Roux à Rosette

et de Rosette à Roux. Il n'y avait pas moyen de le nier. Le visage de
Rosette était peut-être moins anguleux, ses cheveux d'un ton moins
foncé, mais elle avait bien ses yeux et sa bouche moqueuse. Non, il n'y
avait pas d'erreur possible.

Thierry a fait demi-tour sur ses talons bien cirés, un geste précis,
un peu gâché par sa maladresse, car il a heurté la table de la hanche,
faisant ainsi basculer une coupe à champagne qui s'est fracassée
sur le carrelage dans une explosion de faux diamants. Mais lorsque
Mme Luzeron l'a ramassée…

Nico s'est exclamé : « Eh bien, ça alors ! C'est une veine. J'aurais
juré l'avoir entendue se briser ! »

La dame m'a regardée d'un air étrange.

« Oui, je crois bien que c'est d'la veine ! »

Exactement comme la petite coupelle bleue en verre de Murano
que j'avais fait tomber ce fameux jour. Mais ma peur a disparu maintenant. Je n'ai qu'à regarder Rosette dans les bras de son père. Ce que
je ressens alors n'est pas de la consternation, ni de l'angoisse ni de la
peur, mais un débordement de fierté.

« Eh bien ! Profitez-en pendant que vous le pouvez encore ! » Thierry
se tenait à la porte, gigantesque dans son costume rouge. « Parce que, à
partir d'aujourd'hui, je vous sers notification pour que vous ayez vidé
les lieux dans les trois mois à venir, comme prévu dans notre contrat,
date après laquelle je fais fermer le magasin. » Il m'a regardée alors
d'un air jovial et méchant. « Quoi ? Vous vous imaginiez peut-être
que vous pourriez rester ici, après tout ce qui s'est passé ? C'est moi
le propriétaire, ou l'aviez-vous oublié ? J'ai des projets dans lesquels
vous n'avez aucune part. Alors, amusez-vous bien avec votre petite
chocolaterie ! À Pâques, vous serez partis ! »

Ce n'était pas la première fois que j'entendais ces paroles-là. Et
quand il a claqué la porte derrière lui, ce n'est pas de la peur que j'ai
ressentie mais un élan de fierté surprenante. Le pire était passé et nous
avions survécu. L'Inconstant était de nouveau vainqueur mais, cette
fois, je n'avais pas de sentiment de défaite. J'étais prise de délire, prête
à affronter les Furies elles-mêmes.

C'est alors qu'une terrible pensée m'a envahie. Je me suis brusquement levée et mon regard a fait le tour de la pièce. Les conversations avaient repris, d'abord lentement mais s'élevant graduellement.
Mme Luzeron versait du champagne. Nico avait commencé à
bavarder avec Michèle. Paupaul flirtait avec Mme Pinot. D'après
ce que je pouvais saisir, ils étaient tous d'accord et pensaient que,
comme Thierry était éméché, ses menaces n'étaient que des menaces

d'ivrogne qu'il aurait oubliées dès le matin parce que, maintenant, la chocolaterie faisait partie de Montmartre et qu'il était aussi inconcevable qu'elle disparaisse que s'il s'agissait du P'tit Pinson.

Mais quelqu'un était parti. Zozie était partie.

Et, d'Anouk, il n'y avait aucune trace.

14

La Lune montante

Lundi 24 décembre
Veille de Noël – 23 heures 15

Je n'avais pas vu Pantoufle depuis longtemps. J'avais presque oublié ce que c'était de l'avoir près de moi, de savoir qu'il me surveillait de ses yeux noirs comme des prunelles ou de sentir sa douce chaleur sur mon genou ou sur mon oreiller, tard le soir, au cas où j'aurais peur de l'Homme noir. Mais Zozie était déjà arrivée à la porte et nous devions prendre cet Inconstant.

Mentalement, j'appelle Pantoufle. Je ne peux tout de même pas simplement partir sans lui. Mais il ne vient pas. Il reste assis près de la cuisinière avec cet air qu'il a et ses moustaches frémissantes. C'est drôle, mais je ne me souviens pas de l'avoir jamais vu aussi clairement avec les poils de sa fourrure et de ses moustaches gravés en lumière contre le fond sombre. Et cette odeur aussi qui vient de la petite casserole.

Je me dis que c'est seulement du chocolat.

Mais ce chocolat-ci n'a pas tout à fait la même odeur. Comme le chocolat chaud et crémeux que je buvais lorsque j'étais petite, avec des copeaux de chocolat râpé, de la cannelle et une cuiller minuscule pour le mélanger.

«Alors, tu viens ou tu ne viens pas?»

De nouveau, j'appelle Pantoufle. Il n'entend toujours pas. Bien sûr, je veux partir. Je veux voir tous ces endroits dont elle m'a parlé. Je veux chevaucher le vent et être une enchanteresse. Mais il y a Pantoufle, assis près de la casserole de cuivre. Et je suis incapable de lui tourner le dos.

Je sais qu'il n'est rien d'autre qu'un produit de mon imagination, alors que Zozie est ici, bien réelle et bien vivante, mais il y a quelque chose dont je dois absolument me souvenir, un conte que Maman me racontait autrefois, à propos d'un garçon qui avait donné son ombre…

«Allons, Anouk, viens!» Sa voix est sèche. Maintenant, dans la cuisine, le vent me paraît froid et, sur la marche extérieure, il y a de la neige. Sur ses chaussures aussi. À l'intérieur du magasin, soudain, j'entends un bruit. L'arôme du chocolat caresse mes narines. C'est Maman qui m'appelle.

Mais Zozie me saisit la main et me tire pour me faire passer le seuil de la porte de derrière. Je sens mes souliers glisser sur la neige et le froid de la nuit traverser ma cape.

Une dernière fois, j'appelle Pantoufle.

Enfin, il vient vers moi, comme une ombre sur la neige. Un instant, j'aperçois son visage, à elle, pas dans le Miroir fumant mais dans l'ombre de Pantoufle. C'est le visage d'une inconnue, pas du tout celui de Zozie, un visage tordu, déformé comme une poignée de ferraille, et vieux, si vieux, comme celui de l'arrière-grand-mère la plus vieille du monde. Au lieu de la robe rouge qui ressemble à celle de Maman, elle porte une jupe faite de cœurs humains et ses chaussures sont du sang sur la neige qui s'amoncelle.

Je pousse un cri en essayant de me dégager. Elle dessine de ses ongles, sur ma main, le signe du Jaguar. Je l'entends m'assurer que tout ira parfaitement bien, me dire de ne pas être effrayée, qu'elle m'a choisie, qu'elle me veut, qu'elle a besoin de moi, et que personne d'autre ne comprendrait.

Je sais maintenant que je suis incapable de résister, qu'il faut que je parte, que je suis allée trop loin, que ma magie à moi ne vaut rien à côté de la sienne… Mais l'odeur du chocolat est toujours là, si forte, celle d'une forêt après une averse et, soudain, j'aperçois quelque chose d'autre, une image un peu floue. C'est une petite fille. Elle n'a que quelques années de moins que moi. Elle est dans une sorte de boutique. Une sorte de boîte noire est devant elle, comme le porte-bonheur en forme de cercueil qui pend au bracelet de Zozie.

«Anouk!»

C'est la voix de Maman qui m'appelle et, pourtant, je ne peux pas la voir. Elle est trop loin. Zozie me tire par la main dans l'obscurité et mes pieds suivent… dans la neige. La petite fille va ouvrir la boîte.

À l'intérieur, il y a quelque chose d'horrible. Si seulement je savais quoi. Je pourrais alors l'en empêcher, peut-être.

Nous avons atteint le coin de la place des Faux-Monnayeurs, en face de la chocolaterie, dans le haut de la rue pavée où la lumière d'un réverbère éclaire la neige. Nos ombres s'allongent jusqu'au bas de l'escalier. Du coin de l'œil, j'aperçois Maman là-bas. De la fenêtre, elle regarde la place. Elle me semble à cent kilomètres. Je sais pourtant qu'elle ne peut pas être très loin. Et il y a Roux et Rosette, Jean-Loup et Nico aussi. Leurs visages semblent lointains comme dans un télescope.

La porte s'ouvre et Maman sort.

La voix lointaine de Nico dit : « Bon dieu ! Mais qu'est-ce que c'est ? »

Derrière eux, le murmure des voix se meurt dans un bruit de parasites.

Le vent se lève. C'est l'Hurakan. Contre ce vent-là, Maman n'a aucune chance. Elle va pourtant essayer, je le vois. Elle paraît tout à fait calme, souriante, presque. Je me demande comment j'ai pu – ou comment n'importe qui d'autre a pu – croire qu'elle ressemblait, même un tout petit peu, à Zozie…

Zozie a un sourire de cannibale et dit : « Enfin une petite réaction ! Mais trop tard, Vianne. J'ai gagné la partie. »

Maman réplique : « Vous n'avez rien gagné du tout. Les gens comme vous ne gagnent jamais. Vous pensez quelquefois avoir remporté une victoire mais ce n'est jamais qu'un mirage. »

Zozie laisse échapper un grognement : « Et comment le savez-vous ! La gamine m'a suivie de son plein gré. »

Maman ne répond rien. « Anouk, viens ici ! »

Je suis clouée sur place, pétrifiée, dans cette lumière froide. Je *veux* obéir mais un hameçon de glace est fiché dans mon cœur et me tire dans l'autre direction.

C'est trop tard. Tu as choisi. L'Hurakan ne va pas lâcher prise.

« S'il te plaît, Zozie ! Je veux rentrer à la maison. »

À la maison ? Mais quelle maison ? Les meurtriers n'ont pas de maison, Nanou. Ils chevauchent le vent.

« Mais je n'ai tué personne ! »
En es-tu bien sûre ?
Son rire grince comme un bout de craie sur un tableau.
Je crie : « Lâche-moi ! »
De nouveau, elle se met à rire. Ses yeux ont la couleur de charbons

ardents, sa bouche est réduite à un fil. Je me demande comment j'ai
pu la trouver formidable. Son odeur est une odeur de crabe mort et
de gas-oil. Ses mains sont des paquets d'os. Sa chevelure, des algues
pourrissantes. Sa voix est celle de la nuit et du vent. Je vois comme elle
est affamée, comme elle s'apprête à m'avaler d'une seule bouchée.

Alors, Maman se met à parler. Malgré son apparence de calme,
ses couleurs sont comme une aurore boréale, plus brillantes que les
Champs-Élysées. D'une pichenette, elle envoie dans la direction de
Zozie ce petit signe que je connais si bien.

Esprit méchant, va-t'en!

Zozie a, pour elle, un sourire de pitié. Autour de ses hanches, le
collier de cœurs se soulève et frétille comme la jupe d'une *cheerleader*.

Maman refait le signe. *Esprit méchant, va-t'en!* Cette fois, une
étincelle traverse la place en petits ricochets comme une étincelle de
feu de joie.

Zozie sourit de nouveau. « C'est ce que vous pouvez faire de mieux ?
dit-elle. Cette magie familiale, ces sortilèges à la portée d'un enfant ?
Quel gâchis, Vianne, vous auriez pu, avec nous, chevaucher le vent.
Enfin, certaines personnes sont trop vieilles pour changer. Certaines
ont simplement trop peur de la liberté! »

Elle fait un pas dans la direction de Maman mais, encore une fois,
elle se transforme. C'est de la magie, bien sûr. Elle est si belle pourtant
que je ne peux en détacher les yeux. Le collier de cœurs autour de ses
hanches a disparu. Elle ne porte presque rien, à part ces choses qui
s'emboîtent les unes dans les autres pour lui faire une jupe de jade, et
des tas de bijoux en or. Sa peau a une couleur de crème au chocolat. Sa
bouche est rouge comme une grenade. Elle sourit à Maman et dit :

« Pourquoi ne pas vous joindre à nous, Vianne ? Il est encore
temps. Nous serions invincibles, toutes les trois. Bien plus fortes que
les Dames charitables. Plus fortes que l'Hurakan. Nous serions formidables, Vianne. Irrésistibles. Nous pourrions vendre partout rêves et
philtres d'amour. Pas simplement ici. Vos chocolats obtiendraient un
succès mondial. Avec des succursales un peu partout dans le monde.
Vous seriez aimée de tous, Vianne. Vous pourriez changer la vie de
millions de personnes... »

Maman a tressailli. *Esprit méchant, va-t'en!* Mais le cœur n'y est plus
et la petite étincelle s'éteint avant d'avoir atteint le milieu de la place.
Elle fait un pas vers Zozie – qui n'est pas à plus de trois mètres d'elle – et
ses couleurs ont disparu. Elle a l'air d'être dans une sorte de rêve.

Moi, je veux lui dire que, tout ça, c'est de la tricherie, que la
magie de Zozie n'est rien de plus qu'un œuf de Pâques bon marché –

beaucoup de papier brillant mais, une fois ouvert, complètement vide – alors je me souviens de ce que Pantoufle m'a montré : la petite fille, la boutique, la boîte noire et l'arrière-grand-mère assise là, avec son sourire de loup déguisé.

Alors, soudain, je découvre que j'ai une voix et je hurle aussi fort que je le peux, sans savoir exactement ce que les mots veulent dire, tout en comprenant pourtant que ce sont des mots puissants, des mots capables de conjurer, des mots pour arrêter le vent d'hiver.

Et je crie : « Zozie ! »

Elle me regarde.

Et je demande : « Qu'y avait-il dans la *piñata* noire ? »

La Lune montante

Lundi 24 décembre
Veille de Noël – 23 heures 25

L e charme est rompu. Elle s'est arrêtée. Elle m'a regardée fixement. Elle s'est avancée vers moi et a approché son visage tout près du mien. Je la reniflais maintenant, sa puanteur de crabe mort. Je n'ai pourtant pas fermé les yeux, ni détourné le regard.

Elle a grogné en montrant les dents : « Tu oses me demander ça ? »

Je pouvais à peine supporter de la regarder. Son visage avait de nouveau changé. Elle était effroyable. Une géante à la bouche grande comme une caverne hérissée de dents moussues. Le bracelet d'argent à son poignet était maintenant fait de crânes. Du sang coulait de son jupon de cœurs comme un rideau de sang sur la neige. Elle était terrible, mais elle avait peur. Derrière elle, Maman la regardait avec un étrange sourire sur son visage comme si elle comprenait bien mieux que moi ce qui se passait.

Pour m'encourager, elle a fait le plus minuscule des signes de tête.

J'ai redit les paroles magiques : « Qu'y avait-il dans la *piñata* noire ? »

Un cri rauque s'est échappé de la gorge de Zozie. « Mais je croyais que nous étions amies, Nanou ? »

Elle était redevenue Zozie, la Zozie d'autrefois, avec ses souliers à talons cerise, sa jupe rouge, sa mèche de cheveux roses et les perles multicolores qui cliquetaient à son cou. Elle paraissait si réelle, si familière que mon cœur s'est serré de la voir si triste. Sa main tremblait sur mon épaule. Ses yeux se sont remplis de larmes quand elle a murmuré :

S'il te plaît, oh! s'il te plaît, Nanou, ne me le fais pas dire!

Ma mère était à deux mètres de là. Derrière elle, sur la place, se tenaient Jean-Loup, Roux, Nico, Mme Luzeron, Alice. Leurs couleurs éclataient comme des feux d'artifice du 14 juillet, verts et dorés, argent et rouges.

J'ai soudain perçu l'odeur du chocolat qui arrivait jusqu'à moi par la porte ouverte. J'ai pensé à la casserole de cuivre sur le feu, à la façon dont la vapeur était venue vers moi comme les doigts implorants d'un fantôme dont j'avais presque entendu la voix (celle de ma mère) qui me disait : *Laisse-toi tenter! Savoure-moi!*

J'ai pensé au nombre de fois où elle m'avait proposé du chocolat chaud et où je l'avais refusé. Non pas parce que je ne l'aimais plus mais parce que j'étais fâchée qu'elle eût changé, que je la tenais pour responsable de ce qui nous était arrivé, que je voulais la punir, lui montrer que je n'étais plus la même.

Mais j'ai pensé que Zozie n'était pas la coupable, que Zozie n'était que le miroir qui nous renvoyait ce que nous voulions y voir. Nos espoirs, nos haines, notre vanité. Mais quand on le regarde de près, un miroir, après tout, n'est qu'un morceau de verre.

Alors, pour la troisième fois, j'ai demandé de ma voix la plus claire :

« Qu'y avait-il dans la *piñata* noire ? »

Le Soleil noir

Lundi 24 décembre
Veille de Noël – 23 heures 30

T out est si clair pour moi, maintenant, comme les images
d'une carte de tarot. La boutique obscure. Les crânes sur les
étagères. La petite fille. L'expression de l'arrière-grand-mère
au visage plein de cette effroyable envie.

Je sais qu'Anouk voit tout cela aussi. Zozie, elle-même, le voit et
son visage se transforme constamment, passant de la vieillesse à la
jeunesse, de Zozie à la Reine de Cœur dont la bouche déformée tantôt
par le mépris, tantôt par l'indécision, avoue finalement une peur non
déguisée. Elle n'a que neuf ans maintenant. Une petite fille dans son
costume de carnaval, un bracelet d'argent à son poignet.

Elle dit : « Tu veux savoir ce qu'il y avait à l'intérieur ? Tu veux
vraiment savoir ? »

Le Jaguar

Lundi 24 décembre
Veille de Noël – 23 heures 30

Alors, comme ça, tu veux vraiment savoir, Anouk ?

Il faut que je te dise ce que j'ai vu ?

Vous vous demandez à quoi je m'attendais exactement. À des bonbons, peut-être à des sucettes, à des crânes en chocolat, à des colliers de dents en sucre, à toutes ces friandises de mauvais goût du Jour des Morts, prêtes à jaillir avec un boum de la *piñata* noire comme une pluie de confetti sombres ?

Ou à quelque chose d'autre ? À quelque révélation secrète, à une brève vision de Dieu, à une allusion discrète de l'au-delà, à quelque chose qui nous assure peut-être que les morts vivent toujours parmi nous, invités à notre table, incapables de repos, gardiens de quelque secret fondamental qui, un jour, nous sera révélé ?

N'est-ce pas ce que nous désirons tous ? Croire à la résurrection du Crucifié, à la protection que nous donnent les anges ? Croire que manger du poisson un vendredi a parfois un caractère sacré et, à d'autres, est un péché mortel ? Qu'un moineau qui tombe du ciel – ou une tour ou deux – est un événement d'importance capitale, ou même une race entière anéantie au nom d'une divinité quelconque que l'on distingue à peine dans toute une ribambelle de Seuls Vrais Dieux. Ah ! Mon Dieu, qu'ils sont fous, ces mortels ! Et le plus drôle, c'est que nous le sommes tous ! Les dieux, eux-mêmes, le sont ! Car, malgré les millions d'êtres humains massacrés en leur nom, malgré toutes les prières, les sacrifices, les guerres et les révélations, qui se souvient *vraiment* des anciens dieux – de Tlaloc et de Coatlicue, de Quetzalcoatl et même de cette vieille affamée de Mictecacihuatl dont les temples ont été classés parmi «les trésors du patrimoine», dont les piédestaux renversés, les pyramides envahies par la végétation sont engloutis par le temps, comme le sang par le sable?

Et devons-nous vraiment nous inquiéter, Anouk, si, dans cent ans, le Sacré-Cœur est devenu une mosquée, ou une synagogue, ou quelque chose d'entièrement différent? À ce moment-là, nous serons tous du sable, sauf Celle qui a toujours été, Celle qui bâtit des pyramides et élève des temples, qui crée des martyrs et compose une musique sublime, qui nie toute logique, loue les humbles, reçoit les âmes dans son Paradis, décrète quels vêtements l'on doit porter, chasse les infidèles, peint la chapelle Sixtine, persuade les jeunes de mourir pour une cause, anéantit des ligues entières par télécommande, fait beaucoup de promesses, en tient peu et ne craint personne. Car la peur de la Mort est tellement plus puissante que l'honneur, la foi, la bonté et l'amour…

Mais pour en revenir à ta question… De quoi s'agissait-il déjà?

Ah! Oui, la *piñata* noire!

Tu crois que j'y ai découvert la réponse?

Désolée, fillette! *Ce que tu te gourres, ce que tu te gourres!*

Tu veux savoir ce que j'ai vu, Anouk?

Je n'ai RIEN vu. Voilà! Rien du tout. Pas de réponse, pas de certitude, pas de comptes à régler, pas de vérité. Du vent et c'est tout! Voilà ce que la *piñata* a laissé échapper. Du vent. Un seul gros rot, puant, comme l'haleine du réveil après mille ans de sommeil.

La pire chose, Anouk, est ce RIEN. Pas de sens, pas de message, pas de démon et pas de dieu. On meurt et il n'y a plus rien. Plus rien du tout.

Elle me dévisage de ses yeux sombres.

«C'est faux, dit-elle. Il y a quelque chose.

– Quoi? Tu penses vraiment que tu as trouvé quelque chose ici? Tu te trompes. La chocolaterie? À Pâques, Thierry vous en aura déjà expulsées. Comme tous les prétentieux, il est rancunier. Dans quatre mois, vous vous retrouverez Gros-Jean comme devant. Vous serez à trois, sur la route et sans un sou.

– Tu crois que tu auras Vianne? Ce n'est pas vrai, crois-moi! Elle n'a pas même le courage d'être elle-même, sans parler d'être une mère pour toi. Tu crois que tu auras Roux? N'y compte pas! Lui te ment encore plus que les autres. Demande-lui donc de te montrer son bateau, Anouk! Demande à voir son précieux *bateau*!»

Je vois bien maintenant qu'elle ne me suit pas. Elle me regarde. Je ne vois aucune peur dans ses yeux mais quelque chose que je n'arrive pas à déchiffrer tout à fait.

De la pitié ? Non, elle n'oserait pas !

« Cela doit être bien difficile à supporter, la solitude !

– La solitude ? »

J'émets un feulement de rage silencieuse. Le cri du Jaguar qui se met en chasse, de Tezcatlipoca, la Noire, sous son aspect le plus terrible. La gamine ne bronche pas. Elle sourit et me prend par la main.

Elle dit : « Avec tous ces cœurs que tu as cueillis au passage, tu n'en as pas même trouvé un pour toi. C'est pour cela que tu me voulais ? Parce que tu ne pouvais plus supporter la solitude ? »

Je la dévisage, muette d'indignation. Est-ce par amour que le Joueur de flûte vole les enfants ? Est-ce par un désir mal placé de ne plus être seul que le Grand Méchant Loup séduit le Petit Chaperon rouge ? Mais, petite imbécile, je suis la Dévoreuse de Cœurs, la Peur de la Mort, la Vilaine Sorcière. Je suis le plus sinistre de tous les contes de fées et tu oses avoir pitié de moi ?

Je la repousse : elle ne veut pas partir. De nouveau, elle me tend la main et, soudain, je ne pourrais vous dire pourquoi, je commence à avoir peur.

Une sorte de pressentiment, si vous voulez, ou une attaque cérébrale causée par l'excitation, le champagne et un abus de *pulque*. Soudain, je transpire mais je frissonne aussi, ma poitrine est oppressée, ma respiration irrégulière. Le *pulque* produit parfois des réactions imprévisibles – chez certains, une prise lucide de conscience, des visions intenses – mais il peut conduire au délire aussi, pousser à des actes téméraires celui qui en a bu, à révéler bien plus de son moi intime qu'il n'est raisonnable pour quelqu'un comme moi.

Et maintenant la vérité m'apparaît. Je comprends que, dans mon impatience de faire mienne cette gamine, j'ai commis une erreur. J'ai laissé voir mon vrai visage. Cette découverte soudaine me trouble. Elle m'est insupportable, inavouable. Elle me déchire comme une chienne affamée.

« Laisse-moi ! »

Anouk sourit.

Alors une véritable panique s'empare de moi. Je repousse l'enfant de toutes mes forces. Elle glisse et tombe à la renverse sur la neige. Même là, elle me tend encore la main avec un regard de pitié.

Vient un moment où le meilleur d'entre nous doit décider de fuir et d'abandonner. Je me dis qu'il y en aura toujours d'autres, qu'il y aura toujours de nouvelles cités, de nouveaux défis, de nouvelles occasions. Aujourd'hui, personne ne sera victime.

Et surtout pas moi.

Et je cours en aveugle sur la neige, trébuchant sur les pavés glissants, oubliant toute prudence dans ma hâte de fuir, m'égarant dans ce vent qui, soufflant de la Butte, s'élève comme un chuchotement de fumée noire au-dessus de Paris, en route pour je ne sais quelle destination.

18

Le Soleil noir

Lundi 24 décembre
Veille de Noël – 23 heures 35

J'ai préparé une casserole de chocolat. C'est ce que je fais toujours quand je me sens stressée, et l'étrange petite scène qui s'était déroulée devant le magasin en avait secoué plus d'un parmi nous. Un effet de lumière, sans doute, a déclaré Nico, cette étrange qualité de lumière que donne la neige, ou trop de vin, ou quelque chose que nous avons mangé peut-être…

Je ne l'ai pas détrompé. Les autres, non plus, pendant que je ramenais Anouk vers la chaleur du magasin et que je versais le chocolat chaud dans sa tasse.

« Fais attention, Nanou, c'est très chaud ! »

Voilà quatre ans qu'elle n'a pas bu de mon chocolat. Cette fois, pourtant, elle l'a bu sans protester. Enveloppée dans une couverture, elle était déjà à moitié somnolente et n'a pas pu nous dire ce qu'elle avait vu pendant ces quelques minutes passées dehors, dans la neige, pas plus qu'elle n'a pu expliquer la disparition de Zozie, ni l'impression étrange que j'avais eue en entendant de très loin leurs voix.

Nico a découvert quelque chose à la porte.

« Eh bien, dites donc, elle a perdu une chaussure ! » Il a secoué la neige qui fondait de ses bottes et a déposé la chaussure, entre nous, sur la table. « Hum ! Du chocolat ! Chic ! » Et il s'en est généreusement versé une tasse.

Anouk, pendant ce temps, avait saisi la chaussure. Une seule chaussure de riche velours rouge, au talon compensé, découpée sur le bout du pied et rehaussée de porte-bonheur et de signes, la chaussure idéale pour une aventurière en fuite.

Laisse-toi tenter! disait-elle.

Laisse-toi tenter! Essaie-moi!

Pendant une seconde, Anouk fronce le sourcil puis laisse tomber la chaussure par terre. « Tu ne sais pas que cela porte malchance de laisser des chaussures sur une table ? »

Derrière la main, je dissimule un sourire.

Je lui dis : « Il est presque minuit. Tu es prête à ouvrir les cadeaux ? »

À ma surprise, Roux secoue la tête : « J'avais presque oublié ! Il se fait tard. Nous n'avons que le temps si nous nous pressons ! »

– Le temps pour quoi ?

– C'est une surprise !

– Plus belle que les cadeaux ? »

Roux sourit. « Ce sera à toi de décider ! »

Le Soleil noir

Lundi 24 décembre
Veille de Noël – minuit

L e port de l'Arsenal est à dix minutes à pied de la place de la Bastille. Depuis Pigalle, en changeant à la Concorde, le dernier métro nous a permis d'y arriver quelques minutes avant minuit. À ce moment-là, les nuages avaient déjà disparu et je voyais des tranches de ciel étoilé dans un cadre orange et or. Une légère trace de fumée mettait sa touche de mélancolie dans l'air. Seules, au second plan, les pâles tours de Notre-Dame s'élevaient dans l'étrange luminescence de la neige.

J'ai demandé : « Que faisons-nous ici ? »

Roux a souri. Il a posé un doigt sur ses lèvres. Il portait Rosette qui semblait tout à fait alerte et regardait tout de l'œil éveillé de l'enfant qui, depuis longtemps, aurait dû être au lit et qui profite au maximum de cette situation inaccoutumée. Anouk aussi paraissait tout à fait éveillée, mais son visage tendu me laissait deviner que ce qui s'était passé place des Faux-Monnayeurs n'était pas encore tout à fait oublié. La plupart de nos invités étaient restés à Montmartre, mais Michèle était avec nous, presque craintive à l'idée de se joindre à notre groupe, comme si quelqu'un allait penser qu'elle n'en avait pas le droit. Elle me touchait de temps en temps le bras, comme ça, par hasard, ou caressait les cheveux de Rosette puis contemplait ses mains comme pour y voir une marque, un signe, quelque chose qui lui prouverait que tout était bien réel.

« Voudriez-vous tenir Rosette ? »

Michèle, en silence, a secoué la tête. Je ne l'avais pas vraiment entendue parler depuis que je lui avais appris qui j'étais. Trente années de chagrin et d'espoir non satisfait ont donné à son visage cet air de chose trop souvent pliée et froissée. Sur ce visage-là, un sourire semble un peu quelque chose d'incongru. Elle essaie pourtant, maintenant, comme elle essaierait un vêtement sachant qu'il ne lui ira sans doute pas.

Elle a dit : « Ils essaient de vous préparer au chagrin mais l'idée ne leur viendrait jamais de vous préparer pour le contraire. »

J'ai hoché la tête : « Je sais, mais ça ira. Nous nous débrouillerons ! »

Elle a souri. Cette fois, le sourire était mieux réussi et a fait passer un rapide éclair dans son regard. En me prenant par le bras, elle a ajouté : « Je le crois. J'ai dans l'idée que c'est un trait de famille. »

C'est à ce moment-là qu'est parti le premier feu d'artifice. Un bouquet de chrysanthèmes s'est ouvert au-dessus de la Seine. Plus loin, un autre lui a fait écho, puis un autre et un autre ont dessiné leurs gracieuses arabesques de lumière dorée et verte au-dessus de l'eau.

Roux a dit : « Il est minuit. Bon Noël ! »

Assourdis par la distance et la neige, les feux d'artifice étaient pratiquement inaudibles. Pendant une dizaine de minutes, ils ont continué en série de lumineuses toiles d'araignée, en bouquets, étoiles filantes et serpenteaux de feu bleus, argent, rouges et roses, se répondant et se faisant signe de Notre-Dame jusqu'à la place de la Concorde.

Michèle les a regardés, le visage détendu, illuminé de quelque chose de bien plus puissant que de simples fusées de feux d'artifice. Rosette faisait des signes avec un enthousiasme proche du délire et poussait des cris de joie silencieux. Anouk, elle, regardait avec un air solennel de parfait contentement.

Elle a dit : « C'était le plus beau de tous les cadeaux ! »

Roux s'est exclamé : « Mais ce n'est pas tout. Suivez-moi ! »

Nous avons alors descendu le boulevard de la Bastille vers le port de l'Arsenal où sont mouillés des bateaux de toutes tailles, loin des montées d'eau soudaines et de l'agitation de la Seine.

« Mais elle disait que tu n'avais pas de bateau. » C'était la première fois qu'Anouk parlait de Zozie depuis la scène au Rocher de Montmartre.

Roux a souri : « Regarde ! » Et il a indiqué du doigt le pont Morland.

Anouk s'est dressée sur la pointe des pieds pour mieux voir et, écarquillant les yeux, elle a demandé d'un ton enthousiaste : « Lequel est le tien ?

– Tu ne devines pas ? »

Le long de l'Arsenal, il y a sûrement au mouillage des bateaux plus impressionnants. Le port accueille des navires de plus de vingt-cinq mètres. Celui-ci n'en fait que la moitié à peine. Il est vieux. Je le vois d'ici. Plus construit pour le confort que pour la vitesse. Moins fine que celle de ses voisins, sa silhouette est traditionnelle. Sa coque est faite de bois solide plutôt que de fibre de verre comme celle des navires plus modernes.

Pourtant le bateau de Roux se remarque tout de suite. Même à une certaine distance. Il y a quelque chose dans sa silhouette, dans sa coque peinte de couleurs vives, dans les pots de fleurs groupés à son arrière, dans son toit de verre par où l'on peut contempler les étoiles.

« C'est le tien ? demande Anouk.

– Il te plaît ? Mais ce n'est pas tout. Attends ici ! » dit Roux, et nous le voyons descendre en courant l'escalier vers le bateau mouillé tout près du pont.

Un instant, il disparaît. Puis, on aperçoit la flamme d'une allumette. Une lumière s'allume. Une bougie. Elle se déplace. Et le bateau tout entier prend vie comme, une à une, les bougies éclairent le pont, le toit, les rebords et les appuis des fenêtres de la proue jusqu'à la poupe. Des douzaines, des centaines peut-être, dans des bocaux à confiture, des soucoupes, des boîtes de conserve ou des pots de fleurs, illuminent le bateau entier comme un gâteau d'anniversaire. Nous apercevons alors ce que nous n'avions pas encore remarqué : l'auvent de toile, la devanture, l'enseigne sur le toit…

Roux nous fait de grands signes pour nous dire de nous approcher. Mais Anouk ne part pas en courant, elle me saisit la main et je sens la sienne trembler. Je m'étonne à peine de voir Pantoufle à nos pieds, dans l'ombre, et quelque chose d'autre aussi, avec une longue queue qui, pas à pas, et à petits bonds, le suit d'un air espiègle.

« Ça vous plaît ? » demande Roux.

Pendant un instant, les bougies suffisent. Le petit miracle se reflète dans l'eau tranquille en une myriade de points lumineux. Les yeux de Rosette en sont pleins. Anouk, qui me tient toujours la main, contemple la scène et laisse échapper un long soupir de langueur.

Michèle dit : « C'est beau ! »

Elle a raison, mais plus encore…

« C'est une chocolaterie, n'est-ce pas ? »

Je le vois bien. De l'enseigne encore vierge au-dessus de la porte jusqu'à la petite devanture encadrée de lumière, je vois parfaitement ce que c'est. Je ne peux même pas commencer à imaginer le temps qu'il lui a fallu pour accomplir ce petit miracle – le temps, le travail et l'amour qu'un tel projet doit exiger.

Il me regarde, les mains dans les poches, avec un soupçon d'inquiétude.

Il explique : « Ce n'était qu'une carcasse lorsque je l'ai acheté. Je l'ai asséché, réparé. J'y ai travaillé tout le temps depuis. J'l'ai payé, petit à petit, pendant presque quatre ans. Je me disais toujours que, peut-être, un jour... »

Ma bouche clôt la sienne. Il sent la peinture et le feu d'artifice. Autour de nous, les bougies vacillent. Paris resplendit sous la neige. Les dernières fusées s'éteignent de l'autre côté de la place de la Bastille et...

« Dites donc, vous deux ! Un peu de tenue ! » dit Anouk.

Ni l'un ni l'autre n'avons assez de souffle pour répondre.

Maintenant, tout est tranquille sous le pont Morland. Allongés, nous regardons les bougies s'éteindre une à une. Michèle est endormie dans une couchette. Rosette et Anouk se partagent l'autre, couvertes de la cape rouge d'Anouk. Pantoufle et Bam montent la garde pour repousser tout mauvais rêve pendant leur sommeil.

Le toit de verre de notre chambre révèle, au-dessus de nous, un ciel d'apocalypse immense et étoilé. Au loin, sur la place de la Bastille, le bruit de la circulation pourrait être un bruit de vagues déferlant sur une plage solitaire.

Ce n'est rien qu'un peu de magie bon marché, je le sais. Jeanne Rocher n'aurait sûrement pas approuvé. Mais c'est la nôtre, la mienne, la sienne. Il a un goût de chocolat et de champagne. Nous faisons glisser nos vêtements et nos corps s'enlacent sous le duvet des étoiles.

De l'autre côté du port, j'entends de la musique. Je reconnais presque l'air.

V'là l'bon vent, v'là l'joli vent

Mais il n'y a pas le moindre brin de vent.

Le Jaguar

Mardi 25 décembre
Noël

Un autre jour. Un autre cadeau qui m'attend. Une autre cité qui m'ouvre les bras. Paris avait perdu un peu de sa fraîcheur, vous savez. D'ailleurs, j'adore New York à cette époque-ci de l'année. Pour Anouk, c'est dommage. Je mets cela sur le compte de l'expérience.

Quant à sa mère – eh bien, elle a eu sa chance. Il va peut-être falloir me préparer à quelques petits désagréments pendant un certain temps. Thierry, en particulier, essaiera de faire tenir son accusation de fraude. Je ne parierais pas quand même trop sur ses chances de succès. Le vol d'identité est si banal de nos jours (comme il va le découvrir, je le devine, lorsqu'il prendra connaissance de son relevé de compte). Quant à Françoise Lavery... Trop de gens pourront témoigner de la présence de Vianne Rocher à Montmartre à cette époque.

En attendant, je pars à la recherche de nouveaux horizons. À New York, les gens reçoivent beaucoup de courrier, vous savez, et il est évident que, sur le tas, un certain pourcentage n'arrive pas à son destinataire. Noms, adresses, cartes de crédit, sans oublier coordonnées bancaires, réclamations d'argent dû, cartes de membre d'une association, CV, tous les documents qui composent notre identité et n'attendent que d'être ramassés par quelqu'un ayant un peu d'initiative...

Qui suis-je aujourd'hui ? Qui pourrais-je bien être ? Je pourrais être la première venue que vous allez rencontrer dans la rue, ou celle qui se tient derrière vous à la caisse dans le supermarché, ou votre prochaine meilleure amie. Je pourrais être n'importe qui. Je pourrais être *vous*.

N'oubliez pas !
Libre comme la bohème.
Je vais où le vent m'entraîne.

TABLE

RÉALISATION : PAO ÉDITIONS DU SEUIL
IMPRESSION : NORMANDIE ROTO IMPRESSION S.A.S., À LONRAI
DÉPÔT LÉGAL : OCTOBRE 2008. N° 98716 (083406)
Imprimé en France